O SACERDOTE E O FEITICEIRO

A Ditadura Derrotada

ELIO GASPARI

A Ditadura Derrotada

COMPANHIA DAS LETRAS

PROJETO GRÁFICO E CAPA
Raul Loureiro

ASSISTÊNCIA DE PRODUÇÃO
Rita da Costa Aguiar

FOTOS DA CAPA
Capa: Posse de Ernesto Geisel, Brasília, 15 de março de 1974 (Agência Estado)
Lombada: Ernesto Geisel e Golbery do Couto e Silva, fevereiro de 1975 (Agência Estado)
Quarta capa: Campanha eleitoral, Rio de Janeiro, novembro de 1974 (Agência O Globo)

EDIÇÃO DE TEXTO
Márcia Copola

PESQUISA ICONOGRÁFICA
Companhia da Memória
Coordenação: Vladimir Sacchetta
Pesquisa: Carlito de Campos (SP) e Ricardo Braule Pereira (RJ)
Apoio: Dedoc – Departamento de Documentação da Editora Abril

ASSISTÊNCIA EDITORIAL
Miguel Said Vieira
Lúcia Cruz Garcia
Marcelo Yamashita Salles
Luiz Henrique Ligabue F. Silva
Yumi Hirai
Rosangela de Souza Mainente
Michely Jabala Mamede Vogel
Valéria Gameleira da Mota

ÍNDICE REMISSIVO
Silvia Penteado

REVISÃO
Beatriz de Freitas Moreira
Maysa Monção

Dados Internacionais de Catalogação na Publicação (CIP)
(Câmara Brasileira do Livro, SP, Brasil)

Gaspari, Elio
A ditadura derrotada / Elio Gaspari. — São Paulo : Companhia das Letras, 2003.

Bibliografia.
ISBN 85-359-0428-X

1. Brasil - História - 1964-1985 2. Ditadura - Brasil. I. Título.

03-5477 CDD-981.08

Índice para catálogo sistemático:
1. Brasil : História, 1964-1985 981.08

2003

Rua Bandeira Paulista 702 cj. 32
04532-002 — São Paulo — SP
Telefone (11) 3707-3500
Fax (11) 3707-3501
www.companhiadasletras.com.br

Para Anna

SUMÁRIO

ABREVIATURAS E SIGLAS

Abreviaturas utilizadas

AA	Arquivo do Autor
AEG/CPDOC	Arquivo de Ernesto Geisel/CPDOC
APEG	Arquivo Privado de Ernesto Geisel
APGCS/HF	Arquivo Privado de Golbery do Couto e Silva/Heitor Ferreira
APHF	Arquivo Privado de Heitor Ferreira
BLBJ	Biblioteca Lyndon B. Johnson
DEEUA	Departamento de Estado dos Estados Unidos da América

Siglas gerais

ALN	Ação Libertadora Nacional
AP	Ação Popular
APML	Ação Popular Marxista-Leninista
Arena	Aliança Renovadora Nacional
CDED/IEVE	Centro de Documentação Eremias Delizoicov/ Instituto de Estudos sobre a Violência do Estado
Cebrap	Centro Brasileiro de Análise e Planejamento
Cepal	Comissão Econômica para a América Latina (ONU)
CGT	Comando Geral dos Trabalhadores
CNBB	Conferência Nacional dos Bispos do Brasil
CNTI	Confederação Nacional dos Trabalhadores na Indústria
CPDOC	Centro de Pesquisa e Documentação de História Contemporânea do Brasil, da Fundação Getulio Vargas
CPI	Comissão Parlamentar de Inquérito
FGV	Fundação Getulio Vargas
FIESP	Federação das Indústrias do Estado de São Paulo

IBAD	Instituto Brasileiro de Ação Democrática
IBOPE	Instituto Brasileiro de Opinião Pública e Estatística
Icomi	Indústria e Comércio de Minérios SA
IPÊS	Instituto de Pesquisas e Estudos Sociais
MDB	Movimento Democrático Brasileiro
ONU	Organização das Nações Unidas
OPEP	Organização dos Países Exportadores de Petróleo
OTAN	Organização do Tratado do Atlântico Norte
PC do B	Partido Comunista do Brasil
PCB	Partido Comunista Brasileiro
PCBR	Partido Comunista Brasileiro Revolucionário
PCI	Partido Comunista Italiano
PIB	Produto Interno Bruto
PNB	Produto Nacional Bruto
PSD	Partido Social Democrático
SESI	Serviço Social da Indústria
UDN	União Democrática Nacional
UNE	União Nacional dos Estudantes
URSS	União das Repúblicas Socialistas Soviéticas
VPR	Vanguarda Popular Revolucionária

Siglas governamentais

AI	Ato Institucional
BNDE	Banco Nacional de Desenvolvimento Econômico
CIA	Central Intelligence Agency (EUA)
CNP	Conselho Nacional do Petróleo
DIP	Departamento de Imprensa e Propaganda
DOPS	Delegacia de Ordem Política e Social
DPF	Departamento de Polícia Federal
Embrafilme	Empresa Brasileira de Filmes
Funarte	Fundação Nacional de Arte
IPEA	Instituto de Pesquisa Econômica Aplicada
MRE	Ministério das Relações Exteriores
Pasep	Programa de Formação do Patrimônio do Servidor Público
PIS	Programa de Integração Social
PND	Plano Nacional de Desenvolvimento
PSD	Partido Social Democrático
SFICI	Serviço Federal de Informações e Contra-Informação
SNI	Serviço Nacional de Informações
Sudene	Superintendência do Desenvolvimento do Nordeste

Sumoc	Superintendência da Moeda e do Crédito
USP	Universidade de São Paulo

Siglas militares

AMAN	Academia Militar das Agulhas Negras
CIE	Centro de Informações do Exército
DAC	Diretoria de Aeronáutica Civil
DOI	Destacamento de Operações Internas
EME	Estado-Maior do Exército
EMFA	Estado-Maior das Forças Armadas
ESCEME	Escola de Comando e Estado-Maior do Exército
ESG	Escola Superior de Guerra
FAB	Força Aérea Brasileira
FEB	Força Expedicionária Brasileira
HCE	Hospital Central do Exército
ID	Infantaria Divisionária
IPM	Inquérito Policial Militar
Oban	Operação Bandeirante
Para-Sar	Esquadrão Aeroterrestre de Salvamento da Força Aérea Brasileira
PE	Polícia do Exército
PM	Polícia Militar
QG	quartel-general
RI	Regimento de Infantaria
STM	Superior Tribunal Militar

EXPLICAÇÃO

Geisel (o Sacerdote) e Golbery (o Feiticeiro) formaram uma parceria sem precedentes na história do Brasil. Era uma amizade a serviço. Começava e terminava no Planalto. Geisel era o presidente da República e Golbery, seu chefe do Gabinete Civil. Não se freqüentavam, não almoçavam juntos. Contam-se nos dedos as ocasiões em que Golbery foi ao palácio da Alvorada e aquelas em que Geisel o visitou na granja do Ipê, onde morava.

Os dois generais aproximaram-se durante o primeiro governo da ditadura, quando Geisel, com 56 anos, chefiou o Gabinete Militar do presidente Castello Branco e Golbery, com 52, fundou e dirigiu o Serviço Nacional de Informações. Voltaram ao poder no dia 15 de março de 1974. Tinham o propósito de desmontar a ditadura radicalizada desde 1968, com a edição do Ato Institucional nº 5. Queriam restabelecer a racionalidade e a ordem.

Geisel recebeu uma ditadura triunfalista, feroz contra os adversários e benevolente com os amigos. Decidiu administrá-la de maneira que ela se acabasse. Não fez isso porque desejava substituí-la por uma democracia. Assim como não acreditava na existência de uma divindade na direção dos destinos do universo, não dava valor ao sufrágio universal como forma de escolha de governantes. Queria mudar porque tinha a convicção de que faltavam ao regime brasileiro estrutura e força para se perpetuar.

Em dois outros livros (*A ditadura envergonhada* e *A ditadura escancarada*) procurei contar a história do consulado militar desde a deposição do presidente João Goulart, em 1964, até a caçada dos guerrilheiros do Partido Comunista do Brasil, nas matas do Araguaia, em 74. Neste, vão narradas as vidas de Geisel e Golbery, a articulação que os levou ao Planalto, a formação do governo e seu caminho até a eleição de 1974, na qual a ampla e inesperada vitória da oposição alterou o curso da ditadura. Outro volume, que irá do início de 1975 até a demissão do general Sylvio Frota do Ministério do Exército, em outubro de 77, já está escrito. Contará como Geisel restabeleceu o primado da presidência republicana sobre os comandantes militares, que, desde 1964, viam o presidente como um delegado da desordem a que denominavam "Revolução". O quinto irá até a posse do general João Baptista Figueiredo, em março de 1979.

Este livro não existiria sem a colaboração dos dois generais. Golbery tornou-me depositário de aproximadamente 5 mil documentos guardados em 25 caixas de arquivo morto que estavam empilhadas na garagem de seu sítio, nas cercanias de Brasília. Com Geisel tive dezenas de encontros ao longo dos quais procuramos reconstituir episódios de seu governo. A partir de 1984 o ex-presidente deu-me cerca de vinte entrevistas gravadas. Elas só foram suspensas em 1996, quando Geisel adoeceu. Pelo trato, ele decidiria o destino das fitas, que guardava na mesinha ao lado do sofá da sala de seu apartamento. Devo à filha do presidente, Amália Lucy, a gentileza da remessa de doze desses cassetes, cada um com noventa minutos de depoimento, encontrados num armário de sua casa depois da morte do pai.

Conversas soltas com um e com o outro ensinaram-me de que forma usaram o poder, mas também as pequenas tristezas e alegrias de suas vidas. Golbery contava como seu pai assistiu passivamente à transformação dos prédios que herdara numa extensão da "zona" de Rio Grande. Geisel mostrou-me que em 1995 ainda guardava numa gaveta da biblioteca a folha amarelada da extração da loteria de julho de 1919, que premiou seu pai com cem contos de réis. Ouvindo-o narrar a trama do romance *A Ilha Misteriosa*, de Júlio Verne, oitenta anos depois de tê-lo lido, ficou-me a impressão de que a obstinação de Ernesto Geisel na industrialização brasileira ia além dos sentimentos de uma geração de militares. O Brasil do presidente Geisel deveu alguma coisa à convivência do menino Ernesto com aqueles personagens capazes de criar progresso e fazer coisas que o senso comum julgava impossíveis. Como ele mesmo repetia, nascera num mundo que não tinha rádio e num país que importava manteiga.

Este livro deve sua existência também à generosidade de Heitor Ferreira, assistente de Golbery no Serviço Nacional de Informações e de Geisel na Petrobrás, antes de ser nomeado seu secretário particular. Foi ele quem acumulou os documentos daquilo que se denomina Arquivo Privado de Golbery do Couto e Silva/Heitor Ferreira. Deu-me cópias de seu *Diário* no período que vai de 1964 a 1976. Em 1985 a versão integral desse documento somava dezessete cadernos escolares. Texto equivalente ao de um livro de 1500 páginas. Isso foi pouco, Heitor deu-me trinta anos de amizade.

À documentação de Golbery e Heitor juntaram-se 120 cassetes com gravações feitas entre outubro de 1973 e março de 74. Nelas, além de telefonemas, estão conversas e reuniões de Geisel com seus colaboradores no período imediatamente anterior ao início do governo. Os principais assessores de Geisel, bem como sua família, sabiam da existência dessas gravações.

Em 1985 Heitor Ferreira copiou cerca de setenta rolos em cassetes para que eu os ouvisse. Um ano depois, devolvi-lhe parte deles. Passados mais de dez anos, com a ajuda de Maria da Glória Prado e dos profissionais da Companhia de Áudio e da Panacea Estação Sonora, os cassetes foram copiados em duzentos CDs. Neles estão guardadas 220 horas de conversações. Algumas fitas estavam no limite de sua vida útil. Felizmente, nada se perdeu. Entre 1985 e 1988 resumi e transcrevi parcialmente essas conversas. Elas somam 564 registros num arquivo que a esta altura acumula em torno de 30 mil fichas.

Quando trouxe as fitas, Heitor Ferreira impôs um embargo. Eu poderia apenas ouvi-las. No final de 1997 foram editadas nos Estados Unidos as transcrições das gravações feitas pelos presidentes John Kennedy, durante a crise cubana de 1962, e Lyndon Johnson, em suas salas de trabalho e em seus telefones. Anos depois o historiador Timothy Naftali editou dois volumes e um CD com as gravações de Kennedy no Salão Oval da Casa Branca. Com esses precedentes, Heitor permitiu que as fitas fossem citadas livremente, desde que se preservasse a vida particular dos outros.

No uso dessa documentação, empreguei dois critérios:

1. Foram desprezados todos os comentários de natureza pessoal. Em alguns casos, transcreveram-se opiniões fortes de Geisel e Golbery a respeito de personagens que tratavam de políticas públicas, exerciam ou queriam exercer cargos públicos. Nesses casos, que limitei ao mínimo, a transcrição destina-se a informar o estado d'alma de um ou de outro quando se referiam a determinada pessoa.

2. Todas as gravações citadas envolvem pelo menos um interlocutor que sabia da existência do gravador. É o caso das conversas ou dos telefonemas de Geisel, Golbery, Gustavo Moraes Rego, Humberto Barreto e Heitor Ferreira. Em algumas ocasiões seus interlocutores não sabiam que estavam sendo gravados. Procurei manter-me no universo das pessoas que ocupavam ou viriam a ocupar cargos públicos e que, durante as conversas, tratavam de políticas públicas.

Golbery costumava dizer que "segredo guarda quem não sabe". Ademais, cultiva-se a lenda de que nenhum segredo político brasileiro vive mais de uma semana. Pois o segredo das fitas de 1973/1974 foi preservado por quase trinta anos. Dele souberam, no mínimo, umas cinqüenta pessoas. Nenhum trecho dessas conversas jamais foi revelado. (Com exceção de dois diálogos, publicados n'*A ditadura escancarada.*)

Espero que o uso dado a essas fitas justifique o esforço de preservação da história de quem as produziu. Foi esse o objetivo que levou Golbery a guardar seu arquivo e Heitor Ferreira a manter seu *Diário* e preservar as gravações autorizadas por Geisel. Amália Lucy Geisel doou ao Centro de Pesquisa e Documentação de História Contemporânea (CPDOC), da Fundação Getulio Vargas, cerca de 4 mil documentos textuais onde se podem encontrar preciosidades como análises da situação do país feitas pelo Serviço Nacional de Informações. Graças a essas pessoas, um governo que nasceu com a blindagem da censura veio a se transformar, décadas depois, num dos melhor documentados da história.

No levantamento da vida e do cotidiano de Geisel tive a ajuda de sua filha, Amália Lucy, de seu amigo Humberto Barreto e de seu médico, Americo Mourão. De Humberto recebi sua infalível amizade sertaneja, cujas virtudes aprendeu no Crato.

Para o entendimento da política do período socorri-me à generosidade de Antonio Carlos Magalhães, Antonio Delfim Netto, Franco Montoro, José Sarney, Paulo Brossard, Paulo Egydio Martins e Thales Ramalho. Francis Mason (Chase Manhattan) e Tony Gebauer (Morgan) ensinaram-me como funcionou o processo de endividamento internacional do país. Durante anos, Mario Henrique Simonsen foi um professor paciente e Delfim Netto (novamente), um cáustico demolidor de embustes. Claudio Haddad auxiliou-me com sua visão crítica de toda a gestão econômica do período e, sobretudo, do que eu escrevia.

Os generais Gustavo Moraes Rego, Leonidas Pires Gonçalves e Reynaldo Mello de Almeida ajudaram-me a reconstruir a situação militar do período. O general Newton Cruz esclareceu-me os meandros do funcionamento do SNI nos primeiros meses do governo de Geisel. Meus amigos Givaldo Siqueira, Armênio Guedes e João Guilherme Vargas Netto mostraram-me como operava o Partido Comunista em 1974, quando foi abatido por uma matança. Candido Mendes de Almeida e d. Eugênio Sales foram solícitos dirimidores de dúvidas para o entendimento das relações da Igreja com o governo. No final do volume listei as pessoas de cujo conhecimento me aproveitei e a quem tenho a satisfação de agradecer.

O historiador Marco Antonio Villa conferiu cada citação de livro ou documento. Foi um leitor atento e pesquisador obsessivo. Villa tem uma prodigiosa capacidade de lembrar de um fato e de saber onde está o documento que comprova sua afirmação. Ajuda como a dele é motivo de tranqüilidade para quem tem o prazer de recebê-la. Além disso, dá a impressão de saber de memória todos os resultados de jogos de futebol.

Lili Schwarcz, Maria Emília Bender, Luis Francisco de Oliveira Filho, Luiz Schwarcz, Fernando Lottenberg, João Guilherme Vargas Netto, Márcio Thomaz Bastos e Wanderley Guilherme dos Santos contribuíram com generosas observações depois de lerem as diversas versões deste livro.

Mais uma vez, beneficiei-me também da competência da equipe que a Companhia das Letras mobilizou para assegurar a qualidade do texto. O leitor não imagina quanto devo a essa turma. Foram nove pessoas, coordenadas por Márcia Copola. Durante quase um ano, só ela era capaz de ter uma idéia do que estava acontecendo com os originais. Explicando melhor, só ela parecia ter certeza de que o livro sairia. Além disso, no preparo do texto, foi uma incansável defensora do idioma e da colocação do sujeito nas frases.

A Miguel Said Vieira devo correções de erros em que acreditei por décadas. Lúcia Cruz Garcia foi capaz de achar publicações que pareciam perdidas. Rosangela de Souza Mainente, Marcelo Yamashita Salles, Yumi Hirai, Valéria Gameleira da Mota, Michely Jabala Mamede Vogel e Thiago Said Vieira checaram notas de pé de página, estatísticas e grafias de nomes.

Os trechos de gravações citados foram ouvidos e conferidos por Márcia Copola e Luiz Henrique Ligabue F. Silva. Às vezes ocorreram discrepâncias, todas dirimidas com uma nova escuta, minha. Em dois casos, foi necessário recorrer à ajuda do estúdio da Companhia de Áudio para limpar a gravação e, assim, poder ouvir melhor passagens confusas.

Raul Loureiro fez o projeto gráfico e paginou os dois cadernos ilustrados. Nessa produção, teve a ajuda de Rita da Costa Aguiar. Vladimir Sacchetta reuniu as fotografias. É fácil avaliar seu trabalho. Basta folhear esses cadernos. Vladimir faz a diferença quando se vê a foto de Tancredo Neves. Ele sabia que no dia 20 de março de 1962 Tancredo lera na ESG um texto escrito por Golbery. Foi à luta e voltou com a presa: a fotografia, do dia, com Tancredo lendo a palestra do general.

Devo agradecer também aos funcionários da Biblioteca Nacional, do CPDOC, dos departamentos de pesquisa d'*O Globo*, da *Folha de S.Paulo*, d'*O Estado de S. Paulo* e do *Jornal do Brasil*. No Departamento de Documentação da Editora Abril, o famoso Dedoc, Susana Camargo e Ana Lucia Correa, a serena Bizuka, são um porto seguro para náufragos de todo tipo, bem como Elenice Ferrari e Marilene Bucci, do arquivo de imagens (ou fotografias).

Só a ajuda de tanta gente é que me permitiu fazer este livro. Eles não têm nada a ver com os erros e impropriedades que eu tiver cometido.

Finalmente, devo à paciência e ao rigor de Dorrit Harazim o melhor curso para diversos momentos da pesquisa. A sua perseverante indignação continua sendo uma baliza que o tempo não abate.

PARTE I O Sacerdote e o Feiticeiro

GEISEL, O SACERDOTE

Moita, é o *Alemão*

No dia 22 de agosto de 1972, quando a Censura voltou a proibir a imprensa de tratar da sucessão do presidente Emilio Garrastazú Medici, ela já estava resolvida. Medici seria substituído pelo general Ernesto Geisel, o *Alemão*, presidente da Petrobrás, chefe do Gabinete Militar no governo Castello Branco e irmão mais moço do ministro do Exército. Fazia mais de um ano que o general Golbery escrevera a Heitor Ferreira: "As cousas vão indo bem por aqui. [...] Cogita-se do futuro sucessor — não lhe digo qual o nome na pauta porque você vai ter um chilique. (Moita! É preciso não queimar! — *Alemão*)".[1] No início de julho Medici se encontrara com Geisel no palácio Laranjeiras e lhe dissera: "Seu Ernesto, faltam vinte meses e sete dias".[2]

A ditadura estava no seu oitavo ano, no terceiro general. Medici cavalgava popularidade, progresso e desempenho. Uma pesquisa do IBOPE realizada em julho de 1971 atribuíra-lhe 82% de aprovação.[3] Em 1972 a economia cresceria 11,9%, a maior taxa de todos os tempos. Era o quinto ano consecutivo de crescimento superior a 9%. A renda per capita dos brasileiros aumentara 50%. Pela primeira vez na história as exportações

1 Carta de Golbery a Heitor Ferreira, de 22 de junho de 1971. APGCS/HF. Heitor demitira-se do Exército em 1967 e vivia em Belém, como um dos gerentes do Projeto Jari, do milionário americano Daniel Ludwig.

2 Narrativa de Geisel do seu encontro com Medici no dia 9 de julho de 1972, em *Diário de Heitor Ferreira*, 10 de julho de 1972.

3 Hélio Silva, *O poder militar*, p. 467.

de produtos industrializados ultrapassaram 1 bilhão de dólares. Duplicara a produção de aço e o consumo de energia, triplicara a de veículos, quadruplicara a de navios. A Bolsa de Valores do Rio de Janeiro tivera em agosto uma rentabilidade de 9,4%. Vivia-se um regime de pleno emprego. No eixo Rio—São Paulo executivos ganhavam mais que seus similares americanos ou europeus.[4] Kombis das empresas de construção civil recrutavam mão-de-obra no ABC paulista com alto-falantes oferecendo bons salários e conforto nos alojamentos. Um metalúrgico parcimonioso ganhava o bastante para comprar um fusca novo. Em apenas dois anos os brasileiros com automóvel passaram de 9% para 12% da população e as casas com televisão, de 24% para 34%.[5] O secretário do Tesouro americano, John Connally, dissera que "os Estados Unidos bem que poderiam olhar para o exemplo brasileiro, de modo a pôr em ordem a sua economia".[6]

Emilio Garrastazú Medici era o único brasileiro a governar seu país num regime de contínua supressão das liberdades individuais e de censura à imprensa. Grandes artistas nacionais viviam no exílio: Caetano Veloso e Gilberto Gil, em Londres, Chico Buarque de Hollanda, em Roma, e Glauber Rocha pelo mundo afora. Estavam proibidos alguns dos filmes de sucesso mundial. Quem tinha dinheiro ia à Europa ver *Último tango em Paris.* A máquina repressiva do governo de Medici já matara mais gente (120 pessoas) que seus dois antecessores somados (59). Em menos de três anos, acumulara cerca de 2500 denúncias de torturas, contra algo como 1500 nos oito anos anteriores. Depois de passar uma semana no Brasil, representando o Secretariado Internacional dos Juristas Católicos e entrevistando-se com religiosos, advogados e familiares de presos, o advogado parisiense Georges Pinet relatou: "A tortura, no Brasil, não é nem pode ser o resultado de excessos individuais; nem é, nem pode ser considerada, uma reação exagerada a atos terroristas para derrubar um re-

4 Para os salários dos executivos, Stefan Hyman Robock, *Brazil: a study in development progress*, p. 138. Para os carros e aparelhos de TV, idem, p. 145.

5 O PIB brasileiro de 1964 foi de US$ 1065. O de 1972, de US$ 1598. Ipeadata, "Séries mais usadas", "PIB per capita (preços 2002) US$ valor real". <http://www.ipeadata.gov.br/>

6 *Jornal do Brasil*, 4 de fevereiro de 1972, citado por Jan Knippers Black, *United States penetration of Brazil*, p. 55.

gime em dificuldade que, por seu lado, provoca o famoso 'ciclo da violência'. Isso não sucede, porque já não existe luta armada no Brasil. A tortura é manifestação e necessidade de um modelo político num contexto jurídico e socioeconômico".[7]

Geisel herdaria esse Milagre. Aos 65 anos, era um homem sem prazeres nem sonhos, regido por hábitos e obrigações. Pelo porte marcial, parecia maior que seu 1,77 m de altura. Os cabelos brancos faziam-no mais velho, um estrabismo dava aspecto inquietante ao seu olhar, e o costume de elevar repentinamente a voz tornava-o um interlocutor desagradável. Atencioso no trato, resguardava-se de manifestações sentimentais. Precedia quaisquer ordens, até em pequenos bilhetes, de um eterno "peço". Era temido por suas explosões de ira, quando na realidade elas refletiam uma das poucas exibições emocionais que se permitia. Como ele mesmo explicava: "Eu só fico brabo com as pessoas com quem tenho intimidade".[8]

Em sua vida misturavam-se os valores dos colonos alemães do Rio Grande do Sul e as ansiedades daquela geração de militares brasileiros que a Revolução de 1930 denominou "tenentes". Às influências do meio somara necessidades e sofrimento. Nada lhe fora fácil. Poucos eram os seus afetos, todos enclausurados numa circunspecção que raramente rompia o círculo familiar. Detestava efemérides, fosse o próprio aniversário ou o Natal. Duvidava não apenas de si, mas de todo o gênero humano: "É muita pretensão do homem inventar que Deus o criou à sua imagem e semelhança. Será possível que Deus seja tão ruim assim?".[9]

Era um desconhecido para a maioria dos brasileiros. Mantinha-se afastado da roda social dos burocratas e do convívio com os colegas de farda. Vivia trancado na Petrobrás. Saía para almoçar em casa, sentava-se de pijama à mesa, dormia quinze minutos e regressava à sua sala de

7 *Report on allegations of torture in Brazil/Relatório sobre as acusações de tortura no Brasil*, p. 88.

8 Humberto Barreto, maio de 1991.

9 Ernesto Geisel, novembro de 1983 e setembro de 1984.

trabalho pontualmente às catorze horas. Andava na praia antes do sol forte, passava os fins de semana em Teresópolis, e contavam-se nos dedos as famílias que freqüentava. Evitava receber o tratamento de "você" e não beijava mulheres no rosto. Havia quase vinte anos jogava biriba com o mesmo casal de amigos.[10] Morava com a mulher e a filha num apartamento de três quartos e sala, em edifício sem elevador, no Leblon. Tinha economias suficientes para satisfazer a mulher, que se encantara com um lançamento imobiliário próximo, com vista para o mar, mas não abria a mão (por hábito) nem a guarda (por cautela): "Lucy, eu não vou comprar esse apartamento. Estou indo para a Petrobrás, e se eu comprar esse apartamento, vão logo dizer que estou roubando".[11]

Desde o início de 1970 era um dos nomes mais fortes para a sucessão de Medici. No final de 1971 dizia: "Não mexo uma palha, mas também não me nego". Não mostrava entusiasmo pelo lugar: "Como é que se chega ao meu nome? Ora, porque fulano é cretino, sicrano é burro, beltrano é safado! Isso é jeito?".[12]

Detestava que o chamassem de *Alemão* e procurava distanciar-se da cultura de sua família a todo custo. Jamais aprendera direito a língua paterna. Mesmo assim, de todos os presidentes brasileiros, viria a ser aquele que menos guardaria semelhanças com a onipresente figura de Macunaíma, repositório da malandragem nacional, em quem se podia achar a dissimulação de Getulio Vargas, a ligeireza de Juscelino Kubitschek e o dístico de João Goulart, Costa e Silva e Emilio Medici: "Ai! que preguiça!...". O *Alemão* fazia o possível, mas *brrasileirro* não era.

Seu pai emigrara em 1883, aos dezesseis anos. Passara fome na travessia do Atlântico e por alguns dias alimentara-se de cebolas.[13] Fixara-se no lugarejo de Estrela, no interior do Rio Grande do Sul, onde o ale-

10 Para os hábitos, o cumprimento e as rodas de biriba, Humberto Barreto, maio de 1991. As rodas de biriba de Geisel com Lilian e Humberto Barreto começaram em torno de 1958.

11 Ernesto Geisel, setembro de 1994.

12 *Diário de Heitor Ferreira*, 13 de novembro de 1971 e 26 de janeiro de 1972.

13 Para a fome na viagem, Ernesto Geisel, fevereiro de 1994.

mão era a língua da comunidade de duas centenas de agricultores e artesãos, quase todos protestantes.[14] No inverno calçavam tamancões de madeira com meias de lã fiadas em casa. Wilhelm August Geisel fora criado numa casa de órfãos e viajara com o dote de um modesto tutor, suficiente para sobreviver alguns meses. Um de seus irmãos, Ernesto, reclamara do investimento, já que haviam faltado recursos para que ele próprio avançasse nos estudos. Para homenageá-lo, August deu seu nome ao quarto filho, nascido em 1907. A família vivia em Bento Gonçalves, num ambiente de pobreza européia, sem eletricidade nem água encanada.

Era pobreza mesmo. Faziam-se em casa as roupas das crianças, o pão, os licores, o sabão e as lingüiças. Criavam galinhas e, em 1917, quando cortaram a cabeça de uma raposa a golpes de machado, tinham 64.[15] Em Estrela, Wilhelm August começou como operário numa fundição, chegou a professor primário e se casou com Lídia Beckmann, uma das nove filhas do pastor luterano da comunidade. Tornara-se brasileiro, mudara o nome para Augusto Guilherme e passara num concurso para escrivão do cartório de registros civis. Freqüentava a maçonaria e fora até major da Guarda Nacional.[16] Fiscalizava diariamente o asseio e os deveres dos cinco filhos. Tinha uma mulher e quatro homens, e a cada um cabia uma tarefa doméstica. Ernesto limpava os sapatos, Orlando arrumava a mesa de trabalho. Amália, a primogênita, cuidava de todos. Falavam-se em alemão.

Em Bento Gonçalves eram luteranos alemães numa cidade de italianos católicos. Augusto queixava-se do temperamento anárquico dos meninos do lugar, não queria suas crianças naquele meio e as proibia de brincar na rua. Arranhava um violino e tinha uma pequena estante de clássicos, da *Divina comédia* aos poemas de Schiller. Em novembro de 1916 levou os filhos à missa pela alma do imperador Francisco José da Áustria. A igreja e o catafalco forrados de crepe foram a primeira impressão de pompa que a vida ofereceu a Ernesto. Num Natal, Augusto presenteou os filhos

14 Para o ano da chegada de Augusto Geisel, Lothar Francisco Hessel, *O município de Estrela*, pp. 62-3.

15 Carta de Ernesto Geisel aos irmãos, de 26 de abril de 1917. AA.

16 Para a maçonaria, Amália Lucy Geisel, julho de 1991. Para a Guarda Nacional, Ernesto Geisel, fevereiro de 1994.

com a obra completa de Júlio Verne. A fantasia de Ernesto Geisel expandiu-se além dos limites do povoado de Bento com a ajuda do jovem Harbert Brown e do engenheiro Cyrus Smith, que fugiram de um campo de prisioneiros da Guerra Civil Americana a bordo de um balão, caindo na "Ilha Misteriosa".[17] Passados quase oitenta anos, ele era capaz de relatar, circunspecto, como os náufragos reinventaram a civilização, protegidos por um enigmático personagem. (Tratava-se do capitão Nemo, das *Vinte mil léguas submarinas*, lembrava-se.) Contava a história com o olhar do garoto e dizia que os jovens da aventura eram dois. Verne, contudo, pusera só Harbert no livro.

Ernesto, caçula, era o mais ligado à mãe, que lhe pagava um vintém por lição de leitura. Quis ser carreteiro, pensou em sair de casa atrás do elefante e dos saltimbancos de um circo, e chegou a lhe pedir que arrumasse suas coisas para a partida. Conheceu a adversidade quando freqüentava o grupo escolar. Enxergava mal, e o pai levou-o a um médico em Caxias do Sul. O diagnóstico: corria o risco de ficar cego, era melhor que não lesse, inútil mantê-lo no colégio pois não conseguiria acompanhar as lições. A vida escolar trouxe uma carga adicional para a formação da sua personalidade. Não bastava que aprendesse, tinha que provar que não era incapaz. Carregou a cicatriz: "Fui inscrito como ouvinte. Assistia às aulas, mas não era para valer. No fim, eu sabia mais que os outros". Concluiu o curso elementar entre os melhores alunos da turma.[18]

Em 1920, por influência de seus irmãos Orlando e Henrique, matriculados no Colégio Militar de Porto Alegre, decidiu ir para o Exército. Fez a escolha numa época em que poderia ter contado com a ajuda do pai para tentar uma profissão civil. Augusto Geisel melhorara de vida. Amália era professora primária. Bernardo, o filho mais velho, custeava seus estudos de química em Porto Alegre trabalhando no correio. Além de ter menos despesas, o pai conseguira um aumento da receita. Tinha o hábi-

17 Ernesto Geisel, novembro de 1988 e fevereiro de 1994, e Geisel, em *Ernesto Geisel*, organizado por Maria Celina d'Araujo e Celso Castro, p. 26. Júlio Verne, *A Ilha Misteriosa*, adaptado por Clarice Lispector.

18 *Atas de Exames do Colégio Elementar de Bento Gonçalves*, de 1º de março e 20 de dezembro de 1919. APGCS/HF.

to de arriscar a sorte comprando bilhetes de loteria, e em julho de 1919 o milhar 5852 deu-lhe cem contos de réis, dinheiro suficiente para cobrir os gastos de uma família como a sua por mais de dez anos.[19] Até investir a pequena fortuna numa mata de pinhais, onde haveria de perdê-la, Augusto passou por um período de bonança financeira.[20]

Mudanças burocráticas impostas aos limites de idade complicaram a matrícula de Ernesto no Colégio Militar, mas o obstáculo foi removido pelo pai, ajudado por algum colega do cartório de Bento Gonçalves. Produziu-se um novo registro de seu nascimento, tornando-o um ano mais moço.[21] Orlando, dois anos mais velho, sabatinou o irmão em casa e assegurou ao pai que ele seria reprovado. Augusto Geisel trancou-o por quase dois meses. Os aprovados foram quatro, Ernesto e mais três.[22]

Faltava o exame de saúde. A limitação visual não confirmara o prognóstico apocalíptico do médico de Caxias do Sul, mas deixara sua seqüela. Geisel padecia de uma disfunção resultante do desenvolvimento desigual dos olhos. Nesses casos, se uma vista enxerga menos, o sistema nervoso central, incapaz de trabalhar com duas imagens diversas, dispensa a mais fraca. O olho débil continua ativo. Se o outro é obliterado, o cérebro capta imediatamente a má imagem. A anomalia associa-se a um forte estrabismo, e a falta da visão dupla resulta na perda da percepção de profundidade.[23] Pelo manual de saúde do Exército, os portadores de visão monocular estavam incapacitados para a carreira das armas.

19 Ernesto Geisel, março e setembro de 1994. Aos 87 anos, Geisel sabia de memória o número do bilhete do pai. Em 1919 os gastos de uma família de classe média no Rio de Janeiro eram de doze contos de réis por ano. As despesas de aluguel e criadagem, que os Geisel não tinham, iam a 3,4 contos. *Séries estatísticas retrospectivas*, vol. 1, p. 94.

20 Ernesto Geisel, novembro de 1988.

21 Ernesto Geisel nasceu na noite de 3 de agosto de 1907. A mudança foi feita para protegê-lo caso não conseguisse uma boa classificação. No livro de registros do cartório de Bento Gonçalves, Ernesto Geisel está arrolado como nascido em 3 de agosto de 1908. Seu nome é o último da lista na letra G, e a caligrafia da pessoa que fez o lançamento, doze anos mais tarde, difere grosseiramente daquela que cuidava dos registros na época. AA. *Certidão de Nascimento, Cartório do 1º Distrito da Comarca de Bento Gonçalves*. APGCS/HF. De acordo com sua biografia oficial, em 1979 Ernesto Geisel deveria comemorar 71 anos, mas recebeu os convidados em sua casa de Teresópolis para festejar 72.

22 Ernesto Geisel, novembro de 1983.

23 Devo as informações genéricas sobre essa disfunção ao dr. Harley Bicas, junho de 2003.

Geisel foi para o exame médico certo de que o reprovariam. Na véspera um colega fora desligado. Quando o oficial que o atendeu lhe ouviu as batidas do coração (140 por minuto), concluiu que era cardíaco, por carnívoro contumaz, como todos os gaúchos. Levou o diagnóstico ao coronel que chefiava o exame, mas ele o corrigiu: "Esse garoto está é nervoso, deve voltar outro dia". "Para mim foi um alívio", contou Geisel, "porque percebi que eles estavam preocupados com o meu coração, onde eu não tinha nada. Voltei e fui aprovado."[24]

Não bastava. Ao chegar ao Colégio Militar com aquele sobrenome, viu-se constrangido por uma observação que haveria de acompanhá-lo por todos os colégios e cursos de sua vida. "O professor perguntava se eu era irmão do Orlando e do Henrique, e dizia que eu tinha um sobrenome a zelar. Ora, eu era eu, não o irmão do Orlando e do Henrique."[25] Saiu de Porto Alegre como o primeiro da turma, com todas as notas acima de 8. Melhor marca, só a do legendário Luiz Carlos Prestes, que terminara o curso em 1918.[26]

Geisel chegou à Escola Militar de Realengo em 1925. Repetiu o desempenho e por duas vezes ganhou o prêmio de viagem à Europa que o Lóide Brasileiro oferecia aos cadetes.[27] Não podia viajar porque não tinha roupas. Vivia com o que a escola dava aos alunos e era membro da Associação do Estudante Pobre.[28] Trocou os bilhetes que poderiam levá-lo a Hamburgo por passagens para Porto Alegre. Tinha um caderno onde listava as "Coisas que não farei", e nele registrou que nunca ofereceria um prêmio sem dar ao beneficiado as condições necessárias para gozá-lo. A pobreza levava os três irmãos Geisel a passar os fins de semana em Realengo. Ernesto recusava até mesmo convites para festas e reuniões sociais.

24 Ernesto Geisel, novembro de 1988.

25 Idem, novembro de 1983.

26 Marly de Almeida Gomes Vianna, *Revolucionários de 35*, p. 71. Segundo a lembrança do general Antonio Carlos Muricy, Prestes, Geisel e Golbery foram os únicos alunos da escola a concluir o curso com média 9 e fração. Depoimento de Muricy ao CPDOC, vol. 1, fita 4, p. 76.

27 Nos exames do primeiro ano Geisel teve um 10 e três 8. Nos do segundo, três 10 e três 9. Nos do terceiro, dois 10, um 9 e dois 8. *Caderneta de Assentamentos do 1º Tenente Ernesto Geisel.* AA.

28 Maria Celina d'Araujo e Celso Castro, orgs., *Ernesto Geisel*, p. 35. Como cadete, Geisel ganhava 50 mil réis (100, no terceiro ano). Era o equivalente às despesas com criados numa família de classe média do Rio de Janeiro. *Séries estatísticas retrospectivas*, vol. 1, p. 94.

Quatro anos depois saiu tenente de artilharia de um exército pequeno, com 45 mil homens, trinta generais e 2300 tenentes, inapto, frágil, militarmente insignificante.[29] "A cavalaria não tinha cavalos, a artilharia não tinha canhões, a infantaria não tinha fuzis."[30] Seus generais perderam três expedições massacrando jagunços em Canudos e mil homens enfrentando caboclos nas matas de Santa Catarina.

Terrível geração, a dos "tenentes" dos anos 20.[31] Estavam prontos para salvar o Brasil dos "casacas", nome que davam à elite civil que governava o país desde o Império. Movidos por um militarismo ressentido e salvacionista, rebelaram-se em 1922 e 24 em nome da moralidade pública. Autoritários e audaciosos, eram dissidentes em busca de um ditador. Havia neles mais revolta do que radicalismo político, até porque sabiam pouco. Em 1918 Luiz Carlos Prestes não tinha ouvido falar na Revolução Russa.[32] Geisel chegara a Realengo seis anos depois sem grande interesse pelo que acontecera em São Petersburgo, sem saber direito o que vinha a ser o fascismo. Via-se como um revolucionário muito mais por solidariedade aos "tenentes" foragidos e aos que, degradados, viviam como simples praças nos quartéis. "Para mim a Revolução de 30 era a revolução do Juarez Távora e do Luiz Carlos Prestes."[33] Mais de meio século depois, com uma casaca no armário e a farda na alma, Geisel exporia a sua visão tenentista da história:

29 Edmundo Campos Coelho, *Em busca de identidade — O Exército e a política na sociedade brasileira*, pp. 40 e 73. O serviço militar obrigatório fora instituído em 1916. "As nossas forças de terra e mar são inaptas para entrar em campanha e pouco significam como valor militar", Pedro Aurélio de Goes Monteiro, *O Destacamento "Mariante" no Paraná Ocidental* (*Reminiscências*), documento datilografado, Rio de Janeiro, junho de 1925, citado em Anita Leocádia Prestes, *A Coluna Prestes*, p. 83.

30 Nelson Werneck Sodré, citado em Juracy Magalhães e J. A. Gueiros, *O último tenente*, p. 45.

31 Vavy Pacheco Borges em seu *Tenentismo e Revolução Brasileira*, pp. 146-8, informa que a expressão "tenente" é posterior à Revolução de 1930 e surgiu com sentido depreciativo, gerando neologismos como *tenentização*, *tenentocracias*, *tenentores* e *tenentóides*.

32 Marly de Almeida Gomes Vianna, *Revolucionários de 35*, p. 71.

33 Ernesto Geisel, novembro de 1983.

> No fim do século passado o Exército se esforçou para ganhar a Guerra do Paraguai. Fomos para lá sem tropa treinada, sem equipamento e sem grande apoio, mas vencemos. Quando a tropa voltou, descobriu que os "casacas" não lhe davam importância. Além disso, formou-se um sistema de ensino muito eficiente, talvez mais eficiente do que devesse ser para tamanha falta de meios. Os oficiais iniciaram-se nas idéias positivistas, começaram a discutir a validade do poder nas mãos dos "casacas", e proclamou-se a República. Primeiro veio o Deodoro, depois o Floriano, que não era um homem culto mas era macho e se não fosse ele este país tinha ido à breca. Depois do Floriano os "casacas" retomaram o poder, e aos poucos formou-se aquele clima de agitação que resultou na Revolução de 30...[34]

A agitação foi tamanha que o 4º Grupo de Artilharia a Cavalo, sediado em Santo Ângelo, no Rio Grande do Sul, unidade onde servia o tenente Geisel, foi parar em São Paulo, na vanguarda das forças insurretas. Vitoriosa a revolta, instalou-se Getulio Vargas no palácio do Catete, e chamou-se Revolução à rebeldia e, ao seu produto, Nova República. Geisel foi transferido para o 1º Grupo de Artilharia de Montanha, no Rio de Janeiro, com a missão de levar uma bateria de quatro canhões de tiro lento à Paraíba. Era missão para dois meses, mas ele ficaria quatro anos em João Pessoa. Aquele tenente de 23 anos, louro e alto, que poderia passar o resto de seus dias numa unidade sonolenta do "exército do Rio Grande", estava a mais de mil quilômetros de casa, no poder. Pela primeira vez entrou num automóvel. Tudo isso sem dar um único tiro.

Tiroteio ele só viu em outubro de 1931. Sua bateria foi deslocada de João Pessoa para o Recife, onde o 21º Batalhão de Caçadores se rebelara contra o governo do estado. Atravessou um tiroteio, chutou o traseiro de um tenente que se escondera atrás de uma árvore, mas não disparou a arma.[35] Menos de um ano depois, teve de descer com a tropa para debelar um novo levante, agora em São Paulo. Combatia um movimento que se autodenominava Revolução Constitucionalista, no qual via pura e

34 Ernesto Geisel, julho de 1985.

35 Idem.

simples sedição separatista. Dessa vez deu quase todos os tiros de sua vida. Em agosto de 1932 estava no alto do morro da Tempestade, a quatro quilômetros a sudeste de Itatiaia.

O vale do Paraíba, entre o Rio de Janeiro e São Paulo, seria o caminho dos paulistas para a avenida Rio Branco ou dos federais para o viaduto do Chá. Duas semanas antes os rebeldes vacilaram e pararam suas tropas, aceitando uma guerra de trincheira. No Catete, o ditador Getulio Vargas acreditava numa paz próxima, não só porque recebeu sinais dos rebeldes, como também porque o vidente Sana Khan assegurara que a revolta acabaria antes do fim do mês.[36]

Geisel chegou nos primeiros dias da ofensiva legalista. Durante uma semana bombardeou as trincheiras e tropas rebeldes que ocupavam as fazendas do lugar. Saiu para as proximidades de Queluz. De lá participou da tomada de Lorena. Por três vezes atirou (em vão) contra o trem blindado dos paulistas, terror da infantaria legalista e símbolo de um suposto poderio dos insurretos. Em três semanas de combate perdeu alguns cavalos (inclusive o seu, atingido por um estilhaço de granada) e ganhou um elogio do tenente-coronel Otto Feio, que comandava as operações na região: "O 1º tenente Geisel é a própria bravura em busca do perigo para vencer".[37] A Revolução Constitucionalista durou menos de três meses e custara a vida de 634 combatentes paulistas. Na primeira semana de novembro, Geisel estava de volta ao seu quartel paraibano.

Do ambiente de pobreza européia de Bento Gonçalves à miséria nordestina da Paraíba, Geisel percorreu o semicírculo das diferenças culturais brasileiras. Nomeado secretário estadual da Fazenda, Agricultura e

36 Getulio Vargas, *Diário*, vol. 1: *1930-1936*, pp. 117 e 119, entrada de 24 de julho de 1932 para os sinais e de 27 de julho para a previsão do vidente.

37 Caderno intitulado *Caderneta de Oficial*, do 1º Regimento de Artilharia Montada, com os assentamentos do tenente Ernesto Geisel. APEG. Para a morte do cavalo, carta de José Fontineli da Silva a Geisel, de janeiro de 1977. APGCS/HF. Debelada a revolta paulista, Ernesto Geisel teve seu nome incluído na lista das promoções a capitão por merecimento. Pediu que o excluíssem, pois não queria passar à frente dos dois irmãos mais velhos, Henrique e Orlando. Depoimento do general Antonio Carlos Muricy ao CPDOC, vol. 1, fita 9, p. 170.

Obras Públicas em 1934, exercitou pela primeira vez a força do militar e o poder da autoridade civil. Instituiu o imposto territorial, criou um programa de venda de máquinas agrícolas a preço de custo e tentou modernizar a arrecadação de impostos premiando a produtividade dos coletores. Mesmo assim, o tenentismo nem sequer arranhara os problemas da região. O país corrompido que os revoltosos denunciavam nos anos 20 mudara muito pouco em 1934. Aqui e ali, os tenentes juntaram-se à paisagem, fugazes como trovoada numa cena pastoral. Parte de um surto militarista continental, os tenentes brasileiros foram corajosos enquanto tomaram riscos, radicais no dissenso, mas faltara-lhes a audácia para levar o destemor e a intransigência ao poder.[38]

Ela começou a lhes faltar no próprio momento da vitória, em 1930. Integrado numa tropa que marchava sobre o Recife, o tenente Paulo Cordeiro estava na localidade de Paulista, onde quatro batalhões revoltosos armavam o ataque à capital pernambucana. O comandante da tropa era o tenente Juracy Magalhães. Decidira confiscar as armas estocadas por Frederico Lundgren, proprietário da maior fábrica de tecidos da região, e preparava-se para ir ao seu encontro: "Olha, Paulo, vou conversar com esse industrial. Se não voltar dentro de meia hora, vá me buscar, pois pode haver uma cilada". Passou o tempo, e o comandante não voltava. Paulo Cordeiro foi à casa de Lundgren resgatá-lo, pôs o rosto na janela e viu Juracy Magalhães tomando champanhe com o plutocrata. Celebravam a adesão do industrial. "Não se assuste", disse Juracy ao empresário. "Paulo está um pouco apressado." Anos depois, feito governador da Bahia, o tenente montava um alazão de raça no picadeiro da Hípica, presente do amigo Lundgren.[39]

Os "casacas" tinham suas seduções. Em maio de 1934, o interventor Gratuliano Brito se preparava para disputar uma cadeira de deputado à Assembléia Constituinte, e a sociedade local deu-lhe um jantar no Paraíba Hotel. Nos pratos, camarão, creme de aspargos, filé-mignon, peru e

38 Entre 1930 e 1932 os militares latino-americanos derrubaram governos na Argentina, Brasil, Bolívia, Chile, Equador, El Salvador, Panamá e Peru. Brian Loveman, *For la patria*, p. 75.

39 Juracy Magalhães, *Minhas memórias provisórias*, coord. Alzira Alves de Abreu, pp. 60-1, e Magalhães e J. A. Gueiros, *O último tenente*, pp. 26 e 109.

frutas. Nos copos, martíni, vinho branco alemão, tinto italiano, champanhe e licores. No final, charutos. Num terno de linho branco, Ernesto Geisel tinha o lugar 116 à mesa.[40] Era tenente, secretário de governo e membro do Partido Progressista. Não passara despercebido. Lundgren presenteara-o com Ambolê, alazão de linhagem inglesa.[41] Um empresário oferecera-lhe a oportunidade de abrir seu próprio comércio e prontificou-se a adiantar-lhe cinqüenta contos de réis.[42] O "coronel" *Cazuza Trombone*, patriarca de uma família de latifundiários de cana que mais tarde viria a ser personagem do romance *Usina*, de seu sobrinho-neto José Lins do Rego, chegou a perguntar-lhe: "O que é que uma pessoa como o senhor está fazendo no Exército?".[43]

Pouco depois do jantar do Paraíba Hotel, o ministro da Viação, José Américo de Almeida, eminência civil da Revolução no Nordeste, disse a Geisel que estava deixando o cargo e que já tinha resolvido o problema de diversos amigos mas faltava resolver o seu. (O de José Américo seria resolvido com sua nomeação para a embaixada do Brasil no Vaticano.) Ofereceu-lhe uma cadeira de deputado federal. "Eu não tenho problema. Tenho minha profissão, gosto dela e sou capaz", respondeu Geisel.[44] Meses depois estava no Rio, no Grupo Escola de Artilharia, em Deodoro, cuidando da disciplina dos soldados e da limpeza dos cavalos, batendo continência para major. Deixou Ambolê no quartel de João Pessoa e desinteressou-se das cavilações políticas nordestinas. Se é possível dizer que houve dois tenentismos, um profissional e outro político, alistara-se no primeiro.[45]

40 Menu do jantar ao interventor Gratuliano Brito, "homenagem dos amigos por motivo do seu regresso do Rio de Janeiro", 2 de maio de 1934. APGCS/HF. Para a roupa, Ernesto Geisel, abril de 1994: "Na Paraíba nós só usávamos ternos de linho branco e sapatos bicolores".

41 Para o presente, Ernesto Geisel, maio de 1994. Segundo o general Reynaldo Mello de Almeida, esse cavalo era montado por Geisel mas pertencia ao Exército.

42 Chamava-se Dolabella Portella. Ernesto Geisel, junho de 1994. Em 1934 o valor médio da hipoteca de um imóvel urbano era de 45 contos. *Séries estatísticas retrospectivas*, vol. 1, p. 62.

43 Ernesto Geisel, 1983. O parentesco de *Cazuza Trombone* com José Lins foi informado ao autor por Elizabeth Lins do Rego, em dezembro de 1991. Para o coronel, José Lins do Rego, *Ficção completa*, vol. 1: *Usina*, pp. 740, 790, 792 e 882.

44 Ernesto Geisel, março de 1994 e outubro de 1983.

45 Para os dois tenentismos, Edmundo Campos Coelho, *Em busca de identidade — O Exército e a política na sociedade brasileira*, pp. 96-104.

Exaurido pela sua própria inconseqüência, cinco anos depois de triunfar, o tenentismo estava dissolvido em torno de três atrações: o fascínio pelas casacas, o comunismo e o fascismo. O cearense Juracy Magalhães assumiu o governo da Bahia, somando seu sobrenome ao registro das oligarquias locais.[46] Agildo Barata, o *Carioquinha* ou *Moleque*, colega de turma de Geisel em Realengo e de governo na Paraíba, começou sua guinada à esquerda. "Nós éramos como irmãos", lembrou Geisel, "mas quando ele virou comunista, comecei a me afastar dele. Ele era comandante da Polícia Militar, e um dia o interventor me convidou para substituí-lo. Expliquei que não podia, que ele era quase um irmão meu, que não me pedisse esse sacrifício."[47] Geisel dobrara à direita. Lera *Colóquios com Mussolini*, do escritor Emil Ludwig, publicado em 1932. Concluíra que o comunismo era uma fantasia e se convencera de que os "casacas" tinham recuperado o poder através dos ziguezagues do presidente Getulio Vargas. "Eu tinha admiração pelo Mussolini porque ele pôs ordem na Itália. Ele representava um ressurgimento italiano, e eu era a favor do Estado forte." Recusou diversos convites para juntar-se ao movimento integralista.[48]

Na noite de 27 de novembro de 1935 o capitão Agildo Barata estava no 3º Regimento de Infantaria, na praia Vermelha, comandando uma insurreição desencadeada pelo militarismo de Luiz Carlos Prestes. O *Cavaleiro da Esperança* retornara de Moscou, onde vivera desde 1931. Espe-

46 Juracy governou a Bahia, elegeu-se senador, foi embaixador em Washington e ministro da Justiça e das Relações Exteriores. Seu filho Jutahy elegeu-se deputado e senador. Seu neto Jutahy Jr. elegeu-se deputado, e foi ministro da Integração Social no governo Itamar Franco e líder do PSDB na Câmara com Fernando Henrique Cardoso. (Não há relação de parentesco entre Juracy e Antonio Carlos Magalhães, que foi seu protegido no início da carreira política.)

47 Ernesto Geisel, outubro de 1983. Esse episódio ocorreu antes de 1932. Agildo aproximou-se do PCB em 1934. A amizade de Geisel com Agildo Barata durou enquanto viveram. Em 1932, quando Agildo foi para o exílio, Geisel participava das vaquinhas de oficiais para ajudá-lo financeiramente. Agildo deixou o PCB nos anos 50, mas, ao contrário da norma da época, não se tornou um anticomunista. Depois de 1964, já na chefia do Gabinete Militar, Geisel visitou Agildo, bastante doente, em sua casa. Não trataram de política. Ernesto Geisel, janeiro de 1995.

48 Ernesto Geisel, outubro e abril de 1993.

rava que a Vila Militar, a Marinha e o povo (nessa ordem) se sublevassem. Além do 3º RI os rebeldes só dominaram no Rio de Janeiro a Escola de Aviação, em Deodoro. O comandante do 1º Regimento de Aviação, tenente-coronel Eduardo Gomes, resistira ao ataque e fora ferido na mão por um tiro de fuzil. Artilhado no morro do Magalhães, Geisel bombardeou a pista, imobilizando os aviões. À tarde, Getulio Vargas visitou as tropas legalistas e trocou algumas palavras de agradecimento com aquele capitão louro que conhecera anos antes, em Petrópolis, batalhando por recursos para as obras do porto de Cabedelo.[49] Nos meses seguintes, em meio à repressão aos comunistas, o governo de Vargas extraditou a mulher de Prestes para a Alemanha. Para Olga Gutmann Benario, bolchevique e judia, que se tornaria mundialmente conhecida como Olga Benario Prestes, o retorno à pátria era uma crueldade. Estava grávida de sete meses quando a desembarcaram em Hamburgo. Pariu a menina Anita Leocádia no presídio de mulheres da Gestapo, em Berlim. Em 1942, aos 32 anos, foi para a câmara de gás do campo de concentração de Bernburg.[50] O capitão Ernesto Geisel apoiava a deportação de Olga Benario.[51]

Na noite de 10 de novembro de 1937, ele estava de novo artilhado, no mesmo morro, mirando a mesma pista. Do ponto de vista constitucional, o cálculo de seus disparos tinha o sinal invertido. Temia-se que o coronel Eduardo Gomes tentasse lançar os aviões de seu regimento contra o golpe militar armado entre o Ministério da Guerra e o palácio do Catete. Tratava-se de cancelar a eleição presidencial e prolongar a permanência de Getulio Vargas no governo, suspendendo-se as franquias constitucionais. A essa ditadura chamariam Estado Novo.

"[...] Tinha voltado a politicagem. Novamente o Exército entregou o poder aos 'casacas' e teve que dar outro golpe em 1937..."[52]

49 Ernesto Geisel, março de 1984.

50 Anita Leocádia Prestes e outros, *Não olhe nos olhos do inimigo*, p. 13.

51 Ernesto Geisel, agosto de 1986.

52 Idem, julho de 1985.

Geisel continuava vivendo no quartel, mantinha um quarto numa pensão do Catete e nos fins de semana arriscava a sorte no cassino da Urca ou tomava cerveja com a boemia bem-comportada do bar da Brahma, na avenida Rio Branco. Nunca pôs o pé numa gafieira. Sentava-se em rodas amigas de pôquer e assombrava os parceiros. Jamais blefou. "Nunca. Tenho medo da vergonha de ser apanhado", explicava, aos 87 anos.[53]

Em janeiro de 1940 casou-se com sua prima Lucy Markus, dez anos mais jovem e descendente dos pioneiros alemães de Estrela. O namoro, urdido por Augusto Geisel, iniciou-se no Carnaval de 1939, no Rio de Janeiro, e sustentou-se por correspondência. Em novembro tiveram o primeiro filho, Orlando Geisel Sobrinho. Como prometera à noiva, viviam em regime de "miséria dourada". Tinha dez contos de réis no banco.[54] Só algum tempo depois do nascimento da criança é que o casal teve uma moradia exclusiva fora dos subúrbios militares. Viveram numa pensão da Tijuca e dividiram uma casa com Orlando em Botafogo, até que alugaram um apartamento na rua Cupertino Durão, no grande areal do Leblon. Havia lotes à venda, mas Geisel achou que a região não tinha futuro.

O capitão estava de passagem comprada no navio *Netúnia*, que deveria levá-lo à Alemanha na comitiva do chefe do Estado-Maior do Exército, general Pedro Aurélio de Goes Monteiro. Iam ver de perto aquilo que Goes chamava de a "obra gigantesca, de ressurreição nacional" do Terceiro Reich, quando Hitler invadiu a Polônia.[55] Começara a Segunda Guerra Mundial. A viagem foi cancelada. Por dois anos o coração do Estado Novo balançou entre os Aliados e o Reich.

De um lado estava o chanceler Oswaldo Aranha, ex-embaixador em Washington. De outro, Goes Monteiro e o ministro da Guerra, Eurico Gaspar Dutra. O Estado-Maior de Goes via a guerra à sua maneira. Em dezembro de 1941, acreditava que durante a primavera européia seguinte

53 Ernesto Geisel, abril de 1994.

54 Lucy Geisel, maio de 1994, e Ernesto Geisel, março de 1995. Em 1939, dez contos de réis equivaliam a pouco mais de quatro meses de despesas normais de uma família de classe média no Rio, ou a quinze meses de aluguel. *Séries estatísticas retrospectivas*, vol. 1, p. 94.

55 Ernesto Geisel, abril de 1994. "Considerações sobre a II Guerra Mundial", general Pedro Aurélio de Goes Monteiro, em *Relatório dos Trabalhos do EME — 1939. Documentos históricos do Estado-Maior do Exército*, pp. 226-9.

a União Soviética poderia ser posta "fora de causa", embora a Wehrmacht tenha sido travada às portas de Moscou em novembro e perdido Kalinin semanas depois. Apesar de os ingleses terem rompido o cerco de Tobruk, Goes sustentava que os resultados dos combates no Norte da África estavam aquém dos prognósticos do alto-comando britânico.

Aquilo que parecia divergência política era apenas uma irrelevância. Para os generais Goes Monteiro e Dutra, os combates de Tobruk e a defesa de Moscou eram pouco mais que um estímulo para as batalhas de corredor do Catete. Não davam relevo em seus relatórios ao fato de que um pedaço do território brasileiro, mais precisamente a protuberância do seu extremo leste, em Natal, seria essencial às tropas americanas, caso os Estados Unidos entrassem na guerra. O saliente nordestino, caminho mais curto para o transporte aéreo sobre o Atlântico, não permitia a Vargas o luxo da neutralidade. O estado-maior do exército dos Estados Unidos considerava-o um dos quatro pontos de maior valor estratégico no mundo, ao lado do canal de Suez e dos estreitos de Gibraltar e do Bósforo.[56] Antes mesmo do início da guerra o comando militar americano, às vezes com o conhecimento dos militares brasileiros, planejava operações destinadas a assegurar o controle do extremo nordestino.[57]

Em maio de 1940, assustado com informes ingleses que previam um ataque alemão ao Brasil, o presidente Franklin Roosevelt autorizara o esboço de um cenário que viria a se chamar *Operação Pote de Ouro*, na qual 100 mil soldados americanos tomariam a costa, de Belém ao Rio de Janeiro.[58] O plano refletia o medo americano de um golpe pró-nazista na

56 Larry Rohter, "Natal journal: a has-been wonders how to honor what was", *The New York Times*, 20 de junho de 2001.

57 O primeiro plano de contingência do Departamento da Guerra americano, denominado *Rainbow I*, é de agosto de 1939. Frank D. McCann Jr., *The Brazilian-American Alliance — 1937/1945*, p. 201. Houve pelo menos quatro planos *Rainbow*. No dia 8 de agosto de 1939 o general Marshall, chefe do estado-maior do exército dos Estados Unidos, escreveu a Goes Monteiro referindo-se à "preparação de bases aéreas no nordeste do país de acordo com nossas conversações". Em João Hermes Pereira de Araújo, "Oswaldo Aranha e a diplomacia", publicado em *Oswaldo Aranha — A estrela da Revolução*, de Aspásia Camargo e outros, p. 204.

58 Frank D. McCann Jr., *The Brazilian-American Alliance — 1937/1945*, p. 203. A esse respeito, ver também Getulio Vargas, *Diário*, vol. 2: *1937-1942*, pp. 395, 415-7, 424 e 431-2. Para o nome da operação, Sonny B. Davis, *A brotherhood of arms*, p. 8.

Argentina e da simpatia dos descendentes de imigrantes do Sul. Num novo desdobramento, quando tudo o que os Estados Unidos queriam era o saliente nordestino, o adido militar americano, general Lehman Miller, fez saber ao general Dutra e ao gabinete do ministro da Aeronáutica que as bases de Belém e do Recife seriam ocupadas "por bem ou por mal".[59] No dia 27 de outubro de 1941, Vargas resumiu e anotou uma conversa do adido com Dutra: "O ministro da Guerra contou-me palestra com o general Miller, recém-chegado dos EUA. Disse-lhe que [...] não confiavam no nosso Exército, tido como germanófilo, e que precisavam desembarcar tropas no Nordeste para defender-nos de um ataque alemão. Isso dá ao caso um aspecto grave, não é uma colaboração, é uma violência".[60]

Na mosca. Miller sabia do que estava falando. Quatro dias depois da queixa de Vargas ao seu diário, o estado-maior americano concluíra um *Plano do Teatro de Operações do Nordeste do Brasil.* Previa o controle de quatro pontos estratégicos: Belém, Natal, Recife e Salvador.[61] Numa de suas versões, denominada *Arco-Íris V*, as operações militares americanas mobilizariam 60 mil homens. Noutra, o *Plano Lilac*, seriam 15 mil, apoiados por dois contingentes de reforço que somavam mais 38 mil soldados.[62] Goes Monteiro dizia que os americanos apresentavam "pretensões descabidas" e provocavam atritos, buscando "a ocupação de bases no território nacional". Reclamava da "guerra de nervos" contra o Alto-Comando do Exército, mas a guerra dos americanos não era de nervos.[63] Era guerra mesmo.

No dia 7 de dezembro de 1941 os japoneses atacaram a base naval de Pearl Harbor, levando os Estados Unidos à luta. Duas semanas depois, aviões americanos desembarcaram 150 fuzileiros navais nas bases aéreas

59 Pio Corrêa, *O mundo em que vivi*, p. 211.

60 Getulio Vargas, *Diário*, vol. 2: *1937-1942*, p. 431.

61 *Plano do Teatro de Operações do Nordeste do Brasil*, de 1º de novembro de 1941, parcialmente transcrito em *IstoÉ*, 26 de maio de 1993, pp. 52-5.

62 Sonny B. Davis, *A brotherhood of arms*, pp. 14 e 23.

63 *Relatório dos Trabalhos do EME — 1941. Documentos históricos do Estado-Maior do Exército*, pp. 252-5.

de Belém, Natal e do Recife. Havia-se combinado que seria "pessoal técnico", mas veio uma pequena tropa armada.[64] Com o apoio de rápidas gestões diplomáticas, assegurara-se o controle do corredor através do qual os americanos alcançariam o Norte da África. A pista da base aérea de Natal chegaria a ser a mais movimentada do mundo.[65] Vargas rompeu relações com o Eixo em janeiro de 1942 e declarou-lhe guerra em agosto. Até a queda de Berlim, em maio de 1945, o Brasil mandaria 25 mil homens para a Itália.

Geisel tirara o primeiro lugar na Escola de Armas, e em 1943 concluiria com louvor o curso de estado-maior. Excluíram-no das listas de oficiais enviados aos Estados Unidos para os cursos intensivos de treinamento que formariam a base da Força Expedicionária Brasileira. Uma proclamada preferência pelos alunos que tivessem obtido boa colocação ao terminarem as escolas de aperfeiçoamento e de estado-maior tornara a exclusão mais dolorosa. Tanto ele como Orlando tiveram desempenhos excepcionais, mas ficaram de fora.[66] Outros descendentes de alemães, entre eles os tenentes-coronéis Amaury Kruel e Henrique Lott, viram-se incluídos na FEB. O adido militar americano no Brasil, que supervisionara o embarque das tropas, chamava-se Kröner, o comandante do corpo de exército ao qual seria anexada a divisão brasileira era o general Crittenberger, e as tropas aliadas estavam sob as ordens do general Eisenhower, todos descendentes de alemães.

Quando, no início de 1945, o major Ernesto Geisel foi mandado à Escola de Comando e Estado-Maior de Fort Leavenworth, no estado do

64 Telegrama do embaixador Carlos Martins a Getulio Vargas, de dezembro de 1941. Telegramas dos generais Mascarenhas de Moraes, Zenóbio da Costa e Cordeiro de Farias ao ministro Dutra, de 18 e 19 de dezembro de 1941. Em *Marechal Eurico Gaspar Dutra — O dever da verdade*, organizado por Mauro Renault Leite e Luiz Gonzaga Novelli Jr., pp. 476-7. A Ponte Aérea fora inaugurada seis meses antes do ataque a Pearl Harbor, quando dez aviões militares americanos desceram em Natal e decolaram para a África. A esquadrilha não tinha permissão das autoridades brasileiras para fazer essa rota. Voava com navegadores ingleses treinados na rota como tripulantes de uma linha comercial da Pan American. Ver Frank D. McCann Jr., *The Brazilian-American Alliance — 1937/1945*, p. 235.

65 Larry Rohter, "Natal journal: a has-been wonders how to honor what was", *The New York Times*, 20 de junho de 2001.

66 Ernesto Geisel, abril de 1994.

Kansas, a máquina militar alemã já se avizinhava do colapso. Tinha 37 anos e uma biografia marcada pelas desordens militares da primeira metade do século. Participara de dois golpes (1930 e 37), reprimira três levantes (31, 32 e 35), mas fora mantido ao largo da maior guerra da história mundial. Viveu mais meio século, foi general e presidente, sempre mostrando a mágoa que essa exclusão lhe causou.

As inquietações cotidianas do major Geisel relacionavam-se muito mais com a qualidade do Exército em que vivia do que com os grandes problemas nacionais. Corporação desequipada, ineficiente, dividida em panelinhas de generais e áulicos, era forte nas paradas e nos palácios, fraca nos quartéis e no adestramento militar. "Este exército não vai à batalha", reclamava o general Goes Monteiro.[67] Não possuía aviões capazes de patrulhar a costa. A tropa terrestre jamais se exercitara com a Força Aérea. Também não tinha blindados, artilharia antiaérea ou munições em geral.[68] O ministro da Guerra, general Dutra, sustentava que a mobilização de sua tropa era tarefa quase impossível. Além de o Exército apresentar outras fragilidades, "grande número de oficiais se acham afastados de suas funções".[69] Faltava aos seus comandantes sobretudo a vontade de entrar na guerra. Houve caso de turma de oficiais em que os catorze primeiros colocados preferiram ficar fora da FEB.[70] De seus 870 oficiais de infantaria, 302 eram reservistas.[71] Dois generais recusaram o comando da Força Expedicionária, enquanto Dutra escrevia a Vargas atribuin-

67 Carta do general Pedro Aurélio de Goes Monteiro ao general Emílio Lucio Esteves, de 19 de maio de 1937, em *Marechal Eurico Gaspar Dutra — O dever da verdade*, organizado por Mauro Renault Leite e Luiz Gonzaga Novelli Jr., p. 191.

68 Expediente enviado pelo ministro da Guerra, general Eurico Gaspar Dutra, ao presidente Getulio Vargas em 4 de junho de 1940. Mauro Renault Leite e Luiz Gonzaga Novelli Jr., orgs., *Marechal Eurico Gaspar Dutra — O dever da verdade*, pp. 385 e 580. Para a falta de aviões capazes de patrulhar a costa e para a situação dos blindados, Ricardo Bonalume Neto, *A nossa Segunda Guerra*, pp. 87 e 125.

69 Mauro Renault Leite e Luiz Gonzaga Novelli Jr., orgs., *Marechal Eurico Gaspar Dutra — O dever da verdade*, p. 581.

70 Depoimento de Gerson Machado Pires, em Ricardo Bonalume Neto, *A nossa Segunda Guerra*, pp. 129-30.

71 Frank D. McCann Jr., *The Brazilian-American Alliance — 1937/1945*, p. 368.

do a reticência dos chefes até à "fraqueza congênita dos nossos soldados, fisicamente debilitados".[72]

Em 1940, ao mesmo tempo que os blindados alemães encurralavam as tropas inglesas na França, Geisel, no comando da bateria de artilharia da Escola Militar, dirigia um inquérito policial-militar destinado a apurar as causas da morte de um cavalo.[73] Voltou de Fort Leavenworth no início de abril de 1945, quando o Exército Vermelho estava nas cercanias de Berlim. Terminado o curso de especialização em blindados, ele se apresentou ao quartel-general. Ainda que não tivesse aprendido nada, tinha pelo menos o que contar, mas a conversa com o oficial encarregado de classificá-lo foi rápida:

— Onde o senhor estava antes de ir para os Estados Unidos?

— Em Porto Alegre.

— Então volte para lá.[74]

O mesmo Exército que o ministro da Guerra relutara em mandar para a guerra por desequipado e mal treinado, nada tinha a oferecer além da monotonia a um major que concluíra com louvor todos os cursos de aperfeiçoamento e acabava de regressar da escola de comando da melhor força armada do mundo. Nem sequer lhe perguntaram o que vira. Graças a um amigo, conseguiu ficar no Rio de Janeiro.

72 Mauro Renault Leite e Luiz Gonzaga Novelli Jr., orgs., *Marechal Eurico Gaspar Dutra — O dever da verdade*, p. 582, para a citação. A recusa dos dois generais foi informada ao autor pelo general Ernesto Geisel. Em repetidas ocasiões ele se negou a identificá-los. O *Dicionário histórico-biográfico brasileiro pós-1930*, coord. de Alzira Alves de Abreu e outros, vol. 2, p. 2284, diz que "vários generais, entre os quais Valentim Benício, Amaro Bittencourt e Francisco Gil Castelo Branco, teriam sido consultados para exercer o cargo".

73 Livro de Alterações do general Ernesto Geisel, comissão de 1º de fevereiro de 1940. Tratava-se do cavalo nº 500, do Departamento de Equitação. APEG.

74 Ernesto Geisel, novembro de 1983.

Uma dor que não acaba

Na tarde de 29 de outubro de 1945 o major Ernesto Geisel, chefe-de-gabinete do comando do Núcleo da Divisão Blindada, recebeu ordens para sair com a tropa do quartel de São Cristóvão. O general Álcio Souto, comandante da unidade, estava muito gripado e ficara no quartel-general. Assim como fizera em 1937, Getulio Vargas tentava embaralhar a sucessão presidencial, mas se oito anos antes ela era disputada por dois civis (José Américo de Almeida e Armando de Salles Oliveira), dessa vez o páreo estava entre dois militares, o general Eurico Gaspar Dutra, que deixara o Ministério da Guerra, e o brigadeiro Eduardo Gomes.

"Eu agi em quatro lances. Primeiro tomamos a praça da República. De lá, fomos para a Cinelândia e praça Paris. Finalmente, para o Catete e de lá para o palácio Guanabara."[1] Quinze anos depois de ter saído de Santo Ângelo com uma anônima unidade de artilharia a cavalo no levante que colocara Getulio Vargas na Presidência da República, Ernesto Geisel estava com seus blindados diante da escadaria de mármore do palácio Guanabara, velha casa da princesa Isabel que a República reformara e Getulio transformara em residência. Os blindados e a tropa de um batalhão de infantaria espalhados pelos jardins sinalizavam a determinação da rebeldia militar. Geisel e Álcio Souto entraram no palácio à noite, antes que Vargas saísse. Por acaso encontraram-se com o presidente no salão. Trocaram cumprimentos, mas não se deram

1 Ernesto Geisel, outubro de 1984.

a mão.[2] Da jornada, o major Geisel reteve apenas a lembrança de ter gritado tantas ordens a ponto de terminar o dia resfriado e rouco: "Não passou pela minha cabeça a idéia de que seria necessário tomar o palácio. Saí do quartel com a certeza de que o Getulio já estava deposto. Participar de uma operação que derrubou um presidente da República não me deu qualquer emoção especial. Tudo parecia uma coisa muito natural. O movimento de 1945 foi feito dentro da hierarquia".[3]

Em toda a vida Geisel pouco falou da sua participação no golpe contra Vargas. Seus registros biográficos informam que "tomou parte ativa na ação militar do dia 29 de outubro de 1945, no Rio de Janeiro, como chefe do estado-maior do general Álcio Souto". Do mesmo modo, os registros da deposição de Vargas revelam que o Guanabara foi confrontado com uma tropa do Núcleo da Divisão Blindada, sob o comando do general, mas não fazem alusão ao major. Atrás desse silêncio estão algumas das particularidades de Geisel. A principal, capaz de explicar também o desinteresse com que tratava do assunto cinqüenta anos depois, era a noção de golpe "dentro da hierarquia", determinado pelo quartel-general e apoiado pelo comandante da unidade. Nesse tipo de golpe, que não tem nome, forma ou conteúdo político, a missão do major se resume a uma formalidade burocrática, impessoal. Álcio Souto concedeu ao major Ernesto um elogio de 93 palavras em que mencionou a existência de uma "ação" que terminou com "a vitória de nossas forças", sem referência ao local onde ocorreu ou ao objetivo que a desencadeou.[4] O silêncio foi ainda produto do temperamento retraído de Geisel, carregado de

2 Estava presente também o tenente Leonidas Pires Gonçalves. Getulio perguntou os nomes a Geisel e a Leonidas. Quando ouviu os sobrenomes, comentou: "O senhor é um dos irmãos Geisel. Esteve na Paraíba? Fez um belo trabalho lá". A Leonidas, ajudante-de-ordens de Álcio Souto, mostrou conhecer seu pai, médico, e disse: "Lembro-me da última vez que o vi". Álcio Souto perguntou-lhe o que ia fazer. Vargas, teatralmente, manteve-se em silêncio, deu uma baforada de charuto e respondeu: "Descansar". Leonidas Pires Gonçalves, janeiro de 1999.

3 Ernesto Geisel, outubro de 1984, julho de 1992 e maio de 1994. (O golpe de 29 de outubro foi o único a contar com lista prévia de adesões por assinatura. Depoimento do general Mendes de Moraes, em Mario Renault Leite e Luiz Gonzaga Novelli Jr., orgs., *Marechal Eurico Gaspar Dutra — O dever da verdade*, p. 733.)

4 Elogio do general Álcio Souto ao major Ernesto Geisel, de 8 de novembro de 1945. Livro de Alterações, Diretoria de Motomecanização, segundo semestre de 1945. AA.

uma hostilidade ao exibicionismo que, além de marcar a vida dele, marcaria o juízo que fazia dos chefes e subordinados.

Nas décadas seguintes o golpe que depôs Getulio Vargas foi associado a um sentimento democrático dos comandantes militares influenciados pela experiência da Força Expedicionária na Itália. Essa racionalização, posterior à quartelada, ajudaria os oficiais que apoiaram o Estado Novo a confraternizar com os socialistas e liberais que haviam mandado à cadeia ou ao desemprego. Varrendo-se a ditadura para debaixo da biografia de Vargas, os generais e almirantes, liderados por Dutra, pularam o muro do Estado Novo. Os personagens decisivos no golpe de 1945 foram sete, todos oficiais-generais. Deles, apenas um (Cordeiro de Farias) estivera na Itália. Três (Dutra, Goes Monteiro e Álcio Souto) só se juntaram ao esforço dos Aliados depois da chegada dos americanos a Natal.[5] Não foi para redemocratizar o Brasil que o major Geisel cercou o Guanabara: "Getulio foi deposto porque prometeu eleições e queria fazer trapaça. Estava sendo safado".[6] O golpe contra Getulio, que resultou na posse de José Linhares, presidente do Supremo Tribunal Federal, foi dado para preservar uma eleição presidencial que haveria de colocar na Presidência um general ou um brigadeiro.

Sete meses depois da saída de Vargas do palácio do Catete, nele entrou Ernesto Geisel. O general Álcio Souto assumira a chefia do Gabinete Militar do presidente Dutra e designara-o para chefe de uma das seções da secretaria geral do Conselho de Segurança Nacional. Desde sua criação, em 1934, até seu fechamento, em 88, esse conselho foi um instrumento de militarização do poder presidencial. Passou por períodos de raquitismo e de hipertrofia, metido em pequenas questões, como o destino do guano da ilha Rata, em Fernando de Noronha, ou em catástrofes co-

5 Além dos quatro generais mencionados, tiveram participação relevante o brigadeiro Eduardo Gomes (candidato à Presidência), Mendes de Moraes (diretor de armas, nome dado na época à Diretoria de Pessoal) e Anor Santos, da Artilharia de Costa. Dos sete, só Eduardo Gomes se opusera publicamente ao Estado Novo.

6 Ernesto Geisel, outubro de 1984.

mo o projeto clandestino de construção de uma bomba atômica. Viveu entre a obscuridade burocrática e o esplendor cenográfico, ora entregue a coronéis anônimos, ora servindo de pano de fundo para a edição do AI-5, em 1968. Em todos os casos funcionou como uma assessoria militar e privada do presidente. Foi arquivo de projetos indesejáveis e respaldou, com sua denominação grandiloqüente, atos que não passavam de decisões individuais do governante. De conselho tinha apenas o nome, pois era composto pelos ministros e pelos chefes de estados-maiores, colaboradores que o chefe do Executivo podia dispensar a qualquer momento.

Álcio Souto tirara Geisel do anonimato e da rotina de cavalos e soldados. Fora um simpatizante ostensivo da Alemanha nazista. Durante os primeiros anos da guerra, quando comandava a Escola Militar de Realengo, o coronel Álcio levava os cadetes a um cinema de subúrbio, onde o adido militar alemão co-presidia exibições dos sucessos militares da Wehrmacht.[7] Em abril de 1947 o general mandou o major Geisel para Montevidéu como adido militar, e provavelmente influiu na sua promoção a tenente-coronel, em junho de 48. Quatro meses depois, aos 52 anos, morreu com uma tuberculose que insistira em tratar com bolinhas de homeopatia.[8] Num Exército onde os generais poderosos carregam pequenas cortes de subordinados, fechara-se a primeira e última possibilidade de integração de Geisel a um grupo específico, no qual, conhecendo-se a tendência do chefe, intui-se o comportamento da colméia. De todos os chefes militares da época, Álcio Souto seria o único para quem Geisel guardaria palavras em que misturava admiração e afeto. Em 1976, na Presidência, promoveu seu filho Alvir a general. Com ele havia outros 26. Telegrafou a todos chamando-os de "camarada" e mandando-lhes "um abraço de felicitações". A sete chamou de "amigo". Só a Alvir Souto, "camarada e amigo", mandou "um especial abraço".[9]

7 Aspásia Camargo e Walder de Góes, *Meio século de combate — Diálogo com Cordeiro de Farias*, p. 296, diz que Álcio Souto fazia parte do "grupo germanófilo". Carta do general Octavio Costa ao autor, de 21 de agosto de 1991. A cinematografia nazista interrompeu-se depois que uma sessão acabou em vaias e protestos. Em seu depoimento no livro *Histórias do poder*, organizado por Alberto Dines, Florestan Fernandes Jr. e Nelma Salomão, vol. 1: *Militares, Igreja e sociedade civil*, p. 322, Jarbas Passarinho refere-se ao nazismo de Álcio Souto.

8 Ernesto Geisel, julho de 1992.

9 Nota de Heitor Ferreira, de cerca de abril de 1976. APGCS/HF.

Com 1600 dólares de soldo, pouco menos de dois anos em Montevidéu foram suficientes para que Geisel, aos 43 anos, comprasse a sua primeira casa. Era o apartamento 201 do edifício Parente, na esquina das avenidas Afrânio de Melo Franco e San Martin, um dos poucos prédios do quarteirão. Custou-lhe 480 contos. Da cozinha via-se a praia do Leblon. O filho Orlando tinha dez anos, e Amália Lucy, a caçula, completara cinco. Tornara-se um tenente-coronel do "exército do Rio de Janeiro", formado por instrutores das escolas de aperfeiçoamento, oficiais de estado-maior, ativistas políticos, conspiradores, áulicos e alpinistas sociais. Mandaram-no para o Estado-Maior das Forças Armadas, o EMFA.

No dia 3 de outubro de 1950, Getulio Vargas cruzou novamente o seu caminho. Haviam-se acabado a Nova República de 1930 e o Estado Novo de 37, mas o ex-ditador, auto-exilado na sua fazenda do Itu, em São Borja, marchava de novo sobre o Catete. Como avisara, "eu voltarei, não como líder político, mas como líder de massas".[10] Geisel foi à urna e votou no brigadeiro Eduardo Gomes. Getulio teve 3,8 milhões de votos, quase 49% dos votos válidos, vencendo em dezoito dos 21 estados e também no Distrito Federal. Em São Paulo teve o triplo da votação do *Brigadeiro*; no Rio, o dobro. "Foi uma das maiores decepções que tive", contaria Geisel. Antes do resultado de 1950 não era um devoto do sufrágio universal como forma de escolha dos governantes. Depois dele, seria um cético irreversível.

Bota o retrato do velho outra vez,
Bota no mesmo lugar.
O sorriso do velhinho
Faz a gente trabalhar.[11]

Aos 67 anos, Vargas voltara nos braços do povo. Nada na sua chegada ao Catete lembrava a euforia de 1930. A bandeira da moralidade pública passara aos seus adversários, um pedaço da oficialidade não o tole-

10 *Dicionário histórico-biográfico brasileiro pós-1930*, coord. de Alzira Alves de Abreu e outros, vol. 5, p. 5949. Verbete de Paulo Brandi.

11 Idem, p. 5953. "Retrato do velho", marcha carnavalesca de Haroldo Lobo e Marino Pinto.

rava. Fazia pouco sentido, mas o ditador retornara com uma das pernas no ombro da esquerda que torturara e matara. Getulio subiu a escadaria interna do palácio com tamanho desembaraço que o presidente Dutra, ainda com a faixa presidencial sobre o uniforme, seguiu-o meio passo atrás, como se habituara a fazer na ditadura.[12] Antes mesmo de sua vitória os adversários punham as cartas na mesa: "O sr. Getulio Vargas, senador, não deve ser candidato à presidência. Candidato, não deve ser eleito. Eleito, não deve tomar posse. Empossado, devemos recorrer à revolução para impedi-lo de governar", escrevia o jornalista Carlos Lacerda.[13]

Durante toda a agitação militar do governo Vargas, Geisel manteve-se no quartel. Em duas ocasiões levaram-lhe manifestos. Um, contra o governo, viria a ser conhecido como o *Memorial dos Coronéis* e provocaria a queda do ministro do Trabalho, João Goulart. Outro, a favor do ministro da Guerra, general Zenóbio da Costa, oferecia-lhe a solidariedade dos oficiais. Não assinou nenhum dos dois. Refugou o primeiro porque "aquilo era um ato de indisciplina, coronel não tem nada que discutir nomeação de ministro". Em geral, quem não assinava um, assinava o outro. Ademais, como é comum nas articulações militares a favor do governo, o texto do documento de apoio a Zenóbio fora-lhe trazido pelo general sob cujas ordens servia. Refugou também o segundo: "Eu lhe disse que era amigo do Zenóbio mas que não assinaria o manifesto por duas razões: primeiro porque não dou solidariedade irrestrita a ninguém; segundo, porque chefe não pode receber solidariedade de subordinado. O subordinado não pode ficar solidário com o chefe pelo simples fato de que não pode negar-lhe o apoio quando pedido. Então, se o chefe precisa da solidariedade do subordinado, ele está patrocinando um ato de indisciplina em benefício próprio".[14]

Tornava-se um personagem estranho. Era um oficial respeitado, com opiniões políticas tão claras quanto operacionalmente irrelevantes. Até as pedras sabiam que detestava Getulio e que seu círculo de amizades privi-

12 *Dicionário histórico-biográfico brasileiro pós-1930*, coord. de Alzira Alves de Abreu e outros, vol. 5, fotografia da página 3488.

13 Carlos Lacerda, "Advertência oportuna", p. 4. *Tribuna da Imprensa* de 1º de junho de 1950.

14 Ernesto Geisel, outubro de 1983 e junho de 1994.

legiava os golpistas, mas nada disso tinha utilidade, pois regia-se pelo manual. Comandando mesas, o próprio tenente-coronel tinha pouca importância. Do EMFA passara à Escola Superior de Guerra, que nem de sede dispunha, funcionando de favor na Escola de Artilharia de Costa.

Às oito e meia da manha de 24 de agosto de 1954, o *Velho* viu que a tropa ia novamente ao palácio para depô-lo. Deitou-se na cama de seu quarto no palácio do Catete, apontou o Colt de cabo de madrepérola para o peito e disparou. Dessa vez Geisel ficara de fora. Sua tropa, o 8º Grupo de Artilharia de Costa Motorizado, no Leblon, manteve-se no quartel. O general Juarez Távora levou-o de volta ao governo, agora como subchefe do Gabinete Militar do presidente Café Filho. Em 1931 o tenente Geisel prendera Café, advogado de sindicatos de trabalhadores, acusado de preparar um levante esquerdista no Rio Grande do Norte. Verificada a falsidade da denúncia, libertara-o dias depois, com um pedido de desculpas. O presidente lembrou o incidente ao coronel.[15] Alguns meses mais tarde Geisel saiu do Catete para assumir o Regimento Escola de Artilharia, o mais prestigioso comando da arma, mas também não se demorou.

Em setembro de 1955 o general Henrique Lott, feito ministro da Guerra, chamou-o ao gabinete e pediu-lhe que fosse para a superintendência da refinaria de petróleo de Cubatão, na Baixada Santista, inaugurada em abril. Depois de 21 anos na tropa, Geisel alistava-se na sua segunda corporação: a Petrobrás. Ela mal completara um ano de vida. O Brasil descobrira seu primeiro poço de petróleo em 1938, e em setembro de 50 (cem anos após o surgimento do processo de refino, na Inglaterra) um automóvel movido a gasolina brasileira saíra de uma grande refinaria estatal, a de Mataripe, na Bahia.

Passados quinze meses do suicídio de Vargas e 39 dias da eleição de Juscelino Kubitschek, um novo golpe. Na manhã de 11 de novembro de 1955 o general Lott derrubou Carlos Luz, o presidente da Câmara dos Deputados que assumira havia três dias, depois que Café se licenciara,

15 João Café Filho, *Do sindicato ao Catete — Memórias políticas e confissões humanas*, vol. 1: *Do sindicato ao Catete*, pp. 70-1.

abatido por um distúrbio cardíaco. O general defenestrou Luz, dispensou Café e entregou o Catete ao presidente do Senado, Nereu Ramos. A "Novembrada" de Lott foi o mais latino-americano dos golpes brasileiros. Segundo ele, destinou-se a recolocar o país "nos quadros normais do regime constitucional vigente", frase que não quer dizer absolutamente nada. Para seus beneficiários, a deposição de Carlos Luz destinou-se a garantir a posse de Kubitschek, ameaçada por uma articulação golpista da direita militar de que faziam parte tanto Café Filho como Carlos Luz. Para seus adversários, serviu para transformar o general Lott em condestável da República. Para uns e para outros significou a divisão irremediável da liderança militar.

A "Novembrada" separou os irmãos Geisel. Orlando, que a apoiara, atuando como auxiliar do general executor do estado de sítio no Rio de Janeiro, e Ernesto, que a condenara. Ficaram mais de três anos sem se falar. Visitavam-se somente nas comemorações familiares, e mesmo assim não tocavam em política. O rompimento só não se agravou porque suas mulheres — Alzira e Lucy, a quem os maridos chamavam de "mãe" — desdenharam a briga e continuaram freqüentando-se, além de se falarem por telefone quase todos os dias.[16] À sombra do general Odylio Denys, verdadeira mola da deposição de Carlos Luz, a carreira de Orlando Geisel prosperou durante o mandarinato de Lott.

No início de 1956 Lott mandou chamar o coronel Ernesto Geisel. Explicou-lhe os motivos da "Novembrada" e foi surpreendido por uma condenação: "O senhor não podia nunca se insurgir contra um presidente da República que o tinha nomeado". Apesar disso, o ministro ofereceu-lhe um dos principais comandos do Exército: a Academia Militar das Agulhas Negras, centro formador da oficialidade. Era posição de general. Geisel recusou o prêmio e foi designado comandante do 2º Grupo de Canhões Antiaéreos, em Quitaúna, na periferia de São Paulo. Era um bom comando, mas não se comparava com a AMAN.

16 Amália Lucy Geisel, junho de 1991.

Na tarde de 28 de março de 1957 o coronel Ernesto Geisel completara um ano de comando em Quitaúna. Havia uma pequena comemoração no quartel e até um jogo de basquete. Seu filho Orlando ia para a quadra. Era magro, tinha dezesseis anos, 1,86 m, óculos de fundo de garrafa e tradição de bom aluno. "Fui o primeiro aluno", escrevia a um amigo, "mas isto é quase uma obrigação para mim, porque todos os outros alunos trabalham e não têm tempo para estudar."[17] Decidira formar-se em engenharia eletrônica no Instituto Tecnológico de Aeronáutica — o ITA — e deveria fazer vestibular no ano seguinte. Comprara pão para a casa, deixara a irmã estudando desenho e montara na bicicleta. Viram-no com um garoto na garupa, a caminho do quartel. Ao atravessar a linha do trem, o jovem Orlando Geisel Sobrinho foi apanhado por uma composição e, ferido na cabeça, morreu no leito da ferrovia. Ninguém testemunhou o acidente. Um oficial reconheceu o corpo e avisou o coronel Geisel. Ele viu o filho, foi para casa e informou a família. Em poucos meses seus cabelos louros ficaram completamente brancos. De volta ao Rio, quando a mulher colocou uma fotografia de *Orlandinho* num porta-retratos de prata, pediu-lhe que a tirasse.[18] Se via o filho nos álbuns da família, virava rapidamente a página. Passaram-se dez anos até que voltasse a pronunciar o nome dele.[19] O bloqueio erguido em torno da tragédia foi tão grande que por muitos anos a família evitava mencionar o nome de Orlando na presença do pai.[20]

A morte do filho alterou a noção que Ernesto Geisel tinha da própria existência. Trouxe-lhe um sofrimento que nenhum sucesso haveria de eliminar. A educação austera, a disciplina da caserna e seu temperamento fizeram-no um retraído, mas a desgraça abateu-o a ponto de ele dizer, trinta anos depois, que "ao longo de minha vida eu fui um

17 Carta de Orlando Geisel Sobrinho a Ruy Flaks Schneider, de 11 de maio de 1956. Armando Falcão, *Geisel*, p. 110.

18 Amália Lucy Geisel, julho de 1991.

19 Humberto Barreto, maio de 1991.

20 Amália Lucy Geisel, julho de 1991, e Humberto Barreto, fevereiro de 2003.

infeliz".[21] A um amigo que passou por experiência semelhante, confessou: "É uma dor que não acaba".[22] Nunca fora um lúdico, mas em 1957 perdeu até a capacidade de esperar que a vida lhe desse alegrias. Os dias festivos transformaram-se em jornadas de sofrimento, queria que se esquecesse o Natal, "porque minha família não está completa".[23] "Ele se ensimesmou ainda mais", conta Amália Lucy, a filha.[24] "Antes da morte do Orlandinho ele já era uma pessoa fechada, mas se permitia alguma vida social. Depois, encaramujou-se", lembra seu amigo Humberto Barreto.[25] Geisel não buscou conforto na religião, nas reminiscências ou nas mudanças bruscas de comportamento típicas das compensações emocionais. Trancou-se, nunca mais falou do assunto e, sempre que lhe foi possível, passou o dia 28 de março na companhia da mulher.

Cinco anos após a tragédia recusou o comando da artilharia de São Paulo, para não retornar, com a família, ao cenário em que tanto haviam sofrido.[26] Em 1976, quando o prefeito de Osasco decidiu dar o nome de Orlando Geisel Sobrinho a uma rua da Vila dos Militares, em Quitaúna, Geisel limitou-se a visar a carta com a notícia da assinatura do decreto, sem mandar agradecer.[27] (Pouco depois agradeceria a remessa de dois discos do tenor italiano Beniamino Gigli, enviados por outro político paulista.)[28] Durante os cinco anos em que Geisel presidiu o país, Heitor Ferreira, seu secretário particular, só registrou uma referência a Orlando, quando defendeu a necessidade de uma campanha para aperfeiçoar a sinalização das ferrovias: "Meu filho, por exemplo, foi atropelado por um trem, sem aviso na cancela ou passagem".[29]

21 Ernesto Geisel, agosto de 1986. A frase foi dita num contexto em que se discutiam as dificuldades que as famílias criam para os governantes: "Ao longo de minha vida eu fui um infeliz, mas tive a sorte de ter uma grande mulher e uma grande filha".

22 Antonio Carlos Magalhães, 1987.

23 Amália Lucy Geisel, julho de 1991.

24 Idem.

25 Humberto Barreto, maio de 1991.

26 Ernesto Geisel, novembro de 1994.

27 Carta do prefeito Francisco Rossi a Geisel, de 26 de fevereiro de 1976. APGCS/HF.

28 Bilhete de Miguel Colasuonno a Geisel, de 26 de maio de 1976. APGCS/HF.

29 *Diário de Heitor Ferreira*, 25 de junho de 1975.

Fora da família, seus interlocutores dividiam-se em dois tipos: os que não tinham intimidade para mencionar o episódio e os que, tendo-a, sabiam que não deviam fazê-lo. Ninguém o fez.[30] Esse escudo, originalmente erguido para travar a dor, provoca uma reação a dependências afetivas. Repele até mesmo gestos de afeto e ajuda, identificando neles uma reverberação simultânea da desgraça e da fragilidade das relações humanas. O que à primeira vista parece ser um bloqueio à dor termina por transformar-se em fortificação contra novas experiências emocionais.[31] Geisel e a mulher tornaram-se inseparáveis na convivência, praticamente inacessíveis na vida particular.

30 Amigos íntimos de Geisel, como o casal Lilian e Humberto Barreto, evitavam tocar na morte de Orlando Geisel Sobrinho. Golbery jamais a mencionou. Em vinte anos de conversas com Geisel, somente em dezembro de 1993, durante um almoço a que estavam presentes a mulher, a filha e Humberto Barreto, ouvi-o fazer alusão ao "problema de Quitaúna", onde se deu "o falecimento do meu filho". Ele se referiu pública e espontaneamente a Orlando em 1994. Em 27 de janeiro desse ano, quando recebeu Cosette Alves para uma entrevista, que saiu na *Folha de S.Paulo* de 15 de setembro de 1996. Nela disse: "Sofri pessoalmente e sofri vendo minha mulher sofrer". Depois, durante uma sessão das entrevistas que deu ao CPDOC, publicadas em *Ernesto Geisel*, volume organizado por Maria Celina d'Araujo e Celso Castro, p. 123. No depoimento concedido ao autor, o assunto não foi levantado.

31 Robert Jay Lifton, *The broken connection*, p. 176.

O perigo vermelho

Logo depois da morte do filho o coronel Geisel foi transferido para a seção de informações do Estado-Maior do Exército, no Rio de Janeiro, onde acumulou a função de representante do Ministério da Guerra no Conselho Nacional do Petróleo. A divisão militar aprofundava-se diante da armação da candidatura do ministro da Guerra à Presidência da República. Além de ter feito a "Novembrada", o general Lott aceitara uma espada de ouro na comemoração do primeiro aniversário do golpe, homenagem de uma frente política que ia do vice-presidente João Goulart ao Partido Comunista. O poeta Manuel Bandeira reclamava:

É ouro sinistro,
Ouro mareado:
Mancha o Ministro
Mancha o Soldado.[1]

Lott iniciara o processo de desidratação do Estado-Maior em benefício do gabinete pessoal do ministro. Criara um serviço de informações próprio e deixara aos coronéis do EME pouco mais que arcanas discussões estratégicas e geopolíticas. Sua seção de informações passou a cuidar apenas de questões internacionais. Lá, Geisel batalhava contra um novo

1 Manuel Bandeira, "A espada de ouro", em *Estrela da vida inteira*, p. 335.

inimigo: o império russo e seu instrumento de expansão política, o comunismo.

O confronto entre os impérios americano e soviético pode ter começado em julho de 1943, quando americanos e ingleses, sem consultar os russos, aceitaram a instalação do general Pietro Badoglio na chefia do governo italiano depois da deposição de Mussolini. Ou ainda em março de 1944, quando Josef Stalin demonstrou a Churchill e ao presidente americano Franklin Roosevelt que estava disposto a transformar a Polônia num satélite soviético.[2] Segundo James Burnham, um jovem ex-trotskista, renomado escritor da época, a Terceira Guerra Mundial estourara em abril de 1944, com a revolta dos marujos comunistas dos navios gregos ancorados no porto de Alexandria.[3] Através de uma didática que cultivaria até mesmo na Presidência, copiando em cadernos escolares tudo aquilo que gostaria de lembrar, Geisel transcreveu um trecho do livro de Burnham: "A tarefa de preparação da Terceira Guerra Mundial pode ser subdividida em dois tópicos: a tentativa para consolidar o domínio efetivo do continente eurasiano e a tentativa simultânea para enfraquecer e minar todos os governos e nações não submetidas ao controle comunista".[4]

O após-guerra foi um daqueles períodos da história humana em que, tendo acontecido tanta coisa, tudo podia acontecer. A partir de 1940, em pouco mais de uma década, dera-se uma reorganização das fronteiras européias sem paralelo desde as guerras napoleônicas. A própria existência das nações tornara-se matéria frágil. A Alemanha fora retalhada e o Japão, ocupado. Os Estados bálticos foram engolidos pela União Soviética e o Tibet, pela China. Dividiram-se a Índia, por motivos religiosos, e a Coréia, por razões ideológicas.

O comunismo avançava geográfica, política e intelectualmente. O coronel Geisel acompanhava a "expansão soviética" em seu caderno:

2 John Colville, *The fringes of power*, p. 479.

3 A observação é de James Burnham, em *Struggle for the world*, publicado em 1947.

4 *Apontamentos*, caderno de espiral, manuscrito, de Ernesto Geisel. APGCS/HF.

Julho de 1940 — anexação da Estônia, Letônia e Lituânia [e de] vastas áreas da Polônia, Prússia Oriental e Bessarábia.

Agosto de 1945 — ocupação do sul da ilha Sacalina e das Curilas.

Janeiro de 1946 — República Popular da Mongólia, República Popular da Albânia.

Setembro de 1946 — Romênia passa a ser comunista e a Bulgária é absorvida pelos vermelhos.

Janeiro de 1947 — Polônia aceita o domínio comunista.

Maio de 1947 — Hungria aceita o domínio comunista.

Fevereiro de 1948 — Golpe comunista na Tchecoslováquia.

Maio de 1948 — Coréia do Norte se converte em República Popular.

Outubro de 1948 — Mandchúria aceita um governo comunista.

Outubro de 1950 — A Alemanha Oriental se converte em estado comunista.

Janeiro de 1951 — O comunismo se apodera da China.

Maio de 1951 — O Tibet cai sob o domínio comunista.[5]

As bandeiras vermelhas tremulavam num espaço geográfico duas vezes maior que aquele anterior à guerra, e perto da metade da população do mundo estava sob o governo das "ditaduras do proletariado". Na outra metade a situação era ameaçadora. Os partidos comunistas europeus saíram da guerra como potências políticas. Entre a queda de Mussolini, em 1943, e a grande eleição de 46, o número de militantes do PCI passou de 400 mil a 2 milhões. Um italiano em cada cinco votava ver-

5 Duas folhas manuscritas, datadas de fevereiro de 1954, anexas ao caderno intitulado *Apontamentos*, de Ernesto Geisel. APGCS/HF. A respeito do expansionismo moscovita, a título de comparação, registre-se que entre 1761 e 1856 a Rússia se expandiu à razão de 48 quilômetros quadrados por dia. Entre 1790 e 1890, os Estados Unidos expandiram-se à razão de quase cem quilômetros quadrados por dia. Ver Richard Pipes, *The formation of the Soviet Union*, p. 1. Entre 1500, quando as fronteiras coloniais portuguesas estavam demarcadas pela linha do Tratado de Tordesilhas, e 1904, quando a República anexou o território que hoje forma o estado do Acre, o Brasil expandiu-se sobre 5 706 438 quilômetros quadrados, à razão de 34,7 quilômetros quadrados por dia. Agradeço essa pesquisa a Luiz Henrique Ligabue F. Silva.

melho. O Partido Comunista Francês tornou-se o maior do país, com 1 milhão de membros (três vezes mais que em 1937) e 29% dos votos.[6] Mussolini fora pendurado de cabeça para baixo num posto de gasolina e a casa real dos Savoia, destronada e banida. O gabinete italiano tivera quatro ministros comunistas, entre os quais o secretário-geral do PCI, Palmiro Togliatti, com a pasta da Justiça. Na França o primeiro-ministro Pierre Laval foi passado pelas armas, e o marechal Phillipe Pétain, herói de Verdun e ícone do governo colaboracionista de Vichy, metido numa enxovia. Os comunistas ocuparam quatro ministérios — inclusive o da Defesa — além de uma cadeira de vice-primeiro-ministro. No inverno de 1947 os partidos comunistas se lançaram numa ofensiva de greves, e a maioria dos países europeus eram governados por coligações centro-esquerdistas. Parecia realizar-se uma das advertências de James Burnham: "O objetivo supremo da política comunista, e portanto soviética, é a conquista do mundo".[7]

A expansão do comunismo projetara-se também num predomínio intelectual da esquerda. Aqueles que haviam combatido o nazifascismo, recusando-se a tocar o hino fascista, como o maestro Arturo Toscanini, ou ligando-se à Resistência, como o romancista Albert Camus, ou simplesmente ficando em silêncio, como o filósofo italiano Benedetto Croce, formavam uma nova elite moral em toda a Europa. Em casos opostos, o poeta Ezra Pound foi metido pelo exército americano numa jaula de bichos por conta do seu filofascismo, e o escritor francês Robert Brasillach foi fuzilado. A intelectualidade conservadora que se comprometera com o Eixo refluiu ao silêncio. Os dois maiores artistas da época estavam na esquerda: Pablo Picasso dizendo-se comunista, e Charles Chaplin arriscando a carreira para defender a União Soviética.

No Brasil, o PC adquirira excepcional proeminência intelectual. Tinha os melhores autógrafos da cultura nacional. Romance? Graciliano Ramos e Jorge Amado. Poesia? Carlos Drummond de Andrade e Vinicius

6 Gabriel Kolko, *The politics of war*, pp. 31-2. Com 2,125 milhões de membros, o PCI transformou-se no maior partido comunista do mundo, depois do soviético.

7 *Apontamentos*, caderno manuscrito de Ernesto Geisel. APGCS/HF.

de Moraes. Pintura? Candido Portinari e Di Cavalcanti. Eram comunistas compositores consagrados como Mário Lago e artistas populares como o humorista Jararaca. Seria mais fácil listar os intelectuais que não passaram pelo PCB: Sérgio Buarque de Holanda, Gilberto Freyre, Oliveira Viana e Manuel Bandeira.

O coronel Geisel estudara o marxismo. Copiou em 26 páginas de caderno as principais passagens do manual de *Materialismo dialético* da Academia de Ciências da URSS, bíblia dos comunistas de todo o mundo. Com sua caligrafia impecável, anotava: "Materialismo histórico é a ciência das leis que regem o desenvolvimento da sociedade", ou: "A contradição fundamental do capitalismo é a contradição entre o caráter social da produção e a forma privada, capitalista, da apropriação".[8]

Mais tarde, quando Juscelino Kubitschek restabeleceu as relações comerciais do Brasil com a União Soviética, Geisel dinamitou um projeto de troca de 30 milhões de dólares de petróleo russo por produtos brasileiros. Viu na idéia "sérios inconvenientes": "O principal deles decorre da necessidade de serem contínuos os suprimentos de petróleo bruto para o refino no país. É razoável admitir-se que a URSS, após algum tempo, use essa circunstância como fator de pressão sobre o Brasil, ou que, na eventualidade de agravar-se a situação internacional, ela venha a suspender os suprimentos. [...] Em resumo, procurando libertar-nos da sujeição ao capital norte-americano, poderemos criar, no caso, uma sujeição futura muito pior ao bloco soviético".[9]

A energia política e as concepções de poder que o tenente Geisel libertara no rastro da Revolução de 1930 e da ascensão do fascismo se realinharam no coronel de acordo com as clivagens da época. A complexidade dessas clivagens supera de muito as simples divisões entre governo e oposição, esquerda e direita, nacionalismo e liberalismo, democracia e ditadura. Muitas vezes arraigam-se em quizílias que, separando os generais, separam também os coronéis e majores que os cercam. Geisel

8 Vinte e seis folhas manuscritas de Geisel, intituladas *Materialismo histórico*. APGCS/HF. Para a primeira citação, Vários Autores, *Materialismo dialético*, p. 7.

9 *Negociações Comerciais com a URSS*, informação da 2ª Seção do EME, sem data. APGCS/HF.

não caberia em nenhum dos esquemas de separação mecânica dos grupos. Era oposição a Vargas, mas não assinara o *Memorial dos Coronéis*. Isolara-se dos conspiradores de 1954, mas não escondia sua discordância diante da "Novembrada" de 55.

Podia parecer excêntrico, porém era apenas simples. Todos os generais falavam em disciplina, mas naqueles dois anos agitados esquerda e direita mostraram suas concepções utilitárias da ordem e da desordem militar. Em 1954 a esquerda defendia os poderes constituídos, e a direita armava o golpe contra Getulio. Ganhou a direita. Um ano depois a direita conspirava contra a posse de Juscelino Kubitschek, e Lott deu o golpe dos sonhos da esquerda. Os legalistas de 1954 foram os golpistas de 55, enquanto os golpistas de 54 se tornaram legalistas em 55. Num sinal da predominância da indisciplina militar, a maioria dos generais apoiou os dois golpes. Esse foi o caso de Lott, Castello Branco e Costa e Silva. Raros foram os casos como o de Geisel.

Por conta de suas idéias e de seu círculo de amizades, Geisel poderia ser fichado à direita, mas essa classificação não levaria longe. Tornara-se um defensor do monopólio estatal do petróleo. Não se envolvera na batalha política do "petróleo é nosso", mas vira na Diretoria de Motomecanização a extensão das dificuldades derivadas da falta de uma política de combustível. Como mala sem alça, o coronel era um trambolho político, difícil de mover. Em julho de 1957, a mala foi colocada na cadeira de representante do Ministério da Guerra no Conselho Nacional do Petróleo. A Petrobrás mal completara três anos de existência, e o CNP ainda era o formulador da política nacional de combustíveis. Nele, a refinaria União travava a batalha pela definição do futuro do refino de petróleo no Brasil. Localizada em Capuava, São Paulo, refinava 20 mil barris/dia desde o final de 1954. Era a maior do setor privado, mas equivalia a menos da metade da estatal de Cubatão.

A lei que dera à Petrobrás o monopólio da pesquisa, da exploração e da produção de derivados preservara o nicho das três grandes refinarias privadas inauguradas anos antes, desde que congelassem sua produção abaixo da marca dos 45 mil barris/dia.[10] Entendia-se que, aos poucos, a estatal cuidaria do refino, visto como o filé do negócio. Além de Cubatão, a Petrobrás já operava a central de Mataripe e preparava a construção de sua planta em Duque de Caxias, cuja produção deveria chegar a 90 mil barris/dia.[11]

Politicamente poderosa, Capuava[12] havia conseguido do CNP uma autorização para que sua produção se expandisse de 20 mil para 31 mil barris/dia. Do ponto de vista da empresa era ganho de produtividade. Para a Petrobrás, era burla à lei. A briga fora levada ao presidente Juscelino Kubitschek, e ele determinara que a produção excedente ficaria com a Petrobrás, que se comprometia a pagar uma "justa remuneração" à refinaria.[13]

Na hora de definir qual seria essa "justa remuneração" o processo de Capuava caiu nas mãos do coronel Ernesto Geisel. Ele já conhecia a força de Alberto Soares Sampaio, dono da refinaria. Tinha como sócio o banqueiro Walter Moreira Salles e na sua equipe de advogados o professor San Tiago Dantas. No CNP, Geisel encontrara um crítico solitário da política das refinarias particulares. Era Jesus Soares Pereira, um cearense modesto, autodidata e positivista, arquétipo do burocrata nacionalista do varguismo. Começara a vida como telegrafista. De 1938 a 1954, sempre que o Estado expandiu, centralizou ou monopolizou atividades de infra-estrutura econômica, Jesus estava presente. Trabalhara na Assessoria Econômica de Vargas, participara da criação de Volta Redonda, da Companhia Hidrelétrica do São Francisco e da Petrobrás.[14] Sentava-se no Conselho como representante do Ministério da Viação e tentara, sem sucesso, conter a produção da refinaria de Capuava.[15] Para Geisel, tratava-se de calcular uma "justa remuneração" de maneira a evitar que Soares Sampaio — ou qualquer outro dono de refinaria — se-

10 Carlos Eduardo Paes Barreto, *A saga do petróleo brasileiro*, p. 40.

11 Peter Seaborn Smith, *Oil and politics in modern Brazil*, p. 114.

12 A refinaria União era mais conhecida pelo município onde se localizava do que pelo nome.

13 Carlos Eduardo Paes Barreto, *A saga do petróleo brasileiro*, p. 52.

14 Ernesto Geisel, abril de 1995. Para um estudo biográfico e para a trajetória de Jesus Soares Pereira, ver *Petróleo, energia elétrica, siderurgia: a luta pela emancipação*, volume organizado por Cláudio Sinonio Medeiros Lima.

15 Ernesto Geisel, abril de 1995.

quer pensasse em refinar um barril a mais. O coronel decidiu que Capuava devia receber de volta aquilo que pagara pelo óleo cru, mais nada. Arrastou consigo os votos da Marinha e da Aeronáutica, e ganhou a briga. Capuava recorreu, Geisel relatou novamente o processo e voltou a contrariá-la. Concertou-se uma peritagem de técnicos do CNP, eles deram razão à refinaria. Geisel pôs em dúvida a honorabilidade da equipe, e a posição foi mantida.[16]

Um coronel anticomunista na 2ª Seção do EME podia incomodar muita gente, mas um oficial capaz de hostilizar Capuava sentado no CNP incomodava muito mais. Por meio de uma manobra atribuída ao chefe do Gabinete Militar de Kubitschek, nomeou-se para a presidência do conselho um coronel mais moderno que Geisel.[17] Podia fazer de conta que não entendera, visto que se tratava de um cargo civil, mas pagaria o preço da humilhação. Demitiu-se em 24 horas por "incompatibilidade hierárquica".[18] Quando o ministro Lott argumentou que o coronel não lhe daria ordens, Geisel respondeu que durante as reuniões plenárias ele lhe daria a palavra, e isso bastava para caracterizar a incompatibilidade. Menos de um ano depois, estava de volta, sempre incomodando.

Capuava combatia. Numa carta a Juarez Távora, o professor Eugênio Gudin, ex-ministro da Fazenda e corifeu do liberalismo econômico brasileiro, cuidou da "divergência entre a Capuava e a Petrobrás, no caso, personificada pelo seu amigo coronel Geisel, de quem também formo o mais alto juízo". Feita a cortesia, ia ao ponto. "Vejo a estrutura política de nosso país formada por dois únicos grandes grupos: os que são contra e os que são a favor do nacional-socialismo ou do nacional-comunismo." Junto, enviava-lhe o estudo de um amigo sobre a controvérsia.[19] O cos-

16 Carlos Eduardo Paes Barreto, *A saga do petróleo brasileiro*, pp. 52-3 e 55. Capuava foi à Justiça contra o coronel Geisel. Em 1962 teve ganho de causa, mas a Petrobrás só cumpriu a sentença três anos depois. Idem.

17 Na hierarquia militar, se dois oficiais têm a mesma patente, aquele que a ela chegou antes (o "mais antigo") tem precedência sobre o outro (o "mais moderno").

18 Para a identificação do chefe do Gabinete Militar, general Nelson de Mello, como autor da manobra, carta do marechal Floriano de Lima Brayner a Geisel, de 2 de janeiro de 1974. Para o pedido de demissão, carta do coronel Ernesto Geisel ao chefe do EME, de 10 de maio de 1958. APGCS/HF.

19 Carta de Eugênio Gudin a Juarez Távora, de 10 de fevereiro de 1961. APGCS/HF.

mopolita Gudin subestimou o rigor das lealdades de alguns dos tenentes de 1930. Juarez mandou a Geisel tanto o estudo como a própria carta, com a seguinte observação: "Não pude ler qualquer desses documentos; e se tivesse podido fazê-lo, me escusaria de dizer-lhe sequer uma palavra sobre o mérito da questão que lhe cabe debater junto ao CNP". Assinou-se "velho camarada e amigo".[20]

Por detrás da cortina, um amigo de Soares Sampaio fez saber ao coronel Geisel que ele poderia vir a ser nomeado presidente da Petrobrás, desde que esquecesse a rixa.[21] Geisel acertou metodicamente suas contas com os plutocratas do refino, e em outubro de 1973 Capuava desapareceu como empresa privada. Quando um interlocutor lhe disse que ao longo do tempo tirara "o couro do pessoal de Capuava", reconheceu: "Ah, tirei".[22]

No início de 1960 o general Lott deixou o Ministério da Guerra para disputar a Presidência da República em nome da coligação governista, contra o governador de São Paulo, Jânio Quadros. Para o lugar foi o general Odylio Denys, comandante do I Exército durante a "Novembrada". Com ele subiu Orlando Geisel. Ganhara as estrelas de general dois anos antes e tornou-se chefe-de-gabinete do ministro. Convidou o irmão para a chefia do serviço secreto que Lott montara em seu gabinete.

"É convite seu ou do Denys?", perguntou Ernesto.

"Do Denys, não tenho nada com isso", respondeu Orlando.

Na origem do convite estava a disposição de Denys em fechar as cicatrizes deixadas pela "Novembrada" e pelos seis anos de poder de baraço e cutelo de Lott. Na essência, representava o começo de uma reviravolta. Como registraria em suas memórias o tenente-coronel Nelson Werneck Sodré, membro do Partido Comunista: "Era forte. O marechal

20 Carta de Juarez Távora a Ernesto Geisel, de 10 de fevereiro de 1961. APGCS/HF.

21 Ernesto Geisel, setembro de 1994.

22 Ernesto Geisel, janeiro de 1995.

Odylio Denys dava preferência, agora, a oficial de posição política inconfundível, e do outro lado".[23] Dias depois o coronel Geisel reunia-se com o ministro:

— Recebi esse convite e vim falar com o senhor para acertar certos aspectos. Claro que não se trata de impor condições ou coisa assim, mas é para esclarecer minha opinião com respeito a problemas que condicionam a função. Primeiro, não estou de acordo com essa proteção que hoje têm os comunistas no exército, comunistas comandando corpos de tropa, comunistas em posições-chaves, tirando curso de estado-maior.

— Eu também não estou de acordo. Vou agir contra eles — respondeu Denys.

— Acho que o exército deve ficar fora da política. Há essa campanha presidencial, Lott candidato, e é preciso não se envolver. E há a hipótese de o Jânio ganhar. Nesse caso a minha posição é que quem for eleito tem que ser empossado. Não vá o exército se prestar para dar golpe e terminar o Lott dono da coisa.[24]

Aceito o convite, Geisel formou sua equipe e nela incluiu o major Sérgio de Ary Pires, conhecido por sua militância política. O irmão procurou-o com um desabafo:

— Esse não dá. É golpista.

— Golpista? Golpistas são vocês. Eu sabia que não podia aceitar o convite. Vocês não querem unir coisa nenhuma. Então vou embora daqui.[25]

O major ficou, e o coronel Geisel fez marcação dura contra os "vermelhos" do Exército. Sugeria "eliminar os elementos de tendências comunistas dos diversos setores da administração, e de modo particular a

23 Nelson Werneck Sodré, *Do Estado Novo à ditadura militar*, p. 219.

24 Ernesto Geisel, outubro de 1994, e *Diário de Heitor Ferreira*, 27 de janeiro de 1972.

25 *Diário de Heitor Ferreira*, 27 de janeiro de 1972.

infiltração no seio das forças armadas".[26] Seus agentes vigiavam os oficiais de esquerda e propunham até mesmo que se acompanhasse uma viagem do brigadeiro comunista Francisco Teixeira à Europa.[27]

Por sua mesa passava de tudo. Do mundo dos pedidos militares vinham desde uma ordem (não cumprida) de Kubitschek a Denys de que se designasse o general Olympio Mourão Filho para o cargo de adido militar em Portugal até um pedido de um major que pretendia cuidar da surdez fazendo-se nomear para a missão em Washington.[28] O mundo das conspirações políticas produzia os rotineiros informes de espias. Um narrava uma conversa de uma hora e meia com S, oficial que falava como "chefe do grupo militar lottista" e se mostrava preocupado com a possibilidade de uma manobra continuísta de JK.[29] Outro, de Porto Alegre, avisava que o comandante do III Exército, general Osvino Ferreira Alves, levantava a hipótese de uma revolta popular caso Jânio Quadros, representando o "entreguismo", vencesse a eleição.[30] No início de agosto, quando a campanha do marechal Lott dava sinais de colapso, outro informe alertava sobre a existência de um plano golpista que começaria no Rio Grande do Sul, com uma passeata liderada pelo governador Leonel Brizola, e terminaria em Brasília, com a posse do general Osvino como chefe revolucionário. Até armas estariam sendo desembarcadas em Porto Alegre.[31] Não era pura fantasia. Nesses dias o governador gaúcho e o vice-presidente João Goulart sentaram-se para almoçar com o ministro da Justiça, Armando Falcão, no restaurante Night and Day, no centro do Rio. Brizola estava certo da vitória de Jânio e foi direto ao pon-

26 *Expansão do Comunismo no Âmbito Nacional.* Expediente de Geisel ao chefe do EME, general Zeno Estillac Leal. APGCS/HF.

27 Duas folhas, carimbadas "secreto", de 26 de julho de 1960, encaminhadas pelo general Jayme de Almeida, chefe do Departamento de Provisão Geral, ao gabinete do ministro Denys. APGCS/HF.

28 Bilhete manuscrito de Juscelino Kubitschek ao marechal Odylio Denys, sem data. Carta do major Nilton Freixinho a Geisel, de 16 de abril de 1960. APGCS/HF. Segundo Geisel, Denys cozinhou a ordem de JK e não nomeou Mourão. Ernesto Geisel, 1988.

29 Quatro folhas sem data nem assinatura, intituladas *Conversa com S, Dia 3 de Julho, Sábado, Duração 1h30m.* APGCS/HF.

30 Seis folhas datilografadas, sem data nem assinatura. APGCS/HF.

31 *Informe* de 9 de agosto de 1960. Sem assinatura. APGCS/HF.

to: "Nosso candidato está derrotado. Vamos atalhar o desastre. O remédio é uma junta militar amiga".[32]

Jânio surrou Lott, e para desencanto dos oficiais que não lhe perdoavam a "Novembrada", Denys continuou no ministério. O general Antonio Carlos Muricy argumentara que o novo ministro "não deve ter problemas morais que o incapacitem para o cargo" e não incluíra Denys na sua lista de candidatos, mas tanto ele como as velhas vítimas de 1955 acabaram preferindo a mútua acomodação em torno do marechal.[33] Como escreveria o coronel Heitor Herrera, um dos mais intransigentes e ativos conspiradores da época: "Não é gostoso o Lott ver sua política mesquinha alterada por seu ex-cupincha número um?".[34] Geisel, promovido a general-de-brigada, foi para Brasília, acumulando as funções de comandante da 11ª Região Militar e da 11ª Brigada de Infantaria.

32 Armando Falcão, *Tudo a declarar*, pp. 247-8.

33 Carta do general Antonio Carlos Muricy a Geisel, de 11 de julho de 1960. APGCS/HF.

34 Carta do coronel Heitor Herrera ao capitão Heitor Ferreira, de 29 de janeiro de 1961. APGCS/HF.

Um general da (i)legalidade

Na manhã de sexta-feira 25 de agosto de 1961, seis meses e 23 dias depois de ter sido empossado, Jânio Quadros assistiu à parada do Dia do Soldado na praça dos Três Poderes e caminhou para seu carro. O chefe do Gabinete Militar, general Pedro Geraldo de Almeida, parou-o: "Presidente, vão tocar agora o *Hino nacional*".[1]

Jânio tinha pressa, mas pôs a mão no peito e perfilou-se. Poucos metros atrás, estava o general Ernesto Geisel. Acabara de receber a pataca de grande oficial da Ordem do Mérito Militar. Soubera de Pedro Geraldo que "hoje vai haver coisa grossa".[2] De volta ao palácio, viu o tamanho da "coisa": Jânio ia renunciar à Presidência. Tocou-se para o gabinete do ministro da Guerra, marechal Odylio Denys, e avisou-o.

Minoritário no Congresso e desprovido de uma base de sustentação política, Jânio embutira um programa conservador em sua personalidade excêntrica. Derrubara o valor do cruzeiro. O dólar passou de noventa para duzentos cruzeiros. Exigira dois turnos de trabalho ao funcionalismo público ao mesmo tempo que se lançara em teatralidades como proibir biquínis em desfiles de misses e as corridas de cavalos nos dias de semana. No final de julho dera trinta dias aos ministros militares para que estudassem a possibilidade de anexação das Guianas, "submetidas a intenso trabalho autonomista [...] com a presença de fortes

1 Ernesto Geisel, outubro de 1994.

2 Idem.

correntes de esquerda, algumas, reconhecidamente, comunistas".[3] No dia 19 de agosto enfeitara a farda verde do Che Guevara com a seda azul-celeste da grã-cruz da Ordem do Cruzeiro do Sul. Quatro dias depois voltara a tratar do perigo da Guiana Inglesa, temendo que lá se formasse "um país de estrutura soviética", pois ela seria governada por gente "da mais alta periculosidade". A essa altura o plano resumira-se à abertura de uma missão diplomática em Georgetown, acompanhada de vôos regulares do Correio Aéreo Nacional. Jânio tinha uma fé inabalável em si próprio.

Fizera uma carreira assombrosa, indo de vereador de 1700 votos aos trinta anos a presidente com 5,6 milhões, aos 43. Seu desequilíbrio emocional, bem como o farisaísmo de sua moralidade, era matéria de consumo conspícuo. Durante a campanha o futuro ministro da Justiça, Oscar Pedroso Horta, classificara-o de "maluco", enquanto o deputado Carlos Lacerda, um de seus principais aliados, já o chamara de "delirante *virtuose* da felonia", "palhaço" e "charlatão". Quando se aborrecia com o candidato, Lacerda ameaçava: "Conto tudo o que sei".[4] Seu chanceler chamava-o de "a UDN de porre".[5] O senador-padre Benedito Calazans, seu aliado em São Paulo, pedira-lhe publicamente "mais seriedade, menos uísque e menos outras coisas".[6] O partido da moralidade foi à eleição com um candidato que tinha como símbolo a vassoura, sabendo que se tratava de um bêbado chegado a romances de fim de noite.[7] Geisel dava-o por maluco desde que o conhecera, em 1955.

Na manhã de 25 de agosto o presidente estava no meio da primeira grande crise política de seu governo. Lacerda revelara numa dramá-

3 Memorando secreto de Jânio Quadros ao chefe-de-gabinete da secretaria geral do Conselho de Segurança Nacional, de 31 de julho de 1961. APGCS/HF. Para o projeto de invasão da Guiana Francesa, ver o depoimento do então governador do Amapá, Francisco de Moura Cavalcante, em Geneton Moraes Neto, *Dossiê Brasil*, pp. 71-4.

4 John W. F. Dulles, *Carlos Lacerda — A vida de um lutador*, vol. 1: *1914-1960*, pp. 316 e 341.

5 Roberto de Abreu Sodré, *No espelho do tempo*, p. 97.

6 José Machado Lopes, *O III Exército na crise da renúncia de Jânio Quadros*, p. 34.

7 Idem, p. 98. Para os romances de fim de noite, Joel Silveira, *Viagem com o presidente eleito*, p. 26, e Julio de Sá Bierrenbach, *1954-1964 — Uma década política*, pp. 113-4. Jânio Quadros tornou-se o único político brasileiro cuja conta secreta na Suíça foi publicamente assumida por um familiar, na tentativa de localizá-la. *Jornal do Brasil*, 5 de dezembro de 2002, p. A4.

tica catilinária que o ministro Horta o convidara para um golpe de estado. Jânio jogou sua vida política numa só mão de cartas. Trancou-se na sala e despachou a renúncia com um bilhete manuscrito de 27 palavras e um manifesto de ressonância getulista ("forças terríveis levantam-se contra mim"). Anunciou a decisão aos três ministros militares e voou para São Paulo. O general Odylio Denys, ministro da Guerra, o almirante Sylvio Heck, da Marinha, e o brigadeiro Gabriel Grün Moss não tinham mandato, mas não lhes passava pela cabeça entregar o governo ao seu legítimo destinatário. A cadeira cabia ao vice-presidente João Goulart, que além de carregar na biografia a hostilidade da maioria dos generais, estava no lado errado do mundo. Visitara oficialmente a China Comunista, país com o qual o Brasil não mantinha relações diplomáticas. Fora recebido pelo camarada Mao Zedong e acabara de descer em Cingapura. Começara uma crise em que o conservadorismo nacional construiria uma catedral de trapalhadas e a sociedade civil brasileira, a maior vitória política de sua história.

A primeira salva partiu do ministro das Relações Exteriores, Affonso Arinos de Mello Franco, um catedrático de Direito Constitucional, concitando o Congresso a rejeitar a renúncia, sem o que "será o caos, a guerra civil".[8] Tanto Arinos como Pedroso Horta sustentavam que o Congresso deveria apreciar a decisão presidencial, podendo até mesmo recusá-la. Seria um retorno imperial. Ao contrário do que pensavam os constitucionalistas do golpe, ao Parlamento cabia apenas tomar conhecimento da decisão. Tratando-se de um ato de vontade do presidente, a renúncia não podia ser apreciada por ninguém. Na segunda salva, o ministro da Justiça levara a carta de Jânio ao Senado certo de que não haveria parlamentares suficientes em Brasília para a abertura de uma sessão extraordinária do Congresso. Engano: a denúncia de Lacerda superpovoara a capital habitualmente deserta após o almoço de sexta-feira. Em quatro minutos e meio o senador Auro Moura Andrade, presidente do Congresso, leu a carta, deu conhecimento ao plenário da

8 Auro Moura Andrade, *Um Congresso contra o arbítrio*, pp. 40, 43 e 60. Ver também Paulo Markun e Duda Hamilton, *1961 — Que as armas não falem*, p. 115, e "À memória de Jânio Quadros", de Jânio Quadros Neto, em *O Estado de S. Paulo* de 25 de agosto de 2001.

"renúncia do mandato do Presidente da República Sr. Jânio Quadros", informou que ele já não estava em Brasília e convidou os parlamentares para a posse do seu sucessor constitucional, marcada para dali a dez minutos.[9] Um deputado atirou-lhe um microfone, outro tentou arrebatar-lhe o documento, mas menos de meia hora depois, no palácio do Planalto, assumia o deputado Paschoal Ranieri Mazzilli, presidente da Câmara. Coube a Denys nomear o seu chefe do Gabinete Militar e nele colocou Geisel.

Auro devorara o Vinte e Cinco de Agosto de Jânio da Silva Quadros. A bordo do avião da FAB que o levava a São Paulo, o ex-presidente surpreendera-se com o Parlamento, que acolhera a renúncia ("congresso canalha"), com seus eleitores, que não lhe pediam que voltasse atrás ("não vejo o povo nas ruas"), e com os militares ("me decepcionaram").[10] Levara consigo a faixa presidencial. Desembarcou transtornado na base aérea de Cumbica.[11] Quando sua mulher lhe disse que Mazzilli já estava empossado, informou ao governador de São Paulo: "Não tem importância, governador. No fim de semana estará tudo resolvido".[12]

Egocêntrico e megalomaníaco, Jânio concebera um golpe primitivo, desconexo, em que não havia lugar para cúmplices, só para súditos. A desarticulação que deveria ter sido a tessitura do manto real, foi-lhe mortalha. Dias depois o ex-presidente embarcou no cargueiro *Uruguay Star* com destino à Europa. Enquanto o navio costeava o litoral flumi-

9 *Diário do Congresso Nacional*, ano XVI, nº 140, de 26 de agosto de 1961, p. 1818. Em Hélio Silva, *1964 — Golpe ou contragolpe?*, pp. 45-6. Ver também Vivaldo Barbosa, *A rebelião da legalidade*, p. 28. Para uma reconstituição do início da crise de 1961, "30 anos de agonia à espera do povo", Dora Kramer, em *Jornal do Brasil* de 25 de agosto de 1991, 1º caderno, p. 4. Nessa reportagem o advogado Saulo Ramos conta que Jânio, ao receber o resultado de uma consulta ao professor Vicente Ráo, dando-se conta da irreversibilidade da renúncia, observou: "Entregamos o filé na boca do buldogue". Ver também "Renúncia de Jânio, 40 anos", de Saulo Ramos, *Folha de S.Paulo*, 24 de agosto de 2001.

10 Aspásia Camargo e outros, *Artes da política — Diálogo com Amaral Peixoto*, p. 444. Para a referência aos militares, carta de Jânio Quadros a Heitor Ferreira, de 6 de agosto de 1963. APGCS/HF. Ver também Roberto de Abreu Sodré, *No espelho do tempo*, pp. 107-16.

11 Drault Ernanny, *Meninos, eu vi... e agora posso contar*, p. 54.

12 Arnaldo Lacombe, "Horta foi peça-chave na renúncia de Jânio", em *O Estado de S. Paulo* de 25 de agosto de 1996.

nense, Jânio vagava insone pelo convés assegurando à filha Dirce Maria, a *Tutu*: "Eles virão me buscar". Já ao largo da costa africana, perto do arquipélago de Las Palmas, insistia: "Eles virão me buscar de avião".[13]

Faltava resolver o problema de João Goulart. Pensava-se em obter seu impedimento, para depois conversar sobre o resto. Os ministros militares fizeram saber a Mazzilli e a diversos parlamentares que não admitiam sua posse. Com dez horas de fuso de diferença, o vice-presidente tomara conhecimento da renúncia na volta de um jantar com pratos típicos malaios. Do hotel Raffles, o melhor de Cingapura, Jango começou uma longa viagem. Levaria seis dias para descer em Montevidéu. Passaria antes por Paris, Nova York e Buenos Aires.

O Partido Comunista atirara seus militantes às ruas com uma poderosa palavra de ordem: Legalidade. Controlando uma nova coligação de lideranças sindicais, paralisara os ferroviários da Leopoldina, no Rio de Janeiro, e quase todos os bancos. Era a infância da maior greve já vista no país. A Cinelândia, no Rio de Janeiro, tornou-se campo de combate entre os partidários de Jango e a polícia do governador Carlos Lacerda. Pouco antes da meia-noite o governador gaúcho Leonel Brizola, cunhado de Goulart, pronunciou a palavra que demarcaria a crise e haveria de colocá-lo na história do país: "Legalidade".

O golpe encruara. Desde a primeira hora, ainda na manhã do dia 25, faltou aos ministros militares a decisão de lançarem-se num golpe de mão. Denys emitiu seu veto mais de uma dezena de vezes, sempre se valendo de intermediários. Vetava Jango, mas queria que as vivandeiras dobrassem os sinos do golpe. A hierarquia estimulava o golpismo buscando um coro que lhe permitisse entrar em cena a pedido das bases militares, do Congresso, do povo ou de quem quer que fosse, desde que no futuro se pudesse dizer que os generais foram agentes passivos de uma convocação nacional. No seu momento de maior audácia, os três ministros militares manifestaram-se por intermédio de Mazzilli. Três dias de-

13 Dora Kramer, "30 anos de agonia à espera do povo", em *Jornal do Brasil* de 25 de agosto de 1991, 1º caderno, p. 4. Para uma avaliação de Jânio, feita trinta anos depois ao seu neto, ver Paulo Markun e Duda Hamilton, *1961 — Que as armas não falem*, pp. 135-6.

pois da renúncia, na segunda-feira, ele oficiou ao Congresso que a trinca apontara "a absoluta inconveniência, por motivos de segurança nacional, do regresso do presidente da República João Belchior Marques Goulart".[14]

Com a ida de Denys para o Rio, Geisel tornara-se a maior patente de Brasília. O presidente interino era seu virtual prisioneiro e sabia disso. Indicando a extensão de seu gabinete, Mazzilli dizia: "Sei que sou presidente aqui dentro deste retângulo, mas passada aquela porta, não sei se mando".[15] Não mandava. Geisel dormia no palácio, numa cama de campanha. Como em outubro de 1945, resfriou-se, ficou rouco. Comandava uma equipe de oficiais no Planalto e outra no Rio de Janeiro. Trabalhavam duro, e a equipe carioca chegou a receber um conselho tônico: "O general determinou-me recomendar-lhe tomar diariamente injeções de glucose na veia, a fim de que se possa evitar a exaustão. Em Brasília todos os oficiais do gabinete estão 'dopados'".[16]

Além das tropas de Brasília e dos oficiais do Gabinete Militar, o general operava duas equipes de escuta telefônica. Uma funcionava no Rio, captando as conversas que passavam pelos cabos internacionais da Radional. Nessa rede caíam todos os telefonemas de Goulart. Outra trabalhava no próprio palácio do Planalto, liderada pelo capitão-de-mar-e-guerra Floriano Faria Lima e formada por oficiais do Gabinete Militar que escutavam as conversas com fones de ouvido.[17]

Durante os dois primeiros dias da crise o ministro Denys agiu com uma violência política raramente vista. O general Lott, seu chefe e camarada no golpe de 1955, telefonou-lhe pedindo que acatasse a Constituição. Nada feito. Desobrigado, na noite do dia 26, um sábado, o ex-ministro divulgou um manifesto conclamando o povo a "tomar posição decisiva

14 Paulo Markun e Duda Hamilton, *1961 — Que as armas não falem*, p. 259.

15 Aspásia Camargo e outros, *Artes da política — Diálogo com Amaral Peixoto*, p. 446.

16 Nota em papel da secretaria geral do Conselho de Segurança Nacional, sem data, com assinatura indecifrada. APGCS/HF. Ernesto Geisel, julho de 1988.

17 Almirante Floriano Faria Lima, setembro de 1986. Faria Lima guardou consigo as notas dessas interceptações. Geisel confirmou a existência da operação em julho de 1993. Conserva-se uma transcrição sucinta de uma conversa telefônica entre Jango e Juscelino Kubitschek. APGCS/HF.

e enérgica no respeito à Constituição". Às sete da manhã de domingo o marechal Henrique Lott saía preso de seu apartamento de Copacabana. Prender Lott era uma demonstração de força, mas remetê-lo à fortaleza da Lage, casamata de concreto que parece flutuar no meio da barra da Guanabara, comandada por um major, fora truculência. Maior mesmo que a de Floriano Peixoto em 1892, quando trancafiou na mesma fortaleza o poeta Olavo Bilac. A polícia carioca prendeu os esquerdistas habituais, invadiu a União Nacional dos Estudantes e ocupou o centro da cidade. A imprensa foi posta sob censura.

Tantas providências, que em outros golpes nem sequer foram necessárias, mostraram-se insuficientes. João Goulart parecera uma vítima mixuruca a generais que tinham deposto Getulio Vargas, mas os obstáculos de 1961 eram diversos e maiores que os de 54. O comportamento de Jânio desmoralizara a direita, e a falta de um usurpador desarticulava os golpistas. Havia manifestações e choques com a polícia no Rio de Janeiro e em São Paulo. Em Porto Alegre, Brizola barricara o palácio Piratini, em cujo porão acabava de se montar uma emissora de rádio. Foi ao ar pela primeira vez no início da tarde de domingo. Sobre essa base seria formada a Rede da Legalidade, que chegaria a juntar mais de duzentas emissoras. Através dela, Brizola anunciara: "Resistiremos".[18]

Às 9h45 do dia 28 (segunda-feira) o general José Machado Lopes, comandante do III Exército, com jurisdição sobre o Rio Grande do Sul, foi chamado à estação de rádio do comando, para uma comunicação urgente. Do outro lado da linha transmitia-se uma ordem do general Orlando Geisel, falando por Denys: "Faça convergir sobre Porto Alegre toda a tropa do Rio Grande do Sul que julgar conveniente, inclusive a 5ª Divisão de Infantaria, se necessário. Empregue a Aeronáutica, realizando inclusive bombardeio, se necessário".[19]

18 Amir Labaki, *1961 — A crise da renúncia e a solução parlamentarista*, p. 82, e Vivaldo Barbosa, *A rebelião da legalidade*, p. 79.

19 José Machado Lopes, *O III Exército na crise da renúncia de Jânio Quadros*, p. 129.

Era a segunda vez que Orlando Geisel transmitia essa ordem.[20] Machado Lopes afastou-se, ficou só, perto de uma janela.[21] Tinha 61 anos e, num Exército de biografias de revoltosos ilustres, era um oficial que jamais se rebelara. Quando as sedições passaram por ele, em 1922, 24 e 35, combateu-as. Anticomunista e autoritário, mantinha-se longe de Brizola porque achava que ele queria a "cubanização do Brasil".[22] Nunca fizera um pronunciamento público. Vacilava desde o início da crise e sabia que parte de sua tropa pendera para a Legalidade. Se a quartelada acabasse em briga, ela começaria em Porto Alegre. Machado Lopes voltou ao equipamento de radiofonia e avisou que não cumpriria a ordem. Destituído do comando, repetiu sua posição num telegrama a Denys: "Terceiro Exército, perfeitamente coeso, não mais acatará ordens V. Exa.".[23]

O golpe estava tecnicamente destruído. Outro projeto de bombardeio de Porto Alegre falhara porque os sargentos do 1º Esquadrão de Combate esvaziaram os pneus dos dezesseis aviões F-8, já municiados, impedindo que decolassem.[24] A simples referência, por Orlando Geisel, à possibilidade de uso da tropa da 5ª Divisão de Infantaria, com sede em Curitiba, indicava que o Ministério da Guerra sabia ter perdido a garantia da 3ª Divisão, baseada em Santa Maria e comandada pelo general Pery Bevilaqua. Fora-se também a 1ª Divisão de Cavalaria, sob as ordens do general Oromar Osorio. Mesmo assim, o marechal Denys e os generais Orlando e Ernesto Geisel demoraram para tirar a roupa de campanha. O ministro nomeou o general Cordeiro de Farias para o lugar de Machado Lopes, mas o veterano conspirador nunca chegou a Porto Alegre. O chefe do Gabinete Militar queria instalar Cordeiro em Curitiba. Para isso seria necessário tomar o aeroporto da cidade, controlado por tropas fiéis a Macha-

20 A primeira vez essa ordem foi transmitida por Orlando Geisel ao chefe do Estado-Maior do III Exército, general Antonio Carlos Muricy. Depoimento de Muricy ao CPDOC, vol. 2, fita 28, p. 16. O bombardeio de Porto Alegre seria, como se explicou depois, um ataque ao palácio Piratini, para calar a Rede da Legalidade.

21 Hélio Silva, *1964 — Golpe ou contragolpe?*, p. 138, e depoimento do general Antonio Carlos Muricy ao CPDOC, vol. 2, fita 29, p. 8.

22 Amir Labaki, *1961 — A crise da renúncia e a solução parlamentarista*, p. 90.

23 José Machado Lopes, *O III Exército na crise da renúncia de Jânio Quadros*, p. 132.

24 Depoimento do então tenente Oswaldo França Jr., em Geneton Moraes Neto, *Dossiê Brasil*, pp. 87-92.

do Lopes. Fizera isso com o de Goiânia mobilizando apenas um major e achava possível descer em Curitiba com uma unidade de pára-quedistas.[25] (Estava certo. No aeroporto havia somente alguns soldados.) Passados 24 anos, ele recapitulava a manobra: "Tomado o aeroporto, desceria o 3º Regimento de Infantaria, trazido do Rio de Janeiro, e controlaria a situação. Acho que se isso fosse feito, o resultado teria sido outro". Denys recusou a proposta, argumentando que considerava a tropa aeroterrestre sua força de reserva e, portanto, não queria empregá-la. Geisel via o problema de maneira diferente: a tropa de reserva fica na reserva até a hora em que se precisa dela, e ela era necessária para tomar o aeroporto de Curitiba. Ademais, uma unidade aerotransportada é sempre tropa facilmente recuperável, pois pode retornar ao quartel depois da chegada dos reforços.[26]

O Rio Grande do Sul estava insurreto, com aulas suspensas, bancos fechados, gasolina racionada e até mesmo um Grêmio × Internacional, o famoso Gre-Nal, adiado. A essa altura, a cautela de Denys já lhe custara o apoio da guarnição do Rio de Janeiro. Como observou em suas memórias o general Nelson Werneck Sodré, "agora, para impor-se, o golpismo precisava combater".[27] Nas palavras de Geisel, "estava criado o impasse, com a divisão do Exército e com o pouco apetite, vamos dizer, dos generais, dos chefes, de irem para a luta".[28]

O primeiro sinal de fumaça da conciliação chegara a Jango na manhã do dia 28, antes da definição de Machado Lopes. Ele estava em sua suíte do hotel George V, em Paris, quando atendeu um telefonema de Affonso Arinos. O ex-ministro das Relações Exteriores aventara um compromisso, pelo qual Jango receberia a Presidência num novo regime,

25 O aeroporto de Goiânia foi tomado pelo major Tasso Villar de Aquino. Trabalhava no Serviço de Proteção aos Índios e apresentou-se a Geisel pedindo uma missão. O general mandou-o tomar o aeroporto e perguntou-lhe: "Do que o senhor precisa?". O major respondeu: "De um automóvel para ir a Goiânia". Horas depois telefonou informando que o aeroporto estava às ordens. Geisel contou essa história ao autor mais de uma dezena de vezes. Era sua vinheta predileta para exemplificar um caso de valor militar. O episódio está referido em *Ernesto Geisel*, organizado por Maria Celina d'Araujo e Celso Castro, p. 138.

26 Ernesto Geisel, outubro de 1985 e de 1994.

27 Nelson Werneck Sodré, *Do Estado Novo à ditadura militar*, p. 248.

28 Ernesto Geisel, novembro de 1994.

parlamentarista. Goulart repassara a mensagem ao deputado Almino Affonso com um toque de astúcia: "Tu vê lá, Almino, a gente conversa. Mas não corta isso por inteiro".[29]

Três dias depois o deputado Tancredo Neves foi ao encontro de Jango, que já se achava em Montevidéu. Seguiu no Viscount presidencial, requisitado por Geisel. Nessa ocasião Geisel e Tancredo tiveram pelo menos uma longa conversa. O general, mesmo admitindo a importância desse entendimento, nunca revelou o que conversaram. Tancredo também não. O deputado encaminhava a Jango os detalhes da fórmula por meio da qual seria empossado na Presidência após a aprovação de uma reforma constitucional que instalaria no Brasil o regime parlamentarista. Na noite de 1º de setembro João Goulart desembarcou em Porto Alegre evitando multidões e, sobretudo, a postura de vencedor.

Primeiro faltou a Denys a coragem de divulgar logo na primeira hora o veto explícito a Jango. Depois, faltou ao golpe o elemento essencial para o sucesso: um propósito ativo. Impedir a posse do vice-presidente? Para botar quem no lugar? Tentava-se usurpar um mandato presidencial sem mostrar a identidade do usurpador. Os ministros militares ganharam o apelido de *Os Três Patetas*.[30]

Durante os catorze dias de duração da crise ninguém se apresentou publicamente como candidato à usurpação. Geisel até acreditara na possibilidade de se eleger um novo presidente através do Congresso, mas a manobra não prosperou, nem sequer produziu postulantes ostensivos. Nas memórias que publicou em 1980, Denys gastou cinco páginas narrando a crise e seis justificando-se. Nada falou da usurpação. Nove anos depois, seu amigo Armando Falcão contou que os ministros da Marinha e da Aeronáutica propuseram ao marechal que assumisse a Presidência. Denys teria recusado, sugerindo o nome do jurista Francisco Campos, redator da Constituição de 1937, um dos liberticidas mais cultos e detestados do país.[31] Buscando precedentes históricos que amparassem a usur-

29 Entrevista de Almino Affonso a Paulo Markun, em Markun e Duda Hamilton, *1961 — Que as armas não falem*, pp. 254-5.

30 Ernesto Geisel, outubro de 1994.

31 Armando Falcão, *Tudo a declarar*, p. 214.

pação, chegou-se a procurar o texto da proclamação que instalou o governo provisório do marechal Deodoro da Fonseca, em 1889. O general Ernesto Geisel suspeitava que o ministro da Guerra quisesse empalmar o poder, e inclusive discutiu claramente essa hipótese com Orlando ainda na manhã do dia 25. Os dois irmãos entraram na crise de 1961 com o propósito de ir à luta armada para impedir a posse de João Goulart. Mesmo assim, entendiam, desde a primeira hora da crise, que Denys na Presidência da República representaria uma inconveniente anormalidade.[32]

Tendo prevalecido o acordo parlamentarista, coube ao comandante militar do Planalto presidir o funeral do golpe. Geisel articulara-se com Mazzilli na busca do novo desfecho, às vezes aos gritos. Providenciara o avião de Tancredo e, na volta, dele recebera a informação de que Goulart aceitava o compromisso. Nove em cada dez cariocas ouvidos pelo Instituto Brasileiro de Opinião Pública e Estatística, o IBOPE, defendiam a posse do vice-presidente.[33]

Na madrugada de 4 de setembro, estava tudo pronto para que o novo presidente desembarcasse em Brasília na tarde seguinte. Geisel desmantelara uma articulação sediciosa de oficiais da FAB. Segundo o brigadeiro Grün Moss, ministro da Aeronáutica, havia um complô — denominado *Operação Mosquito* — para derrubar o avião que transportasse Jango a Brasília. Se não o derrubassem, pelo menos o capturariam. Noutra conspiração, mais modesta, a pista de pouso de Brasília seria barricada com tonéis de combustível. Geisel neutralizou as bases da FAB, alguns oficiais e sargentos foram presos, as pistas, cercadas, e fecharam-se as estradas de acesso a Brasília.[34]

Numa das muitas contorções que a política impõe à vida de quem nela se mete, o major que em 1945 levara os tanques para tirar Getulio Vargas do palácio Guanabara, mobilizava a tropa para levar seu herdeiro, João Goulart, ao palácio do Planalto. Geisel teve dois comportamen-

32 Ernesto Geisel, dezembro de 1993 e outubro de 1985.

33 *Dicionário histórico-biográfico brasileiro pós-1930*, coord. de Alzira Alves de Abreu e outros, vol. 5, p. 5015.

34 Hélio Silva, *O poder militar*, p. 303, e Amir Labaki, *1961 — A crise da renúncia e a solução parlamentarista*, p. 126. Para a prisão de oficiais e sargentos, Ernesto Geisel, novembro de 1994.

tos na crise de 1961. No primeiro, que se estendeu da manhã de sexta-feira, 25 de agosto, até a terça, 29, batalhou pelo golpe na condição de interventor militar junto ao gabinete do presidente Mazzilli. A proposta de assalto ao aeroporto de Curitiba indica que ele estava disposto a abrir fogo contra as tropas de Machado Lopes, assim como seu irmão Orlando estava disposto a arrasar o palácio Piratini para calar a Rede da Legalidade. Não estavam para brincadeira. A partir do dia 29, quando Denys começou a negociar a conciliação parlamentarista, Geisel batalha pela posse de Jango e acaba com a *Operação Mosquito.* Não estava para brincadeira. Suas posições foram perfeitamente antagônicas.

A derrota do golpismo foi tamanha que, com o tempo, ninguém se dispôs a segurar o caixão da crise de 1961. Passados dezenove anos, o general Denys varreu para debaixo do tapete de suas memórias a idéia da "absoluta inconveniência" do retorno de Jango, em que estava implícita a permanência dele no exterior, como exilado. Revelou que nos dois primeiros dias da crise sua posição foi "desaconselhar" a posse, pois "seria melhor que ele desistisse".[35] O general Cordeiro de Farias, peça-chave (e falha) na estratégia de Denys para neutralizar as tropas gaúchas, confessou-se "a favor da posse de Jango".[36] Carlos Lacerda, o governador da Guanabara cuja PM carregara contra as passeatas da Legalidade e cuja "meganha" engarrafara a carceragem da Polícia Central, informou, dezesseis anos depois: "Minha decisão era a favor da posse".[37]

Às 20h35 do dia 5 de setembro o Caravelle que trazia João Goulart pousou no aeroporto de Brasília. A crise durara doze dias. Geisel era a mais alta patente militar à espera do presidente. Entrou com Jango, Mazzilli e Auro no carro que os levaria ao Torto. Sentado ao lado do motorista, ouviu o presidente reclamar do remendo parlamentarista. A certa altura, Goulart pediu a opinião do general: "Senhor presidente, tenha certeza de que tivemos imensas dificuldades aqui em Brasília, para Vossa Ex-

35 Odylio Denys, *Ciclo revolucionário brasileiro*, pp. 95 e 91.

36 Aspásia Camargo e Walder de Góes, *Meio século de combate — Diálogo com Cordeiro de Farias*, p. 532.

37 Carlos Lacerda, *Depoimento*, p. 267.

celência assumir. E nós esperamos que Vossa Excelência conduza o governo de modo a que se pacifique a nação".[38]

Quando Jango chegou à granja do Torto, Geisel despediu-se e voltou para casa. Seus dias de comando em Brasília estavam contados. Regressaria ao edifício Parente.

38 Entrevista de Ranieri Mazzilli a Hélio Silva, em Silva, *1964 — Golpe ou contragolpe?*, p. 150. Em novembro de 1994, Geisel disse o seguinte em relação à lembrança de Mazzilli: "É mais ou menos isso".

1964

Dois anos e sete meses depois de ter deixado o presidente João Goulart em casa, o general Geisel voltou à granja do Torto como inquilino.[1] Era o chefe do Gabinete Militar do presidente Castello Branco. Sobras da bagagem de Jango foram remetidas mais tarde ao embaixador em Montevidéu, para que as fizesse chegar ao dono. Ernesto Geisel estava no poder, pronto a acertar suas contas com os "casacas".

Nos primeiros meses o governo João Goulart deixara Geisel nos corredores do Ministério da Guerra, como "cão leproso": "O pessoal me via e dobrava a esquina". O general ocupava o tempo estudando a Bíblia e ajudando a mulher na cozinha. Socorreu a filha, aluna do exigente colégio de Aplicação, num trabalho sobre o romance *A peste*, de Albert Camus.[2] Talvez tenha sido a sua única incursão na literatura do século XX. Excluída a paixão juvenil por Júlio Verne, os romances, como o futebol, nunca lhe deram prazer.

Em janeiro de 1962 foi designado para a Artilharia Divisionária da 5ª Divisão de Infantaria, em Curitiba. Comando de primeira classe. Fazia quase meio século que estava no Exército, já fora secretário de finanças e superintendente de refinaria, mas não conseguira passar dois anos arregimentado num quartel. Parecia disposto a viver o remanso de uma posição

1 A deposição de João Goulart está contada em *A ditadura envergonhada* (São Paulo: Companhia das Letras, 2002).

2 Ernesto Geisel, novembro de 1994, e Amália Lucy Geisel, julho de 1991.

prestigiosa. Teria oito anos no serviço ativo.[3] Sobreviveria a Jango e ao seu sucessor, cujo governo terminaria em 1970. Não esperava por grandes batalhas. Ia pouco ao Ministério da Guerra. Sobreviveria atrapalhando.

Geisel desceu em Curitiba com os cadernos. Num traçava o seu plano de trabalho e arrolava os oficiais sob seu comando. Noutro copiava aquilo que precisava saber sobre o Paraná: "O espécime de chifres longos, de uma raça que nunca se distinguiu pela produção de carne foi aqui, como em São Paulo, o bandeirante do rebanho bovino".[4] São minuciosos, porém banais. Noutro ainda, de 23 páginas, anotava estudos políticos. Eles revelam o centro das atenções intelectuais do general. Nas anotações de natureza militar há algumas ressonâncias da crise de 1961:

> A inércia é sempre a culpada. (Napoleão)
>
> Sempre que a missão, o objetivo final, deixa de ser nitidamente fixado, a manobra falha.
>
> Ou somos vitoriosos ou derrotados. Não existe meio-termo na guerra.
>
> Em toda tomada do poder deve haver, em algum momento, a espada. Mas a espada deve ser conduzida pela política. (Maquiavel)
>
> Vejo que existe um novo [...] e perigoso conceito de que os membros de nossas forças armadas devem fidelidade principalmente aos que exercem temporariamente a autoridade do ramo executivo do governo, e não ao país e sua constituição, que juraram defender. Nenhum conceito poderia ser mais perigoso. (General Douglas McArthur)

Outras notas antecipam trovoadas futuras. Doze páginas relacionavam-se com o comunismo. Há breves citações de Lenin ("O caminho para Londres e Paris passa por Pequim"), mas a curiosidade do general ia para a "guerra revolucionária", a "guerra subversiva dos marxistas-leninistas e sua aplicação pelos comunistas e seus imitadores". Lia autores franceses e ame-

3 Os generais-de-brigada iam para a reserva somente quando atingiam a idade-limite de 62 anos. No caso de Geisel, isso ocorreria em agosto de 1970.

4 Caderno intitulado *Apontamentos sobre o Paraná*. APGCS/HF.

ricanos, e copiou em cinco páginas de caderno, em inglês, trechos de uma "teoria vermelha da guerra". Guardava frases de autores como o primeiro-ministro inglês Clement Attlee ("As eleições comunistas são corridas de um cavalo só") ou da panfletária francesa Suzanne Labin ("O fascismo é o castigo das democracias que se mostram, não excessivamente severas, mas, ao contrário, excessivamente complacentes com o comunismo").[5]

A divisão militar aberta em 1961 criara manifestações extremadas. A retórica da esquerda chamou aos comandantes militares que lhe eram simpáticos de "generais do povo" e aos seus adversários de "gorilas". Jango costurara o apoio militar para a convocação de um plebiscito que inevitavelmente restabeleceria o presidencialismo. Com menos de um ano de governo, estava a caminho de nomear o terceiro ministro da Guerra. No dia 12 de setembro de 1962, como se fora um pontapé na porta do regime, o general Jair Dantas Ribeiro, comandante do III Exército, telegrafara a Jango avisando que não se responsabilizaria pela "garantia da lei e da ordem, sossego público, e propriedade privada" se o Congresso se recusasse a convocar o plebiscito e o povo se insurgisse contra essa decisão. Anunciara que pusera sua tropa de prontidão e advertira: "O povo é soberano no regime democrático. Negar-lhe o direito de pronunciar-se sobre o sistema de governo que lhe foi imposto, é abominar o regime ou querer destruí-lo".[6] Jair disputava a simpatia do Planalto na corrida pelo ministério. Os generais de Jango pressionavam o Congresso com a desenvoltura dos golpistas de 1961.

O general Jair ainda não terminara o expediente do dia quando chegou ao seu gabinete, em Porto Alegre, um telegrama de Ernesto Geisel, comandante da Artilharia Divisionária, que estava respondendo interinamente pela 5ª Região Militar: "Informo Vossa Excelência que reina completa calma no território desta Região Militar. Providenciada ordem de prontidão".[7]

Geisel atrapalhara, mas foi exonerado. O *Correio da Manhã* defendeu-o com um editorial e uma nota intitulada "Perde comando porque

5 Maço de 23 folhas manuscritas de Geisel. APGCS/HF.

6 Radiotelegrama 2394, Urgentíssimo, do general Jair Dantas Ribeiro, comandante do III Exército ao comando da Artilharia Divisionária da 5ª Divisão de Infantaria.

7 Rádio 378-E2 do general Ernesto Geisel ao general Jair Dantas Ribeiro, de 12 de setembro de 1962. APGCS/HF.

negou o falso alarma".[8] O incidente se encerrou com o retorno de Geisel ao Rio de Janeiro. Ofereceram-lhe a subdiretoria da reserva ("canil" de terceira categoria), mas conseguiu a 2ª Subchefia do Departamento de Provisão Geral (de segunda). Seu irmão Orlando fora mandado para a Escola Superior de Guerra (de primeira).

De volta ao Rio, Geisel era um conspirador, talvez até um perfeito exemplo do conspirador de 1964. Comandava um telefone e participava de pequenas reuniões, quase sempre com as mesmas pessoas. Planejavam derrubar Jango, sem saber como. De setembro de 1962 a janeiro de 64, sua atividade clandestina foi intensa e irrelevante. Resumia-se a intermináveis conversas no apartamento dele, em geral às quintas-feiras, com os generais Cordeiro de Farias, Ademar de Queiroz e Antonio Carlos Muricy. Não tinham plano para o levante ou projeto para o novo governo. Nem sequer data para a rebelião.[9]

O principal objetivo do núcleo conspirador de Cordeiro de Farias era atrair o general Humberto Castello Branco, chefe do Estado-Maior do Exército. Geisel já tivera pelo menos duas oportunidades de servir com ele, mas preferira distância. Achava-o "arestoso, cheio de complexos, cauteloso demais" e incomodava-se com seu temperamento irônico.[10] Castello juntou-se aos conspiradores no final de janeiro de 1964. No começo de março preparava-se a insurreição. Era um planejamento primitivo, quase palpite. Dos planos de golpe urdidos no Rio sobraram poucos documentos e vagas reminiscências. Supunha-se que os combates pudessem durar 48 horas, trinta dias ou seis meses. Geisel calculava que se o caso não fosse resolvido em três dias, duraria dois meses. Entre o primeiro disparo telefônico de Mourão na madrugada de 31 de março de 1964 e o telefonema do general Castello Branco a um deputado amigo, informando que a fatura estava liquidada, no início da tarde de 1º de abril, passaram-se 32 horas.[11]

8 *Correio da Manhã*, datado a mão por Geisel como 23 de setembro de 1962. APGCS/HF.

9 Ernesto Geisel, novembro de 1994.

10 *Diário de Heitor Ferreira*, 1º de novembro de 1965 e 14 de março de 1967.

11 Para o início dos telefonemas, cinco horas de 31 de março, Olympio Mourão Filho, *Memórias*, p. 372. Para o telefonema da vitória, dado às treze horas de 1º de abril, Luiz Viana Filho, *O governo Castello Branco*, p. 27.

Terminada uma briga, começava outra. Na partilha dos cargos coube a Geisel o comando da Artilharia de Costa, um quartel de primeira, com vista para a praia de Copacabana e fundos para o Arpoador, comando de quinta. Recusou-o. No dia 3 de abril seu irmão Orlando foi sumariamente demitido da 1ª Divisão de Infantaria, a Vila Militar, por ter-se negado a entregar o 1º Grupo de Obuses 105 a um coronel enviado pelo gabinete de Costa e Silva. Esses dois incidentes, praticamente despercebidos durante aqueles dias de festas e sofrimento, geraram um antagonismo que além de separar os irmãos Geisel de Costa e Silva, influenciaria o comportamento de dezenas de oficiais e alimentaria vinditas ferozes que o tempo não extinguiu, nem sequer a morte. Horas depois da demissão de Orlando, Ernesto teve um bate-boca com o coronel Jayme Portella, o conspirador que atraíra Costa e Silva para o levante e ajudara a catapultá-lo à cadeira de ministro. Passaram-se menos de duas semanas, e Geisel teve Portella, lotado no Conselho de Segurança Nacional, como subordinado. Botou-o para fora.[12]

João Goulart fora o terceiro presidente que Geisel ajudara a depor. Nomeado chefe do Gabinete Militar de Castello Branco, Geisel voltava ao gabinete presidencial, onde estivera em 1945, 54 e 61. Na sua cabeça, porém, havia uma novidade: "Em 64 veio a idéia de não se devolver tudo de novo aos 'casacas', e eu era partidário dela".[13]

Nessa percepção Geisel separava-se de Castello. Se o marechal via a intervenção militar como um interlúdio, o chefe de seu Gabinete Militar defendia o aprofundamento da interferência, sobretudo quando ela permitia o afastamento dos políticos.

Em 1965 a inquietação de alguns oficiais da Vila e a esperteza de Costa e Silva produziram o AI-2, reabrindo o ciclo de punições e suspendendo as eleições diretas. Geisel desdenhava o alcance da revolta, condenava a candidatura do ministro, mas defendia a essência ditatorial do novo

12 Jayme Portella de Mello, *A Revolução e o governo Costa e Silva*, pp. 156-7 e 209.

13 Ernesto Geisel, julho de 1985.

surto militarista. A idéia de não devolver o poder aos "casacas" podia parecer boa, mas provocava perguntas: entregá-lo a quem? aos militares? quais militares?

Até o dia 15 de março de 1967, quando Costa e Silva entrou no Planalto e Geisel o deixou, a opinião de Geisel sobre os "casacas" mudara pouco, mas ele aprendera como nunca a respeito dos militares. Tivera um breve contato com o fisiologismo do gênero quando servira no gabinete de Denys, no final do governo do "casaca" Kubitschek. Agora, numa presidência militar e num regime de retórica moralista, os casos que passavam pelo palácio eram os mesmos de sempre. Costa e Silva entregara a presidência do Instituto de Aposentadoria e Pensões dos Comerciários, IAPC, a Carlos Eduardo (*Carlô*) Marcondes Ferraz, o amigo grã-fino que lhe emprestara o aparelho onde se escondera na noite de 31 de março. O chefe do Estado-Maior, Decio Palmeiro de Escobar, batalhava a nomeação de seu genro, um piloto da falecida Panair do Brasil, para o Conselho Nacional de Telecomunicações.[14] O general Amaury Kruel, comandante do II Exército, tinha empréstimos no Banco do Brasil.[15] Segundo a espionagem do Conselho de Segurança Nacional, o general Justino Alves Bastos, do III Exército, parara de trabalhar e se alistara no café-soçaite, onde fazia negócios.[16] Logo ele, que vinha de anunciar que era um militante da "linha dura" na luta pelo "extermínio da corrupção".[17] Havia de tudo, até um coronel pedindo que se editasse um ato institucional para permitir a sua promoção a general.[18]

A hostilidade aos "casacas" irradiou a retórica salvacionista entre os militares. Havia nela uma esperteza: cada nível da hierarquia supunha-se o estágio adequado para a concentração de poderes indispensável à redenção nacional. Costa e Silva achara que o ministro da Guerra era,

14 Carta do general Decio Palmeiro de Escobar a Ernesto Geisel, de 30 de maio de 1966. APGCS/HF.

15 Ernesto Geisel, agosto de 1988, e Rubens Resstel, setembro de 1988.

16 *Informe nº 24* da secretaria geral do Conselho de Segurança Nacional, de 4 de junho de 1965. APGCS/HF.

17 *Correio da Manhã*, 19 de maio de 1964, capa do 1º caderno.

18 Carta do coronel Lauro Alves Pinto ao ministro Costa e Silva, de 8 de outubro de 1964. APGCS/HF. Pedia que o ato reduzisse à metade o tempo de arregimentação exigido aos oficiais. O coronel chegou a general, sem que fosse necessário um ato institucional.

na verdade, o comandante da Revolução. Os generais-de-exército julgavam-se senhores da conveniência da realização de eleições. Os coronéis apresentavam-se como árbitros da posse de governadores eleitos. E tudo acabava em capitães exigindo expurgos. Um deles pedia a Geisel a cassação do governador do Piauí e ameaçava: "Até quando poderei esperar?".[19] De uma maneira geral, a cada exercício de poder, sempre à custa dos direitos alheios, correspondia uma solicitação de pequenos benefícios burocráticos.

O Alto-Comando do Exército reunia-se com uma agenda em que antes do item "reforma constitucional" tratavam do "auxílio-moradia". Entre os palpites dos quatro-estrelas estavam o veto à reeleição "para qualquer cargo político" e a "obrigatoriedade da administração dos territórios ser dirigida por militares".[20] O general Antonio Carlos Muricy queixava-se em outubro de 1965 de que os políticos "são todos vinho da mesma pipa (não prestam)".[21] Um ano depois, amparado nas baionetas, candidatou-se ao governo de Pernambuco numa eleição indireta onde julgava ter conseguido o apoio da pipa dos governistas. Foi derrotado.[22] O adido militar em Paris, coronel Antonio Carlos de Andrada Serpa, o *Serpa Louro*, atacava os "políticos apodrecidos pela corrupção e subversão", o povo em sua "imaturidade e ignorância", e pedia que não se entregasse o poder "à canalha que infelicita o país há mais de trinta anos".[23] Lamentava a sobrevivência de três ministros do Supremo Tribunal Federal e su-

19 Carta do capitão Clidenor de Moura Lima ao general Ernesto Geisel, de 21 de julho de 1966. APGCS/HF.

20 Resumo da ata da 22ª reunião do Alto-Comando do Exército, realizada em 5 de outubro de 1966. APGCS/HF.

21 Carta do general Antonio Carlos Muricy, comandante da 7ª Região Militar, sediada no Recife, ao general Ernesto Geisel, de 4 de outubro de 1965. APGCS/HF.

22 Em agosto de 1988 o general Muricy disse: "Caí na besteira de acreditar que teria o apoio dos políticos do governo" e classificou a sua candidatura de "episódio infeliz". Segundo o deputado pernambucano Joaquim Coutinho, essa eleição teve o seu sigilo fraudado. Os votos ao candidato vencedor, deputado e bacharel Nilo de Souza Coelho, eram dados em cédulas onde, através da manipulação dos títulos e dos sobrenomes do candidato, cada eleitor estava individualizado. Por exemplo: um deputado devia votar em "Nilo Coelho", outro em "Nilo de Souza Coelho", e um terceiro no "Bacharel Nilo Coelho".

23 Carta do coronel Antonio Carlos de Andrada Serpa ao general Ernesto Geisel, de 5 de outubro de 1965. APGCS/HF.

geria a Geisel que se ampliasse a corte: "Nessa hora, peço ao senhor não esquecer o nome do Prudente de Morais Neto [...]".[24] Denunciava os políticos que iam a Paris conversar com o ex-presidente Kubitschek e recomendava que obtivesse de seu primo José Bonifácio de Andrada a lista dos deputados e senadores que haviam embarcado para a Europa. *Zezinho*, como era conhecido o primo, estava na Câmara desde 1946, como deputado pela UDN mineira.

Durante o ano de 1965 Geisel recebeu cinco cartas do general João Costa, comandante da 6ª Região Militar, com jurisdição sobre a Bahia. Elas são uma amostra da prosopopéia que acompanhava a desmoralização dos "casacas".

A primeira, de março, argumentava:

> A verdade, Geisel, é que independente do meu, do seu ou do desejo do marechal Castello Branco, para os nossos comandados, para o povo em geral aqui no Nordeste, enquanto o marechal Castello Branco for presidente da República, a Revolução é responsável por tudo de bom ou de mau, e o Exército seu fiador. Tudo corre para o quartel. Até os problemas do governador, quando está em dificuldades. A realidade é que a omissão será a perda de comando, a entrega da situação aos políticos que mais praticaram a corrupção. Essa é a visão da planície.[25]

Na segunda, de agosto, informava que defendera o aumento do número de cadeiras no Tribunal de Contas do Município de Salvador e encontrara resistência no prefeito Antonio Carlos Magalhães, que "entrou em um terreno de Revolução e Forças Armadas, ameaçando céus e terras": "Chamei-o e disse-lhe do meu desagrado por ter pretendido interpretar, criticar ou orientar as Forças Armadas".[26]

Na terceira parecia alarmado: "Com a Revolução ou sem ela os políticos não se corrigem, apóiam-na, aderem, toleram-na. [...] Essa Revo-

24 Carta do coronel Antonio Carlos de Andrada Serpa ao general Ernesto Geisel, de 1965. APGCS/HF.

25 Carta do general João Costa ao general Ernesto Geisel, de 20 de março de 1965. APGCS/HF.

26 Carta do general João Costa ao general Ernesto Geisel, de 16 de agosto de 1965. APGCS/HF.

lução extinguiu a subversão e a indisciplina geral, mas a corrupção parece que aumentou. Examine bem o Congresso e os Estados. Só nós militares, em tudo isso, permanecemos como cristãos nos festins romanos. Acreditando no que não vemos...".[27]

Dias depois anunciava-se disposto a abrir uma crise, impedindo o cumprimento de um mandado que devolvia a um deputado sua cadeira na Assembléia Legislativa.[28]

Tomado ao pé da letra, o general João Costa soava como um cruzado da ortodoxia e do rigor revolucionários. Tomado pelo passado, Costa era um dos generais da confiança do ministro Jair Dantas Ribeiro. Em 1964 comandava o núcleo dos pára-quedistas, na Vila Militar, e aderira ao levante no início da tarde de 1º de abril. Tomado pelo presente, na planície do general havia problemas bem mais simples que os destinos nacionais. Em janeiro de 1966 ele voltou a escrever a Geisel. Pediu que o designassem para a Junta Interamericana de Defesa, em Washington, "a fim de melhor poder atender financeiramente a recuperação" de um familiar.[29] Ainda em Salvador, depois de anos de más relações com o prefeito Antonio Carlos Magalhães, o general desentendeu-se com ele dentro do pequeno elevador do palácio da Aclamação. Na presença do governador Lomanto Junior o prefeito deu-lhe um tapa que o deixou sem quepe.[30]

Apesar de todas as dificuldades, com uma só canetada, em 1966, o governo Castello Branco produziu a maior reforma da estrutura militar do país: a rotatividade dos generais. Castello liquidou aqueles que denominava os "generais chineses", numa referência aos condestáveis da anar-

27 Carta do general João Costa ao general Ernesto Geisel, de 2 de outubro de 1965. APGCS/HF.

28 Telegrama do general João Costa ao gabinete do ministro da Guerra e ofício do general Clovis Bandeira Brasil, chefe-de-gabinete do ministro, ao general Ernesto Geisel, remetendo-lhe a comunicação, de 5 de outubro de 1965. APGCS/HF.

29 Carta do general João Costa ao general Ernesto Geisel, de 1º de janeiro de 1966. APGCS/HF.

30 Antonio Carlos Magalhães, 1972. O episódio ocorreu em setembro de 1965 e está narrado em Magalhães, *Política é paixão*, p. 61.

quia militar que atazanou o país depois da deposição do imperador manchu, em 1912. Pelo sistema herdado ao reinado de d. Pedro II, os generais iam para a reserva apenas quando atingiam a idade-limite. O caso de Cordeiro de Farias era exemplar: promovido a general-de-brigada aos 41 anos, em 1964 completara 22 anos de generalato, e vestiria o pijama somente em 1967. Tinha quatro estrelas desde 1952.

A reforma de Castello criou um sistema pelo qual, além do limite de idade, os generais eram levados para a reserva por duas novas condições. A cada ano 25% do quadro devia se renovar, e ninguém podia ser general por mais de doze anos. Disso resultava que os generais tinham quatro anos para passar de brigada a divisão, outros quatro para ir de divisão a exército, e tendo chegado ao topo, lá só permaneciam por mais quatro anos. Para ilustrar a extensão da reforma, observe-se que dos treze generais-de-exército listados no *Almanaque* de 1962, oito haviam chegado ao generalato fazia mais de doze anos. Um (Cordeiro de Farias) tinha vinte anos de generalato e dez como quatro-estrelas.[31] O efeito da mudança foi o desaparecimento dos chamados "donos do Exército" e a redução da área de manobra das vivandeiras políticas.

Salvo essa reforma (o que não é pouca coisa), os três anos de Geisel no Gabinete Militar foram amargos em termos profissionais. Tinha várias idéias, e a maior delas era a criação do Ministério da Defesa, mas sepultou-a logo que percebeu a extensão da hostilidade da Marinha.[32] A menor era a extinção do posto de general de quatro estrelas, de forma a ampliar as opções do presidente na escolha dos comandantes de exércitos.[33] Defendia a redução do efetivo do Exército e condenava o esfarinhamento das guarnições. Projetava a sua concentração, em quatro ou cinco núcleos, nos moldes dos fortes americanos. Nada a ver com as vilas militares existentes nas proximidades do Rio de Janeiro, de São Paulo e de Porto Alegre:

31 *Almanaque do pessoal militar do Exército*, de 1962, pp. 20-2.

32 Manuscrito do general Ernesto Geisel intitulado *Reorganização Administrativa das Forças Armadas*, sem data, talvez de janeiro de 1966. APGCS/HF. Para a desistência, diante da hostilidade da Marinha, Ernesto Geisel, dezembro de 1994.

33 *Diário de Heitor Ferreira*, 4 de janeiro de 1966.

> Isso foi uma coisa feita no governo do marechal Hermes da Fonseca, quando se começou a relacionar o Exército com a segurança interna. Fizeram-se guarnições em Deodoro, Quitaúna e São Leopoldo. Elas têm em comum o fato de estarem a vinte quilômetros do centro da cidade. Essa é a distância que uma tropa pode marchar num dia. Cinqüenta anos depois essas tropas não andam mais a pé. De carro deslocam-se a cem quilômetros por dia. A situação é outra. Os quartéis não eram nem são necessários.[34]

Perdeu todas. Em 1966, haveria de se queixar: "Nisto eu acho que a Revolução fracassou, no Exército".[35]

Na Marinha não via um panorama melhor: "Temos que acabar [...] com esse negócio de insistência em fuzileiros. A Marinha não quer mais nada com o mar! Quer fuzileiros e aviação!".[36]

Muito menos na Força Aérea, da qual tentara extirpar a Diretoria de Aeronáutica Civil. Numa discussão com um brigadeiro, argumentara: "Então o exército vai querer controlar as ferrovias, legislar sobre as companhias de ônibus. O problema é que a FAB acabou como força militar". Geisel se queixava do "pessoal que só pensa em transportar padres, freiras e sertanistas".[37]

Perdeu todas. O Corpo de Fuzileiros Navais continuou do mesmo tamanho, e a DAC continuou na FAB.

A mais amarga das derrotas de Geisel foi política: Costa e Silva, o general que desprezava, emparedou Castello e converteu-se em seu sucessor. A campanha do *Alemão* contra o *Português* começara antes mesmo da chegada de Jango a Montevidéu, e resultou numa sucessão de fracassos. Costa e Silva tornara-se invencível pela audácia, quase sempre associada à indisciplina mas, em todos os casos, produto da coragem. Já nos

34 Ernesto Geisel, dezembro de 1994.

35 *Diário de Heitor Ferreira*, 3 de maio de 1966. Ernesto Geisel, dezembro de 1994.

36 *Diário de Heitor Ferreira*, 7 de maio de 1965.

37 Idem, 8 de fevereiro de 1967.

primeiros dias de abril Geisel retratava-o: "Um usurpador. Não fez nada, e mais que depressa auto-investiu-se no cargo de Ministro".[38]

Disparou o primeiro tiro contra Costa e Silva ainda antes da posse de Castello. No dia 14 de abril de 1964 Geisel procurou o presidente Ranieri Mazzilli, a mesma figura decorativa que enfeitara o Planalto durante a crise de 61, e pediu-lhe, em nome de Castello, que solicitasse, e aceitasse, a demissão de todos os ministros.

— Inclusive os ministros militares? — perguntou Mazzilli.

— Sim — respondeu Geisel.[39]

Manobra banal: Mazzilli exoneraria Costa e Silva, e Castello nomearia outro ministro, oferecendo ao *Português* a embaixada do Brasil em Buenos Aires.[40] Só funcionaria se Mazzilli tivesse coragem para amarrar o guizo no pescoço de Costa e Silva. O simples fato de a proposta vir de Geisel mostrava ao astuto deputado paulista que Castello não explicitava semelhante audácia. Mazzilli não demitiu ninguém, e Castello, empossado, manteve o ministro da Guerra no cargo.

Um ano depois, na tarde de 18 de março de 1965, numa conversa com Golbery, Geisel queixava-se do estilo político de Castello: "Eu ontem estava brabo, e hoje estou também. Que é que adianta ele passar dois anos consertando tudo se não tem solução política?".

Em seguida, arriscou:

— Vamos terminar com um Costa e Silva. [...] Tem possibilidades.

— Ah, tem sim — respondeu Golbery. — É uma solução de borra, mas é uma solução.[41]

38 Carlos Luiz Guedes, *Tinha que ser Minas*, p. 259.

39 Armando Falcão, *Tudo a declarar*, p. 262.

40 Para o oferecimento da embaixada, Ernesto Geisel, dezembro de 1994.

41 *Diário de Heitor Ferreira*, 18 de março de 1965.

Geisel tentou tirar Costa e Silva do Ministério da Guerra em pelo menos três outras ocasiões. Numa, em outubro de 1965, estarrecido com o discurso insolente do ministro e com a conduta indisciplinada da oficialidade durante as manobras de Itapeva, em São Paulo. Foi ao compartimento de Castello no Viscount que os levava de volta a Brasília e lhe disse que devia demitir o general. Castello ouviu-o calado.[42]

No dia 6 de janeiro de 1966, no aeroporto do Galeão, a caminho do avião que o levaria à Europa, Costa e Silva disse a frase em torno da qual giraria o noticiário político das semanas seguintes: "Saio ministro e volto ministro". Parecia uma resposta insolente aos boatos de que Castello o demitiria enquanto ele estivesse viajando. Na verdade, foi uma resposta educada a uma pergunta provocadora: "O senhor vai ministro e volta presidente?".[43] Prevaleceu o mito da insolência. Geisel, pelo menos, pensava em aproveitar a viagem para degolá-lo: "Eu não o exonerava na Europa, mas no dia em que chegasse eu o chamava e olha, se você quer ser candidato [...] então tem que sair hoje".[44] Até tratou do assunto numa de suas reuniões com os três ministros militares, argumentando que a saída de Costa e Silva era "a única solução moral", mas bateu na resistência do ministro interino do Exército e na ambigüidade do brigadeiro Eduardo Gomes.[45]

A terceira tentativa pretendia criar uma situação em que todos os ministros que fossem candidatos a governos estaduais se demitissem. Como Costa e Silva também era candidato, deveria pedir dispensa, e Castello se livraria dele. A manobra falhou porque os outros ministros não aceitaram correr o risco.

Cinco anos antes, como chefe da seção de informações do gabinete do ministro Denys, o coronel Geisel fora um fiscal severo do envol-

42 Para o silêncio de Castello, Ernesto Geisel, julho de 1985.

43 Waldomiro Guarnieri, janeiro de 1966. Guarnieri, um veterano repórter do aeroporto, informou que foi o autor da pergunta. Ele tinha uma agência de notícias que cobria embarques e desembarques de gente famosa. Era um hábil manipulador da ansiedade dos viajantes. Em suas memórias, Juracy Magalhães conta o mesmo episódio, atribuindo a pergunta ao repórter Paulo Cesar Ferreira, da TV Rio. Em Magalhães e J. A. Gueiros, *O último tenente*, p. 338. Paulo Cesar Ferreira conta o episódio em *Pilares via satélite — Da rádio Nacional à Rede Globo*, p. 132.

44 *Diário de Heitor Ferreira*, 10 de janeiro de 1966.

45 Idem, 30 de janeiro de 1966.

vimento de oficiais na campanha do general Lott. Um simples telegrama de um coronel a um sargento, comunicando através do sistema de rádio da 2ª Região Militar a chegada da filha de Lott à Paraíba, acabou num inquérito que envolveu três generais.[46] No tempo dos "casacas" Lott fora muito mais escrupuloso e disciplinado que Costa e Silva. A presença de oficiais do Exército nos corredores do Congresso cabalando apoios para o ministro resultou numa reclamação de Castello a Costa e Silva, e apesar de o presidente ter listado os nomes de cinco tenentes-coronéis, um major e um capitão, a quem chamava de "grupinho de militares bestinhas", o episódio foi digerido sem nenhum procedimento disciplinar.[47]

Os argumentos do chefe do Gabinete Militar contra o candidato eram todos profissionais: "O mal é o ministro da Guerra querer ser presidente. Ele passa a agir dentro do ministério em função da sua candidatura", ou "O exército não pode ser partido político, comigo ele ficava ao sol e ao sereno".[48] Chamado de "alma danada" no gabinete de Costa e Silva, Geisel transformou-se num provocador. Encontrava-se com os colegas que haviam aderido ao candidato e mandava recados: "Olha, Muricy, quando falarem a você que o gabinete militar, isso e aquilo, diga que além de servir ao presidente ele é contra a politização do exército, contra o carreirismo, contra a formação de falsos líderes".[49] Derrotado, teve pena de Castello: "O outro vai mijar em cima dele".[50]

Costa e Silva ainda estava na Europa quando Geisel e Golbery concluíram que deveriam deixar o governo se Castello decidisse apoiá-lo. Na manhã de 17 de fevereiro de 1966 o ministro da Guerra desembarcou no aeroporto do Rio de Janeiro. Surpreendeu-se ao ver Geisel na pista. "Ué,

46 Ofício do general Orlando Geisel, chefe-de-gabinete do ministro Odylio Denys, de 18 de abril de 1960, mandando apurar a transmissão do telegrama. APGCS/HF.

47 Duas folhas com memorando de Castello a Costa e Silva, de 9 de fevereiro de 1966. APGCS/HF. O episódio está narrado também em Jayme Portella de Mello, *A Revolução e o governo Costa e Silva*, p. 328. Castello referiu-se ao "grupinho de militares bestinhas" numa conversa com o deputado Armando Falcão. Falcão, *Tudo a declarar*, p. 302.

48 *Diário de Heitor Ferreira*, 3 e 31 de dezembro de 1965.

49 Idem, 13 de março de 1966.

50 Idem, 12 de abril de 1966.

tu também por aqui, Ernesto?", perguntou-lhe.[51] O chefe do Gabinete Militar respondeu que estava representando Castello. De volta a Brasília, recebeu dois relatórios da cena que presenciara. Um mencionava que eram seiscentos os oficiais reunidos no aeroporto. "Cerca de 40 a 60 generais, 200 oficiais superiores, 100 subalternos, mil pessoas", anotou Geisel.

O segundo relatório terminava com o item "Faixas Apresentadas". Uma delas dizia: "Linha dura é a linha certa".

O general lembrava-se de outra: "Manda brasa, Seu Artur".[52]

Um ano depois, quando faltava menos de um mês para a posse de Costa e Silva, Geisel deixaria o seu lamento: "Este governo, que é o governo mais forte que já houve, entregou tudo. Eu já vi cinco se perderem, 1930, 1945, 1954, 1961 e este".[53]

51 Nota do chefe do SNI a Geisel, de 17 de fevereiro de 1966, com um recorte de jornal onde está transcrita a observação de Costa e Silva. APGCS/HF.

52 Três folhas de bloco do Gabinete Militar anotadas por Geisel. APGCS/HF.

53 *Diário de Heitor Ferreira*, 23 de fevereiro de 1967.

O pijama togado

Decidido a pedir transferência para a reserva depois da vitória de Costa e Silva, Geisel mudou de idéia diante da possibilidade de ser promovido a general-de-exército.[1] Foi mandado para o Superior Tribunal Militar. Na rotina dos assentamentos, era o fim da linha. No dia 3 de agosto de 1978 completaria setenta anos e deixaria o tribunal.[2] Quando morresse, bastava anotar a data e fechar a pasta.

Sua promoção à quarta estrela foi constrangedora. Geisel passou de general-de-brigada a general-de-exército em cinco anos e oito meses. Ninguém conseguira coisa parecida. As duas promoções demoravam cerca de dez anos. Depois das reformas de Castello demorariam mais de seis e, em alguns casos, perto de oito. Essa foi a anomalia que o beneficiou. Havia outra, também inédita, porém malvada: em nenhum momento o general-de-exército Ernesto Geisel ocupou cargo no quadro de quatro-estrelas. Supondo que seria mandado ao "canil" pelo governo Costa e Silva e amenizando as ciumeiras da supersônica promoção, foi direto para o Superior Tribunal Militar.[3]

1 Para as discussões em torno da ida de Geisel para a reserva, *Diário de Heitor Ferreira*, 26 de janeiro, 14 de maio e 6 de julho de 1966.

2 Entendendo-se que Geisel manteria a idade adulterada. Caso contrário, completaria setenta anos em 3 de agosto de 1977.

3 Ao ser promovido, Geisel passou à frente de três generais mais antigos: Carlos Luiz Guedes, Alfredo Souto Malan e Syseno Sarmento. Mandado direto ao STM, não ocupou vaga no quadro de generais-de-exército. Não atrapalhou a vida de ninguém, exceto a de algum quatro-estrelas que cobiçasse a cadeira do tribunal.

Nunca um quatro-estrelas recém-promovido fora mandado para o STM, e jamais isso voltaria a suceder. Desde a edição do AI-2 o tribunal ganhara importância como última instância para o julgamento de crimes políticos. Situado na praça da República, ficava entre a Faculdade Nacional de Direito e o Ministério do Exército. Lá, obedecendo ao protocolo da corte, o ministro-general ia às sessões vestindo o uniforme de gala, equivalente às casacas dos paisanos. No topo da carreira, o tenente de 1930 tornara-se magistrado de uma ordem ditatorial. Tinha sessenta anos, aparentava mais. Como fósforo riscado, viveria para a família.

Na planície do general estava uma vida modesta, de pequenas economias, onde os poucos luxos do apartamento indicavam fugazes momentos de prosperidade. Os pirex da cozinha eram resultado de uma passagem por Nova York, em 1945; a sala de jantar de mogno, o faqueiro e as porcelanas, lembrança dos dólares economizados em Montevidéu; a televisão, eco da passagem do irmão Orlando por Washington, como adjunto ao adido militar. Amália Lucy, a filha do casal, estudava história na Pontifícia Universidade Católica, disposta a seguir o caminho da tia professora. A família podia dividir seu tempo entre o Leblon e as férias na casa dos parentes, em Estrela. Lá Geisel ainda era o "marido da Lucy Markus".

Enquanto a maioria dos generais que chegavam ao STM transformava a cadeira numa espécie de tribuna para pronunciamentos políticos, ele foi um ministro calado, arredio. Ia de casa para o tribunal e do tribunal para casa. Seu exercício de sociabilidade continuava a ser a longa caminhada pela praia do Leblon. No tribunal, mantinha um de seus cadernos escolares para anotar conceitos de juristas famosos. Copiou trechos de decisões do Supremo Tribunal Federal: "Desconhece a nossa lei penal os delitos de opinião", ou "Ser comunista não constitui crime". Depois, em algumas folhas soltas, acrescentou novas notas, a maioria das quais com argumentos contra a concessão de habeas corpus.[4]

4 Caderno de anotações de Geisel no STM. APGCS/HF.

Resumindo a permanência de Geisel no tribunal, seu colega João Mendes definiu-o como "juiz corajoso, [que] não se preocupava em agradar, com seus votos, ao que se costuma chamar opinião pública".[5]

Geisel foi um juiz duro e confessadamente parcial: "Houve casos em que eu condenei, tal era a minha convicção, apesar da deficiência de provas do processo".[6] Relatou cinco pedidos de habeas corpus relacionados com processos políticos. Negou quatro.[7] Nos raros casos em que se formaram maiorias legalistas, como em julho de 1968, quando o tribunal classificou como ineptas as denúncias imprecisas e inconclusivas, Geisel votava com a minoria. Dois meses depois, os ministros mudaram de idéia, e ele se tornou maioria.[8] Sua trajetória está melhor demarcada pelos votos em que foi vencido. Em 1968 Geisel negou ao ex-governador de Sergipe, Seixas Dória, o direito de ser julgado pelo STM — e não numa auditoria — por supostos crimes cometidos em 63, quando a Justiça Militar nem sequer tinha jurisdição em matéria política.[9]

Implacável com os réus políticos, era generoso no julgamento dos crimes militares. Relatou sete processos de desertores e insubmissos. Reduziu a pena de dois, absolveu um, anulou o julgamento de outro e man-

5 Discurso do ministro João Mendes, na despedida de Geisel do STM, em 10 de dezembro de 1969. APGCS/HF.

6 Reunião do Alto-Comando das Forças Armadas, de 20 de janeiro de 1975. APGCS/HF.

7 Geisel relatou e negou os pedidos de habeas corpus de réus de processos políticos de números 29 388, 29 396 (ambos no *Diário Oficial* de 21 de janeiro de 1970, pp. 29-30) e 29 421 (*Diário Oficial* de 4 de fevereiro de 1970). Relatou e negou também a *Representação nº 826*, relacionada com o pedido de habeas corpus de um preso (*Diário Oficial* de 12 de agosto de 1970). Concedeu parcialmente o de nº 29 317, do estado do Paraná (*Diário Oficial* de 31 de dezembro de 1969). Tratava-se de um lavrador condenado a quatro anos de prisão por atividades subversivas. Tendo cumprido três anos e um mês, solicitava ao STM que mandasse destravar seu pedido de liberdade condicional retido no Cartório da Auditoria e que o soltasse. O tribunal seguiu o voto de Geisel, determinando o destravamento da papelada e deixando a libertação do preso a critério do auditor.

8 *Habeas Corpus nº 29 439*, relatado pelo ministro Eraldo Gueiros: "A errada ou defeituosa capitulação não torna [a denúncia] inepta, sobretudo quando, recebida, prosperou, permitindo ao acusado defender-se da instrução". *Diário Oficial* de 4 de fevereiro de 1970, p. 54. Um dos habeas corpus negado por Geisel, acompanhando a maioria, foi o de número 29 801, pedido pelos líderes estudantis José Dirceu de Oliveira e Silva e Luiz Travassos. Separata do *Diário Oficial* do estado da Guanabara, parte III, Poder Judiciário, quarta-feira, 11 de março de 1970, p. 118.

9 *Conflito de Jurisdição nº 156, Pernambuco*, sessão de 9 de junho de 1968, no *Diário Oficial* de 19 de novembro de 1969, apenso ao nº 221, parte III, p. 362.

dou libertar um médico preso arbitrariamente pela Marinha.[10] Duas derrotas magoaram-no. Numa o tribunal absolveu um capitão-aviador pedófilo. Noutra deixou passar uma roubalheira de mantimentos da Marinha que amparava a fartura das mesas de alguns almirantes.[11]

Sua nêmesis no STM era o general Pery Constant Bevilaqua, um legalista imprevisível e destemido. Peça vital do dispositivo que assegurara a posse de João Goulart em 1961, dois anos depois chamara os dirigentes do CGT de "malfeitores sindicais". Deposto o governo, combateu a instauração de processos contra Jango e seus ministros. Crítico da expansão da influência militar e da abertura da economia aos capitais estrangeiros, foi remetido da chefia do Estado-Maior das Forças Armadas ao STM. Lá, condenou os inquéritos policial-militares por meio dos quais a nova ordem julgava os adversários políticos do antigo regime. Negou competência aos militares para julgar civis e defendeu a anistia.[12]

Os dois generais estranharam-se durante o julgamento do habeas corpus de um livreiro. Pery aparteou o voto de Geisel, e ele o advertiu de que não admitia ser interrompido.

— Vossa excelência é um mal-educado e não precisa levantar a voz — rebateu Pery.

— Educação, tenho demais.

— Então você tem que demonstrar — arrematou Pery, pondo-se de pé.[13]

10 O insubmisso da *Apelação nº 36 545* (*Diário Oficial* de 6 de agosto de 1969) foi absolvido. O do *Habeas Corpus nº 29 406* (*Diário Oficial* de 28 de janeiro de 1970) foi libertado. O da *Apelação nº 36 558* (*Diário Oficial* de 13 de agosto de 1969) teve a sentença anulada e foi mandado a novo julgamento. Dois desertores tiveram suas penas reduzidas: *Apelação nº 36 837* (*Diário Oficial* de 5 de novembro de 1969, p. 284) de nove para seis meses, e *Apelação nº 36 874* (*Diário Oficial* de 12 de novembro de 1969, p. 321). Mantiveram-se as penas na *Apelação nº 36 942* (*Diário Oficial* de 19 de novembro de 1969, p. 360) e no *Habeas Corpus nº 29 817* (*Diário Oficial* de 18 de março de 1970, p. 119).

11 Ernesto Geisel, outubro de 1994.

12 *Dicionário histórico-biográfico brasileiro pós-1930*, coord. de Alzira Alves de Abreu e outros, vol. 1, p. 657.

13 *Correio da Manhã*, 31 de outubro de 1967, 1º caderno, p. 9.

Pery Bevilaqua foi malvadamente posto para fora do STM com base no AI-5, poucos meses antes de completar setenta anos, quando seria aposentado pelo calendário. A ditadura acreditou que se livrara dele, mas na verdade foi Pery quem se livrou dela. Anos depois, tornou-se um dos líderes da campanha pela anistia. Graças a ele, o Exército brasileiro pode dizer que um de seus generais teve a coragem de falar em anistia na época em que a palavra parecia ser um estigma.

Geisel rompeu o seu silêncio político em outubro de 1967, quando uma comissão de parlamentares visitou presos em Juiz de Fora e achou onze vítimas de torturas. Em todos os casos os criminosos eram militares agindo dentro de quartéis do Exército. Um dos integrantes da comissão era o deputado Marcio Moreira Alves, cuja luta contra a tortura já entrava em seu terceiro ano. Ele remexera na história de setembro de 1964 e criticara a conduta de Geisel durante sua missão ao Nordeste: "Este general honrado mancomunou-se com um bando de sádicos".[14]

O general respondeu na sessão do STM de 30 de outubro. Recapitulou os acontecimentos de 1964 e fechou sua "Explicação Pessoal" citando longamente uma nota do general Lyra Tavares que culpava a "técnica de ação comunista no campo psicológico" pela divulgação de "falsidades e lendas". Tudo coisa "dos teóricos da guerra revolucionária [que] pretendem explorar a credulidade pública atribuindo a elementos das forças armadas arbitrariedades e abusos de autoridade incompatíveis com a dignidade da função militar e do sentimento humano".[15]

Esse raciocínio repetia a idéia de que a questão da tortura era uma campanha esquerdista. Como o governo sustentava que não havia tortura, quem dissesse o contrário era um esquerdista interessado em desonrar as Forças Armadas. A formulação de Lyra Tavares, feita em 1964, quando comandava o IV Exército, não prosperara junto à retórica do governo Castello. O próprio Geisel, ao longo do episódio da missão ao Nordeste, jamais atacara as denúncias. Passados três anos, não foi Lyra

14 *Correio da Manhã*, 15 de outubro de 1967, capa do 1º caderno.

15 *Jornal do Brasil*, 31 de outubro de 1967, p. 16.

quem mudou de conduta, mas Geisel. Em 1967, como em 64, ele foi parte da solução do problema dos torturadores, não do das vítimas.

Geisel fazia restrições à ditadura de Costa e Silva por Costa e Silva, não pela ditadura. Mesmo em 1965, quando antevira a ida da democracia para a "geladeira", condenara "os levantes", "a necessidade de corromper" e outras conseqüências anárquicas do regime ditatorial, mas não a sua base.[16] Criticava a folhagem, não a árvore. Continuava duvidando da conveniência do sufrágio universal para a escolha dos governantes e da necessidade de um parlamento com poderes legislativos. "A liberdade que se precisa para viver, essa existe. Não há liberdade é para a bagunça, a baderna, a ação contra o governo", repetiria com freqüência.[17]

No decorrer de 1968 o general sofreu cólicas abdominais. Perseguido por uma hipersensibilidade genérica à dor, fazia exames, tirava radiografias, e nada se descobria. Na noite de 10 de maio de 1969, durante uma dolorosa cólica, foi metido às pressas numa ambulância e levado para o Hospital Central do Exército, com uma pancreatite aguda. Seu médico, o coronel Americo Mourão, temia que morresse. O professor Figueiredo Mendes, especialista chamado a vê-lo no dia seguinte, também temeu pela sua vida. Esperou 24 horas para tranqüilizar a família.[18] Geisel ficou no hospital até julho, quando lhe tiraram a vesícula. Foi uma operação de manual, conduzida por um major-médico. Como o paciente era um general de quatro estrelas, o diretor do HCE incluiu-se na equipe e resolveu dar um palpite. Determinou que se fizesse uma transfusão. Nada adiantou o argumento do major de que a cirurgia estava no fim e não houvera perda significativa de sangue. Geisel relembrou o resultado da sugestão: "Tive alta e fui para casa, dois ou três dias depois comecei a ter febre. Depois fui ficando amarelo. Finalmente, fiquei esverdeado. Era hepatite".[19] Golbery chegou a admitir que "o *Alemão* quase dobra o cabo

16 Para a crítica, *Diário de Heitor Ferreira*, 15 de agosto de 1965.

17 *Diário de Heitor Ferreira*, 26 de março de 1972.

18 Amália Lucy Geisel, julho de 1991.

19 Ernesto Geisel, julho de 1988 e outubro de 1994.

da boa (ou má) esperança".[20] Aplicaram-lhe algumas injeções de cortisona que redundaram em simples paliativo mas, acelerando o raciocínio e alterando a percepção do general, ofereceram-lhe uma amostra do "barato" em que entrara boa parte do mundo.[21] Enquanto ele estava na cama, realizou-se o festival de Woodstock, nos Estados Unidos, e estreou a peça *Hair* em São Paulo. Num, diante de 400 mil jovens que dormiram ao relento, Jimi Hendrix tirou da guitarra elétrica sua monumental variação do hino nacional americano. No teatro Aquarius, pelada e despercebida, Sônia Braga era apresentada aos brasileiros. A recuperação de Ernesto Geisel demoraria seis meses. Logo aqueles seis meses da segunda metade de 1969.

Durante a crise da busca de um sucessor para Costa e Silva, abatido por uma isquemia cerebral, o marechal Ademar de Queiroz chegou a sugerir o nome de Geisel numa reunião de velhos castelistas. Foi cortado pelo general Antonio Luiz de Barros Nunes, o *Cacau*: "Ô Ademar, eles não vão topar. Nosso pessoal não vai topar. Ele está no tribunal, ficam espalhando que está com câncer. Negativo: não vão aceitar o Ernesto".[22] Pelo menos um coronel do círculo de relações de Geisel dizia que ele tinha um câncer, e seu aspecto macerado fortaleceu essa impressão mesmo entre alguns amigos.

Como acontecia com freqüência quando se tratava de sentir o pulso do "nosso pessoal", *Cacau* estava certo. Ninguém o conhecia por Antonio Luiz, nem parecia general. Solteirão, boêmio, loquaz e irreverente, era o típico carioca de Vila Isabel. Dava-se com generais cassados e cassadores, tinha amigos no DOPS, no Partido Comunista e na embaixada americana.[23] Resolvia qualquer problema, fosse para procurar um preso na Vila Militar ou para conseguir um lugar na tribuna de honra do Maracanã. Abria qualquer porta, tanto no SNI como na noite do Rio, onde era bom amigo do colunista Ibrahim Sued. Gostava de dizer que tinha mui-

20 Carta de Golbery a Heitor Ferreira, de 29 de julho de 1969. APGCS/HF.

21 Para os efeitos da cortisona, Ernesto Geisel, 1976.

22 *Diário de Heitor Ferreira*, 31 de dezembro de 1971.

23 Entre os amigos de *Cacau* estava, por exemplo, o general Nelson Werneck Sodré. Ernesto Geisel, outubro de 1994.

ta vontade de ir ao próprio velório, pois haveria de ser uma grande festa. Num grupo de militares relativamente reclusos, *Cacau* era o melhor informado e o mais estimado.

Ainda acamado, Geisel recebeu a visita de seu irmão Orlando com o convite do novo presidente para que dirigisse a Petrobrás. Havia nele uma lisonja oculta: em 1967 Costa e Silva chamara Emilio Medici para a função, o general refugara o convite, argumentando que não tinha preparo suficiente, e sugerira que chamasse Geisel. A idéia prosperou por alguns dias, até ser atropelada por um arranjo de interesses estaduais. No dia 6 de novembro de 1969, chegou a Geisel um telex do chefe do Gabinete Civil informando-o de que Medici acabara de nomeá-lo para a presidência da Petrobrás. Seu médico só admitiu que fosse para a Petrobrás sob o compromisso de seguir uma dieta, além de obrigar-se a meia hora de sono depois do almoço.[24]

A posse de Geisel na Petrobrás foi cerimônia corriqueira, com um discurso insosso e uma poderosa presença na fila de cumprimentos: Orlando, ministro do Exército, fardado. Um comandava a tropa, outro assumia a presidência da maior empresa do país. *Cacau*, que dois meses antes prognosticara a baixa, disse ao seu amigo Ernesto: "Você se prepare para ser presidente da república". "Ele esbravejou", rememoraria *Cacau*, "e eu repeti: 'Prepare-se para ser presidente'."[25]

24 Amália Lucy Geisel, julho de 1991.

25 *Diário de Heitor Ferreira*, 31 de dezembro de 1971.

GOLBERY, O FEITICEIRO

Criptocomunista

Quando garoto, Golbery do Couto e Silva presenciara diversas experiências na sala da casa de seu pai, na cidade de Rio Grande, o maior porto de mar entre Santos e Buenos Aires. Jacintho do Couto e Silva Junior herdara razoável fortuna, tinha bigodes pontudos, bons cavalos, mulheres e vinhos. Galã de grupo de teatro amador, reunia amigos em casa para reproduzir as experiências do físico inglês William Crookes, da Sociedade para a Pesquisa Psíquica. Era comum que fizessem transportes, mas, apesar das tentativas, nunca conseguiram uma levitação.[1]

O general completara sessenta anos em 1971. Era o principal conselheiro político de Geisel. Quem o visse em 1967 seria capaz de julgar mais fácil o exercício de levitação de Jacintho do que a ressurreição política de seu filho. Do SNI Golbery passara ao Tribunal de Contas e dele escapara em 1968. Tornara-se presidente da Dow Química, braço brasileiro da multinacional americana. Ganhava cerca de 10 mil dólares mensais. Nunca vira tanto dinheiro na vida.[2] Seu escritório, na avenida Rio Branco, ficava a dez minutos da sede da Petrobrás. Tivera três anos de notoriedade no governo Castello, mas poucas eram as pessoas que o reconheciam na rua. Pou-

1 Golbery do Couto e Silva, novembro de 1984.

2 Golbery foi indicado à Dow por Roberto Campos, que recusou a presidência da empresa no Brasil. Inicialmente o general trabalhou como consultor. Depois, tornou-se presidente da companhia. Renato Hauptmann, maio de 1993. Para o salário, Heitor Ferreira, março de 1974. Numa conversa com Ueki, de março de 1974, Heitor se refere a um salário mensal de 50 mil cruzeiros (7100 dólares). Essa cifra excluiria as bonificações.

co falava de si, muito menos do pai ou da família. Raramente saía de casa e quase nunca ia à casa dos outros. Tinha algo de misterioso, mas também gostava de se mostrar enigmático. Brincava com suas crises de labirintite: "Labirinto é a minha especialidade".[3] Depois de quase meio século de convivência, cumplicidade e admiração, Geisel confessaria a um amigo: "Eu sempre fico com a impressão de que o Golbery não me contou tudo".[4]

Golbery dificilmente saía de casa porque sua mulher, Esmeralda, sofria alucinantes crises psicóticas. Mesmo nos períodos de normalidade — cercada por amas, pais-de-santo e bichos — dava-se a constrangedores acessos de irascibilidade, nos quais tratava o marido com dureza. Nos 52 anos que viveu nesse casamento Golbery jamais menosprezou a mulher. Não se queixava dela, assim como não a contrariava diante de estranhos. Evitava deixá-la sozinha, tratava-a com carinho, referia-se a ela como "a madame". Gostava de contar casos em que a intuição e a lealdade de Esmeralda a levaram a prever (e acertar) combinações políticas que ele supunha impossíveis. Quando necessário, mencionava que sua mulher tinha "um problema psiquiátrico".

Leitor obsessivo, formara uma biblioteca de 10 mil volumes, entulhando sua casa em Jacarepaguá, na Zona Oeste do Rio de Janeiro. Reproduções de quadros dos mestres europeus ocupavam as paredes que escaparam às estantes. Seus prazeres d'alma eram a leitura e a conversa. Não ia ao cinema e amealhara cultura teatral lendo peças. Era um erudito marcado pelo autodidatismo. Conhecia de memória a estrutura pict[illegible] *Transfiguração*, de Rafael, mas encantava-se com a figura de [illegible] em êxtase que, além de espalhafatosa, nem de Rafael é.[5] Faltav[illegible] apuro do gosto. Vestia-se descuidadamente e não se interessava por comida. Não era comum que bebesse, mas bebia mal, tanto por ser capaz de servir-se de uísque às dez da manhã, como por enrolar a voz na quinta dose.

Adorava excessos: cristais venezianos com formas de passarinhos, porcelana francesa com cenas campestres ou o poema "Se", de Rudyard Kipling. Não se pode chamá-lo de barroco, era exagerado mesmo. Escre-

3 Golbery do Couto e Silva, novembro de 1973.

4 Antonio Carlos Magalhães, 1981.

5 Para o menino da *Transfiguração*, John Pope-Henessy, *Raphael*, p. 75.

vendo, era capaz de cometer uma frase de 24 linhas, com 268 palavras escoradas em dezessete vírgulas.[6] Num exemplo pouco complicado: "É a alma faustiana do homem moderno que reponta, com todas as suas inquietudes, no claro-escuro de um Rembrandt, o poeta supremo da luz, como se afirma ademais na trágica ironia irreverente e acusadora de um Daumier ou de um Goya, para culminar na desordenada exuberância do colorido estonteante e semilouco de um van Gogh".[7]

Tudo isso atrás daquela figura discreta, quase sempre metida em ternos cinza, com óculos de aro fino, cabelo cortado rente. Seus hábitos vocabulares eram comuns. Traía no sotaque a idade e a origem gaúcha. Dizia "cousas" em vez de "coisas". Qualquer semelhança com seu mito misantrópico era mera coincidência. Havia algo estudado em sua lendária frieza. Escondia uma propensão romântica. Tinha ódios incontornáveis, como o que devotou a Carlos Lacerda depois de 1966 ("Não falo com esse sujeito, nunca"), e amizades irredutíveis. Em nome da que o uniu a Heitor Ferreira, ameaçou morrer afastado de Geisel.[8] Esse personagem que foi ao mesmo tempo ícone e patuá para a ditadura militar, tinha um traço curioso, atrevido, quase moleque. "Eu não estou ligado a nada, nunca. É uma característica minha, não sei dizer se é virtude ou defeito."[9]

Caso clássico de arruinado. Desde a metade do século XIX, o nome [illegible] Couto e Silva associara-se à boa qualidade das peças de prata para [illegible]vendidas em Rio Grande. Ao trabalho do português Manuel, seg[illegible]e Jacintho, o mais velho de seus oito (ou nove) filhos.[10] De

6 Golbery do Couto e Silva, *O Sentido Humano da Arte*, p. 3. AA.

7 Idem, p. 7. AA.

8 Para a referência a Lacerda, *Diário de Heitor Ferreira*, 11 de junho de 1965. Em 1984, Golbery só combinou um reencontro com Geisel (a quem não via fazia quase quatro anos) depois que obteve do general Gustavo Moraes Rego a certeza de que o ex-presidente se reaproximaria de Heitor Ferreira. Tanto Geisel como Golbery sabiam que lhes restava pouco tempo para um reencontro, que acabou não ocorrendo. Golbery do Couto e Silva, agosto de 1985.

9 Golbery do Couto e Silva, novembro de 1984.

10 Genealogia preparada por Golbery do Couto e Silva em resposta a uma carta de Marco Antônio Rabelo do Couto e Silva, de 8 de outubro de 1981. APGCS/HF. Manuel do Couto e Silva veio do Porto para o Brasil com um filho e quatro filhas. Viveu no Rio de Janeiro por alguns anos, onde teria feito dois ou três filhos homens. Em Rio Grande fez mais um.

acordo com o hábito dos comerciantes lusitanos, a família concentrou seu patrimônio em imóveis, todos na cidade, muitos na rua em que vivia. Jacintho Junior não gostava de trabalhar, nem como prateiro nem como senhorio. Com a ampliação do porto, expandiram-se todos os comércios da cidade, e a rua República do Líbano, onde estava sua casa, foi engolida pela "zona".[11] Mudaram os locatários, caíram os aluguéis, e de nada serviu algumas famílias — inclusive a dele — transferirem a porta de entrada para outro lado do terreno, onde antes era o quintal.[12] "O que adianta? Ele não vai pagar mesmo", Golbery ouvia o pai responder à mulher, quando ela insistia que fosse cobrar o que lhe era devido. A essa altura Henriqueta do Couto e Silva costurava para fora.[13]

Era ruína européia. Quanto menor o patrimônio, maior a pose. Com uma afetada francofilia, Jacintho deu nomes estranhos aos dois filhos. Ao mais velho chamou Morency, sobrenome de um dos colonizadores de Quebec. Ao segundo, nascido em 21 de agosto de 1911, chamou Golbery, sobrenome de um magistrado metido em eruditos estudos arqueológicos, morto em 1854 e quase desconhecido fora de Colmar, sua cidade natal. Lá uma pequena rua homenageia sua memória.[14]

Apesar de seu pai achar impróprio mandar os filhos à escola elementar, acreditando que receberiam melhor educação em casa, o menino foi matriculado no colégio estadual Lemos Junior, porque o reitor estava interessado numa experiência pedagógica e pediu que lhe entregassem a criança, então com onze anos. Golbery nunca soube direito a que tipo de experiência foi submetido, mas lembrou-se com orgulho do resultado: "Entre os treze e os catorze anos eu li quase todos

11 Para as obras do porto, concluídas em 1917, Euripedes Falcão Vieira, *Rio Grande, geografia física, humana e econômica*, p. 132. Para o movimento da zona, Golbery do Couto e Silva, novembro de 1984.

12 A casa dos Couto e Silva, cuja entrada era na República do Líbano, virou-se para a rua Benjamin Constant, 123. Em 1992, esse terreno era ocupado por pequenos sobrados. Onde fora a entrada estavam a loja de artigos de pesca O Arrastão e a academia de caratê Shotokan.

13 Golbery do Couto e Silva, novembro de 1984.

14 Para Phillipe Marie Aimé de Golbery, *Jornal do Brasil* de 25 de junho de 1975, p. 2, citando um verbete de enciclopédia francesa. Para a rua, fotografia tirada em Colmar, em 1982, pelo jornalista Guilherme Veloso. AA.

os clássicos da literatura portuguesa. Camilo Castelo Branco, por exemplo, eu li inteiro. Além disso, inventariei toda a biblioteca e os laboratórios de física e química, equipados com material alemão de muito boa qualidade".[15]

Pensava em ser engenheiro ou advogado. "Mas cadê o dinheiro? Talvez eu conseguisse, mas meu irmão já estava no Exército, e eu fui no arrasto." Chegou à Escola Militar de Realengo com uma cultura acima da média dos colegas. Sabia muita matemática e se encantara com o estudo da história. Ia à secretaria conferir as notas de Luiz Carlos Prestes, transformadas em pedra da meca do irredentismo tenentista. Era o melhor aluno da escola, com notas superiores a 8 em todos os exames, na marca do *Cavaleiro da Esperança* e do tenente Ernesto Geisel. Saiu de Realengo em dezembro de 1930, na primeira turma de aspirantes do novo regime. Com o tenentismo no palácio, os novos oficiais deveriam cuidar dos quartéis. Pelo calendário gregoriano, Golbery tinha quatro anos menos que Geisel e dez menos que Cordeiro de Farias. Pelo calendário político, estava uma geração atrás.

Sua participação na Revolução de 1930 limitou-se ao trabalho de estafeta: levou uma carta à casa onde estava Juarez Távora. Mandado para uma guarda do Catete, catou nos jardins do palácio alguns panfletos do Partido Comunista. Esse foi o primeiro contato que teve com a espécie. Já lera alguns trabalhos de Lenin e via na revolução bolchevique "uma nova aurora, um estágio superior da Revolução Francesa". Mais tarde haveria de se classificar como um "criptocomunista literário". Gostava da frase de Mussolini ("é preciso viver perigosamente"), mas detestava o fascismo, "apesar de ele ter feito os trens italianos andarem na hora".[16] Estava mais para Trostsky do que para Stalin, mais para Bukharin do que para Trotsky, mas tudo isso era elucubração. Quando Luiz Carlos Prestes anunciou seu rompimento com o governo de Getulio Vargas, Golbery nem sequer refletiu sobre o ideário socialista que ele propunha. "O caso

15 Golbery do Couto e Silva, novembro de 1984.

16 Idem.

é que ele se colocava contra o Rio Grande, e para nós a Revolução era do Rio Grande."[17]

Mandado em 1931 para o 9º Regimento de Infantaria, em Pelotas, esteve na tropa que combateu a Revolução Constitucionalista de 32. Levara na mochila a *Crítica da razão pura*, do filosófo alemão Emmanuel Kant, e retornara com um elogio por bravura.[18] Foi a primeira e única vez que atirou em combate. De volta a Porto Alegre, tornou-se instrutor do Centro de Preparação de Oficiais da Reserva, o CPOR. Tinha 21 anos e era oficial da infantaria, mas ingressara no mundo dos instrutores, responsável pela fabricação de todas as mitologias intelectuais das forças armadas em tempos de paz.

Havia um namoro entre Golbery e o PC. Dele não há registro na memorialística comunista, como de resto ela quase nada revela a respeito da base militar do partido. Entre 1933 e 1934, Golbery encontrou-se com um oficial que servia no Paraná. "Foi uma conversa sobre doutrina. Era um coronel da artilharia, homem brilhante, que eu respeitava muito." Os comunistas remeteram-lhe material de propaganda e em 1934 contataram-no formalmente. "Era um civil, disse que vinha a mando do *Miranda*."[19] *Miranda* era o ex-sargento Antonio Maciel Bonfim, secretário-geral do PCB. Depois disso o capitão Carlos da Costa Leite, o "Prestes da cidade", fez mais uma tentativa de recrutá-lo.[20] Deram-se novos contatos clandestinos durante o ano de 1935, até que, conforme contou mais tarde: "Vi que a coisa estava esquentando e não tinha substância, saí fora".[21] Saiu mas deixou rastro. Seu nome foi achado no caderno de endereços de um major, e sem que Golbery soubesse, tramitou na burocracia da repressão uma denúncia contra ele. Salvou-o o coronel gaúcho (de Bagé) Salvador César Obino, que lera um artigo do tenente Golbery defenden-

17 Golbery do Couto e Silva, novembro de 1984.

18 "O fabricante de nuvens", *Veja* de 19 de março de 1980, p. 25.

19 Golbery do Couto e Silva, novembro de 1984.

20 Idem, 1980, informação publicada em "O fabricante de nuvens", *Veja* de 19 de março de 1980, p. 25.

21 Golbery do Couto e Silva, novembro de 1984.

do o anarquista Bakunin. "Ele achou que se eu escrevia aquilo claramente, não devia estar metido em levantes."[22]

De todas as leituras e influências do período, Golbery levaria para o resto da vida o que ele chamava de "hábito de raciocinar dialeticamente": "Uma coisa nunca é como é. Não há o certo nem o errado absolutos". "Esse tipo de raciocínio, uma vez adquirido, não se perde nunca", explicaria meio século depois, queixando-se de que "se confunde dialética com marxismo, o que é burrice".[23] Mal chegara aos 24 anos, magro, desinteressado das competições esportivas, tinha fama de intelectual. Aprendia inglês lendo a revista *Time* e ouvindo a BBC de Londres.

Estava sob a proteção de uma confraria de oficiais gaúchos. Fora ajudante-de-ordens do general (de Alegrete) João Carlos Toledo Bordini, um oficial de tintas liberais que passara para a reserva depois do golpe de 1937. Bordini recomendara o capitão ao coronel Mário Ary Pires (de Pontal da Barra), chefe-de-gabinete da secretaria geral do Conselho de Segurança Nacional, segundo homem no Gabinete Militar da Presidência. Em 1939 Golbery entrou no palácio do Catete detestando o Estado Novo e Getulio Vargas, seu fâmulo. No Conselho de Segurança planejava-se a entrada do Brasil na guerra, contra a Alemanha.[24] Do que ouvira de Ary Pires e do que aprendera com leituras, Golbery preparou em segredo um trabalho a que deu um título típico da audácia dos capitães: *Diretrizes para a Mobilização Nacional.* Nos meses seguintes reconheceu pedaços de seu estudo num documento que circulava pelos altos escalões. Começara sua carreira de escriba.

22 Golbery do Couto e Silva, novembro de 1984. Nas diversas ocasiões em que tratei com Golbery de suas relações com o Partido Comunista, ele se mostrou pouco receptivo. Dava respostas curtas e não as elaborava. Tendo contado em 1980 que Carlos da Costa Leite tentara recrutá-lo, deixou de mencioná-lo na entrevista de 84, quando colocou no quebra-cabeça a figura do civil mandado por *Miranda.* Em outubro de 1994 Geisel lembrou que, nessa época, "constava que ele tinha algumas idéias de esquerda". Parece que os artigos de Golbery se perderam.

23 Golbery do Couto e Silva, novembro de 1984. Para a queixa a respeito da confusão entre dialética e marxismo, "O fabricante de nuvens", *Veja* de 19 de março de 1980, p. 31. Em seu *Geopolítica e poder*, p. 16, Golbery chama o materialismo marxista de "filho espúrio do idealismo hegeliano".

24 "Apesar de o Getulio, depois, ter mostrado algumas simpatias pelo Eixo, no Exército eu nunca vi outro tipo de trabalho que não fosse prevendo a entrada do Brasil na guerra ao lado dos Aliados." Golbery do Couto e Silva, novembro de 1984.

Falara-se do cadete Golbery em 1930, e falou-se dele novamente em 41. Como capitão, inscrevera-se nas provas livres do curso de admissão à Escola de Estado-Maior e fora o único aprovado. Seu exame mais difícil parece ter sido o de motorista, pois, com trinta anos e sem dinheiro, não sabia dirigir. Três anos depois embarcou para Fort Leavenworth. Em Kansas City viu o seu primeiro Van Gogh, uma contorcida paisagem de oliveiras, pintada um ano antes da morte do artista. A guerra escapou-lhe entre os dedos. Desembarcou em Nápoles no final de fevereiro de 1945, um ano após a entrada das tropas americanas na cidade. Aquartelado 450 quilômetros ao sul da linha Gengis Khan, onde se esfarelavam as divisões alemãs dos Apeninos, Golbery não ouviu um só tiro.

Foi sua única viagem à Europa. Vagou pelos museus e igrejas de Nápoles e Roma, chocou-se com a miséria e com a prostituição de adolescentes em troca das caixinhas de ração. Cuidou do planejamento do retorno dos pracinhas ao Rio de Janeiro. Em outubro de 1945 estava de volta, com economias suficientes para comprar seu primeiro imóvel, um apartamento em Laranjeiras. Da convivência com a tropa americana não resultou sensível influência ideológica. "O exército americano não nos impressionou porque era democrático, mas porque funcionava."[25]

O Exército brasileiro funcionava mal, e a guerra expusera suas misérias. No exame de saúde de Fort Leavenworth descobriu-se que um coronel tinha lepra.[26] Na Itália acharam-se pracinhas tuberculosos, e, das 11 617 baixas sofridas pela FEB, 8480 deveram-se a doenças. Numa tropa de 25 mil homens, 10 399 passaram por tratamento dentário na Europa. Foram realizadas 9071 extrações.[27] A fraqueza estrutural era semelhante. Num regimento do Rio Grande do Sul o comandante selecionou para a Força Expedicionária os soldados com mau comportamento.[28] Um pe-

25 Golbery do Couto e Silva, novembro de 1984.

26 General Antonio Carlos Muricy, agosto de 1988.

27 Frank D. McCann Jr., *The Brazilian-American Alliance — 1937/1945*, pp. 369 e 71. Ver também Aspásia Camargo e Walder de Góes, *Meio século de combate — Diálogo com Cordeiro de Farias*, p. 311.

28 Ernani Ayrosa da Silva, *Memórias de um soldado*, p. 32.

lotão do 6º RI teve oito comandantes em poucos meses de instrução. A rotatividade de oficiais que saltavam do regimento — e da guerra — foi semelhante em pelo menos cinco de suas nove companhias.[29]

Por questão de sigilo, disseram à tropa do primeiro escalão que ela desembarcaria na Tunísia, mas quando o navio estava no Mediterrâneo, os soldados souberam, através da locutora *Rosa da Esperança*, da rádio de Berlim, que seu destino era Nápoles.[30] Tiraram ao comandante da Força Expedicionária a prerrogativa de escolher os auxiliares e até mesmo de promover os soldados em combate.[31] O chefe do Estado-Maior, imposto pelo Rio, brigava com o general da artilharia e com o encarregado da seção de operações, que, por sua vez, rompera com o colega das informações.[32] A tropa estava malvestida e mal calçada. O verde-escuro dos seus uniformes parecia-se com a cor da farda dos alemães. Desembarcou desarmada em Nápoles e, confundida com um lote de prisioneiros, viu-se vaiada. Os cigarros de boa qualidade sumiam no caminho, e à Itália chegavam mata-ratos intragáveis.[33] As fardas encolhiam e desbotavam. "Não se pode entender tanta negligência do Rio de Janeiro", queixava-se 35 anos depois o comandante da Artilharia Divisionária, Cordeiro de Farias.[34]

29 Frank D. McCann Jr., *The Brazilian-American Alliance — 1937/1945*, p. 375.

30 Ernani Ayrosa da Silva, *Memórias de um soldado*, p. 35. Essa locutora era Margarida Hirshman. Depois da guerra ela foi presa e condenada, no Brasil, a vinte anos de prisão, cumpriu dois e viu-se indultada. Evandro Lins e Silva, *O salão dos passos perdidos*, pp. 176-8. Sua equivalente americana, Midge Gillars, ou Axis Sally, presa em 1945, só foi libertada em 61.

31 Aspásia Camargo e Walder de Góes, *Meio século de combate — Diálogo com Cordeiro de Farias*, pp. 326 e 332.

32 Idem, p. 328. Chefiava o Estado-Maior o coronel Floriano de Lima Brayner; a artilharia, o general Cordeiro de Farias; a seção de operações, o tenente-coronel Castello Branco, e a de informações, o tenente-coronel Amaury Kruel.

33 Aspásia Camargo e Walder de Góes, *Meio século de combate — Diálogo com Cordeiro de Farias*, p. 343. Para uma documentada descrição das debilidades da FEB segundo os oficiais americanos que com ela lidaram, William Waack, *As duas faces da glória — A FEB vista pelos seus aliados e inimigos*, pp. 113-57. Ver também Carlos Lacerda, *Depoimento*, p. 104. Para a falta de agasalhos, má qualidade dos tecidos, a dificuldade provocada pela cor e a vaia em Nápoles, Joaquim Xavier da Silveira, *A FEB por um soldado*, pp. 58 e 64.

34 Aspásia Camargo e Walder de Góes, *Meio século de combate — Diálogo com Cordeiro de Farias*, p. 362.

O capitão Golbery que regressou ao Rio de Janeiro saltara do trem da esquerda. Em março de 1952, como tenente-coronel, foi designado para a Escola Superior de Guerra. A ESG tinha três anos e ele, 41. Juntos construiriam uma das grandes lendas da política brasileira.

O escriba

Conhecida também pelo pernóstico apelido de *Sorbonne*, a Escola Superior de Guerra era produto de um sincero interesse da cúpula militar pelo aprimoramento intelectual dos oficiais superiores, mas também de um desejo dos ministros de manter longe dos comandos de tropa e de posições importantes no Estado-Maior os oficiais de muita capacidade e pouca confiança.[1] Enquanto se puniam com transferências para circunscrições de recrutamento os coronéis chucros ou extremados, a oposição militar bem-educada ganhava escrivaninhas na ESG, cuja primeira virtude era a localização: no Rio de Janeiro, debruçada sobre a praia da Urca. Em 1953, somando-se os estagiários ao seu quadro de pessoal, a ESG dava o que fazer a doze generais, três almirantes, dois brigadeiros, 33 coronéis e onze capitães-de-mar-e-guerra, efetivo equivalente a mais que o dobro dos coronéis e generais que foram para a guerra.[2]

Desde 1950 a escola juntava por volta de setenta civis e militares num curso de um ano, verdadeira maratona de palestras e estudos em torno

1 Segundo John W. F. Dulles, *Castello Branco — O caminho para a Presidência*, p. 197, o apelido foi inventado por Oswaldo Aranha.

2 Para a lista de nomes do corpo permanente e de estagiários, *Diplomas Conferidos em 1953*, BI nº 187, de 15 de dezembro de 1953. Ou o sítio da ESG, <http://www.esg.br/>, para a turma de 1953. Também *Militares Integrantes da Escola Superior de Guerra no Ano de 1953*, Divisão de Expediente da ESG, 2003. Na FEB havia quatro generais e treze coronéis, em J. B. Mascarenhas de Moraes, *A FEB pelo seu comandante*, pp. 345 e segs., com a lista de oficiais.

dos problemas nacionais. Essa convivência de oficiais, burocratas e parlamentares era experiência inédita, mas seria exagero dizer que nos seus primeiros dez anos de vida a ESG aglutinou uma amostra da elite nacional. O número de estagiários sem ligação funcional com o Estado dificilmente alcançava um terço das turmas. A seleção dos 483 militares que fizeram qualquer tipo de curso na ESG entre 1950 e 1959 deu-se sem dúvida no estrato superior da oficialidade. Dois chegaram à Presidência da República (Geisel e Castello Branco), 23 ao ministério, e, deles, seis chefiaram o Exército. Com os 335 civis que passaram pela escola no mesmo período, o resultado foi outro. Só quatro chegaram ao ministério. Um deles, Tancredo Neves, pode ser computado como se tivesse chegado à Presidência.

A escola funcionava num clima grandiloqüente e autocongratulatório. Suas primeiras turmas incluíam oficiais sinceramente convencidos de que participavam de um mutirão intelectual que repensava o Brasil. Havia neles um verdadeiro sentido de missão. "Nenhum de nós sabia nada e queríamos que alguém nos desse idéias", contaria mais tarde o general Antonio Carlos Muricy.[3] Ainda assim, a ESG não produziria uma só idéia ao mesmo tempo certa e nova. Seus fundadores empilharam conceitos redundantes, como Planejamento da Segurança Nacional, e impenetráveis, como o Conceito Estratégico Nacional, atrás dos quais se escondia uma metafísica do poder estranha à ordem e às instituições democráticas, aos sistemas partidários e aos mecanismos eleitorais. Carlos Lacerda chamava-a de "escola do blá-blá-blá".[4] Com o tempo edificou-se a mitologia de que a *Sorbonne* foi laboratório de aperfeiçoamento da elite nacional e sacrário ideológico do regime de 1964. Parte da cúpula militar que a criou, no entanto, haveria de tomá-la como mau exemplo tanto pela fauna como pela flora. "Cuidado com os picaretas. Veja a ESG", advertiu Geisel a um amigo. As famosas apos-

3 Depoimento do general Antonio Carlos Muricy ao CPDOC, vol. 2, fita 17, p. 326.

4 Para o conceito de Lacerda, depoimento do general Octavio Costa, em *A volta aos quartéis*, organizado por Maria Celina d'Araujo, Gláucio Ary Dillon Soares e Celso Castro, p. 136. Vale transcrever a opinião do general Octavio Costa sobre a ESG, cujo quadro não integrou: "A ESG criou um corpo doutrinário fictício com um palavrório vazio".

tilas de capa cinza eram documentos irrelevantes para o general: "Podem ir para o lixo, pois as turmas e os grupos são muito díspares".[5]

Fundada na premissa de que o subdesenvolvimento brasileiro era produto da falta de articulação e competência de sua elite, a ESG se propunha a sistematizar o debate dos problemas do país.[6] Oferecia-se também como centro de estudos para uma crise universal muito mais ameaçadora e urgente. Em maio de 1949 a escola ainda não estava legalmente organizada, mas seu comandante, o general Oswaldo Cordeiro de Farias, advertia: "Precisamos preparar-nos para a eventualidade da terceira guerra mundial, o que é uma conseqüência do panorama internacional, uma política de autodefesa, um imperativo de nossa soberania e do nosso espírito de sobrevivência. Viver despreocupado deste problema, num mundo que não se entende, é ter mentalidade suicida".[7]

Esse mundo vivia sob a influência de duas expressões: Cortina de Ferro e Guerra Fria.

A primeira fora mais uma expressão genial do ex-primeiro-ministro inglês Winston Churchill. Em março de 1946, discursando na pequena cidade de Fulton, nos Estados Unidos, ele denunciou: "De Stettin, no Báltico, a Trieste no Adriático, uma cortina de ferro caiu sobre o Continente. Atrás dessa linha, todas as capitais dos velhos Estados da Europa Central, Varsóvia, Berlim, Praga, Viena, Budapest, Belgrado, Bucarest e Sofia, todas essas famosas cidades, bem como as populações que as circundam, estão submetidas não só à influência soviética, mas a um grande e crescente controle por Moscou".[8]

5 Bilhete de Heitor Ferreira, sem data, com anotação manuscrita de Geisel. Geisel respondia a uma proposta de Heitor de se criar uma escola civil de alto nível para o serviço público. Tratando do mesmo assunto, mais uma vez com Heitor Ferreira, Geisel disse que "o exemplo da ESG é altamente decepcionante", num bilhete de 26 de julho de 1974. APGCS/HF. Para as apostilas, *Diário de Heitor Ferreira*, 16 de fevereiro de 1972.

6 "Proposta de criação da Escola Superior de Guerra", em José Alfredo Amaral Gurgel, *Segurança e democracia*, pp. 30-4.

7 Oswaldo Cordeiro de Farias, *Palestra sobre a Organização da Escola Superior de Guerra*, realizada na Escola de Estado-Maior, p. 6. Criada em outubro de 1948, a ESG só foi organizada pela lei 785, de 20 de agosto de 1949.

8 John Lewis Gaddis, *The United States and the origin of the Cold War — 1941-1947*, p. 308.

A segunda fora produto da memória do jornalista americano Walter Lippmann. Ao dar título a uma coletânea de artigos dos últimos meses de 1947, ele recorreu à expressão francesa usada em 39 para designar a política de intimidação de Hitler na Europa, "la guerre froide".[9]

Apesar de esses dois conceitos terem encantado as forças conservadoras brasileiras, o Estado Novo lutava contra a Cortina de Ferro antes que Churchill a tivesse percebido e se alistara na Guerra Fria antes que ela tivesse começado. Se o combate ao nazismo aproximara conservadores europeus e americanos dos comunistas, no Brasil essa aproximação não se deu, porque a direita filofascista e mesmo filonazista jamais foi combatida, muito menos derrotada. Quem olhasse a hierarquia da ditadura no início de 1946 veria poucas mudanças nos palanques. Em ocasiões especiais, podia-se notar o sumiço, nas casacas e uniformes, das condecorações distribuídas pelos embaixadores da Alemanha e da Itália. Na Europa a associação com o Eixo custara à extrema direita a vida (quando foi para as trincheiras), a fortuna (quando a depositou no projeto guerreiro) ou a credibilidade (quando tornou pública a sua posição). No Brasil, nada disso.

A ditadura de Vargas se assombrara com o degelo ocorrido em 1941, aproximando o Ocidente e a União Soviética. Coubera ao Exército Vermelho quebrar a invencibilidade alemã, enfrentando uma ofensiva militar que chegou a somar 250 divisões ao longo de uma frente de quase 2 mil quilômetros. Churchill, respondendo a um amigo perplexo pela defesa que fazia dos soviéticos, esclareceu: "Se Hitler invadisse o inferno, eu diria até mesmo uma boa palavra sobre Belzebu na Câmara dos Comuns".[10] Cercado em Corregidor, nas Filipinas, o general americano Douglas McArthur dizia que "a esperança da civilização repousa nas bandeiras do corajoso Exército Vermelho".[11] Em pouco mais de dois anos

9 Ronald Steel, *Walter Lippmann and the American century*, p. 445.

10 John Colville, *The fringes of power*, p. 404.

11 John Lewis Gaddis, *The United States and the origin of the Cold War — 1941-1947*, p. 37.

os Estados Unidos socorreriam a União Soviética com 9 mil aviões, 4 mil tanques, 210 mil caminhões e 5 milhões de pares de botas.[12]

No Brasil a guerra era outra. A Censura do Estado Novo proibia, em 1941, a exibição d'*O grande ditador*, de Charles Chaplin.[13] O anticomunismo haveria de levá-la a combater a própria aliança antinazista. Em outubro de 1942, quando Churchill desembarcou em Moscou, o Departamento de Imprensa e Propaganda do Estado Novo censurara os noticiários cinematográficos que mostravam o primeiro-ministro inglês ao lado dos governantes soviéticos. Um mês depois, com os ventos da guerra começando a mudar debaixo das ruínas de Stalingrado, os brasileiros foram impedidos de ver os prisioneiros alemães marchando diante do ministro da Defesa russo.[14] Nem mesmo uma sessão privada para o general Dutra foi remédio capaz de levantar o veto do DIP ao filme *A estrela do Norte*, história romântica de guerrilheiros ucranianos.[15] Em novembro de 1944, quando se acreditava que a Alemanha poderia capitular de uma hora para outra, o chefe do Departamento Federal de Segurança Pública informou a um funcionário da embaixada americana que estava pronto para trancafiar pelo menos trezentos comunistas.[16]

Os comunistas não foram presos em maio de 1945, quando a Alemanha se rendeu, mas em outubro, quando Getulio Vargas caiu. Inúmeras sedes do PCB foram varejadas pela polícia, encarceraram-se alguns de seus dirigentes, e Luiz Carlos Prestes asilou-se na embaixada do México. Na noite de 31 de outubro, dois dias depois da deposição do ditador, um visitante entrou no apartamento do chanceler Pedro Leão Velloso. Era o embaixador americano Adolf Berle Jr., pedindo o fim da perseguição aos comunistas: "Manifestei-lhe a esperança de que o governo soltaria os líderes. [...] Disse-lhe que fazia um mau negócio, dava a impressão de fraqueza".[17] Se-

12 Adam B. Ulam, *The rivals — America & Russia since World War II*, p. 3. As cifras exatas são 8872 aviões, 3734 tanques, 206 771 caminhões.

13 Inimá Simões, *Roteiro da intolerância — A censura cinematográfica no Brasil*, p. 28.

14 Stanley E. Hilton, *Brazil and the Soviet challenge — 1917-1947*, p. 185.

15 Idem, pp. 185-6. Esse episódio ocorreu em dezembro de 1943.

16 Idem, p. 189.

17 Adolf A. Berle, *Navigating the rapids — 1918-1971*, p. 557.

melhante bizarria, com um embaixador americano batalhando a libertação de comunistas, era reflexo da personalidade de Berle, mas também de uma nova ordem mundial, nova, frágil, porém liberal.

O marechal Dutra assumiu a Presidência da República, em janeiro de 1946, indicando que o fôlego liberal da nova ordem brasileira seria curto. Na chefia do Gabinete Militar pôs o general Álcio Souto. Dez anos antes, quando Adolf Hitler recomendava ao embaixador brasileiro que o governo "não tivesse piedade" dos bolcheviques, Dutra pedia aos comandantes militares a "repressão imediata e impiedosa" contra os comunistas. Atacava os presos que "despem a camisola dos galés para vestirem a túnica dos mártires".[18] Na casa dele se comemorara a queda de Paris.[19] Dutra elegera-se presidente com o apoio da base política da ditadura. Sob sua Presidência as relações diplomáticas com a URSS, cujo restabelecimento teve o incentivo da Casa Branca, duraram precisamente trinta meses e esfumaçaram-se em outubro de 1947.[20] O Brasil foi o primeiro país do chamado mundo ocidental a romper relações com Moscou.[21] A legalidade do Partido Comunista durara menos: dezoito meses. Depois de ter conseguido 500 mil votos (10% do eleitorado) para seu candidato a presidente e de ter feito uma bancada de catorze deputados, o PCB, com 180 mil membros, controlando duas editoras e oito jornais, foi posto fora da lei em maio de 1947.[22]

Na época, bem como nas décadas seguintes, a retórica e a propaganda stalinistas atribuíram o refluxo político de 1947 à inspiração americana.

18 Stanley E. Hilton, *Brazil and the Soviet challenge — 1917-1947*, p. 113, referindo-se a um telegrama do embaixador Moniz de Aragão ao Itamaraty, de 29 de janeiro de 1936, no qual narrou a conversa que teve com Hitler ao entregar-lhe suas credenciais. Para a frase de Dutra, ver Ferdinando de Carvalho, *Lembrai-vos de 35!*, p. 163.

19 Informação fornecida a Frank McCann por Euclydes Aranha, mensageiro que foi à casa do ministro da Guerra para dar a notícia. Em McCann Jr., *The Brazilian-American Alliance — 1937/1945*, p. 256.

20 Pio Corrêa, *O mundo em que vivi*, p. 289. Para a influência americana no restabelecimento de relações com a URSS, ver Gerald K. Haines, *The americanization of Brazil*, p. 26.

21 Gerald K. Haines, *The americanization of Brazil*, p. 28.

22 Para o tamanho do PCB, carta do embaixador William Pawley ao presidente Harry Truman, de 1946, em Stanley E. Hilton, *Brazil and the Soviet challenge — 1917-1947*, p. 208.

O governo do presidente Harry Truman foi sem dúvida anticomunista, mas não lhe coube a concepção da virada brasileira, muito menos o ardor. Era o general Álcio Souto quem informava ao embaixador dos Estados Unidos, antes mesmo da abertura dos trabalhos da Assembléia Constituinte, que o PCB seria cassado. Era também ele quem se queixava do que seria a excessiva tolerância americana em relação ao comunismo.[23] Foi o marechal Dutra quem pediu ao presidente Truman que colocasse o combate ao comunismo no topo de sua agenda numa rápida visita ao Brasil.[24] O general George Marshall, chefe do estado-maior do exército americano durante a guerra e secretário de Estado em 1947, chegou a sugerir que fosse evitado o rompimento de relações com Moscou.[25] Já o ministro da Guerra, general Goes Monteiro, em torno do qual gravitaram os oficiais germanófilos nos primeiros anos de combates, dizia que "a primeira bomba atômica foi jogada em Hiroshima e a segunda em Nagasaki, a terceira e a quarta no atol de Bikini, mas a quinta, a sexta, sétima e oitava podem muito bem cair na Rússia".[26]

Affonso Henrique de Miranda Corrêa, o tenente-coronel que comandara os calabouços da Delegacia Especial de Segurança Política e Social da ditadura e estagiara por um ano na Gestapo, tornara-se encarregado da administração da Escola Superior de Guerra.[27] O coronel Antonio José Coelho dos Reis, o *Tomé*, que dirigira a máquina de censura e propaganda do DIP e nela proibira a exibição d'*O grande ditador*, chefiava a Divi-

23 Stanley E. Hilton, *Brazil and the Soviet challenge — 1917-1947*, p. 211.

24 Idem, pp. 216-7.

25 Telegrama do embaixador Oswaldo Aranha ao Itamaraty, de 18 de outubro de 1947, em João Hermes Pereira de Araújo, "Oswaldo Aranha e a diplomacia", publicado no volume *Oswaldo Aranha — A estrela da Revolução*, de Aspásia Camargo e outros, pp. 345-6.

26 Stanley E. Hilton, *Brazil and the Soviet challenge — 1917-1947*, p. 202, com telegrama transmitido pelo adido naval americano a Washington, de 6 de junho de 1946.

27 Para a posição de Miranda Corrêa, *Dicionário histórico-biográfico brasileiro pós-1930*, coord. de Alzira Alves de Abreu e outros, vol. 2, p. 1603, e o depoimento do general Antonio Carlos Muricy ao CPDOC, vol. 2, fita 17, p. 325. *Associados — 1950-1987*, da ADESG (1987), p. 2, registra Miranda como estagiário da primeira turma, em 1950. Miranda Corrêa visitou a Alemanha em 1936. Geneton Moraes Neto, *Dossiê Brasil*, p. 171. Para seu estágio na Gestapo, onde foi condecorado por Himmler, Martha K. Huggins, *Polícia e política — Relações Estados Unidos/América Latina*, p. 56.

são de Assuntos Militares da ESG.[28] Tendo passado incólume pela Segunda Guerra Mundial, a direita brasileira entrara invicta na Guerra Fria.

O tenente-coronel Golbery saiu da casca na Escola Superior de Guerra, em 1952, com uma série de conferências que intitulou *Aspectos Geopolíticos do Brasil*. A essa altura estava revertida a onda esquerdista na Europa. Os comunistas haviam sido postos para fora de todos os governos, os conservadores tinham o poder do Tejo ao Reno, e as economias prosperavam. As matanças ocorridas do outro lado da Cortina de Ferro mutilaram o orgulho dos comunistas. Na América Latina a esquerda vira-se condenada a abandonar quaisquer tentativas de alinhamento com o Leste, reorganizando-se atrás de propostas neutralistas. Getulio Vargas acabara de tirar do Ministério da Guerra o general Newton Estillac Leal, boêmio da malandragem dos bares do centro do Rio e oficial audacioso na tropa, revoltoso de 1924 e 30. Em 1942, como coronel e orador da turma da Escola de Estado-Maior, chamara Hitler de "porco" diante de uma platéia onde se encontravam Vargas e Dutra.[29] Na qualificação de um de seus inimigos, Estillac acreditava que "o Exército não estava aí para garantir privilégios".[30]

Aspectos Geopolíticos do Brasil é um trabalho meticuloso e pedante. Nele o tenente-coronel procurou mostrar tudo o que sabia, a ponto de misturar, em dois únicos parágrafos, profecias de Zaratustra, teoria dos números e o espaço curvo quadridimensional. Na primeira conferência, em apenas sete páginas, Golbery trabalha na formulação do conceito de segurança nacional. Não era o primeiro a fazê-lo, mas, entre todos, viria a tornar-se o mais conhecido, chegando a se confundir com a própria idéia. Com o tempo, repetiria o esquema de 1952 em diversos escritos, quase sempre complicando-o.

28 Para a posição de Coelho dos Reis, depoimento do general Antonio Carlos Muricy ao CPDOC, vol. 2, fita 17, p. 325. Coelho dos Reis deixou a ESG para comandar a Escola de Estado-Maior e em 1954 foi nomeado chefe-de-gabinete do ministro Henrique Lott. Para a censura d'*O grande ditador*, Inimá Simões, *Roteiro da intolerância — A censura cinematográfica no Brasil*, p. 28.

29 Nelson Werneck Sodré, *Do Estado Novo à ditadura militar*, pp. 9 e 62.

30 Carlos Lacerda, *Depoimento*, p. 120.

Seu prelúdio é a visão pessimista de uma democracia "exangue de forças e de vontade", de uma civilização ocidental próxima do aniquilamento e de um mundo atacado pela "subversão cósmica de valores e de conceitos".[31] Cético em relação à ordem internacional, Golbery dizia que "não se sabe já distinguir onde finda a paz e onde começa a guerra", "de guerra total a guerra global; [...] e — por que não reconhecê-lo? — permanente".[32]

Nessa época os Estados Unidos lideravam uma guerra na Coréia (47 mil mortos aliados) e a França, outra, na Indochina (106 mil mortos franceses até o final dos combates, um terço dos aspirantes da Academia Militar de Saint-Cyr a cada ano). Mal tinham terminado guerras civis na China e na Grécia, já começava a revolta da Argélia. Desde a paz européia haviam-se consumado 25 golpes militares, vinte dos quais na América Latina.[33]

O universo fracassado exibido pelo tenente-coronel era produto de uma reciclagem do pessimismo do escritor alemão Oswald Spengler em sua *Decadência do Ocidente*. Spengler concebera a obra antes do início da Primeira Guerra com a triste conclusão de que a civilização ocidental chegara a um esgotamento cultural, aprisionada pelo poder do dinheiro, do qual só haveria de se libertar com o advento de um cesarismo em que o imperador prevaleceria sobre instituições cuidadosamente preservadas, porém defuntas. "Tudo girará em torno do poder inteiramente pessoal exercido pelo César ou por quem quer que seja capaz de exercê-lo para ele."[34]

Golbery acompanhara Spengler na formulação (e até mesmo na estridência do estilo), mas separara-se dele diante do César. Admitira a esterilidade institucional, chegara à denúncia da elite "corrompida em sua moral e alheia a seus deveres e responsabilidades", transformada em "minoria de opressão", mas não dera o último passo, aquele que levaria Spengler a esboçar no perfil do César os traços de Benito Mussolini.[35] O te-

31 Golbery do Couto e Silva, *Geopolítica e poder*, pp. 15-6.

32 Idem, p. 19.

33 Para o número de golpes de 1945 a abril de 53, Morris Janowitz, *Military institutions and coercion in the developing nations*, pp. 53-6. Na tabulação de Janowitz não foi listada a deposição de Vargas, em 1945. Acrescentei-a.

34 Oswald Spengler, *The decline of the West*, pp. 376, 378 e 414.

35 Golbery do Couto e Silva, *Os Estudos Estratégicos de Áreas, Morte e Transfiguração das Civilizações e Culturas*, em *Geopolítica e poder*, p. 57.

nente-coronel vira no poder das armas um "militarismo suicida" e apelara a um revigoramento da democracia, capaz de salvá-la dos "braços ásperos do cesarismo".[36]

Seu remédio contra a decadência era o fortalecimento do Estado. Primeiro pela necessidade do Estado de "ampliar cada vez mais a esfera e o rigor do seu controle sobre uma sociedade já cansada e desiludida do liberalismo fisiocrático de eras passadas".[37] Depois, pela articulação de uma estratégia para a "guerra onipresente".[38] A Grande Estratégia transforma-se, por fim, numa "verdadeira *política de segurança nacional*".[39] Através dela o governo "coordena, dentro de um conceito estratégico fundamental, todas as atividades políticas, econômicas, psicossociais e militares".[40] O que em Spengler era uma pessoa — o César — tornara-se em Golbery um conceito — a Segurança Nacional.

Essa visão embutia o projeto de um país industrializado, com o Estado regendo o desenvolvimento de setores estratégicos. Entre 1947 e 1955 a indústria brasileira crescera 122%.[41] O sonho desenvolvimentista da ESG era sincero, no entanto estava amarrado ao conservadorismo político e fiscal de seu grande aliado na Guerra Fria. Os governos dos presidentes Truman e Eisenhower queriam orçamentos equilibrados, mas condenavam sobretudo a interferência do Estado brasileiro na economia (ela passara de 17,1% em 1947 para 23,9% em 56) e associavam iniciativas nacionalistas com ameaças à segurança e aos negócios americanos. O secretário do Tesouro, George Humphrey, sustentava que os Estados Unidos não tinham motivo para subsidiar um desenvolvimento potencialmente competitivo.[42]

36 Golbery do Couto e Silva, *Geopolítica e poder*, pp. 57 e 15.

37 Idem, p. 15.

38 Essa noção de universalidade da guerra vinha do rescaldo das batalhas de 1914-18. *A guerra total* é o título do livro do general alemão Erich Ludendorff em 1935, cuja edição brasileira saiu em 41, pela Editorial Inquérito. Numa de suas conferências, Golbery registrou que a idéia de "guerra total" vem do pensamento alemão dos anos 20. Golbery Couto e Silva, *Fortalecimento do Potencial Nacional — Planejamento*, em *Geopolítica e poder*, p. 464.

39 Golbery do Couto e Silva, *Geopolítica e poder*, p. 20.

40 Idem.

41 Gerald K. Haines, *The americanization of Brazil*, p. 63.

42 Memorando de conversa, de Edward C. Cole, diretor do Office of Regional American Affairs, de 2 de outubro de 1953, citado em Gerald K. Haines, *The americanization of Brazil*, p. 70. Para a participação do Estado na economia, idem, p. 63.

A política americana desse período foi documentadamente narrada em 1989, por Gerald Haines, da equipe de historiadores da Central Intelligence Agency. Em seu severo *Americanization of Brazil*, ele escreveu: "Advogando uma política neocolonial e neomercantilista, os funcionários americanos queriam criar e manter um fluxo de matérias-primas brutas brasileiras. Eles não queriam que o Brasil desenvolvesse uma capacidade industrial competitiva, especialmente em relação a materiais estratégicos".[43]

Tal circunstância esterilizava o pensamento da direita militar. Estavam ao lado dos Estados Unidos na Guerra Fria e concordavam com as bases filosóficas de seu capitalismo. Supunham ter um parceiro no aliado, mas não conheciam a extensão do seu desinteresse pela expansão industrial brasileira. Capturado pelo conflito ideológico, esse pensamento associou-se a um projeto americano que lhes oferecia qualquer tipo de solidariedade, menos a industrialização acelerada. Como observaria Haines: "A política americana em relação ao Brasil baseou-se em imagens, valores, mitos, estereótipos e distorções da realidade. Foi uma combinação de cálculo político, interesse, paternalismo e evangelismo. Ainda assim, deu certo".[44]

Do ponto de vista institucional a proposta de Golbery na ESG resumia-se a um palavrório. A própria idéia do Conceito Estratégico já fora apresentada em 1949 por Cordeiro de Farias. Em tese seria algo como a Arca da Aliança do projeto nacional. Na prática, era nada. Em 1969 o general João Baptista Figueiredo, chefe do estado-maior do III Exército, descobriu que o planejamento das ações militares de suas tropas não conferia com o Conceito Estratégico. Durante a maior parte do consulado militar os principais textos de estratégia, planejamento e ordem de operações foram documentos conflitantes.[45] Em junho de 1974, pouco depois de ter assumido a Presidência da República, Geisel informou ao Alto-Comando das Forças Armadas que, tendo lido o misterioso enunciado do Conceito Estratégico, percebera-o velho e inepto, mandando redefini-lo.[46] Esse traba-

43 Gerald K. Haines, *The americanization of Brazil*, p. 87.

44 Idem, p. 185.

45 Conversa de Figueiredo com Geisel, 9 de fevereiro de 1974. APGCS/HF.

46 Maço de quarenta folhas anotadas por Heitor Ferreira, intitulado *Primeira Transcrição do Pronunciamento do Presidente Geisel na Reunião do Alto-Comando das Forças Armadas*, em 10 de junho de 1974. APGCS/HF.

lho durou perto de um ano e, uma vez concluído, adquiriu tamanha confidencialidade, que Heitor Ferreira, secretário do presidente da República, querendo descobrir a essência da estratégia da nação em que vivia, recorreu ao chefe do SNI, para conseguir-lhe uma cópia, sem sucesso.[47]

Nada de novo estava sucedendo em 1952 debaixo do céu da praia da Urca. O Conselho de Segurança Nacional existia desde 1934, a Lei de Segurança Nacional, desde 35. A expressão era corriqueira, carregando sempre (antes e depois dos ciclos de conferências da ESG) um conteúdo relacionado com a repressão política. Ao renascer, no entanto, tinha uma aparência mais utilitária do que repressiva. Em maio de 1949, Cordeiro de Farias já dissera que, "só com uma organização apropriada de governo, será possível uma política de segurança nacional", indicando que a preocupação central do general e dos oficiais que viriam a formar a ESG não era apenas a definição da política de segurança, mas acima de tudo a "organização apropriada do governo".[48] Se possível, com o projeto deles, de preferência sem Getulio Vargas.

Foi no início dos anos 50 que, no Catete, alguém teve a idéia de dizer que os oficiais envolvidos nas conspirações contra o governo eram mais de "fritar bolinhos". Expressão da malandragem, variante da velha conversa fiada, referia-se às mulheres que tricotavam a vida alheia enquanto vigiavam suas frituras. O apelido foi perfilhado pelos conspiradores, e eles passaram a se denominar "fritadores de bolinhos".[49] Vagavam por apartamentos da Zona Sul do Rio, com freqüência pelo edifício Montese, no Leme, onde vivia um naco da hierarquia militar. Desde o retorno de Vargas ao poder, insuflavam e seguiam o jornalista Carlos Lacerda, cujos

47 Bilhete de Heitor Ferreira a Figueiredo, de 8 de dezembro de 1976. APGCS/HF.

48 Oswaldo Cordeiro de Farias, *Palestra sobre a Organização da Escola Superior de Guerra*, realizada na Escola de Estado-Maior, p. 7.

49 Em 9 de julho de 1958 Golbery usou essa expressão numa carta a Heitor Ferreira: "Recebi ultimamente alguns encargos que me roubaram, tremendamente, o pouco tempo disponível que o 'fritar bolinhos' comumente nos permite". APGCS/HF.

artigos na *Tribuna da Imprensa* devastavam o governo. Em 1954 Lacerda estava entre os estagiários de meio expediente da ESG.

Dois manifestos militares fritaram Getulio Vargas. O primeiro saiu em fevereiro. Chamou-se *Memorial dos Coronéis.* Assinado por 81 oficiais superiores, moralista e antiinflacionário, foi talvez o único protesto de assalariados contra um aumento de salário mínimo: "Perigosas só poderão ser hoje, portanto, nos meios militares, as repercussões que já se pressentem e anunciam de leis ou decisões governamentais que, beneficiando certas classes ou grupos, acarretarão pronunciado aumento do custo já insuportável de todas as utilidades".[50]

Na tarde de 23 de agosto de 1954, assinado por trinta generais da guarnição do Rio de Janeiro, circulou um *Manifesto dos Generais* pedindo a renúncia do presidente: "Conscientes dos seus deveres e responsabilidades perante a Nação [...] e solidarizando-se com o pensamento dos camaradas da Aeronáutica e da Marinha, declaram julgar [...] como melhor caminho para tranqüilizar o povo e manter unidas as forças armadas a renúncia do atual presidente da República".[51]

O estilo dos dois manifestos era inconfundível. *Corca*, codinome de conspirador que derivava de uma corruptela de *Corcunda* (o de Notre-Dame era marido de Esmeralda, no romance de Victor Hugo), escrevera os dois.[52]

Aquele tenente-coronel polido, culto e calado começava a ser conhecido. Golbery era um dos mais fortes candidatos à condição de "intelectual do Exército". Divertia-se submetendo-se a torneios culturais, identificando pintores em livros, compositores nas transmissões de música clássica da rádio Ministério da Educação, redigindo conferências literárias para os chefes e resolvendo problemas de matemática moderna.[53] Em outubro de 1954, enquanto boa parte dos "fritadores de bolinhos" se mu-

50 Edgar Carone, *A Quarta República (1945-1964)*, pp. 556 e segs. O *Memorial* foi assinado por 42 coronéis e 39 tenentes-coronéis.

51 Quatro folhas com o texto do manifesto. APGCS/HF.

52 Golbery reconheceu a autoria desses manifestos em diversas conversas com o autor.

53 Depoimento do general Antonio Carlos Muricy ao CPDOC, vol. 2, fita 19, p. 353. Para a conferência literária, *Semana de Euclydes da Cunha (Cinqüentenário de Os Sertões)*, conferência do general Canrobert Pereira da Costa, novembro de 1952 (plaquete). APGCS/HF.

dara para o palácio do Catete, Golbery continuou na ESG e lá deu início ao mais influente de todos os seus ciclos de conferências. Chamava-se *O Planejamento e a Segurança Nacional.*

Aqui e ali ainda há ecos de Spengler ("uma civilização talvez já ferida de morte"), mas a influência do pessimismo alemão se dissolvera. No lugar dela está o choque entre dois modelos: a "anomia" dos Estados liberais ou o "totalitarismo" dos regimes socialistas. A saída? "Uma nova era para a história da humanidade, a era do planejamento, de liberdade e de justiça." Chegara a sugerir que o Brasil fosse posto ao compasso de um plano qüinqüenal. (Adotado no final do primeiro ano do mandato de um presidente, ele sempre se estenderia por todo o primeiro ano do seu sucessor.)[54] Uma utopia, que se deveria alcançar através de um método: o "planejamento da Segurança Nacional". Na sua expressão mais simples a política de segurança nacional era a promessa de um planejamento competente (nas mãos dos "fritadores de bolinhos"). Esse pensamento edificava-se numa concepção da atividade pública desligada das instituições republicanas. Uma utopia em que faltava relevância às eleições, aos partidos e ao Parlamento. Na definição de Oliveiros S. Ferreira, um "liberalismo [...] sem cidadãos".[55] Planos e diretrizes ocupavam e abafavam o espaço da vida política e da negociação do dissenso. O planejamento dependeria da definição dos termos em que se amparava. De todos eles o mais complicado era precisamente o que parecia mais simples: *guerra.* O que vinha a ser uma guerra?

Em 1952, Cordeiro de Farias vira duas no horizonte: uma guerra mundial, com pequena participação brasileira, outra sul-americana, talvez platina, na qual seria preciso brigar feio.[56] No entendimento de Golbery, "guerra" significava guerra: "Fiquemos, pois, com a distinção corrente e até mesmo popular entre guerra e paz. Pergunte-se a quem quer que seja se a III Guerra Mundial já rebentou e a resposta imediata não deixará quaisquer dúvidas".[57]

54 Golbery do Couto e Silva, *O Planejamento e a Segurança Nacional*, em *Geopolítica e poder*, pp. 310 e 359.

55 Oliveiros S. Ferreira, *Forças Armadas, para quê?*, pp. 5-28.

56 Oswaldo Cordeiro de Farias, *Conceito Estratégico Nacional — Diretrizes Governamentais.* Conferência feita na ESG em 10 de junho de 1952, pp. 1-2.

57 Golbery do Couto e Silva, *O Planejamento e a Segurança Nacional*, em *Geopolítica e poder*, p. 324.

Mesmo assim, Golbery reconhecia que era preciso definir "o problema complexo da guerra civil", que ele também chama de "guerra subversiva".[58] Tratava-se de questão essencial para todo planejamento. Isso porque era na classificação das pressões internas que se haveria de marcar a régua de qualquer política de segurança nacional. Ela seria a base do cálculo para determinar o momento em que o governo declararia guerra a uma parte do seu povo.

Golbery achava necessário planejar a guerra contra movimentos internos que culminassem "na subversão armada, na revolução, na guerra civil". No caso da subversão comunista, argumentava que a hipótese de guerra contra a "poderosa quinta-coluna" deveria ser a mesma concebida para "a agressão externa partida da Rússia ou de seus satélites".[59] Apesar de total, a guerra só começaria de verdade quando houvesse uma ameaça tangível: "De qualquer forma, entre uma subversão armada e as perturbações da ordem pública que requeiram apenas mera repressão de caráter policial, a diferenciação não apresenta, em geral, maiores dificuldades".[60]

A Doutrina de Segurança Nacional cuja codificação se iniciou em 1953 fora pouco mais que um espichamento de velhas idéias saídas do Estado Novo e de novas apostilas americanas, quase todas resumidas por Cordeiro de Farias um ano antes.[61] A noção de guerra revolucionária, que daria um novo sentido ao anticomunismo militar em todo o mundo, mal começara a ser formulada pelos generais franceses batidos na Indochina, expulsos do Marrocos e da Tunísia, dispostos a uma desforra na Argélia. A expressão "guerra revolucionária" não consta de nenhuma conferência de Golbery nos anos 50.

Ele denunciava "as tiranias despudoradas e retrógradas que, sob a bandeira de um *salvacionismo* as mais das vezes insincero e sempre suspeito,

58 Golbery do Couto e Silva, *O Planejamento e a Segurança Nacional*, em *Geopolítica e poder*, pp. 322-5.

59 Idem, p. 328.

60 Idem, pp. 325-6.

61 Edmundo Campos Coelho, *Em busca de identidade — O Exército e a política na sociedade brasileira*, p. 124.

nunca trepidam em denunciar os perigos e invocar a Segurança Nacional, para [...] alargarem, insaciáveis, o seu poder de coação e de mando".[62]

Entre 1952 e 1954 o tenente-coronel Golbery viveu os anos dourados da ESG, mas nem ele nem ela formularam um pensamento original. Pode-se atribuir a ambos um grande esforço metodológico, buscando a sistematização de esquemas capazes de facilitar estudos posteriores, mas nada além disso. Fora uma árdua maratona de estudos, marcada pelo zelo e pela humildade daquele núcleo de "fritadores de bolinhos". Geração como essa a escola jamais voltaria a ver. Em 1958 a Biblioteca do Exército publicaria as palestras do tenente-coronel num livro intitulado *Planejamento estratégico*, com uma provável tiragem de 10 mil exemplares, da qual sobraria encalhe sete anos depois.[63] Com o tempo decairia até mesmo o interesse de Golbery pelo assunto. Só isso explica o fato de que um artigo intitulado "Planejamento da Segurança Nacional — Conceitos Fundamentais", que saiu no final de 1960, seja uma cópia quase integral de uma palestra de título semelhante, feita dois anos antes.[64]

Do conjunto das conferências de Golbery na ESG ressalta um ausente: as Forças Armadas. Em menos de meio século haviam derrubado dois presidentes e três regimes. Não há sobre elas análise ou juízo, muito menos crítica, como se não fizessem parte da problemática nacional, ávida por planejamento e segurança. Refere-se a elas três vezes, em passagens irrelevantes.

O negócio do tenente-coronel era "fritar bolinhos", até que, na noite de 11 de novembro de 1955, fritaram-no. A conspiração vitoriosa de

62 Golbery do Couto e Silva, *Planejamento da Segurança Nacional — Conceitos Fundamentais*, conferência de 1958, em *Geopolítica e poder*, p. 431.

63 Para a tiragem, Heitor Ferreira, novembro de 2002. Em 1965 a edição do *Planejamento estratégico* ainda podia ser encontrada na banca da Biblioteca do Exército, na feira do livro realizada na Cinelândia, no Rio de Janeiro. *Geopolítica do Brasil*, o livro seguinte de Golbery, foi publicado em 1967, com tiragem de 2 mil exemplares. Contrato de Direitos Autorais entre a José Olympio Editora e Golbery do Couto e Silva. APGCS/HF.

64 Ver Golbery do Couto e Silva, *Geopolítica e poder*, pp. 430-77.

agosto de 1954 naufragara catorze meses depois, quando o general Juarez Távora, um dos seus corifeus, vira-se derrotado pelo governador mineiro Juscelino Kubitschek na disputa pela Presidência da República. O general rompera um pacto segundo o qual nenhum dos grandes chefes militares disputaria a eleição.[65] Golbery sempre achara aquela candidatura um desastre: "O lançamento do nome do Juarez nos obrigava a apoiá-lo e, tendo-o apoiado, a respeitar o resultado".[66] Como em 1950, o resultado fora adverso, e novamente o jornalista Carlos Lacerda pedia o golpe. Antes mesmo da eleição, propusera um regime de exceção.[67] Depois dela, chamou o resultado "mentira democrática" e sustentou que Kubitschek "não pode ser presidente, não será presidente".[68] Veio a "Novembrada", e Golbery foi levado preso para o quartel-general, onde se guardavam os "fritadores de bolinhos" na Inspetoria Geral. O ambiente era cortês, o coronel Nelson Werneck Sodré, quadro do Partido Comunista, fez e serviu café aos presos. A divisão militar nascida naquela noite não permitiria a repetição de semelhantes cavalheirismos.[69]

A direita militar vira-se batida por dois lances inesperados. O primeiro fora o suicídio de Vargas, que transformou um presidente deposto num mito histórico invencível. O segundo foi o golpe de Lott, que transformou um general disciplinado e inflexível no condestável de uma ordem distante e adversária dos "fritadores de bolinhos".

Um ano depois da "Novembrada", promovido a coronel, Golbery estava no Estado-Maior. Lá, haveria de começar a convivência dele com o coronel Ernesto Geisel e com um novo subordinado a quem se afeiçoaria, o tenente-coronel João Baptista Figueiredo, então com quarenta anos. Retornara à "guerra contra o bloco comunista". Completara trinta anos

65 O pacto fora concertado pelo próprio Juarez com o general Canrobert Pereira da Costa e o brigadeiro Eduardo Gomes. Depoimento do general Antonio Carlos Muricy ao CPDOC, vol. 2, fita 22, p. 12.

66 Golbery do Couto e Silva, 1973.

67 Carlos Lacerda, *Depoimento*, p. 151.

68 John W. F. Dulles, *Carlos Lacerda — A vida de um lutador*, vol. 1: *1914-1960*, p. 224.

69 Nelson Werneck Sodré, *Do Estado Novo à ditadura militar*, p. 191. Golbery foi libertado no dia 13. Ele e outros 34 oficiais foram levados depois para o Centro de Preparação de Oficiais da Reserva. Carta do general Newton Cruz ao autor, julho de 2003.

de Exército, ajudara a derrubar um presidente, desenhara uma nova república em suas conferências, mas, tal qual Geisel, não cumprira os dois anos regulamentares de arregimentação como coronel numa caserna.

Golbery vagara por escrivaninhas com seus exércitos imaginários e guerras apocalípticas, mas no Estado-Maior viu-se diante de verdadeiros problemas de segurança nacional. Um documento informava: "As atuais divisões, organizadas com efetivos de paz e tendo suas sedes escolhidas em função das necessidades de manutenção da ordem interna, não estariam aptas à participação, em curto prazo, em operações de guerra".[70] Num exemplo dessa situação, o comandante da Artilharia de Costa de Niterói registraria: "A artilharia, como artilharia, não poderia atuar de jeito nenhum, a não ser para fazer barulho".[71] Como dizia o adido militar brasileiro em Washington, "são passados quarenta anos do meu ingresso no Exército e nunca tive o gostinho de trabalhar em unidades de fato constituídas, sempre fazendo de conta, agindo como se fora!".[72] Era um Exército voltado para a ordem interna, hipertrofiado no Rio de Janeiro, refratário a mudanças. As panelinhas predominavam a ponto de um comandante da Vila Militar ter organizado o embrião de uma sociedade secreta destinada a alavancar a carreira dos oficiais de infantaria.[73]

Em 1960 a eleição de Jânio Quadros levou os "fritadores de bolinhos" ao poder, e poderia parecer que as Forças Armadas passariam por um saudável programa de reformas. Golbery recebeu uma carta de um tenente que pedia um plano "drástico" de mudanças na estrutura do Exército, "um programa de cortes, um restabelecimento da verdade operacional". Para o planejamento da segurança nacional, nada mais elementar e indispensável. Para o planejamento da segurança política do governo, nada mais perigoso. Golbery fulminou:

70 Estudo da 3ª Seção do EME sobre a situação do Acordo de Fernando de Noronha. Sem data nem assinatura, anotado por Golbery. APGCS/HF.

71 Depoimento do general Antonio Carlos Muricy ao CPDOC, vol. 2, fita 23, p. 1.

72 Carta de 20 de junho de 1957, do general Coelho ao coronel Ernesto Geisel. APGCS/HF.

73 Três cartas de maio de 1959, do general Jair Dantas Ribeiro, comandante da Vila Militar, 1ª DI, endereçadas a oficiais de infantaria em "caráter confidencial". APGCS/HF.

> Não o julgo possível, pelo menos no que se refere ao qualificativo do "drástico". Convenhamos que vitória enorme houve, mas foi, em medida enorme, pessoal de Jânio Quadros. Encaremos o problema do ponto de vista do vitorioso (JQ). Será o caso de permitir que haja problemas na área militar, perguntar-se-á ele? A Aeronáutica exige mudança (os comunistas terão de ser afastados, sem dúvida). Na Marinha há luta de grupos a apaziguar (e o problema do porta-aviões...). Então, para que mexer no Exército, onde as ambições estão contidas?[74]

Rendido por um operador político, o coronel dos parágrafos empolados sobreviveria apenas nas apostilas da ESG ou nos exemplares amarelados do *Planejamento estratégico*. A partir de 1960 as circunstâncias da política levaram Golbery a escrever para platéias cada vez menores, ao mesmo tempo que tomava gosto pela mitologia de mistério que se formou em torno da figura dele. Esses dois fatores produziram uma supervalorização de suas conferências dos anos 50. Como elas eram a única fonte de acesso ao pensamento daquele oficial introvertido, traçaram-lhe as principais linhas da personalidade pública, embaralhando-a. Assim como não havia nenhuma relação entre as maneiras de ele escrever e falar, também não havia relação entre a complexidade de seus esquemas e a simplicidade de seus objetivos. Na mesma resposta ao tenente entusiasmado, acrescentaria: "Esquecia-me de responder a uma indagação sua sobre os postos-chaves (estratégicos). O gabinete militar da presidência, a secretaria geral, o Serviço Federal de Informação, são-no, sem dúvida".[75]

Pois em fevereiro de 1961 o coronel Golbery do Couto e Silva assumiu a secretaria geral do Conselho de Segurança Nacional e o controle do Serviço Federal de Informações e Contra-Informação. O SFICI surgira no final do governo Kubitschek, com o propósito de anexar uma central de informações à Presidência.

74 Carta de Golbery a Heitor Ferreira, de 15 de outubro de 1960. APGCS/HF.

75 Idem.

Pés de veludo

"Ele era um homem misterioso. Não era afirmativo, andava com pés de veludo. Acho que da equipe de então só o presidente o conheceu", recordaria José Aparecido de Oliveira, secretário particular de Jânio Quadros.[1] Golbery sentia-se num posto-chave, mas nem sequer tinha sala no palácio. Aninhara-se a mil quilômetros de Brasília, no terceiro andar de uma das mais barulhentas esquinas do Rio de Janeiro: avenida Presidente Vargas com rua Uruguaiana. O Conselho de Segurança ocupava quatro andares num modesto edifício em cuja loja, sob um letreiro vermelho, funcionava a Casa da Borracha. Uma parte dos "fritadores de bolinhos" começaria a formar a *Turma da Casa da Borracha.*

No Serviço Federal de Informações e Contra-Informação havia quinze oficiais. Comandava a equipe o coronel Ednardo D'Avila Mello, um oficial benquisto, bom jogador de basquete, signatário do *Memorial dos Coronéis* de 1954. Abaixo estavam os tenentes-coronéis João Baptista Figueiredo, Walter Pires de Carvalho e Mário Andreazza.[2] Vinham todos da militância antigetulista e das desordens que resultaram na queda do ministro Estillac Leal, em 1952, e do presidente Carlos Luz, em 55. Enquanto na última equipe de oficiais do SFICI de Kubitschek podiam encontrar-se oficiais que discordavam da política do governo, como o tenente-coronel Ernani

1 Entrevista de José Aparecido de Oliveira a Suzana Verissimo, de *Veja*, original consultado em 1986 no Departamento de Documentação da Editora Abril.

2 *Lista de Oficiais Lotados no SFICI em 1961*, 1961. APGCS/HF.

Ayrosa, futuro sócio fundador da Oban, no Serviço de Golbery não havia brechas: "Tudo gente nova — e boa", escreveria.[3]

O coronel não estava para brincadeira:

> *Eles* — gregórios,[4] corruptos, oportunistas, aproveitadores e comunas — já estão estrilando, e vão estrilar ainda mais. Por enquanto, não têm ambiente. O povo goza da vassourada. Mas quando a vida apertar — e vai apertar ainda (os desmandos de JK produzirão frutos amargos por mais uns seis meses); as medidas de austeridade e contenção são sempre amargas, como toda mezinha contra indigestões — a onda de intranqüilidade e desassossego vai crescer. E "eles" estarão à espreita para aproveitá-la em seu próprio benefício. É preciso estar alerta. Não nos descuidemos. A administração pública, civil, e também militar, está muito infiltrada. Os canais oficiais de informação são lerdos e não merecem confiança integral. É preciso não parar.[5]

O misterioso secretário do Conselho de Segurança abria sua alma correspondendo-se com um tenente de 21 anos que servia no 6º Esquadrão de Reconhecimento Mecanizado, em Porto Alegre. Chamava-se Heitor Aquino Ferreira. Filho de um ferroviário, primeiro de turma, atraíra a atenção de Golbery por ser, como ele, um leitor compulsivo. Conspirava como típico oficial latino-americano, mas dava palpites como marechal de Napoleão. Gravitava em torno dos "fritadores de bolinhos" desde meados dos anos 50, ainda cadete. Era voluntário para pequenos serviços de datilografia, recados e traduções. Durante a campanha presidencial assessorara Jânio na sua passagem por Porto Alegre e, manifestando um senso histórico que o acompanharia República afora, guardara no bolso as notas que o candidato a presidente levara para uma

3 Carta de Golbery a Heitor Ferreira, de 11 de março de 1961. APGCS/HF.

4 Denominavam-se "gregórios" os oficiais acusados de serem ligados ao palácio presidencial. Tratava-se de uma referência crítica à condecoração dada a Gregório Fortunato, chefe da guarda pessoal de Getulio Vargas, pelo ministro da Guerra.

5 Carta de Golbery a Heitor Ferreira, de 18 de janeiro de 1961. APGCS/HF.

entrevista à rádio Guaíba.[6] Nas cartas a Heitor, a quem conhecera em 1955, Golbery praticava um diálogo pedagógico em que, ao mesmo tempo que ensinava, desabafava e aprendia.

Ora contava as malandragens dos outros: "Ninguém admite sacrifícios, a não ser à custa alheia; todos são como ostras, agarrados aos cargos melhores, de onde, para não sair, se submetem a qualquer vexame. No fundo das mais amplas e sugestivas propostas, lá vem, escondida, a pretensão mesquinha — 'os amigos lembram meu nome para tal função (civil, na sua maioria) e, afinal, estou pronto a sacrificar-me...'. Conseguida a função, o pedido é então considerá-la de interesse militar... E por aí vamos".[7]

Ora contava as suas: "Afinal, podemos em alguns casos abrir mão de punição de certas irregularidades passadas, contanto que isso contribua decisivamente para impor um regime de moralidade, daqui por diante. Julga isso algo cínico? Quero sua opinião sincera".[8]

Falava até mesmo daquilo que chamava de "cousas pessoais". Contava suas emoções no casamento de Vera, sua filha mais velha: "Engalanar-se todo para, afinal, perdê-la (até certo ponto, é claro)".[9] Gostava de receber as cartas do tenente: "Sua terceira carta foi econômica. Aumentou muito o preço do papel? Escreva logo".[10]

Golbery entrava na *Casa da Borracha* às sete e meia da manhã e saía às oito e meia da noite. Sabia bem o que queria: "O urgente, para mim, são as informações, depois, o problema do planejamento de emergência (segurança interna)".[11] Tentava reformar o Conselho de Segurança dividindo-o em câmaras e separando a figura do seu secretário-geral da do chefe do Gabinete Militar. Conseguira montar uma rede de telex que ia ao palácio do Planalto, onde pusera um aparelho capaz de operar men-

6 Uma folha, com notas manuscritas de Jânio Quadros, de 9 de setembro de 1960. APGCS/HF.

7 Carta de Golbery a Heitor Ferreira, de 11 de março de 1961. APGCS/HF.

8 Carta de Golbery a Heitor Ferreira, de 25 de julho de 1961. APGCS/HF.

9 Carta de Golbery a Heitor Ferreira, de 7 de setembro de 1960. APGCS/HF. Golbery tinha um filho, Golbery do Couto e Silva Jr., e anos mais tarde ele e a mulher adotariam Angélica do Couto e Silva.

10 Carta de Golbery a Heitor Ferreira, de 21 de abril de 1961. APGCS/HF.

11 Idem.

sagens em código e se ligara ao Gabinete Militar por meio de um canal de rádio. Abastecia a Presidência com uma sinopse e flashes, além de um boletim diário, mandado por malote aéreo. No fim de cada mês elaborava um relatório de cinqüenta páginas e uma *Estimativa* ultra-secreta de três ou quatro que, em tese, devia chegar às mãos de Jânio.[12] Começara, também, a organizar um arquivo com fichas de funcionários e políticos, sobretudo de esquerda.

Numa dessas *Estimativas* previra um "sério período de agitações sociais e mesmo perturbação da ordem pública" para o fim de 1961 ou início de 62: "Impõe-se dispor de um sistema repressivo capaz de atuar com eficiência e presteza, fazendo mesmo abortar as manifestações mais perigosas". Queixava-se da "inadequada preparação, material e psicológica, das próprias forças armadas para intervenções, seja contra distúrbios de rua e manifestações grevistas, seja em face da agitação das massas rurais".[13]

A obra-mestra de Golbery no Conselho foi a tentativa de construção do dispositivo policial.[14] Ele fizera um plano, produzira um documento intitulado *Diretrizes Governamentais para a Segurança Interna* e obtivera a criação de uma comissão coordenadora para tratar do assunto.[15] Conhecem-se apenas alguns detalhes do projeto. Caberia ao EMFA o planejamento das ações repressivas no campo militar, enquanto se reforçariam pessoal e verbas dos órgãos de busca das Forças Armadas. Além disso, seriam aparelhadas secretarias de Segurança Nacional nos ministérios civis. A comissão coordenadora, com delegacias em diversos pontos do país, teria regras para o funcionamento em períodos normais e em caso de crise, equipada com planos de informações e pedidos de busca, contra-informação, propaganda e contrapropaganda.[16] Tratava-se de enquistar nas Forças Armadas um aparelho policial perfeito e acabado.

12 Cartas de Golbery a Heitor Ferreira, de 21 de abril, 27 de maio e 25 de julho de 1961. APGCS/HF.

13 *Estimativa* de 4 de abril de 1961. APGCS/HF.

14 *Estimativa* de 5 de maio de 1961. APGCS/HF.

15 As *Diretrizes Governamentais para a Segurança Interna* foram expedidas em 9 de maio de 1961, em *Estimativa* de 5 de junho de 1961. APGCS/HF.

16 Agenda da reunião de 1º de junho de 1961 da comissão coordenadora para a Segurança Interna. Três folhas assinadas pelo general Pedro Geraldo de Almeida, chefe do Gabinete Militar e secretário-geral do Conselho de Segurança Nacional. Marcado "ultra-secreto". APGCS/HF.

Desde janeiro de 1959, quando Fidel Castro entrara em Havana, a política latino-americana estava convulsionada pelo mito dos guerrilheiros e pela gradativa radicalização daquela revolta de barbudos românticos. Castro anunciara que "estamos fazendo uma revolução socialista debaixo do nariz dos americanos" e assombrara o mundo repelindo em 72 horas uma invasão de exilados patrocinada pelos Estados Unidos. Capturara 1100 combatentes e obrigara o presidente John Kennedy a trocá-los meses depois por comida e remédios. Francisco Julião, o líder das Ligas Camponesas do Nordeste, principal candidato a Fidel Castro brasileiro, levara cem lavradores para Havana. No Conselho de Segurança, um estudo sobre as Ligas resultara num documento de trinta páginas.[17]

Havia uma novidade no pensamento militar ocidental. Chamava-se guerra revolucionária. A expressão fora enunciada pela primeira vez por Mao Zedong em 1929 e resumia-se a três grandes princípios, um político e dois militares, todos típicos da Guerra Civil Chinesa:

> O guerrilheiro está para o povo como o peixe está para a água.
>
> Dividir as nossas forças para levantar as massas, concentrá-las para lidar com o inimigo.
>
> O inimigo avança, nós nos retiramos. O inimigo acampa, nós espicaçamos. O inimigo está esgotado, nós atacamos. O inimigo bate em retirada, nós o perseguimos.[18]

No centro das preocupações de Mao e de seus adversários havia uma só questão: o apoio do povo.

17 Carta de Golbery a Heitor Ferreira, de 25 de julho de 1961. APGCS/HF.

18 A primeira frase é uma tradução livre de um trecho do capítulo "O problema político da guerra de guerrilhas", de *Sobre a guerra de guerrilhas* <http://www.marxists.org/reference/archive/mao/works/1937/guerrilla-warfare/ch06.htm>, e Jonathan D. Spence, *The search for modern China*, p. 375.

Derrotados em 1954 na Indochina (depois de terem sido batidos na Segunda Guerra Mundial), os generais franceses buscaram nos alfarrábios maoístas uma explicação tautológica para seus desastres: como as guerras revolucionárias são decididas pelo apoio popular, perdeu-se a Indochina porque os vietnamitas ficaram do lado dos vietnamitas.

Transformando o conflito militar numa competição psicológica, os generais franceses diminuíram a importância das guerras que perderam e aumentaram a relevância dos combates que não travaram. Em outubro de 1954, a *Revue Militaire d'Information* — o mais respeitado periódico do gênero na França — publicou o artigo intitulado "O papel ideológico no exército", do ex-comandante da aviação na Indochina, general Lionel Max Chassin. Em fevereiro de 1957, a *Revue* saiu com um número especial intitulado *La Guerre Révolutionnaire* e teve de dobrar sua tiragem, chegando a quase 100 mil exemplares. Nos três anos que separaram essas duas publicações, o exército francês conseguiu uma explicação para o que lhe sucedera na Indochina e uma justificativa para o que faria na Argélia.[19] Produziu até mesmo uma denominação de conveniência: Guerra Suja.[20] Influenciando uma parcela do pensamento militar americano, o conceito de guerra revolucionária serviria, a partir de 1960, para explicar o que acontecera em Cuba e para justificar o que aconteceria no Vietnã.[21]

A novidade mal chegara ao Brasil. A temível figura do guerrilheiro estivera ao largo das formulações da ESG. Em 1950 o general Castello Branco falara nele durante uma palestra intitulada *Tendências de Emprego das Forças Terrestres na Guerra Futura*, anexando-o ao arsenal das forças nacionais: "Tem relevo o emprego de guerrilheiros que, não sendo numerosos, exigem que a escolha das regiões para guerrilhas se faça em combi-

19 Para a crítica do conceito de guerra revolucionária, ver a argumentação de Edgar S. Furniss Jr., em *De Gaulle and the French Army*, pp. 41-63. Para as publicações francesas, e também para o surgimento do conceito de guerra revolucionária, ver Raoul Girardet, "La crise militaire française — 1945-1962", *Cahiers de la Fondation Nationale des Sciences Politiques*, nº 123, 1964, Paris (Armand Colin).

20 "La guerre sale", em francês. David Halberstam, *The Fifties*, p. 399.

21 Para uma visão da matriz francesa do conceito de guerra revolucionária, ver o depoimento do general Octavio Costa, em *Visões do golpe*, organizado por Maria Celina d'Araujo, Gláucio Ary Dillon Soares e Celso Castro, p. 78.

nação bem delineada com as operações regulares".[22] Sete anos depois, tratando da *Doutrina Militar Brasileira*, Castello continuou refratário à idéia de existência de uma modalidade de guerra subversiva.[23] Na lista de tópicos da *Doutrina de Segurança Nacional* preparada para o ano letivo de 1955, a ESG também não trata de guerras revolucionárias ou congêneres.[24]

Um conceito semelhante, de "guerra subversiva", fora introduzido no vocabulário dos chefes militares em 1953, pelo general Canrobert Pereira da Costa. Ele usou a expressão numa palestra, mas ressalvou: "Se bem que alguns estudiosos a cataloguem como uma forma distinta de guerra, preferimos admiti-la como um método efetivo empregado pela 'guerra fria'".[25] Cinco anos depois o general Zeno Estillac Leal, chefe do Estado-Maior do Exército, voltou a falar em "guerra subversiva".[26] Um trabalho intitulado *Estratégia Militar Brasileira*, preparado no EME em junho de 1958, mencionava essa nova modalidade de conflito, mas ainda definia guerra como um "ato característico pelo uso de armas bélicas".[27]

Em 1959, o general Augusto Fragoso fez na ESG uma palestra intitulada *Introdução ao Estudo da Guerra Revolucionária*. Embebido na bibliografia francesa, o general achava que "a América Latina, provavelmente em futuro próximo, será teatro de guerras revolucionárias".[28] Acreditava que o Brasil vivia um "estado pré-revolucionário". Naquele ano já haviam

22 Humberto de Alencar Castello Branco, *Tendência de Emprego das Forças Terrestres na Guerra Futura*, p. 17.

23 Idem, *A Doutrina Militar Brasileira*, C1-82-57 e C2-15-57.

24 *Doutrina de Segurança Nacional — Tópicos para o Ciclo 2 do 1º Período*. E-01-55, Anexo 1, ESG, 1955.

25 *O Poder Nacional*, conferência do general Canrobert Pereira da Costa na ESG, em 1º de abril de 1953, p. 18.

26 Entrevista do general Golbery a Mauricio Caminha de Lacerda, *O Jornal*, 6 de agosto de 1967, "Testemunhos do nosso tempo (V). O grande mundo de Golbery", p. 6.

27 *Estratégia Militar Brasileira*, seis folhas datilografadas, de junho de 1958. APGCS/HF. Segundo uma anotação do general Ernesto Geisel a Heitor Ferreira, tanto ele como Golbery podem ter sido o autor desse documento. Geisel certamente o reviu.

28 Augusto Fragoso, *Introdução ao Estudo da Guerra Revolucionária*, C-85-59, citado em José Alfredo Amaral Gurgel, *Segurança e democracia*, p. 52. A expressão "guerra revolucionária" popularizou-se em 1963, quando o deputado Bilac Pinto, presidente da UDN, pronunciou na Câmara uma série de discursos acusando o governo Goulart de patrocinar esse tipo de ação política. A bibliografia citada pelo deputado é basicamente francesa. Bilac Pinto, *Guerra revolucionária*.

partido de Cuba expedições de guerrilheiros para o Panamá (onde foram capturados) e a República Dominicana (onde foram massacrados). No Brasil a única sedição fora uma revolta de 29 militares e cinco civis comandados pelo coronel João Paulo Burnier. Resultara na tomada da pista de pouso de Aragarças, na Amazônia. Deveria ser o epicentro de uma rebelião que deporia o presidente Kubitschek, mas terminara com a fuga dos insurretos ao som de um manifesto anticomunista.

Golbery mostrava-se implacável no controle dos comandos, afastando oficiais e funcionários com simpatias esquerdistas ou até de lealdade duvidosa. Refugava expurgos generalizados e autos-de-fé para os quais a direita militar, mesmo não tendo força, revelava disposição:

> O macarthismo é um perigo tremendo e, ao cabo, contraproducente. Assim viu-se nos EUA e, até certo ponto, houve o mesmo no Brasil com o *penabotismo.*[29] O que importa é manter os indigitados em funções de onde não possam causar grandes males, reprimi-los sempre que necessário, vigiá-los constantemente (não transformá-los em mártires). Todo comuna ou suposto comuna é um "risco" — risco variável, cada um de per si. Mas haverá sempre suspeitas infundadas, erros de apreciação, calúnias mesmo. Em nome desses possíveis inocentes advogo tratamento de quarentena para todos — não a eliminação.[30]

O coronel operava a precária rede do SFICI, onde os boatos eram indicativos do grau de tensão política e de delírios anticomunistas. Num só informe especial, o SFICI registrara o desembarque de 22 pessoas saídas de um submarino diante da praia de Amaralina, na Bahia, e a desova de caixotes de armas com inscrições em tcheco no subúrbio carioca. A mesma fonte calculava que na primeira metade de 1961 já haviam en-

29 O termo *macarthismo*, criado pelo chargista Herblock, do *The Washington Post*, designava a política de perseguição que o senador Joseph McCarthy promoveu nos Estados Unidos entre 1950 e 1954 contra militantes e simpatizantes do Partido Comunista Americano. *Penabotismo*, termo muito pouco usado, referia-se ao almirante Carlos Penna Boto, presidente da Cruzada Brasileira Anticomunista. Ele fora colega de Golbery na ESG.

30 Carta de Golbery a Heitor Ferreira, de 21 de abril de 1961. APGCS/HF.

trado no Brasil 2 mil comunistas chineses, técnicos em guerrilhas.[31] Avisava-o também de que o governador Carlos Lacerda mandara instalar fechaduras especiais no seu gabinete do palácio Guanabara e que os revoltosos de Aragarças poderiam estar preparando uma nova aventura.

Em agosto de 1961 o coronel parecia satisfeito. No dia 3 concluíra sua *Estimativa de Situação nº 6*. Nela via o presidente fortalecido diante de uma oposição desorientada e um congresso desmoralizado. Orgulhava-se dos progressos feitos na montagem do Sistema de Segurança Interna e achava que o país estava em calma, mas ainda desconfiava que haveria uma crise entre o último trimestre do ano e o primeiro de 1962.[32]

A crise chegou antes, na manhã de 25 de agosto, Dia do Soldado. Golbery mal completara cinqüenta anos. Pelo resto da vida sustentou a tese de que tudo teria sido resolvido se alguém tivesse trancado Jânio Quadros num banheiro até que clareasse as idéias. Durante a crise da renúncia a *Casa da Borracha* transformou-se num acampamento militar, ao qual não faltaram camas de campanha. Golbery movia-se na cúpula da conspiração e, sob o seu comando, funcionaram uma unidade de guerra psicológica, um serviço de censura e uma rede de escuta telefônica.

Por intermédio da Agência Nacional, divulgavam-se notícias destinadas a intoxicar a opinião pública propalando a idéia de que os ministros militares controlavam a situação e a eles só se opunham os comunistas. O general Machado Lopes teria entregado o comando do III Exército a Cordeiro de Farias, nomeado por Denys. Brizola estaria preso, e Luiz Carlos Prestes comandava a resistência no interior do Rio Grande do Sul organizando destacamentos guerrilheiros.[33] O próprio secretário de Segurança da Guanabara pedia à TV Rio que transmitisse a notícia das formações paramilitares de Prestes.[34] O tenente Heitor Ferreira desertara o

31 Maço de nove folhas, uma delas anotada por Golbery, intitulado *Informe Especial nº 25*. APGCS/HF.

32 *Estimativa de Situação nº 6*, de 3 de agosto de 1961. APGCS/HF.

33 Amir Labaki, *1961 — A crise da renúncia e a solução parlamentarista*, p. 59.

34 Walter Clark e Gabriel Priolli, *O campeão de audiência*, p. 104.

III Exército e sentara praça na *Casa da Borracha.* Projetava panfletos para a central de guerra psicológica, falando em nome do demônio vermelho:

> Aos trabalhadores:
>
> A China é a maior potência comunista da Ásia.
>
> A Rússia é a maior potência comunista da Europa.
>
> O Brasil deve ser a maior potência comunista da América.
>
> A greve geral é o melhor caminho.
>
> Partido Comunista Brasileiro.[35]

Isso no mundo das notícias falsas. No das verdadeiras, organizara-se um serviço de censura através do qual o Conselho de Segurança cuidava das rádios e televisões, enquanto a polícia do Rio de Janeiro ficava com os jornais. Pela primeira vez desde os anos 40, os jornais do Rio chegaram às ruas censurados. As primeiras páginas do *Correio da Manhã* e do *Diário de Notícias* estavam manchadas por grandes espaços brancos, indicativos de textos suprimidos.[36] O *Jornal do Brasil* e *O Dia* foram apreendidos e só puderam voltar às bancas quando concordaram em esquecer o texto do manifesto do marechal Lott condenando o golpismo dos ministros militares.

Golbery parece ter percebido cedo que a usurpação encruara. Articulou-se com a manobra que entregava a Goulart uma Presidência mutilada. Os ministros militares divulgaram um texto que proclamava "a absoluta inconveniência do regresso ao país do vice-presidente João Goulart", mas nele havia um alçapão. Deslocava uma parte do problema para o tipo de regime que Jango receberia, abandonando a exclusividade da discussão do veto ao tipo de Jango que assumiria a Presidência. Remetido a Brasília, o papel dormiu um ou dois dias na gaveta do marechal Denys, que esqueceu até mesmo onde o tinha guardado.[37] Quando os ministros mi-

35 Manuscrito de Heitor Ferreira, em papel da secretaria geral do CSN. APGCS/HF.

36 *Diário de Notícias*, 30 de agosto de 1961. AA. Para o *Correio da Manhã*, lembrança do autor.

37 Para o fato de o manifesto de Golbery ter ficado um ou dois dias na gaveta de Denys, Ernesto Geisel, outubro e novembro de 1994. Ver também *Ernesto Geisel*, volume organizado por Maria Celina d'Araujo e Celso Castro, p. 139.

litares divulgaram o texto, o estilo traíra o escriba: "Na presidência da República, em regime que atribui ampla autoridade de poder pessoal ao Chefe da Nação, o Sr. João Goulart constituir-se-á, sem dúvida, no mais evidente incentivo a todos aqueles que desejam ver o país mergulhado no caos, na anarquia, na luta civil. As próprias forças armadas, infiltradas e domesticadas, transformar-se-iam, como tem acontecido noutros países, em simples milícias comunistas".

No rascunho, *Corca* arrematara: "Seria o fim". Na versão final cortou o toque apocalíptico.[38]

Os telefonemas internacionais em que Jango negociava sua volta eram ouvidos pela central do Conselho de Segurança. Verdadeiras jóias. Numa conversa com o ex-presidente Juscelino Kubitschek, Goulart esclarecera o destino que pretendia dar ao regime parlamentarista: "Isso mudaremos depois".[39]

A guerra de Golbery estava terminada. Cometera um manifesto com duas mesóclises, tentara articular uma emenda constitucional que suspendesse as liberdades públicas e marcasse novas eleições presidenciais, mas nada ficou de pé.[40] Sua Censura fora derrotada pela sobrevivência da Rede da Legalidade e por uma novidade tecnológica, os rádios portáteis. Cabiam na palma da mão e ouviam Porto Alegre. A reação popular ao golpe pusera em movimento um mecanismo que Golbery descrevia com freqüência: "O Exército é como um navio. Ele fica imóvel, até que se mexe um milímetro numa direção. Então o resto vai junto".[41] Em 1961 o milímetro chamara-se general Machado Lopes.

O dispositivo de segurança interna que Golbery costurava talvez tivesse ficado pronto nos últimos meses de 1961, mas a verdade é que em

38 Quatro folhas manuscritas a lápis, de Golbery do Couto e Silva. APGCS/HF. Junto com essas folhas estão mais dois exemplares do manifesto, um impresso como se fora volante e outro como o número 1104 da publicação *Noticiário do Exército*.

39 Uma folha manuscrita, sem data nem assinatura, da pasta *Guerra de 1961*. APGCS/HF.

40 Original de uma entrevista de Suzana Verissimo com Prudente de Morais Neto, a quem Golbery mandou pedir o texto da emenda. Texto consultado no Departamento de Documentação da Editora Abril, em 1985.

41 Golbery repetiu esse conceito ao autor em diversas ocasiões.

agosto não serviu para nada. Os atos de força das primeiras 48 horas esgotaram-se na censura, nas prisões e nas pancadarias. Quando à força foi preciso adicionar a vontade de brigar, os dispositivos golpistas dissolveram-se em desculpas e dissimulações, perfilando-se por fim para a posse do novo presidente.

Derrotado, o coronel não tinha muito que temer. A última coisa que interessava ao novo governo era abrir uma temporada de perseguições militares. Além disso, Golbery jamais fora prejudicado na carreira por conta das conspirações em que se metia. Mesmo que Jango não o promovesse a general, sobreviveria ao seu governo. Praticamente desconhecido fora do meio militar e do grupo de conspiradores renitentes, estava longe do alcance das vinganças políticas. Quiseram transferi-lo para a Paraíba, mas Golbery pediu passagem para a reserva. Em fevereiro de 1962 o presidente João Goulart assinou o decreto que dava ao coronel duas promoções a que tinha direito, transformando-o em general-de-divisão-e-pijama. Nascera o *General Golbery*.[42] Ele desabafaria: "Eu saí do Exército em 1961 porque me enojei do que aconteceu. É claro que a batalha contra a posse de Jango estava perdida, mas o meu nojo veio da maneira como as pessoas se comportaram diante da adversidade. Não pensaram em resistir. Nosso pessoal foi cagão. Tínhamos de um lado os malucos que pretendiam desencadear a *Operação Mosquito* e do outro os que não queriam se comprometer".[43]

O coronel sumiu. Dos 34 anos que passara no Exército, vivera quatro quintos fora da rotina dos quartéis. Salvo uma rápida passagem pelo estado-maior da ID-4, em Belo Horizonte, não via uma tropa desde que voltara da FEB, em 1945. Não comandava desde 1942, quando deixara o 13º Batalhão de Caçadores, em Joinville. Saíra ressentido, porém grato: "Nunca me arrependi. Obtive da carreira o que ela podia me dar".[44] Mudara-se do

42 Golbery era o 118º coronel com curso de estado-maior listado no *Almanaque do pessoal militar do Exército*, de 1962, p. 47. O 117º, coronel João Dutra de Castilho, foi promovido a general-de-brigada em julho de 1964.

43 Golbery do Couto e Silva, novembro de 1984. Golbery tratou desse episódio, em outro contexto, também em 1975.

44 Golbery do Couto e Silva, novembro de 1984.

apartamento de Laranjeiras para uma casa fantasmagórica em Jacarepaguá, com dois andares mal iluminados, livros em quase todas as paredes e sapos no jardim. Deveria ser lentamente tragado pela rotina dos generais da reserva que consomem o que lhes sobra da vida entre visitas, reminiscências e netos. Nem automóvel tinha, mas se os novos oficiais que tomaram conta do Conselho de Segurança tivessem prestado atenção, talvez percebessem que Golbery não se rendera. Sumira boa parte do fichário do SFICI.[45]

No dia 20 de março de 1962 o primeiro-ministro Tancredo Neves chegou à Escola Superior de Guerra para a aula inaugural. Discorreu sobre o tema *O Panorama Mundial e a Segurança Nacional*: "A opção, pois, em busca de um nível de desenvolvimento econômico auto-induzido, para os povos ainda retardados em seus progressos, não se acha mais entre o sistema comunista, com sua rígida planificação global a cargo do Estado, de um lado e, de outro, um liberalismo econômico do modelo clássico, aberto a todas as aberrações, perversões e misérias".[46]

Não podia haver engano. Era o *Corca*. O escriba fugira do pijama.

45 Heitor Ferreira, dezembro de 1991.

46 Tancredo Neves, *O Panorama Mundial e a Segurança Nacional*, C-01-62, ESG, 1962. Maço de dezessete folhas manuscritas de Golbery. APGCS/HF. A conferência de Tancredo é *ipsis verbis* o texto manuscrito, salvo cinco parágrafos do final da palestra.

O paliteiro do IPÊS

Um, agnóstico, recluso, autoritário e asceta, só falava a sério. O outro, educado pelos jesuítas, cortesão, tolerante e gastador, parecia estar sempre brincando. Numa época em que a burguesia brasileira cabia no cinema Palácio, Augusto Trajano de Azevedo Antunes e Antonio Gallotti eram as únicas pessoas capazes de reuni-la em menos de uma semana. Antunes — *Dr. Antunes*, para os íntimos, *A.T.A.*, para os empregados — era o dono da Indústria e Comércio de Minérios, a Icomi, sócio da Bethlehem Steel e da Hanna Mining, amigo do banqueiro David Rockefeller. Terceiro filho entre seis, começara a vida como modesto engenheiro. Associara-se ao dono de uma casa lotérica de Belo Horizonte para explorar o manganês do Tijuco e em 1946 descobrira as montanhas de minério da serra do Navio, no território do Amapá. Obcecado por métodos de gerência e técnicas industriais, trabalhava duro. Com 56 anos, era um caso raro de milionário socialmente imperceptível.

Gallotti — *Tony*, para os íntimos — era o presidente da maior empresa privada do país, a Light, companhia canadense que controlava os serviços de energia elétrica, bondes, gás e telefones do Rio de Janeiro e de São Paulo. Fascista nos anos 30, era um dos quinze filhos de um casal de imigrantes italianos que se assentara em Santa Catarina. Tinha o sotaque do lugar e a voz marcada pela língua presa. Sua mansão avarandada era um símbolo de força e volúpia: ficava na rua São Clemente, em Botafogo, ao lado do palácio do embaixador inglês, da casa do americano e do palacete do português. Anfitrião impecável, com 54 anos dava a impressão de estar sempre voltando da praia.

Tinham em comum apenas um início de vida como postalistas. Não podiam ser mais diferentes, no entanto a habilidade com que manipulavam a conexão do Estado com seus negócios, o anticomunismo, um certo prazer político em articular seus pares e o medo da influência esquerdista no governo Goulart os faziam idênticos. Oitenta e três dias após a chegada de Jango ao Planalto, as "classes produtoras", autodenominação gloriosa que o empresariado se atribuía, aquartelaram-se, fundando o Instituto de Pesquisas e Estudos Sociais, o IPÊS. Antunes e Gallotti achavam-se no coração da manobra, um no comitê executivo, ambos no comitê diretor. Haviam sido convertidos pela figura impetuosa de Gilbert Huber Jr., dono das Listas Telefônicas Brasileiras. Ao lado dele estava o general Heitor Herrera, bem-humorado "fritador de bolinhos", que desistira do Exército ainda antes da posse de Jânio, porque se julgava incapaz de lidar com "muito calhorda fantasiado de general".[1] Meses depois, quando seu amigo Golbery tomou a mesma decisão, Herrera resgatou-o, instalando-o em quatro das treze salas que o instituto ocupava no 27º andar do edifício Avenida Central, o mais moderno da cidade, erguido sobre o terreno onde ficara um dos tradicionais hotéis da República Velha. No arranha-céu de elevadores falantes funcionavam também a agência de notícias cubana Prensa Latina e um pedaço da cúpula do Partido Comunista.

Na década de 70, para o bem da memória política nacional e discreta contrariedade de Golbery, o historiador René Armand Dreifuss encontrou o arquivo do IPÊS e reconstituiu boa parte de sua existência no livro *1964: a conquista do Estado*. Ao nascer, o instituto tinha oitenta sócios, e em menos de dois anos chegaria a quinhentos. Uma estrutura semelhante formara-se em São Paulo, e a sigla ramificara-se pelo Rio Grande do Sul, Minas Gerais, Paraná, Pernambuco e Amazonas. Estatutariamente apolítico, o IPÊS destinava-se a estimular pesquisas e debates a fim de "contribuir para o progresso econômico" e "fortificar o regime democrático do Brasil". Poucos clubes conseguiram agrupar tantos sobrenomes: Guinle de Paula Machado, Jacobina Lacombe, Ermírio de Moraes, Toledo Piza, Quartim Barbosa, Dumont Villares. Poucos negócios juntaram tantos logotipos: Esso, Mesbla, Rhodia, Arno, Sul América, Antarctica Paulista. Pou-

1 Carta de Heitor Herrera a Heitor Ferreira, de 11 de fevereiro de 1961. APGCS/HF.

cos ministérios reuniram tanto talento: Delfim Netto, Mario Henrique Simonsen, Augusto Frederico Schmidt, Miguel Reale, José Rubem Fonseca.[2]

O dinheiro abundou. Os documentos esparsos da contabilidade do instituto indicam que em 1962 as seções carioca e paulista projetavam orçamentos para o ano seguinte estimando as despesas em cerca de 900 mil dólares mensais.[3] O IPÊS teve uma caixa clandestina, e dela ficou registro na gravação de uma conversa do embaixador Lincoln Gordon com o presidente John Kennedy, no final de julho de 1963, na Casa Branca. Gordon pediu-lhe a abertura de um fundo clandestino de financiamento de operações políticas, semelhante ao montado em 1948, na Itália, fazendo-se vista grossa a "possíveis desperdícios". O IPÊS seria o principal destinatário desse dinheiro. Sete segundos suprimidos da fita deixada por Kennedy impedem que se saiba quanto Gordon queria gastar. Conhece-se a reação do presidente americano: "É muito dinheiro. Sabe como é, aqui, numa campanha presidencial, gastam-se mais ou menos 12. E [com] nossos custos... já são 8 milhões. É muito dinheiro para uma eleição".[4]

Uma parte do dinheiro arrecadado pelo IPÊS emergiu da contabilidade oficial das empresas que o ampararam. Os números da Light revelam que a empresa contribuiu com 200 mil cruzeiros mensais de dezembro de 1961 a agosto de 1963, num total equivalente a 2 milhões de dólares.[5] Para que não se rastreassem todos os seus financiadores, a maior parcela dos recursos chegava por meio do complexo sistema de fraudes contábeis habitualmente utilizado para o saque às empresas em benefício dos donos ou diretores. Questão "delicada para o instituto e para as firmas", nas palavras do banqueiro Cândido Guinle de Paula Machado, dono do Banco Boavista e das Docas de Santos. Ela foi resolvida através da metodologia

2 René Armand Dreifuss, *1964: a conquista do Estado*, pp. 173, 172, 164 e (apêndice B) pp. 501 e segs. Para um depoimento de José Rubem Fonseca sobre o IPÊS, "Anotações de uma pequena história", *Folha de S.Paulo* de 27 de março de 1994.

3 René Armand Dreifuss, *1964: a conquista do Estado*, p. 226. *Documento da Comissão de Planejamento — Substitutivo Orçamentário para 1963.*

4 Timothy Naftali (ed.), *The presidential recordings — John F. Kennedy*, vol. 1: *July 30-August 1962*, pp. 5-25. Transcrito na reportagem de Carlos Haag, "Todos os tapes do presidente", *Valor Econômico*, 19 de outubro de 2001.

5 "Relatórios Demonstrativos de Contas da Brazilian Traction Light and Power", em Luiz Alberto Moniz Bandeira, *O governo João Goulart*, p. 82.

do "por fora". Fraudaram-se transações com a Pontifícia Universidade Católica e com a Light, simularam-se doações de sindicatos patronais, forjaram-se contratos de assessoria e serviços-fantasmas.[6] Algumas das grandes agências de publicidade do país ofereceram-se para descarregar no IPÊS recursos que as empresas lançariam como despesas de propaganda. Em outros casos, como sucedia com a Varig e a Cruzeiro do Sul, as contribuições vinham sob a forma de serviços gratuitos. A seção mineira do Instituto, estudada por Heloísa Starling, recebeu 9 milhões de cruzeiros em doações. Os sócios passavam-lhe entre 60 mil e 120 mil cruzeiros, numa época em que o maior prêmio da Loteria Federal pagava 20 mil.[7]

A maior fonte de despesas — e de energia — do IPÊS era o seu serviço de divulgação. O instituto encomendava artigos a 5 mil cruzeiros a peça (equivalentes a 1300 dólares, pagos pela cervejaria Antárctica).[8] No apogeu, em 1963, lançou 2,5 milhões de impressos, entre livros, apostilas e folhetos. O IPÊS editou desde alguma produção anticomunista nacional, como *UNE: instrumento de subversão*, até clássicos como *A Revolução dos Bichos*, do socialista inglês George Orwell, e trabalhos de alto nível como *Ideologia e poder na política soviética*, do professor Zbigniew Brzezinski, cuja sopa de letras só viria a se tornar conhecida uma década depois. Distribuiu também pelo menos catorze filmes com duração de cerca de dez minutos, apresentados no início das sessões de cinema.[9] Seus pequenos documentários eram produzidos pelo jornalista Jean Manzon, diretor dos épicos da propaganda juscelinista. Um dos colaboradores anônimos dessa produção político-literária era o próprio Golbery. Escrevendo para um programa de rádio, nem sequer parecia o *Corca*:

> O que é comunismo?
>
> Para responder-lhe em poucas palavras, meu amigo, só posso dizer a você que o comunismo é uma grande farsa, a maior que o mundo todo já viu até os dias de hoje.

6 René Armand Dreifuss, *1964: a conquista do Estado*, pp. 203-4.
7 Heloisa Maria Murgel Starling, *Os senhores das Gerais*, p. 68.
8 René Armand Dreifuss, *1964: a conquista do Estado*, p. 262.
9 Idem, pp. 654 e 237. Para os filmes, *Catálogo de filmes do IPÊS*.

> Você vai dizer que isso é exagero, que é má vontade minha. Se houver algum comunista por perto, vai me xingar logo, "entreguista, vendido aos americanos" etc. Não importa.
>
> Você que é um homem honesto e que sabe mesmo o que é o comunismo — não se precipite. Eu aqui estou para demonstrar tudo aquilo, tintim por tintim. E com provas. Com documentos. Com depoimentos até dos próprios comunistas.
>
> Acompanhe esta série de programas e você verá.[10]

O instituto também patrocinava editoriais e reportagens na imprensa. Com graus variáveis de colaboração, os principais jornais e emissoras do país tinham conexões com o IPÊS. Como explicava o próprio Antunes: "O IPÊS fará apenas o papel de espoleta para desencadear o debate dos assuntos".[11] O instituto teve seu momento de brilho quando o jovem engenheiro Arlindo Lopes Corrêa, num trabalho intitulado *Conquista das classes médias para a ação política em grupo*, usou a expressão "república sindicalista" para designar o que seria o projeto de poder da esquerda.[12] Nunca se soube o que fosse, assim como não se encontrou nenhuma pessoa ligada ao governo Goulart que pudesse defini-la.

Em pelo menos um caso o instituto fez papel de censor, pressionando a direção da TV Rio para moderar as piadas do humorista Chico Anísio, um simpatizante do Partido Comunista.[13] Subvencionou diretamente jornais, revistas e emissoras. O geólogo Glycon de Paiva, colaborador de Antunes, amigo de Golbery e membro do comitê executivo do IPÊS, ensinou: "Opinião pública significava dinheiro".[14]

O IPÊS foi o mais articulado e bem-sucedido episódio de mobilização da história da plutocracia nacional. Existiu numa época de proliferação de organizações conservadoras e sobreviveu a todas. Delas, a mais in-

10 Manuscritos de Golbery, um de cinco páginas e outro de quatro. Ambos sem data. APGCS/HF.

11 René Armand Dreifuss, *1964: a conquista do Estado*, p. 769.

12 Idem, p. 291. O texto de Lopes Corrêa é de 1962.

13 Para o caso de Chico Anísio, René Armand Dreifuss, *1964: a conquista do Estado*, p. 248.

14 René Armand Dreifuss, *1964: a conquista do Estado*, p. 219.

fluente foi o Instituto Brasileiro de Ação Democrática, IBAD, grande cofre dos candidatos conservadores nas eleições de 1962. Seu criador, Ivan Hasslocher, abandonou a vida pública e mudou-se um ano depois para a Suíça. Nunca mais se ouviu falar dele, mas do tesouro do IBAD falou-se por décadas. "A campanha eleitoral de 1962 foi uma orgia de dinheiro", lembraria Walter Clark, o diretor-geral do canal 13. "A grana grossa vinha mesmo do IBAD. Só desse grupo a TV Rio recebeu verba equivalente a três vezes o seu faturamento."[15] Pode-se estimar que o instituto tenha derramado perto de 20 milhões de dólares na campanha eleitoral. Segundo o embaixador Lincoln Gordon, o dinheiro do governo americano passou de muito a casa do milhão e pode ter chegado a 5 milhões de dólares.[16]

Na clandestinidade, praticando atentados terroristas, operava o MAC, Movimento Anti-Comunista, formado por policiais, militares e direitistas extremados. Assustado com as acusações de que as siglas eram farinha do mesmo saco, Gallotti aconselhava: "Cada membro do IPÊS acusado de pertencer ao MAC deve se defender. Porém, em sua defesa, não deverá positiva ou negativamente fazer a mínima referência ao IPÊS". Em 1963, inquieta com o funcionamento de uma comissão parlamentar de inquérito que investigava o IBAD, a cúpula do IPÊS decidiu limpar seus arquivos.[17]

Golbery ciscava aqui e ali, mas seu negócio era o GLC, inicialmente conhecido como Grupo de Levantamento da Conjuntura, rebatizado depois como Grupo de Pesquisa. Suas atividades ficaram fora das atas, seus trabalhos, fora do arquivo. Como relembraria um dos dirigentes do instituto, a unidade de Golbery agia numa "variedade de operações de

15 Walter Clark e Gabriel Priolli, *O campeão de audiência*, pp. 127-8.

16 Para o total de até 20 milhões, Luiz Alberto Moniz Bandeira, *O governo João Goulart*, p. 83. Moniz Bandeira trabalhou com dois valores, um de 5 bilhões de cruzeiros (12 milhões de dólares), mencionado por Artur Oscar Junqueira, secretário da Ação Democrática Popular (Adep), à CPI do IBAD, e um valor entre 12 milhões e 20 milhões de dólares, mencionado por Philip Agee, ex-agente da Central Intelligence Agency, que vive em Cuba. A declaração de Gordon está em *Veja*, 9 de março de 1977, entrevista a Roberto Garcia.

17 René Armand Dreifuss, *1964: a conquista do Estado*, pp. 400 e 208.

natureza menos acadêmica do que aquelas normalmente creditadas ao IPÊS".[18] Eram as operações que a *Casa da Borracha* não tivera tempo de fazer. O general trabalhava com dois relógios. Num propunha que se discutisse um "plano mestre para um prazo máximo de oito a dez anos".[19] Noutro, para as necessidades da ocasião, montara uma rede de informações que custava em torno de 300 mil dólares por ano.[20] Boa parte do dinheiro ia para a ampliação do fichário que tirara do SFICI. Nele tinham preferência os esquerdistas, mas havia lugar para todos. Cada ficha tinha espaço para informações triviais como endereço, telefone e filiação, além de seis linhas para "outros dados". No rascunho do cadastro de Cecil Borer, diretor do DOPS carioca e companheiro de detenção de Golbery em 1955, anotara-se: "Acusado de envolvimento no metralhamento da UNE".[21] Não passou de 3 mil o número de fichas reunidas pelo IPÊS.[22]

Nas quatro salas de Golbery funcionava um serviço de informações. Nele produziram-se desde uma *Amostra da Infiltração Comunista no Brasil*, listando nomes e cargos ocupados pelo PCB, até um *Levantamento da Infiltração Comunista na Imprensa*, de circulação reservada.[23]

"Todo mundo sabe que eu estou aqui. O pessoal almoça na vizinhança e vem para cá palitar os dentes", explicava o general.[24] Na época o restaurante Terrasse, situado no mesmo edifício do IPÊS, era um dos melhores da cidade. Além disso, o Clube Militar, a Associação Comercial e o Clube

18 René Armand Dreifuss, *1964: a conquista do Estado*, p. 186, e Glycon de Paiva, em Dreifuss, idem p. 401.

19 Memorando confidencial de três folhas intitulado *Planejamento e Conduta das Ações a Empreender*, sem data. APGCS/HF.

20 Informação dada por Glycon de Paiva, vice-presidente do IPÊS, a Alfred Stepan. Em Stepan, *The military in politics*, p. 154.

21 Golbery referia-se ao atentado praticado em 1962 no hotel Quitandinha, onde estava reunido o Congresso da UNE. Foram disparados tiros contra um grupo de estudantes. Para a prisão de 1955, Nelson Werneck Sodré, *Do Estado Novo à ditadura militar*, pp. 191-2.

22 O general Newton Cruz, que em 1964 recebeu o fichário do SFICI, para o qual Golbery transferira as fichas do IPÊS, informou ao autor que ele continha cerca de 3 mil fichas. Newton Cruz, outubro de 1985.

23 Para a *Amostra*, René Armand Dreifuss, *1964: a conquista do Estado*, p. 651; para o *Levantamento*, idem, p. 234.

24 Heitor Ferreira, dezembro de 1991.

dos Seguradores ficavam num raio de dez quarteirões do paliteiro. Golbery chamava seu serviço de "monitoração". Num exemplo de sua vigilância, em janeiro de 1962 ele avisava que os comunistas planejavam reunir-se em Niterói e propunha: "Convém exercer pressão, desde já, sobre as autoridades do Estado do Rio, para que se aparelhem e disponham a atuar quando necessário".[25]

Um ano depois, quando um plebiscito devolveu a Jango seus poderes presidenciais, Golbery voltara a fabricar as *Estimativas*, como fazia no SFICI. Dessa vez não tinham timbre. Eram duas por mês.

Mal começara o regime presidencialista, o general propunha: "A abertura, desde já, da questão sucessória tem a vantagem de poder propiciar reações mais fortes a qualquer manobra continuísta do presidente da República, despertando, por outro lado, esperanças novas nos meios ativistas da política nacional".[26]

No dia 1º de abril de 1963, voltava à carga:

> Impõe-se através sobretudo de uma ação coordenada e intensa no Setor de Opinião Pública Nacional:
>
> — Fortalecer o espírito de legalidade, denunciando a tempo quaisquer manobras contra a Constituição e as leis do país.
>
> — Apoiar o Congresso como indispensável esteio democrático. [...]
>
> — Apoiar o ministro da Guerra em sua posição de defesa da legalidade e anticomunista.[27]

Golbery temia o continuísmo de Jango, mas trabalhava, já em julho de 1963, com a idéia do "contragolpe inevitável".[28] A essa altura o grande barulho golpista vinha do outro lado. O governador Leonel Brizola dizia que "se não for eleito um parlamento popular a revolução será inevi-

25 Três folhas de bloco manuscritas, de Golbery. APGCS/HF.

26 *Estimativa* de 11 de março de 1963. APGCS/HF.

27 *Estimativa* de 1º de abril de 1963. APGCS/HF.

28 *Estimativa* de 15 de julho de 1963. APGCS/HF.

tável", e o primeiro-ministro Fidel Castro reunia-se com esquerdistas brasileiros para discutir *la revolución* ao mesmo tempo que subvencionava estruturas guerrilheiras em quatro estados do país.[29] Em setembro, os sargentos que dois anos antes haviam ajudado a desmontar o golpe contra Jango se amotinaram em Brasília produzindo dois cadáveres, três IPMs e seiscentos presos.

Pouco depois da revolta dos sargentos, Golbery distribuiu uma *Estimativa* em que o próprio estilo traía a atividade clandestina do autor. Tanto no SFICI como nos primeiros trabalhos no IPÊS, sempre narrara os acontecimentos na terceira pessoa, secamente. Na *Estimativa* de 16 de setembro vocalizava suas idéias atribuindo-as a supostas "forças do centro democrático":

> Estimam aquelas forças que, afinal, a melhor solução para o país será a que leve o Sr. João Goulart a completar o seu mandato presidencial, por mais oneroso que venha a ser o preço a pagar-se por isso, em termos principalmente de funda depredação da economia nacional.
>
> Não deixam de admitir, porém, que se forçadas a uma reação contra qualquer golpe antidemocrático, terão de agir com muita cautela para que seu êxito não propicie, por seu lado, a indesejada implantação de um regime não democrático, embora de caráter provisório.[30]

Estranha construção. Num texto em que o golpe de Goulart era chamado de "antidemocrático", a ditadura do contragolpe era chamada de

29 Para Brizola, Dênis de Moraes, *A esquerda e o golpe de 64*, p. 79. Para Fidel, professora Liana Cardoso de Mello, março de 1988. Ela esteve presente à reunião de Castro com Francisco Julião e Caio Prado Júnior, entre outros, realizada na época da Segunda Declaração de Havana. Para os dispositivos, organizados em Goiás, no Maranhão, na Bahia e no Rio de Janeiro, cartas de *Gerardo* a *Petrônio*, publicadas em *O Jornal* de 23 de janeiro de 1963 ("História de agentes fidelistas comprova a infiltração em nosso país. Dinheiro cubano para estimular as Ligas e a 'revolução popular' no Brasil: prova concreta", p. 9), 24 de janeiro de 1963 ("Relatório de agentes fidelistas comprova a infiltração em nosso país — II. Tática de fidelistas no Brasil é esconder que são socialistas para poder armar a revolução", p. 9) e 25 de janeiro de 1963 ("O relatório de agentes fidelistas comprova infiltração em nosso país — III. Agitadores fidelistas possuem até três fazendas em Goiás destinadas a adestramento de guerrilha", p. 6). Ver também Jacob Gorender, *Combate nas trevas*, p. 51.

30 *Estimativa* de 16 de setembro de 1963. APGCS/HF.

"regime não democrático". Esse regime nem existia, e já o acompanhava uma lógica particular pela qual o indesejado se tornava aceitável em troca de uma promessa de provisoriedade. Numa entrevista em Miami, o jornalista Julio de Mesquita Filho, dono e oráculo d'*O Estado de S. Paulo*, previa: "Muito provavelmente um governo forte substituirá o atual, mas essa situação não será eterna, porque a ditadura não é compatível com a vontade do povo brasileiro".[31] (Desde os primeiros meses de 1962 ele confidenciava o que seria esse governo forte: junta militar, reforma constitucional, expurgo administrativo, dissolução do Congresso e nomeação de um Conselho Nacional.)[32]

No final de março de 1964, Golbery redigiu a última *Estimativa* do IPÊS. Nela dissimulava a extensão da rede de conspiradores a que tinha acabado de se juntar o general Castello Branco, prestigioso chefe do Estado-Maior do Exército. Sabia muito mais do que escrevia, mas dizia que se entrara "num período crítico, que poderá durar de dois a três meses". Entendia que o lançamento das candidaturas de Carlos Lacerda e Juscelino Kubitschek à Presidência haveria de esvaziar as manobras do Planalto. "O tempo conspira contra os desígnios do bloco continuísta-comunista."[33]

Datada de 25 de março, quarta-feira da Semana Santa, dificilmente essa *Estimativa* circulou na cúpula do IPÊS. O certo é que à noite, quando Golbery chegou a Jacarepaguá, o mundo começara a acabar: seiscentos marinheiros liderados pelo *Cabo Anselmo* amotinaram-se no Sindicato dos Metalúrgicos e anunciaram que não voltariam aos seus navios.

Em suas conversas mais secretas, a grande dúvida dos conspiradores era a duração da rebelião para depor Goulart. Não era pouca coisa, pois a história das quarteladas nacionais informava que, dos seis levantes vitoriosos, cinco decidiram-se em 48 horas. Dos quatro que ultrapas-

31 José Stacchini, *Março 64*, p. 90.

32 Carta-circular de Julio de Mesquita Filho a "meu ilustre amigo", de 20 de janeiro de 1962. Em José Stacchini, *Março 64*, pp. 15 e segs. Cinco anos depois, Mesquita não escondia sua contrariedade por não ter sido feita a "ablação" do Congresso. Ver Roberto Campos, *A lanterna na popa — Memórias*, p. 791.

33 *Estimativa* de 25 de março de 1964. APGCS/HF.

saram os dois dias, três fracassaram.[34] Chegou-se a pensar em seis meses de luta. Golbery sempre insistira na rapidez do desfecho: "Vai cair como um castelo de cartas".[35]

No dia 1º de abril de 1964, enquanto as cartas ruíam, circulava nos quartéis um manifesto dos generais Castello Branco, Costa e Silva e Decio Escobar. A certa altura ele dizia: "É, pois, na sua estrutura e na sua essência mesmo que as Forças Armadas estão sendo destruídas, quando se subverte a hierarquia, e é o próprio presidente da República quem incita à indisciplina e oferece plena cobertura a motins".[36]

Era o *Corca* de novo. Fazia dez anos que escrevia manifestos contra Jango, mas aquele seria o último. Dessa vez tinha mais o que fazer. Como sempre, botou suas idéias centrais num papel e intitulou-o *Missão a Cumprir pelo Governo*. Eram seis pontos: três óbvios (restabelecer a ordem, acabar com a corrupção e derrubar a inflação), um era desejo (elevar o nível de educação política do povo) e o quinto, um sonho (garantir eleições limpas e a posse dos eleitos). O segundo item era aquele que Golbery raramente tratava: "Reintegrar, desde logo, as Forças Armadas no seu papel constitucional, restituindo-lhes a coesão, a unidade e o ardor profissional e restabelecendo o princípio da autoridade e da hierarquia, para cuidar, logo a seguir, do problema de sua adequada reestruturação e de seu aparelhamento".[37]

34 Decidiram-se em 48 horas as seguintes quarteladas vitoriosas: 1889, 1937, 1945, 1954 e 1955. Decidiu-se em mais de 48 horas a revolta de 1930. Fracassaram 1924, 1932 e 1961.

35 Para a previsão de seis meses e a opinião de Golbery, general Antonio Carlos Muricy, agosto de 1988.

36 Glauco Carneiro, *História das revoluções brasileiras*, p. 524.

No palácio

Aos 52 anos, Golbery entrara pela terceira vez no palácio. Na primeira, em 1937, fora um capitão irrelevante metido num projeto de fabricação de propelentes de artilharia. Na segunda, em 1961, coronel subsidiário, empenhado na criação de um sistema de segurança interna. Dessa vez estava no coração do regime e do governo. Triunfara como conspirador: os "fritadores de bolinhos" estavam no poder. Era a um só tempo chefe do serviço de informações e conselheiro direto do presidente. Utilizou essa influência para articular um plano moderadamente reformista e foi um defensor tenaz da extensão da permanência de Castello no poder. Fracassou.

Em junho de 1964, dois meses depois da deposição de João Goulart, o poeta Augusto Frederico Schmidt, gordo, teatral e escandaloso, parecia um louco quando entrou gritando no apartamento do deputado Armando Falcão: "Ouça bem o que venho dizer-lhe: O Juscelino pode suicidar-se se for cassado. Encontraram o esboço de uma carta dele debaixo do seu travesseiro".

Schmidt pediu a Falcão, ministro e amigo do ex-presidente Juscelino Kubitschek, que fosse ao palácio Laranjeiras advertir o marechal Castello Branco do risco que se corria.

"'O Kubitschek suicidar-se?! Não, não creio que ele tenha coragem de imitar o Dr. Getulio Vargas. O nosso Schmidt é muito impressionável. Não vai acontecer nada', respondeu o presidente."[1]

Tratava-se de expurgar da vida pública o principal candidato à sucessão presidencial nas eleições marcadas para outubro de 1965. Era o JK, *Nonô, Pé-de-Valsa, Peixe-Vivo*, o criador de Brasília, símbolo da tolerância política do regime de 1946. Tinha 61 anos, fora abatido pela vassourada janista, mas se recuperara com o fiasco da renúncia de seu adversário. Em 1964 poucos lembravam que no governo dele a inflação chegara a 40%, numa economia sem indexador algum. Recordavam-se todos de uma época de progresso, com o Brasil crescendo mais de 8% ao ano, ganhando a Copa do Mundo de futebol e o torneio de Wimbledon de tênis. Numa pesquisa de opinião pública concluída menos de uma semana antes da queda de Jango, Kubitschek batera Lacerda por 37% a 25%, suplantando-o em todas as oito maiores cidades do país.[2]

Pelo calendário constitucional, deveria haver uma eleição direta no dia 3 de outubro de 1965, e dela sairia um presidente para ser empossado em 15 de março de 1966. A cassação de JK interessava a Carlos Lacerda, governador da Guanabara, candidato a presidente pela UDN, temeroso da sua popularidade e do seu trânsito junto à esquerda. Interessava a Costa e Silva, porque fortaleceria os radicais, enfraqueceria Castello Branco e tiraria o favorito do páreo. Interessava também ao palácio, onde se cozinhava a prorrogação do mandato de Castello.

No dia 8 de junho de 1964 JK perdeu a cadeira de senador por Goiás e teve seus direitos políticos suspensos por dez anos. Na tarde seguinte Castello encontrou-se com o embaixador americano Lincoln Gordon e disse-lhe que seria "embaraçoso para a Nação" tornar públicas as provas da desonestidade do ex-presidente.[3] Terrível acusação, mas nem JK foi cassado por corrupto, nem provas de corrupção havia. Golbery chamou as coisas pelo nome num documento em que analisava a cassação: "Moti-

1 Armando Falcão, *Tudo a declarar*, pp. 291-2.

2 Pesquisa do IBOPE realizada entre 9 e 26 de março de 1964, em Antônio Lavareda, *A democracia nas urnas*, p. 174.

3 John W. F. Dulles, *Castello Branco, o presidente reformador*, p. 33.

vação real: Impedir que JK, fortalecido pela campanha contrária, enfrente a Revolução: retorno de Jango, da corrupção e dos comunistas".[4]

Doze anos depois o general Ernesto Geisel, por cuja mesa passaram os dossiês contra JK, reconheceria: "O lamentável é que as provas não eram provas de qualquer valor jurídico. Na realidade eram indícios, embora todos soubéssemos da ladroeira consumada".[5]

Golbery acreditava na possibilidade de rearticulação do regime com as forças de centro da política brasileira. Em setembro de 1964 enviou a Castello uma estimativa em que via o governo diante da oposição de duas coligações políticas. Uma ficava à direita, e ele a chamava de "frente revolucionária, avançada ou insatisfeita". A outra, à esquerda, denominava "anti- ou contra-revolucionária".

Dividia a oposição à direita em três blocos:

— O grupo da chamada linha dura — que só vê, na vitória da Revolução, a oportunidade para esmagar os adversários, comunistas ou não, e punir os corruptos e negocistas, julgando o governo pouco ativo em suas medidas repressivas, quando já não comprometido por inconfessáveis manobras políticas;

— o grupo do oportunismo insatisfeito (militar e político) que reclama contra a sua não-participação influente nos atos do governo atual e aspira ser melhor aquinhoado, pelo menos quando da próxima sucessão;

— o grupo de interesses reacionários, sobretudo econômicos, que defendem privilégios cuja manutenção esperavam da vitória da Revolução, e hoje se sentem ameaçados pela política reformista do governo.[6]

4 Uma folha manuscrita de Golbery de final de maio ou início de junho de 1964. APGCS/HF.

5 Anotação de Geisel, à margem da cópia xerox de uma carta de 24 de agosto de 1976 do coronel Argos Gomes de Oliveira ao general João Baptista Figueiredo. APGCS/HF.

6 *Estimativa nº 1*, do SNI, de 15 de setembro de 1964. APGCS/HF.

Na frente adversária de esquerda Golbery reunia janguistas, brizolistas e comunistas, todos interessados em derrubar o governo, mas assinalava a existência de "vários grupos da esquerda não marxista e sinceramente reformista" interessados no "pleno restabelecimento das liberdades públicas" para influírem na "obra de reconstrução e reforma do país". Propunha que se desse a esse grupo "expressão cada vez mais livre no quadro da atuação oposicionista legal". Achava conveniente "impulsionar o programa reformista, em particular no setor das conquistas sociais — reforma agrária, participação dos trabalhadores nos lucros das empresas, democratização do capital, etc. — convencendo a essas esquerdas, por atos concretos, dos sinceros propósitos do Governo".[7]

Quando as forças conservadoras do empresariado e dos proprietários rurais pressionaram o governo, sobretudo na reação à reforma agrária e à revisão dos sistemas de créditos oficiais, Golbery reclamava, em documento secreto:

> Quem ainda mais reage são, curiosamente, os senhores da indústria. [...] Reagem também muitos proprietários rurais, justamente temerosos pela manutenção de seus privilégios tradicionais. Não pagar impostos, explorar o suor do rurícola, recorrer livremente às burras do Banco do Brasil a cada safra que vem, empregar os pingues lucros em investimentos imobiliários nos grandes centros ou dissipá-los em consumo conspícuo — isso tudo parece que vai acabar. E será a derrocada de todo um estilo de vida que embalou gerações.[8]

O projeto da reforma castelista mal arranhou o estilo de vida do patronato brasileiro. Faltava-lhe base política para buscar nas urnas um mandato que lhe permitisse a aproximação com o centro, da mesma forma que lhe faltava disposição para tentar criar uma base militar que lhe permitisse ao menos dispensar o amparo que recebia do patronato. Era a anar-

7 *Estimativa nº 1*, do SNI, de 15 de setembro de 1964. APGCS/HF.

8 *Apreciação Sumária da Situação Nacional*, reunião ministerial de 30 de dezembro de 1964. Marcado "secreto". APGCS/HF.

quia que dava o tom ao regime, obrigando-o a simular uma corrosiva aparência de unidade militar. O próprio Golbery associava-se aos surtos ditatoriais e, quando o Supremo Tribunal Federal soltava presos políticos, queixava-se de um "evidente espírito contra-revolucionário" dos juízes. Quando um senador atazanado por um coronel de IPM bradava que "japona não é toga", o general via na reação uma origem "provocadora".[9] Em setembro de 1964, por ocasião do regresso do general Ernesto Geisel de uma viagem de inspeção às prisões de Pernambuco e São Paulo, Golbery cuidou da redação da nota oficial divulgada pelo governo. Num rascunho em que se mencionavam "as denúncias de violências ocorridas", o chefe do SNI corrigiu: "violências que teriam ocorrido".[10]

Golbery sonhara com uma manobra que permitisse a Castello disputar a reeleição habilitando-se a um mandato de cinco anos, o que estenderia seu governo até março de 1969.[11] Em meados de 1964, noutra articulação, mais modesta, o marechal teve seu mandato prorrogado por um ano, até 15 de março de 1967, quando deveria empossar um sucessor escolhido em pleito direto. Lacerda, único candidato civil sobrevivente, acusou o golpe numa carta: "Numa palavra, votada a prorrogação, não haverá eleições nem em 1966 nem tão cedo".[12] No salame do qual ajudara a cortar a fatia de JK, ele era agora a porção da vez.

Carlos Lacerda tinha cinqüenta anos, o vigor de um touro e a versatilidade de um ilusionista. Ninguém como ele dividiu e marcou a geração em que viveu. Lutador obsessivo, fora o último panfletário brasileiro, quer como jornalista, metralhando a máquina com rara velocidade, quer como parlamentar, com uma oratória devastadora. Numa ou noutra condição manipulava o insulto na grandiloqüência. Algoz de Getulio Vargas ("patriarca do roubo"), Juscelino ("O Cafajeste Máximo") e

9 *Impressão Geral nº 10*, de 2 de novembro de 1964. APGCS/HF.

10 Folha datilografada, com anotações manuscritas de Golbery. APGCS/HF.

11 Folha manuscrita de Golbery, sem data, resumindo e analisando uma conversa de automóvel com Carlos Lacerda. APGCS/HF. Nela escreveu: "O mais sério adversário de CL em 66 será o próprio presidente, ao qual parece abrir-se a possibilidade legal de uma reeleição". *Diário de Heitor Ferreira*, 18 de junho de 1965.

12 Carta de Carlos Lacerda a Bilac Pinto, presidente da UDN. Em Luiz Viana Filho, *O governo Castello Branco*, p. 112.

Jango ("marginal da lei").[13] Sua natureza implacável valera-lhe o apelido de *Corvo*.[14] Brigara com o pai, o irmão e alguns dos melhores amigos. "Ele não gosta de ninguém, nem dele", escrevera um dos seus ex-companheiros.[15] O general De Gaulle chamara-o "o demolidor".[16] "Devastadoramente capaz", definira-o a Central Intelligence Agency.[17] Em menos de vinte anos passara do PCB à militância anticomunista. Eleito governador da Guanabara em 1960, surpreendera o país com uma administração exuberante. Tocara obras como a adutora do Guandu e o túnel Rebouças, ao mesmo tempo que se beneficiara do trabalho dos governantes anteriores, que lhe deixaram a doce tarefa de plantar o jardim no Aterro do Flamengo, mudando a silhueta do Rio de Janeiro. Xodó dos "fritadores de bolinhos", fora um adversário destemido de João Goulart. Vitorioso em 1º de abril, vira-se espremido pela impopularidade da ordem que ajudara a erguer. Precisava da ditadura para compensar seu desgaste popular, mas quanto mais o regime se fechasse, menos a ditadura precisaria de Carlos Lacerda.

Para Golbery a vitória da prorrogação cumprira dois objetivos: num congelara Lacerda, noutro postergara uma eleição que poderia levar ao julgamento do regime. Nos meses imediatamente anteriores e seguintes a esse êxito no Congresso, a ditadura manteve sua rotina. É justo nessa época que irrompe o surto de rebeldia da guarnição goiana, com o coronel Danilo Darcy da Cunha e Mello encarregado de um inquérito em que se arrancavam sob tortura as confissões que deveriam instruir a deposição do gover-

13 Para Vargas, *Dicionário histórico-biográfico brasileiro pós-1930*, coord. de Alzira Alves de Abreu e outros, vol. 3, p. 2981. Para JK, John W. F. Dulles, *Carlos Lacerda — A vida de um lutador*, vol. 1: *1914-1960*, pp. 286-7, citando a *Tribuna da Imprensa* de 15 de junho de 1957. Para Goulart, Carlos Castello Branco, *Introdução à Revolução de 1964*, tomo I: *A agonia do poder civil*, p. 231.

14 O apelido foi inventado por Samuel Wainer, que deu ao caricaturista Lan a idéia de retratar Lacerda nas penas da ave. O primeiro *Corvo* foi publicado no jornal *Última Hora* de 25 de maio de 1954, p. 3. Em John W. F. Dulles, *Carlos Lacerda — A vida de um lutador*, vol. 1: *1914-1960*, pp. 148-9.

15 David Nasser, citado em John W. F. Dulles, *Carlos Lacerda — A vida de um lutador*, vol. 1: *1914-1960*, p. 336.

16 Referência feita por De Gaulle durante um almoço com Castello Branco. Em Armando Falcão, *Tudo a declarar*, p. 287.

17 Onze folhas da Central Intelligence Agency, do *Office of National Estimates*, de 31 de dezembro de 1964. Marcado "secreto". BLBJ.

nador Mauro Borges. Oficiais da Marinha de Santos recusaram-se a libertar treze pessoas beneficiadas por um habeas corpus.[18] Tropas indisciplinadas do Nordeste seqüestraram o ex-governador de Sergipe, Seixas Dória, e mantiveram preso num jogo de esconde-esconde o próprio filho do inquisidor-mor, marechal Estevão Taurino de Rezende.[19] Entre agosto e setembro desapareceram do 15º Regimento de Infantaria, em João Pessoa, dois militantes das Ligas Camponesas.[20] Comandava o 15º RI o coronel Ednardo D'Avila Mello, chefe do Serviço Federal de Informações e Contra-Informação durante o mandarinato de Golbery no Conselho de Segurança de Jânio Quadros. Foram os primeiros "desaparecidos" da ditadura.

Conseguida a prorrogação do mandato de Castello, Golbery começou a tratar de *Isabel*, nome em código da operação política que deveria postergar a eleição de onze governadores marcada para 3 de outubro de 1965.[21] Costurou a manobra por quase um ano, e esse foi um dos poucos movimentos em que ele e Lacerda andaram na mesma direção. Essa aparente virtude pôs a jogada a pique. Dois dias depois de receber uma carta de Lacerda informando que preferia a prorrogação dos mandatos dos governadores à realização de um pleito indireto, no qual a escolha caberia aos deputados estaduais, Castello decidiu-se pelo oposto. "Todo mundo de pneu baixo. Eleições diretas nos onze estados!", registrou estupefato Heitor Ferreira.[22]

A malquerença de Golbery com Lacerda tinha um aspecto emocional, mas era também a projeção de uma luta pelo poder. A marca da atividade política do general estava na sua essência antieleitoral. Ele manobrou contra o pleito de 1965, da mesma forma como manobraria contra a eleição presidencial de 66. Não se tratava de questão doutrinária, em que Golbery tivesse preferência pelo sistema indireto de preenchimento

18 Para o caso de Goiás, carta de Simão Kossobudsky ao presidente Castello Branco, de 11 de outubro de 1964, em *O golpe em Goiás*, pp. 242-8. *Correio da Manhã*, 27 de agosto de 1964, capa do 1º caderno.

19 *Correio da Manhã*, 26 e 30 de julho de 1964.

20 *Dossiê dos mortos e desaparecidos*, pp. 104 e 117.

21 Seriam eleitos os governadores dos seguintes estados: Guanabara, Minas Gerais, Paraná, Maranhão, Goiás, Alagoas, Mato Grosso, Pará, Paraíba, Rio Grande do Norte e Santa Catarina.

22 *Diário de Heitor Ferreira*, 22 de março de 1965.

dos cargos executivos, mas de uma trapaça política destinada a manter no poder pessoas que o voto popular quase certamente defenestraria. A um interlocutor que chamava de "suicídio" uma eleição indireta para presidente, argumentando com o tamanho da bancada oposicionista, o general respondeu: "E a direta é suicídio certo".[23] Lacerda era apenas um complicador das manobras antieleitorais, pois embora não tivesse a força de JK, era sem dúvida alguma o mais popular entre os políticos que apoiavam o regime. Com rara economia de palavras, Golbery resumiria o xeque a Lacerda: "É indireta sim, mas não para ele".[24]

Para quem? Para Castello Branco. Uma semana depois de o marechal ter anunciado durante um almoço no Clube Militar que não aceitaria uma segunda prorrogação, Golbery queixava-se: "[As declarações do presidente] levaram o desânimo a amplas correntes de opinião revolucionária que ainda não enxergam outra solução — garantia para salvaguarda do futuro da Revolução e complemento de sua obra renovadora".[25] O chefe do SNI pode ter desanimado, mas não desistiu. Chegou a obter de Castello uma promessa de que não daria mais declarações daquele tipo.[26] Em junho de 1965 achava-se de novo numa articulação prorrogacionista.

Apesar das diversas denúncias de que a manobra estava em curso, ela sempre foi desmentida por Castello e seu círculo mais próximo de assessores. O diário de Heitor Ferreira documenta essa articulação palaciana. São cinco entradas, de junho a setembro de 1965.

18 de junho. O capitão anotou que Golbery e Castello tiveram uma "grande conversa no almoço". Nesse mesmo dia o deputado Teódulo de Albuquerque, conhecido pelo trânsito que tinha no gabinete presidencial, disse que o Congresso estaria disposto a reeleger Castello.[27]

14 de julho. Heitor registra: "Golbery teve 'a conversa' com Geisel e o presidente. 'Então há que tocar logo o assunto, em agosto, setembro...'".[28]

23 *Diário de Heitor Ferreira*, 12 de outubro de 1965.

24 Idem, 6 de outubro de 1965.

25 *Impressão Geral nº 16*, de 9 de fevereiro de 1965. APGCS/HF.

26 *Diário de Heitor Ferreira*, 4 de setembro de 1965.

27 Idem, 18 de junho de 1965.

28 Idem, 14 de julho de 1965.

15 de julho. "O presidente deu luz verde ao Cordeiro. 'Isso agora é com vocês.'"[29]

21 de setembro. Golbery diz a Heitor: "Estou me lixando para o que possam pensar da continuação do Castello".[30]

24 de setembro. O capitão Heitor pôs no diário a mais clara das referências.

Chegou o Malan [general Alfredo Souto Malan] para conversar com Golbery e no meio do assunto anotei este trecho:

> MALAN: Mas isso tem o ranço de continuísmo.
>
> GOLBERY: Ranço de continuísmo?
>
> MALAN: É. Tem.
>
> GOLBERY: Não, não tem não. É o próprio continuísmo.[31]

O projeto descarrilhou pela força que Costa e Silva extraiu da anarquia dos quartéis e pela fraqueza inerente à vacilação castelista. De um lado, recebeu o impacto da derrota dos candidatos pró-regime nas eleições de outubro de 1965. A nova ordem fora derrotada na disputa pelos governos da Guanabara e de Minas Gerais, mesmo levando-se em conta que os principais vitoriosos eram políticos moderados. De outro, recebeu o golpe da inquietação militar que se seguiu ao resultado eleitoral.

Na tarde de 27 de outubro, a desordem militar, manipulada pelo ministro da Guerra, obteve de Castello um novo Ato Institucional, chamado AI-2 e o primeiro a ser numerado. O Ato reabria a temporada de cassações, diluía o Supremo Tribunal Federal, lesava o Congresso, extinguia os partidos políticos e acabava com a eleição direta como forma de es-

29 *Diário de Heitor Ferreira*, 15 de julho de 1965.

30 Idem, 21 de setembro de 1965.

31 Idem, 24 de setembro de 1965.

colha do presidente da República. Costa e Silva entrou no gabinete, alcançou uma cópia do documento e começou a folheá-la: "Deixa ver, cadê, onde está?".

Castello tomou uma página e mostrou um trecho. "Está aí."

Estava numa das últimas folhas. Era o parágrafo único do artigo 26, que regulava a eleição do próximo presidente: "O atual Presidente da República é inelegível".[32] Caíra a lápide sobre qualquer manobra prorrogacionista. O ministro da Guerra, general Arthur da Costa e Silva, tornara-se presidente eleito.

Nesses dias, acreditando ser possível reverter a derrota, Golbery assumiu uma atitude típica de sua ação política. "O importante é ganhar. A vitória redime tudo", disse a Heitor Ferreira. "O importante agora é ganhar. Depois vêm todos rastejar."[33] Perdeu. As manobras seguintes foram afogadas pelas adesões públicas e secretas dos hierarcas do regime à candidatura do ministro da Guerra. Golbery ainda tentou tramar uma renúncia coletiva dos ministros que fossem candidatos nas eleições de 1966, quando seriam escolhidos, além do presidente, dez governadores. Como Luiz Viana Filho, chefe do Gabinete Civil, postulava o governo da Bahia, era necessário que liderasse o cordão dos demissionários. Viana temia deixar o palácio e perder a Bahia. Acompanhado pelo amigo Antonio Carlos Magalhães, foi a Golbery e expôs a fraqueza do plano. Na verdade, estavam com um pé no Laranjeiras e outro no gabinete de Costa e Silva.[34] "Salve-se a Bahia, foda-se o Brasil", respondeu o general.[35] Dias depois, ao sair de uma conversa noturna com Castello, entregaria os pontos: "*Tout est perdu*".[36] Ria-se no naufrágio, e o ministro da Justiça, Mem de Sá, contribuía para o anedotário: "Como dizia Dante em seus melhores momentos poéticos, *siamo tutti fottuti*".[37]

32 Narrativa de Ernesto Geisel a Heitor Ferreira, em *Diário de Heitor Ferreira*, 21 de junho de 1972.

33 Nota anexa ao *Diário de Heitor Ferreira*, 14 de outubro de 1965.

34 Jayme Portella de Mello, *A Revolução e o governo Costa e Silva*, p. 327.

35 *Diário de Heitor Ferreira*, 3 de março de 1966. Antonio Carlos Magalhães narrou essa cena ao autor em várias ocasiões.

36 ("Está tudo perdido.") *Diário de Heitor Ferreira*, 15 de abril de 1966.

37 ("Estamos todos fodidos.") Idem, 16 de abril de 1966.

São conhecidos 22 documentos de análise política preparados pelo SNI para leitura de Castello ou ciência dos ministros. Foram quase todos escritos por Golbery. Neles Costa e Silva é o grande ausente.[38] Apesar de o primeiro pronunciamento público em favor da candidatura do ministro à Presidência ter sido feito num jantar de quinhentos talheres no Jóquei Clube de Goiás em julho de 1964, a primeira referência do SNI à presença dele na sucessão é de 21 de setembro.[39] O Serviço volta a mencioná-la superficialmente um mês depois, e só em novembro associa o marechal a uma manobra dos adversários de Lacerda, que, deixados sem candidato, iriam buscar o seu no Ministério da Guerra.[40] Já o governador da Guanabara é citado em dezesseis dos 21 documentos, ora como "vedete", ora como administrador fracassado.[41]

É provável que Golbery tenha subestimado a audácia de Costa e Silva e superestimado a coragem de Castello Branco. Não disputou a partida nos quartéis e perdeu em silêncio. O *Corca* que conspirara contra Getulio, JK e Jango, não conspirou contra Costa e Silva. Sua relação com o general era quase de desprezo. Mesmo assim, diante das duas candidaturas, disse a Castello: "Entre Costa e Lacerda, fico muitíssimo mais com o Costa".[42]

Durante a crise das eleições de 1965 Golbery desejou se tornar interventor na Guanabara. Chegou a listar 23 nomes de pessoas que chamaria para o seu governo. Quase todos civis, iam de velhos amigos, como o empreiteiro Haroldo Cecil Poland e o banqueiro Jorge Oscar de Mello Flôres, a estrelas do meio cultural, como o romancista Adonias Filho e o

38 São eles: *Apreciação Sumária*, de 30 de abril e de 30 de dezembro de 1964; *Estimativa*, de 10 de julho, 15 de setembro e 15 de dezembro de 1964, e *Impressão Geral*, documentos numerados de 1 a 17, datados de 16, 23 e 31 de agosto, 6, 14, 21 e 28 de setembro, 5 e 19 de outubro, 2, 9 e 23 de novembro, 14 e 29 de dezembro de 1964, 13 de janeiro, 9 de fevereiro e 16 de março de 1965. APGCS/HF.

39 Para o lançamento da candidatura, feito inesperadamente pelo deputado Alfredo Nasser, ver Jayme Portella de Mello, *A Revolução e o governo Costa e Silva*, pp. 234-5. *Impressão Geral nº 6*, de 21 de setembro de 1964. APGCS/HF.

40 *Impressão Geral nº 11*, de 9 de novembro de 1964. APGCS/HF.

41 Para "vedete", *Estimativa* de 10 de julho de 1964. Para o fracasso administrativo, *Impressão Geral nº1*, de 16 de agosto de 1964, e para a classificação de "oportunista insatisfeito", *Estimativa nº 2*, de 15 de dezembro de 1964. APGCS/HF.

42 *Diário de Heitor Ferreira*, 22 de março de 1965.

arquiteto Sérgio Bernardes.[43] Mesmo nos dias mais tensos, quando o receio de uma revolta militar provocou uma distribuição de submetralhadoras no palácio Laranjeiras, Golbery dormia no quarto dos ajudantes-de-ordens pensando em governar o Rio.[44] No dia em que a Justiça Militar deveria decidir se prendia ou não o governador Negrão de Lima, o general foi ao palácio vestindo o seu melhor terno, de tropical azul.[45] Negrão ganhou, e Golbery foi dormir como chefe do SNI.

Talvez a interventoria tenha sido uma miragem que lhe permitiria continuar na política depois da "debacle" que significava o triunfo do *Seu Arthur*. Era a quarta vez que Golbery perdia a parada. Na sua conta: "1950, 1955, 1961 e agora".[46] Nos últimos meses de 1966, quando Carlos Lacerda e Juscelino Kubitschek se juntaram numa frente oposicionista que mais tarde atrairia até mesmo o ex-presidente João Goulart, Golbery deu o último tiro na direção de Lacerda. Tentou cassá-lo, acusando-o de "solapar a autoridade do presidente da república, desmoralizar a obra da Revolução, desprestigiar as Forças Armadas perante a Nação e mesmo dividi-las".[47] A idéia não prosperou, sobretudo porque Costa e Silva se esquivou de apoiar a medida.[48]

Batido, Golbery enfurnou-se. Como gostava de repetir, "quebrara a mola". Cumpria a rotina, retraía-se e apagava rastros. Primeiro parou de falar de política com o presidente, em seguida determinou a suspensão das interceptações telefônicas e pediu a Heitor Ferreira que começasse a limpar os arquivos do SNI.[49] No crepúsculo do governo, Geisel sugeriu a Castello que nomeasse o general para o Tribunal de Contas da União. Depois de remanchar por alguns dias, o marechal assinou o decreto.[50] Pelo resto de sua vida Golbery haveria de ser parcimonioso nos adjetivos que

43 Nota anexa ao *Diário de Heitor Ferreira*, 8 de agosto de 1965.

44 *Diário de Heitor Ferreira*, 3 e 5 de dezembro de 1965.

45 Idem, 5 de dezembro de 1965.

46 Idem, 16 de abril de 1966.

47 *Informação Especial*, do SNI, acompanhada de um manuscrito de Heitor Ferreira, revisto por Golbery, sem data, de novembro de 1966. APGCS/HF.

48 *Diário de Heitor Ferreira*, 29 de novembro de 1966.

49 Idem, 5 e 12 de maio de 1966.

50 Idem, 23 de janeiro de 1967.

dedicava a Castello. Jamais o criticava, nunca o elogiava, era raro que o mencionasse. Desencantado, aos 55 anos o conspirador julgava ter chegado ao fim da linha: "Eu não quero mais conversar sobre política brasileira. Não tenho o que dizer".[51]

Depois de terem passado boa parte de suas vidas associados ao projeto de um governo certamente forte, provavelmente militar, Geisel e Golbery viviam um regime forte e militar, mas pareciam não ter mais nada a dizer.

51 *Diário de Heitor Ferreira*, 10 de fevereiro de 1967.

PARTE II O caminho de volta

A COSTURA

O peso do irmão

O primeiro passo documentado para a escolha do sucessor de Medici foi dado pelo próprio presidente em janeiro de 1971. O general tinha pouco mais de um ano de governo, e faltavam três para que acabasse seu mandato. Reuniu-se com os colaboradores mais próximos na granja do Riacho Fundo, onde passava a maior parte dos dias livres, fugido da fornalha do Alvorada. Eram o general João Baptista Figueiredo, chefe do Gabinete Militar, o professor João Leitão de Abreu, do Gabinete Civil, e o general Carlos Alberto da Fontoura, chefe do SNI.

Figueiredo levara um roteiro onde mencionava o "grande problema" e listava dois caminhos: "a) permanência; b) candidaturas".

Pelo caminho das candidaturas sugeria a necessidade de buscar um "nome nacional" que preservasse a unidade militar. No roteiro havia a pergunta: "Quem?".

A conversa durou três horas, e segundo assegurou Figueiredo, a resposta foi Ernesto Geisel.[1] Essa foi uma das respostas, mas dificilmente foi a única e por certo não foi definitiva. O ministro do Exército, Orlando

1 Roteiro da exposição feita pelo general Figueiredo ao presidente Medici em janeiro de 1971, acompanhado por um bilhete de Figueiredo a Heitor Ferreira encaminhando-lhe o documento em 79. APGCS/HF. No bilhete Figueiredo contou: "A conclusão final, com a qual o presidente Medici concordou inteiramente, era que o candidato ideal seria o general Geisel". Num recorte da revista *Visão* de 22 de março de 1976, pp. 18-22, intitulado "Retrospecto e perspectivas da sucessão presidencial", à margem do trecho onde se diz que Medici só resolveu tratar da sucessão no segundo semestre de 73, Figueiredo escreveu: "Escolhido em junho de 1971!". No *Diário de Heitor Ferreira*, ▶

Geisel, sabia da conversa. Ao contrário da sucessão de Castello, na qual a imprensa e os políticos desempenharam um papel relevante, a de Medici foi desde o primeiro momento uma disputa subterrânea. Nela houve muitas manhas, mas entre todas só uma realmente proibida: levar a questão para fora do palácio, do centro do poder. Segredo típico das ditaduras, era permitido sabê-lo, proibido propagá-lo.

Na época do encontro do Riacho Fundo a sucessão dependia do destino do general Affonso de Albuquerque Lima. Líder da linha dura no mandato de Castello Branco, tornara-se ministro do Interior de Costa e Silva e vira-se defenestrado depois de um confronto com o comando econômico do governo. Na crise de 1969 aparecera como forte candidato à Presidência, na substituição de Costa e Silva. A força dele vinha da tropa, mas fora derrotado no consistório de quatro-estrelas que simulara uma consulta aos quartéis. Continuara na ativa e estava a um passo da promoção a general-de-exército. Poderia ganhar a quarta estrela no final de 1970 e, com ela no ombro, na certa seria candidato a presidente. Sem ela, entraria num glorioso pijama. O futuro do general ameaçava o controle de Medici sobre sua própria sucessão. "Ele vai criar problemas dentro do exército e dentro do Brasil. Já criou uma vez e vai criar de novo", reclamava Orlando Geisel.[2] Com a ajuda do chefe do Estado-Maior, Antonio Carlos Muricy, numa operação em que se misturaram porretes e cenouras, o ministro liquidou Albuquerque Lima.[3] Foi o *Capitão Muricy* quem fez o trabalho de campo.

Tratando do assunto com o general Rodrigo Octavio Jordão Ramos, o *R.O.*, amigo e companheiro de Albuquerque Lima na arma da engenharia, Muricy foi ao nervo:

entrada de 21 de julho de 1972, há uma narrativa resumida do que teriam sido esse encontro e sua gestação. Em entrevista a Glaucio Ary Dillon Soares e Maria Celina d'Araujo, do CPDOC, o general Octavio Medeiros, assistente de Figueiredo, que foi com ele ao Riacho Fundo, diz que a reunião aconteceu em junho de 1972. Prevaleceu o documento encaminhado por Figueiredo a Heitor Ferreira.

2 General Antonio Carlos Muricy, agosto de 1988.

3 O ministro Orlando Geisel promoveu o general Humberto Mello à quarta estrela na expectativa de com isso receber o voto de seu amigo Augusto Cesar Moniz de Aragão contra Albuquerque Lima. *Diário de Heitor Ferreira*, 27 de janeiro de 1972. O general Syseno Sarmento, que votou contra Albuquerque Lima, obteve uma cadeira de ministro no Superior Tribunal Militar.

"Ganhando a quarta estrela ele vai trabalhar para ser presidente."

"É um direito dele", argumentou *R.O.*

"E precisamente por ser um direito dele e por eu achar que ele não pode ser presidente, trabalho contra", respondeu Muricy.[4]

No fim da cabala e através de sucessivas preterições, Albuquerque Lima caiu nos mecanismos compulsórios de passagem para a reserva em março de 1971. Nessa manobra o ministro Orlando Geisel venceu a sua primeira e única dificuldade no Alto-Comando. Dissolveu o condomínio de generais que controlara o Exército nas desordens do governo Costa e Silva liquidando a frio, num episódio sem precedentes, um chefe militar experimentado na administração, articulado na política e popular na tropa. Albuquerque Lima afundou atirando, já na reserva, durante um jantar de quatrocentos talheres. Denunciou uma "tenaz e injusta perseguição, a ponto de não permitirem [...] que a Imprensa [...] faça uma referência sequer ao meu nome".[5] De fato, poucos dias antes a Censura transferira o ex-ministro para o limbo dos mortos vivos: "Urgentíssimo: De ordem superior fica terminantemente proibida a divulgação, por qualquer meio de comunicação, imprensa, rádio e televisão, de entrevista, memorial, carta ou qualquer outro meio de manifestação, de autoria ou referente ao general Albuquerque Lima".[6]

O general saiu do caminho e foi trabalhar com um cunhado milionário.

Fechado em seu gabinete da Candelária (uma pequena sala sem sofá nem banheiro privativo), Geisel era uma espécie de candidato prodígio para a mitologia do regime. Numa ditadura militar que cultuava os tecnocratas, era a um só tempo general e presidente da maior empresa do país. Administrava perto de 1,5% do PNB.[7] Tinha um pé no castelismo e

4 General Antonio Carlos Muricy, agosto de 1988.

5 *O Estado de S. Paulo*, 18 de março, e *The New York Times*, 19 de março de 1971.

6 Paolo Marconi, *A censura política na imprensa brasileira — 1968/1978*, p. 232.

7 Para a participação da Petrobrás no PNB, Laura Randall, *The political economy of Brazilian oil*, p. 13.

outro na nova ordem. Estava na reserva, é certo, mas seu irmão era ministro. Seguindo a norma das burocracias e das ditaduras, movia-se parado: "Eu quero fazer um favor a eles. Não me engajo. Não movo uma palha por essa candidatura. Vão ter que vir me buscar. Aí eu vou e atendo".[8] Dada a existência de uma verdadeira simpatia de Medici pelo nome dele, era difícil batê-lo.

Seu único adversário era o fantasma da prorrogação ou mesmo da reeleição do presidente. A extensão do mandato de Medici por um ano, levando-o até março de 1975, tinha alguma racionalidade política. Em abril de 1974 começariam a caducar as cassações feitas dez anos antes. Isso significaria o retorno à política de Juscelino Kubitschek, Jango e dezenas de proscritos. Além do mais, em novembro seria realizada uma mastodôntica eleição, em que se escolheriam toda a Câmara, um terço do Senado e todas as assembléias legislativas.

Golbery, escrevendo em código a Heitor Ferreira, chegara a acreditar nas virtudes da prorrogação: "Caso *Timóteo* — marchando bem. Claro que há outros interessados em soluções evidentemente inferiores mas nunca a desprezar — não vou citar nomes. Creio que a sã razão acabará imperando. [...] Em termos realistas, melhor seria se o nosso *Jorge* agüentasse de quatro para cinco e resolvesse isso, deixando a pista limpa para depois".[9]

Timóteo era Geisel, que não gostava da idéia. *Jorge* era Medici, que não mencionava o assunto.

O fantasma transmutava-se. Ora aparecia como prorrogação, ora como reeleição. O respeitado professor Leitão de Abreu sinalizava que tanto uma hipótese como a outra eram plausíveis, até mesmo para que o leque de alternativas do Planalto permanecesse aberto.[10] Esse leque tinha diversas funcionalidades. A mais elementar preservava o poder do presidente, adiando o desgaste trazido pelo fim do mandato e pelo surgimento de um novo foco de poder. Outra, comum a todas as mano-

8 *Diário de Heitor Ferreira*, 31 de dezembro de 1971 e 27 de janeiro de 1972.

9 Carta de Golbery a Heitor Ferreira, de 15 de outubro de 1971. APGCS/HF.

10 Carlos Castello Branco, "Leitão de Abreu, vocação de poder e belo companheiro", em *Jornal do Brasil* de 15 de novembro de 1992, p. 2.

bras continuístas, destinava-se a manter no palácio as pessoas e os interesses ali instalados.

Havia outra ainda, produzida pelo período de fausto da ditadura. O continuísmo contrapunha o prestígio e a força do presidente ao nome de eventuais candidatos. Bastaria que Geisel movesse um dedo contra a manobra para que a desavença com o hipotético projeto de glorificação de Medici o liquidasse. Se o candidato não concordava com a prorrogação do mandato do patrono, por que este haveria de entregar-lhe a Presidência?

O estratagema derreteu-se porque Geisel nunca lhe fez oposição. Se Medici quisesse continuar, que continuasse. "Ninguém conte comigo para ir contra o Medici", advertia.[11] Essa reação inverteu a trajetória da manobra, transformando a ameaça em proteção. Golbery explicava as virtudes do prorrogacionismo: "Ele fecha a lista de inscrições. Depois que se começou a falar na continuação de Medici, quem se lançar candidato estará em oposição a ele, não a Geisel". "Tudo vai depender do Grande Eleitor."[12]

Medici e o regime viviam seus dias de esplendor. Uma pesquisa feita junto a operários indicava que o governo e os militares eram as instituições em que mais confiavam para defender seus interesses. Os mais desacreditados eram os políticos e, entre eles, os da oposição.[13]

O general orgulhava-se do desempenho da ditadura: "Amadurecemos o bastante para descobrir as vantagens do equilíbrio e da ordem, do planejamento, método, da continuidade e da convergência. O Brasil emergiu, em oito anos apenas, de longa infância e de tumultuária adolescência, para o estágio de nação adulta e séria, que sabe para onde vai e sabe o que pretende".[14] Beneficiado pela alegria natural trazida pela Copa de 70, o governo decidiu patrocinar uma temporada de patriotismo no ano do Sesquicentenário da Independência. Anunciou que d. Pedro I re-

11 *Diário de Heitor Ferreira*, 26 de setembro de 1972.

12 Golbery do Couto e Silva, 1972, e *Diário de Heitor Ferreira*, 24 de fevereiro de 1972.

13 Youssef Cohen e outros, "Representation and development in Brazil, 1972-1973", citado por Cohen em *The manipulation of consent*, p. 45.

14 Emilio Garrastazú Medici, *Nosso caminho*, p. 76. Mensagem ao povo brasileiro, no limiar do ano-novo, transmitida por rede nacional de rádio e televisão, na noite de 31 de dezembro de 1971.

gressaria ao Brasil, deixando a cripta do mosteiro dos Jerônimos, em Portugal, onde descansava desde 1834. Para movimentar a festa, organizaria uma Minicopa Mundial de Futebol.

Medici canalizava a euforia moldando uma imagem comum e austera. O apagado *Milito* sentara-se firmemente naquela cadeira em que *Tamanco* e *Português* mal se haviam agüentado. Era senhor da sua própria sucessão como nenhum presidente o fora. Em pelo menos uma conversa admitiu que tinha um candidato para cada situação. Num país conflagrado, indicaria o general Adalberto Pereira dos Santos, seu amigo, primeiro colocado de sua turma, ministro do STM. Num país "com problemas", "o Ernesto". Numa situação de perfeita calma, o professor Leitão de Abreu, chefe do Gabinete Civil.[15] Muitos presidentes desejaram continuar e não conseguiram. Dele se pode dizer que se tivesse desejado, teria ficado.[16]

Do Exército partiam tênues reverberações políticas, quase sempre patrocinadas por generais saídos da arma da engenharia, contrafeitos com a destruição de Albuquerque Lima. O general Alfredo Souto Malan, novo chefe do Estado-Maior do Exército, sugeria que, excluídas as "correntes radicais vermelhas", talvez fosse possível algum tipo de reconciliação com a juventude esquerdista: "Por que não facilitamos a esses irmãos a tomada de um atalho que os possa trazer à estrada larga da participação?".[17] Malan retomaria o tema meses depois falando numa "sociedade democrática, em que o desenvolvimento, a segurança e a liberdade marchem

15 Informação dada a Heitor Ferreira pelo general Figueiredo, em *Diário de Heitor Ferreira*, 6 de dezembro de 1973. Para uma versão sem nomes, feita logo depois da posse, ver Roberto Nogueira Médici, *Medici — O depoimento*, p. 31.

16 Medici jamais discutiu publicamente essa questão. Uma explicação para tal conduta foi dada em 1995, pelo seu filho Roberto: "Achava a prorrogação do mandato do Castello Branco um grande erro político. Estabeleceu a desconfiança no seio da liderança civil que até então respaldava o movimento de 1964". *Folha de S.Paulo*, 16 de julho de 1995.

17 *História do Estado-Maior do Exército*, p. 193.

de mãos dadas", e no final de 1971 pediu mesmo o "desengajamento controlado das Forças Armadas".[18]

Pouco depois do discurso, num almoço no restaurante do Museu de Arte Moderna, Malan sugerira a Geisel e Golbery que entregassem o Ministério do Exército ao general Euler Bentes Monteiro, estrela ascendente da Engenharia. Golbery abateu a idéia em vôo.[19] Malan daria ainda indicações de que gostaria tanto de ser ministro como de ter seu nome considerado na disputa pela Presidência, "nem que fosse para boi de piranha".[20] Eram meros sinais, quando muito desejos, sem nenhuma articulação militar ou civil a ampará-los.

Quando as iniciativas dos generais ameaçavam prosperar, mesmo respeitando as regras da ditadura, Orlando Geisel baixava o chanfalho. Em março de 1971 o general Rodrigo Octavio tratara da volta ao estado de direito durante a aula inaugural do Instituto Militar de Engenharia e meses mais tarde, como comandante da Escola Superior de Guerra, convidara os estagiários a participar de um trabalho sobre a "institucionalização política do processo revolucionário". No momento em que os quadros de aviso da escola anunciavam o projeto, Orlando demitiu-o. Mal completara quatro meses no comando. *R.O.* saiu da Urca lembrando "nossas mais caras tradições: vocação democrática, formação liberal e vocação cristã", e recolheu-se a obediente silêncio depois que a Censura proibiu que se noticiasse a sua exoneração.[21]

Em outros casos o ministro recorria à simples humilhação dos adversários. Ao receber os cumprimentos pelas festas de fim de ano, reencontrou na fila dos generais seu velho inimigo Jayme Portella:

18 *Veja*, "Temas para a necessária reforma", 25 de agosto, p. 16, e "O desengajamento controlado", 22 de dezembro de 1971, p. 25. *Documentos históricos do Estado-Maior do Exército*, p. 473.

19 *Diário de Heitor Ferreira*, 31 de dezembro de 1971 e 20 de março de 1972.

20 Idem, 31 de dezembro de 1971.

21 Para o discurso, *Veja*, "Mudança na ESG", 6 de outubro de 1971, p. 26, e "Despedida na ESG", 13 de outubro de 1971, p. 26. Para a Censura, Paolo Marconi, *A censura política na imprensa brasileira — 1968/1978*, p. 235. A demissão de Rodrigo Octavio foi tratada discretamente em diversas publicações.

— Espero que em 1972 você pare de conspirar — disse-lhe Orlando Geisel.

— Eu, general?

— O meu serviço de informações diz que você está conspirando.

— E o senhor acredita?

— Não, não acredito. Por isso é que eu quero que você pare de conspirar, que é para eu acreditar menos ainda.[22]

Portella não parou, nem pararam de vigiá-lo.[23] De acordo com o SNI, reunia-se no escritório de um amigo na avenida Rio Branco e fazia uma mesa semanal no restaurante Nino's, em Copacabana. O Serviço atribuía-lhe dois projetos. Um, legalista, destinava-se a permitir a posse do vice-presidente, almirante Augusto Rademaker, caso Medici tivesse algum problema de saúde. Baseava-se na formação de um "clima de restabelecimento da legalidade, abertura democrática". Outro, liberticida, destinava-se a minar Geisel e propunha: "Suscitar nos meios militares duas teses: a de que o governo Medici reduziu o ímpeto revolucionário, que ainda precisa de dez anos; a de que os cassados de 1964, que teriam seus direitos políticos devolvidos em 1974, não podem voltar à vida política — e com essa posição ressuscitar a mística da punição revolucionária".[24]

Segundo o SNI, Portella — personagem decisivo na trama que levara Costa e Silva à Presidência — queria propagar nos quartéis a inconveniência da escolha de generais com mais de 65 anos, "quase sempre doentes". Queria "um presidente novo para um país novo", com um general jovem na cabeça da chapa e um coronel na vice. Caso Geisel resistisse a esse tipo de sapa, o melhor seria lançar um candidato civil. Para isso Portella julgava útil jogar na frente o nome do ministro Delfim Netto, da Fa-

22 *Diário de Heitor Ferreira*, 31 de dezembro de 1971.

23 O general João Baptista Figueiredo, chefe do Gabinete Militar, pediu ao coronel Edmundo Adolpho Murgel, chefe da Agência Rio do SNI, uma "atenção especial" para Portella. O pedido foi feito por intermédio do coronel Newton Leitão. Os três serviram no SNI durante o governo Castello. *Diário de Heitor Ferreira*, 4 e 16 de fevereiro de 1972.

24 Três folhas com cópia de um relatório, carimbado "secreto", sem data, assinatura ou origem. APGCS/HF. Datado, com a entrega atribuída ao coronel Ivan de Souza Mendes, pela nota do *Diário de Heitor Ferreira* de 30 de abril de 1972. Em 1986 Heitor Ferreira informou ao autor que o documento provinha do SNI.

zenda, queimando-o logo depois "pelos processos mais clandestinos, sobretudo, fazendo chegar informes às Forças Armadas — usando elementos do Itamaraty — sobre irregularidades nas negociações internacionais". Carbonizado Delfim, o general teria a oferecer o nome do governador mineiro Rondon Pacheco, de quem se declarava fiador.[25] Davam-se bem desde o governo Costa e Silva, quando Portella, como chefe do Gabinete Militar, tivera Rondon por inquilino no Gabinete Civil.

Generais como Portella, Rodrigo Octavio e Malan comandavam bibliotecas e garagens. Entre os comandantes de tropa o caminho para a notoriedade era bem outro, apocalíptico, delirante. O do II Exército, Humberto de Souza Mello, achava que a censura existente era pouca: "Isto nos leva a dar combate ao inimigo subversivo que utiliza, como instrumentos bélicos em sua insidiosa guerra revolucionária, armas convencionais brancas e de fogo, e também a palavra escrita e falada, o teatro, a televisão e o cinema para a pregação de um materialismo selvagem e demoníaco".[26] Senhor de baraço e cutelo da máquina repressiva em São Paulo, o general era candidato. Gostava de festas e falava demais. Numa delas, expôs seus desejos políticos: iria para o comando do I Exército, de lá para o ministério, e depois chegaria ao Planalto. O obstáculo, segundo ele, chamava-se Orlando Geisel: "Está muito doente. Vai morrer, tem enfisema".[27]

Asmático na infância, fumante na maturidade, enfisema o ministro tinha. Mas no início de 1972 não estava tão mal. Tomando um composto de vitaminas suíças, nutrientes de abelhas, e águas coletadas pela filha espírita, atravessara uma sucessão de gripes que o haviam debilitado. Convencido de que tinha as coronárias entupidas, fugia dos médicos.[28] Três meses após a praga contra Orlando, um distúrbio intestinal derrubou o obeso Humberto Mello no palanque das autoridades que recebiam o

25 Três folhas com cópia de um relatório, carimbado "secreto", sem data, assinatura ou origem. APGCS/HF. Datado, com a entrega atribuída ao coronel Ivan de Souza Mendes, pela nota do *Diário de Heitor Ferreira* de 30 de abril de 1972. Em 1986 Heitor Ferreira informou ao autor que o documento provinha do SNI.

26 *Folha de S.Paulo*, 31 de março de 1971, p. 6.

27 Observação contada a Heitor Ferreira pelo general Antonio Luiz de Barros Nunes, o *Cacau*, em *Diário de Heitor Ferreira*, 27 de janeiro de 1972.

28 *Diário de Heitor Ferreira*, 25 de janeiro de 1972.

presidente boliviano em Mato Grosso. "O que ele teve?", perguntou dias depois Heitor Ferreira ao general Figueiredo. "Uma idéia", respondeu o chefe do Gabinete Militar.[29]

O general Breno Borges Fortes, comandante do III Exército, com jurisdição sobre toda a fronteira sul do país, estava metido num esquema mais audacioso: a invasão do Uruguai caso o candidato esquerdista Líber Seregni vencesse a eleição presidencial de novembro de 1971. Pelo menos uma unidade de combate, a 2ª Brigada de Cavalaria Motorizada, já concebera suas operações e tinha comandante escolhido. Entre os planos de campanha chegara-se a redigir um item intitulado: "Ordem às outras Forças".[30] Helicópteros da FAB foram para a fronteira com ordens para realizar vôos de reconhecimento.[31] Seregni foi derrotado por Juan María Bordaberry, o Uruguai deslizou em direção à ditadura militar, e os projetos do general Breno nunca puderam ser testados. Faltavam-lhe dois elementos essenciais para mover a tropa: autorização do presidente e gasolina. Medici ameaçou exonerá-lo, e Geisel, ao saber que o general requisitara combustível à refinaria Alberto Pasqualini, mandou que não lhe dessem uma só gota enquanto ele não fosse lhe pedir pessoalmente. "Nunca me disseram mais nada", lembraria.[32]

Geisel teve no irmão seu maior cabo eleitoral. Não se pode precisar a ocasião em que os dois trataram pela primeira vez da sucessão de Medici. Segundo o general, o assunto veio numa conversa em que Orlando lhe disse:

— Prepare-se porque é possível que você venha a ser presidente da República.

29 *Diário de Heitor Ferreira*, 26 de abril de 1972.

30 Informação dada pelo coronel Danilo Venturini a Heitor Ferreira, em *Diário de Heitor Ferreira*, 5 de maio de 1972.

31 Francisco Dellamora, fevereiro de 2001.

32 Para os detalhes do plano e para a ameaça de Medici, Ernesto Geisel, maio de 1985. Conversa de Figueiredo com Geisel, 9 de fevereiro de 1974, APGCS/HF. Ver também Dickson M. Grael, *Aventura, corrupção, terrorismo*, pp. 11-21.

— Por que eu? [...] Por que não você?

— Porque eu não tenho saúde.[33]

Essa conversa, pela sua lembrança, ocorreu no final de 1972. É difícil que isso tenha acontecido tão tarde. Retrospectivamente, Geisel sempre cuidou para que não se atribuísse a escolha dele ao irmão.[34]

Pode-se supor que, no segundo semestre de 1971, quando Geisel convidou Heitor Ferreira para vir ao Rio e instalar-se na Petrobrás "para cuidar dos meus assuntos", já estava ocupado como candidato a presidente.[35] O novo colaborador logo percebeu: "O homem-chave de toda a manobra é o Orlando".[36] Em março de 1972 o general garantia que o irmão nunca tocara em seu nome com Medici, da mesma forma que o presidente jamais lhe fizera aceno algum.

Era raro que a imprensa mencionasse Ernesto Geisel como eventual sucessor de Medici.[37] O nome de Geisel circulava no Congresso desde os últimos meses de 1970, mas ele não dava oportunidade aos interlocutores para tratar do assunto, até que em fevereiro de 72 um sargento que o servira como motorista no STM, transferido para Brasília, foi ao Leblon despedir-se do antigo chefe:

— E quando é que o senhor vai? — perguntou o sargento.

— Ah, eu não vou — respondeu Geisel.

— Vai sim. O senhor vai ser presidente.[38]

33 Maria Celina d'Araujo e Celso Castro, orgs., *Ernesto Geisel*, p. 258. Numa conversa com o autor, Geisel narrou a mesma resposta de Orlando, em outros termos: "Eu não posso. Sou um homem condenado".

34 Para a data, Ernesto Geisel, 1994.

35 *Diário de Heitor Ferreira*, 13 de novembro de 1971.

36 Idem, 31 de dezembro de 1971.

37 A principal exceção a essa regra foi um artigo do jornalista Carlos Chagas em *O Estado de S. Paulo*, de 21 de janeiro de 1972, p. 4, no qual, entre outras soluções possíveis, citou nominalmente o general Ernesto Geisel.

38 Narrativa de Geisel a Heitor Ferreira, em *Diário de Heitor Ferreira*, 25 de fevereiro de 1972.

A turma da Candelária

Geisel sabia que ia ser presidente, mas a última coisa que lhe passaria pela cabeça seria discutir esse assunto com um motorista, sargento, ainda por cima. No seu gabinete da Candelária, o general manteve-se cercado por uma pequena rede de colaboradores que nunca chegou a ultrapassar a dezena. Todos amigos, todos militares, todos veteranos conspiradores. Salvo um, instalado no Planalto, operavam no Rio de Janeiro e concentravam-se nos nove quarteirões da avenida Rio Branco que vão do sopé do morro de São Bento à rua da Assembléia.

A principal peça era Golbery. Em abril de 1970 estivera inquieto: "Preocupa-me continuarmos na estaca zero. Que será em 1974? A mesma papagaiada?".[1] Menos de um ano depois passara à euforia: "O Geisel presidente é uma solução tão boa para o país [...] que faço absolutamente qualquer coisa que ele quiser".[2] Com as ligações do IPÊS, costurava por dentro no empresariado. "O Golbery esteve aqui e me fez meia dúzia de vezes a mesma recomendação. Bico calado", contava o general Muricy.[3] Numa de suas raras aparições públicas, no quartel-general da Dow, em Coral Gables, na Flórida, repetiu conceitos que arriscava discutir com jornalistas e alguns poucos amigos militares:

1 Carta de Golbery a Heitor Ferreira, de 28 de abril de 1970. APGCS/HF.

2 Anotação de Heitor Ferreira, 10 de janeiro de 1972.

3 Idem, 26 de janeiro de 1972.

> A centralização do poder político nas mãos do Executivo, as restrições ainda existentes para a atividade política e o excessivo controle do Estado sobre a economia são todos riscos calculados, aceitos conscientemente de forma a assegurar uma rápida decolagem do país. Todos nós sabemos, como disse Lord Acton: "O poder corrompe e o poder absoluto corrompe absolutamente". Além disso, a coerção excessiva gera muito mais perigos e tensões. [...] Freqüentemente, como nesse caso, há um certo grau de incompatibilidade entre os diversos objetivos de um conjunto. Essa incompatibilidade só pode ser contornada por uma manobra estratégica a ser planejada e executada numa sucessão de etapas. Esse contorno é em si mesmo um estratagema.[4]

Com setenta anos de vida e meio século de conspirações, ex-governador de Pernambuco e do Rio Grande do Sul, comandante da artilharia da FEB e ministro do Interior de Castello, o marechal Cordeiro de Farias jogava mais uma sucessão presidencial. Tornara-se conselheiro de um conglomerado industrial nordestino, mas seu negócio era política. Estava convencido de que os projetos de colonização às margens da Transamazônica acabariam em fracasso e criticava a forma como se processava a obra da ponte Rio—Niterói.[5] Aos políticos que o procuravam repetia o mesmo conselho: "Fiquem bem quietos. Não sabem nada. Não abram a boca".[6] Cordeiro não falava coisa séria no telefone e, embora estando a três quarteirões do gabinete de Geisel, lá raramente punha os pés. Suspeitava que a entrada do prédio estivesse vigiada.[7] Perto do Carnaval de 1972, chamou Heitor Ferreira ao seu escritório para pedir-lhe que pusesse os olhos num recrudescimento das prisões de estudantes no Rio de Janeiro. Era elíptico até nas confidências, e disse a Heitor que temia a possibilidade de se criar "um certo clima a fim de provocar um outro certo clima".[8] A embai-

4 *Brazil — Realities and Prospects.* Maço de dezenove folhas com o texto da palestra de Golbery ao Conselho da Dow, em 1972, pp. 5-6. AA.

5 *Diário de Heitor Ferreira*, 25 de janeiro de 1972.

6 Idem.

7 Idem, 28 de janeiro de 1972.

8 Idem.

xada americana também captara esse clima, em Brasília. Não endossava a especulação, mas registrava que as prisões estavam sendo relacionadas com uma eventual tentativa de "conter a candidatura do general Ernesto Geisel".[9] Haviam prendido quarenta jovens da classe média e matado o comandante da ALN no Rio. Segundo a CIA, das dezoito mulheres presas, nenhuma participara de ações terroristas.[10]

Ao contrário de Golbery e Cordeiro, que tinham a capacidade de atrair a atenção sobre seus movimentos, o marechal Ademar de Queiroz, o *Tico-Tico*, era um conspirador inconspícuo. "Eterno", segundo o amigo Ernesto Geisel.[11] Presidira a Petrobrás e substituíra Costa e Silva no Ministério da Guerra durante o governo Castello, e mesmo assim era praticamente desconhecido. Dirigia uma empresa paulista de produtos petroquímicos. Modesto e afável, protegera os "fritadores de bolinhos" nos períodos de desgraça política. Chamava Golbery de "meu filho", e ele, 21 anos mais moço, chamava-o "chefe". Surpreendera os amigos em 1964 quando se recusara a demitir funcionários da Petrobrás com base nos atos institucionais, preferindo usar a legislação trabalhista: "Daqui a alguns anos vem uma anistia, e os punidos pelos atos vão voltar. Pela lei será mais difícil que isso aconteça".[12] Pensava em colocar Geisel na Presidência desde a crise de 1969.[13] Era o articulador da única manifestação pública do castelismo, a missa pelo aniversário da morte do marechal, a cada 18 de julho, na igreja de Santa Cruz dos Militares, no centro do Rio.

Por conta do passado comum de conspirações, *Tico-Tico* e Cordeiro foram procurados em janeiro de 1972 por coronéis da linha dura. Desmoralizados pelo fracasso do governo Costa e Silva e lançados à orfandade com a degola de Albuquerque Lima, os encrenqueiros dos primeiros anos do regime estavam sem rumo. Como não deslizaram para os po-

9 Telegrama da embaixada americana em Brasília ao Departamento de Estado, de 26 de abril de 1973, referindo-se a fatos do ano anterior. DEEUA.

10 Central Intelligence Agency, *Weekly Report*, 4 de fevereiro de 1972. O líder da ALN morto é Hélcio Pereira Fortes. DEEUA.

11 Ernesto Geisel, outubro de 1994.

12 Idem, 1988.

13 *Diário de Heitor Ferreira*, 31 de dezembro de 1971.

rões dos DOIs, nem se associaram à retórica da repressão, abdicaram do rótulo de radicais de direita. Com as costas lanhadas pela ditadura que ajudaram a construir, buscavam uma porta que os reconduzisse ao poder. "Estão muito arrependidos", assegurara Ademar de Queiroz, satisfeito com a primeira conversa. "Acham que Ernesto é o melhor nome."[14]

A reação de Geisel veio aos poucos. "Claro que eu não disse ao Ademar, nem direi pois será indelicadeza. Mas era o caso: Tá bem. Nós aceitamos a adesão da linha dura e eles amanhã lhe entregam uma lista com o nome dos ministros." Geisel pediu a Golbery que encerrasse as conversas do marechal. Ademar de Queiroz acabou aparecendo na Candelária, e Geisel trancou-se com ele por hora e meia. Reabriu cicatrizes do governo Castello e disse-lhe que não queria a aproximação. Quando Heitor Ferreira lhe perguntou se ainda era necessária a conversa com Golbery, respondeu: "Quero, claro. Pá de cal".[15] Uma semana depois os incansáveis coronéis foram ao apartamento de Cordeiro de Farias, no corte do Cantagalo. Propunham-se a trazer o apoio de Albuquerque Lima, valendo-se para isso da influência que sobre ele exerciam alguns colegas, sobretudo o general Euler Bentes. E mostraram a flecha envenenada: "São homens que nós consideramos aproveitáveis para o Esquema Geisel".[16] Quando o encontro lhe foi narrado, o dono do Esquema divertiu-se: "Quer dizer que o Boaventura já vai me trazer o ministério, o Affonso [...] o Euler...".[17]

No seu gabinete na Petrobrás, Geisel tinha três escudeiros. O general Antonio Luiz de Barros Nunes, o *Cacau*, irmão do ministro da Marinha, chefe do serviço de relações públicas da empresa, era um feliz leva-e-traz. Já o coronel Gustavo Moraes Rego, o mais íntimo dos assistentes de Castello Branco, vivia trancado na chefia de gabinete da Presidência.

14 Narrativa de Geisel a Heitor Ferreira do telefonema que recebeu de Ademar de Queiroz na noite de 3 de janeiro de 1972, em *Diário de Heitor Ferreira*, 4, 5 e 17 de janeiro de 1972.

15 *Diário de Heitor Ferreira*, 4 e 6 de janeiro de 1972.

16 Registro da conversa de Cordeiro de Farias com os coronéis Francisco Boaventura, Paladino e um terceiro não identificado, em *Diário de Heitor Ferreira*, 18 de fevereiro de 1972.

17 Geisel a Heitor Ferreira, depois de ler um resumo da conversa de Cordeiro com os coronéis, em *Diário de Heitor Ferreira*, 21 de fevereiro de 1972. Boaventura era o coronel Francisco Boaventura.

Passara os anos anteriores no "canil" de Tabatinga, comandando a área do alto Solimões. Cavalariano, repetente na AMAN, era um chefe-de-gabinete fiel e barulhento. À boemia alegre e relapsa de *Cacau*, Moraes Rego contrapunha o senso de humor de uma porta e o rigor de um mestre-escola. O terceiro era Heitor Ferreira.

Depois de servir num regimento de cavalaria em Mato Grosso, Heitor demitira-se do Exército e trabalhara em Belém como gerente do Projeto Jari, investimento bilionário de um magnata americano nas matas do Pará e do Amapá, onde pretendia cultivar arroz e plantar gmelinas para a produção de papel. Ganhava alguns cobres adicionais com traduções. Terminara o sucesso americano *Peter principle*, uma divertida coletânea de truques de gerência, e procurava editor para "O mundo restaurado", tese de doutorado do professor Henry Kissinger sobre a Europa pós-napoleônica.[18] Essa temporada florestal acabou-se no final de 1971, quando Geisel o trouxe para o Rio. *Tico-Tico* chamava-o de *Sombrinha*.[19] Ia tão pouco à tona que em 1973 o *Jornal do Brasil* o identificou numa fotografia como guarda-costas de Geisel.[20] Viria a ser um elo cotidiano com Golbery naquilo que denominava "segunda guerra". No dia 15 de março de 1967, quando Costa e Silva, vencedor da "primeira guerra", assumira a Presidência, Heitor despedira-se de seu diário: "Fui a Jacarepaguá deixar o chefe em casa".[21] Retomou-o no dia 12 de novembro de 1971, no momento em que seu avião pousou no Rio: "Às 14 hs. encontro com Golbery na Dow. Depois, Jacarepaguá até 21.30".[22]

Fora do Rio de Janeiro, instalado na chefia do Gabinete Militar, no quarto andar do palácio do Planalto, ficava o general João Baptista de Oliveira Figueiredo, o *Figa*. Seu pai, Euclides, paradigma de cavalheirismo nas desordens militares da primeira metade do século, fora um irredu-

18 *Peter principle*, de autoria de Laurence J. Peter e Raymond Hull, foi lançado no Brasil pela editora José Olympio, em 1970, com o título *Todo mundo é incompetente, inclusive você — As leis da incompetência*.

19 Bilhete de Ademar de Queiroz, 6 de junho de 1973. APGCS/HF.

20 *Jornal do Brasil*, 20 de junho de 1973, p. 3.

21 *Diário de Heitor Ferreira*, 15 de março de 1967.

22 Idem, 12 de novembro de 1971.

tível inimigo de Getulio Vargas. Depois do golpe do Estado Novo, passara quatro anos entre a Casa de Correção e a fortaleza de Santa Cruz. Transformado em morto vivo pela burocracia, seus filhos cursaram o Colégio Militar como órfãos, descobrindo ainda na juventude as vicissitudes que as ditaduras impõem aos adversários. Primeiro colocado em todos os cursos do Exército, *Figa* tornara-se conhecido também pelo apelido de *Cu-de-Ferro*.[23]

Ao contrário dos CDFs convencionais, como Prestes, Geisel e Golbery, era extrovertido, desbocado, vulgar mesmo. Ficou de fora da Força Expedicionária porque não tirara o curso de motomecanização e fez a guerra como instrutor de cavalaria em Realengo.[24] O antigetulismo aproximara-o da direita militar nos anos 50, e dela Figueiredo nunca se afastou. Servira com Golbery no Estado-Maior, no Conselho de Segurança e, semiclandestinamente, no IPÊS. Na madrugada de 1º de abril de 1964 o tenente-coronel Figueiredo foi um destacado insurreto da Escola de Comando e Estado-Maior do Exército. Com a criação do SNI, ganhou o segundo posto do Serviço, a Agência Central, baseada no Rio de Janeiro. Dois anos depois Golbery nomeou-o comandante da Força Pública de São Paulo na mesma operação em que colocou o desconhecido professor Antonio Delfim Netto na Secretaria da Fazenda do estado. "Você tem cara de polícia", disse-lhe o general, ao telefonar-lhe para informá-lo das suas novas funções.[25] Atazanado por uma conjuntivite incurável, o coronel usava óculos escuros até de noite.

A salvo da perseguição que os generais de Costa e Silva moveram aos castelistas, Figueiredo escrevera a Heitor Ferreira um mês depois da edição do AI-5: "Se agora as coisas estão no pé em que percebemos, imagina quando começarem os candidatos à sucessão presidencial a se digladiarem! Vamos assistir a 'peladas' piores que as anteriores!".[26]

Na grande "pelada" pela Presidência da República que se jogou depois do impedimento de Costa e Silva, esteve no time campeão. Che-

23 Informação dada pelo general Figueiredo ao jornalista Orlando Brito em 5 de fevereiro de 1991.

24 João Baptista Figueiredo, dezembro de 1977.

25 *Diário de Heitor Ferreira*, 5 de junho de 1966.

26 Carta de Figueiredo a Heitor Ferreira, de 13 de janeiro de 1969. APGCS/HF.

gara a general-de-brigada aos 51 anos, proeza única entre os 121 generais do *Almanaque*, e a crise pegou-o como chefe de estado-maior de Medici, no III Exército, levando-o à chefia do Gabinete Militar, no Planalto.[27]

Alternava o tipo do general de comédia com o de capitão atlético, apaixonado por cavalos e saltos. Poucos o conheciam tão bem como Geisel. Por detrás do esportista estava um cardiopata atormentado por dolorosas crises de hérnia de disco.[28] Depois de Orlando Geisel, era a principal peça na burocracia militar do governo. Na posição em que ele se encontrava, nenhuma manobra podia escapar à sua atenção. Jogava bruto. Dispunha da máquina do SNI através de um coronel amigo que chefiava a Agência Rio.[29] Fazia saber à Candelária parte do que ouvia no Planalto, desde preciosas minúcias (a bronquite de Medici recrudesceu) a conselhos úteis ("cuidado com os telefones").[30] Numa lista de codinomes preparada por Heitor Ferreira, era o *Nabuco*, e em fevereiro de 1972 sua estrela brilhava, ora como futuro chefe do SNI, ora como possível vice-presidente do próximo governo.[31]

Dois anos depois, relembrando essa época, Golbery classificou de "decisiva" a participação de Figueiredo na sucessão. Ao que Geisel completou: "Bem verdade que ele se aliou ao Orlando, e aí venceram todas as resistências".[32]

27 *Almanaque do pessoal militar do Exército*, de 1968, pp. 9-18.

28 *Diário de Heitor Ferreira*, 2 de fevereiro de 1972.

29 Idem, 4 e 16 de fevereiro de 1972.

30 Para a bronquite, informação dada por Figueiredo ao general Reynaldo Mello de Almeida e transmitida por ele a Geisel, em *Diário de Heitor Ferreira*, 6 de março de 1972. Para os telefones, idem, 21 de julho de 1972.

31 Uma folha manuscrita, de Heitor Ferreira. APGCS/HF. Para a cogitação de seu nome para chefe do SNI, conversa de Geisel com Heitor Ferreira, em *Diário de Heitor Ferreira*, 16 de fevereiro e 26 de março de 1972. Para a cogitação para a Vice-Presidência, conversa de Geisel com Heitor Ferreira, em *Diário de Heitor Ferreira*, 30 de setembro de 1972. Duas folhas manuscritas, de Heitor Ferreira a Geisel, marcadas "só para o presidente", de janeiro de 1973, com um exercício de nomes para o novo governo. Nele Figueiredo está entre os prováveis escolhidos para vice-presidente e chefe do SNI. Mais tarde Figueiredo sugeriria que seu codinome fosse *Bagual*, mas prevaleceu o *Nabuco*. Bilhete de Figueiredo a Heitor Ferreira, de 22 de junho de 1973. APGCS/HF.

32 Conversa de Geisel, Golbery e Heitor Ferreira, no palácio do Planalto, em *Diário de Heitor Ferreira*, 19 de fevereiro de 1975.

Geisel presidia esse círculo. Só Cordeiro, *Tico-Tico* e *Cacau* tinham intimidade suficiente para chamá-lo de "você". Golbery também a tinha, mas como era seu hábito com pessoas a quem não queria tomar — ou dar — intimidade, recorria a construções torturadas, expulsando os pronomes. Por exemplo: "Leu o jornal hoje?", ou "Acha que essa é a melhor solução?". Raramente deixava escapar um "Ernesto". Nenhum deles ia à Petrobrás sem marcar hora, muito menos ao Leblon. Só *Cacau* conhecia o apartamento que Geisel acabara de comprar em Teresópolis.

Nos primeiros meses de 1972 o quadro político pelo qual passaria a sucessão alinhava três competidores. Na dianteira estavam Geisel e a prorrogação do mandato de Medici. Atrás, embolados, vinham os generais-engenheiros, os coronéis encrenqueiros e a figura esquiva e perseverante do general Jayme Portella, o detestado articulador de Costa e Silva. Em pouco mais de um mês ele foi plotado trabalhando por cinco candidaturas, inclusive a de Geisel.[33] Tornara-se um general em busca de uma conspiração.

A prorrogação, manobra complexa, continuava dependendo do Grande Eleitor. No final de março de 1972 Medici jogou água em todas as fervuras anunciando que não estava disposto a tratar da sucessão presidencial antes do segundo semestre do ano seguinte e que constituía um "grave desserviço" mexer no assunto antes que ele abrisse as conversações.[34]

Uma semana depois o general Ariel Pacca da Fonseca, comandante da 4ª Região Militar, surpreendeu tanto o Planalto como a Candelária. Numa cerimônia banal na Assembléia Legislativa de Minas Gerais ele disparara: "O país não aceita a reeleição do presidente, dos governadores e dos prefeitos, pois isso, sem uma estrutura democrática consolidada, signifi-

33 Heitor Ferreira relacionou-o com Lyra Tavares, ex-ministro do Exército e embaixador do Brasil na França, cunhado do professor João Leitão de Abreu. *Diário de Heitor Ferreira*, 18 de fevereiro de 1972. O general Figueiredo ligou-o ao general Arthur Candal Fonseca. Idem, 3 de março de 1972. O senador maranhense Vitorino Freire associou-o ao ministro da Educação Jarbas Passarinho, ao governador mineiro Rondon Pacheco e ao próprio Geisel. Idem, 25 de fevereiro, 16 de março e 5 de maio de 1972.

34 *Folha de S.Paulo*, 1º de abril de 1972, p. 1.

ca ditadura".[35] Fora colaborador direto de Geisel durante o governo Castello e, apesar de artilheiro, tangenciava o nacionalismo e a insatisfação onde se confundiam os engenheiros e os salvados da linha dura. Seu discurso foi discretamente noticiado, mas assustou a hierarquia. Diante da surpresa, um coronel do Gabinete Militar ilustrava seus receios com um diagrama. Nele traçou quatro linhas, cada uma representando um grupo militar, todas atravessando uma faixa denominada "incidente do Ariel Pacca" e convergindo para um ponto, a candidatura do general Euler Bentes.[36]

No dia seguinte, Geisel fora ao palácio para discutir negócios de gás com a Bolívia, mas o assunto era o discurso de Pacca. Debateu-o com Figueiredo e Leitão de Abreu, e ambos concluíram que o período de segredo da candidatura estava se esticando demais e seria muito difícil adiar o tema até o segundo semestre de 1973. Talvez fosse necessário anunciar o nome pouco depois das festas do Sete de Setembro. Geisel achava que o governo devia evitar que a fala de Pacca conseguisse destaque ou importância na imprensa.[37]

A caminho do escritório o general admitiu para Heitor Ferreira: "É, o negócio parece que vai acontecer mesmo".[38]

No dia seguinte a Censura informou: "De ordem superior fica terminantemente proibida continuação publicação declarações general Ariel Pacca Fonseca, inclusive comentário e editoriais".[39]

Geisel pouco tinha a temer, mas daqui e dali vinham advertências. Não devia confiar no professor Leitão de Abreu. Captaram-se sinais de que o ministro Delfim Netto trabalhava a candidatura do chefe do Gabinete Civil.[40] Não devia confiar sequer no chefe do SNI, general Carlos Alberto da Fontoura. Oficial retraído, Fontoura era o melhor amigo de

35 Carlos Chagas, *A guerra das estrelas (1964/1984)*, p. 203.

36 Uma folha de bloco com rabiscos, intitulada por Heitor *Papelzinho da Conversa com Medeiros*. APGCS/HF. Refere-se ao coronel Octavio Medeiros.

37 *Diário de Heitor Ferreira*, 10 de março de 1972.

38 Idem.

39 Paolo Marconi, *A censura política na imprensa brasileira — 1968/1978*, p. 239.

40 O ex-governador baiano Luiz Viana contou a Heitor Ferreira que o ministro da Fazenda Delfim Netto tentara atrair seu colega Costa Cavalcanti, do Interior, para a candidatura de Leitão de Abreu. *Diário de Heitor Ferreira*, 8 de março de 1972.

Medici. Os coronéis encrenqueiros diziam que ele era candidato. Seu chefe-de-gabinete, coronel Jayme Mariath, andara pelos quartéis do Sul e chegara a marcar um encontro com o comandante do III Exército, Oscar Luiz da Silva.[41] Antes de recebê-lo, o general telefonou para Orlando Geisel. O ministro do Exército ordenou-lhe que prendesse Mariath.[42]

Do Grande Eleitor nada se ouvia, até que na manhã de 21 de junho de 1972, durante uma visita a São Paulo, Medici foi avisado de que o governador Laudo Natel estava pronto para fazer um discurso pedindo-lhe que continuasse no governo por mais um ano. O bote seria dado à noite, num banquete no palácio dos Bandeirantes, diante de outros governadores. À tarde, depois de inaugurar um centro de convenções, Medici surpreendeu Natel: "Vou agora mesmo para Brasília, governador. Passe bem". Tomou o carro e foi para Congonhas, onde teve de esperar meia hora e quatro cafezinhos até aprontarem seu avião. Natel ficou sem convidado de honra e sem o que dizer no banquete.[43]

Quatro dias depois, nova salva. O *Correio da Manhã*, porta-voz decadente dos empreiteiros que o arrendaram em 1969, publicou na primeira página um empolado editorial pedindo a coincidência dos mandatos dos governadores com o do presidente. Em suma, a prorrogação do mandato de Medici por um ano.[44] A Candelária agitou-se. Geisel soubera que na operação havia o dedo do ministro dos Transportes, Mário Andreazza.[45] Cordeiro de Farias ouvira a mesma história e também a de uma nascente articulação de parlamentares. Golbery recebera uma versão diferente: o inspirador do editorial fora o general Fontoura, chefe do SNI. Prova: ele sustara uma cobrança de dívidas do *Correio da Manhã* com a previdência social.[46]

41 Para os coronéis, narrativa de Cordeiro de Farias a Heitor Ferreira de seu encontro com três coronéis, liderados por Francisco Boaventura, no dia 9 de fevereiro de 1972, em *Diário de Heitor Ferreira*, 18 de fevereiro do mesmo ano. Para o coronel do SNI, informação dada a Heitor Ferreira por *Cacau* de Barros Nunes depois de um encontro com seu irmão, almirante Adalberto de Barros Nunes, ministro da Marinha. Idem, 6 de março de 1972.

42 Carlos Chagas, *A guerra das estrelas (1964/1984)*, p. 210. Ernesto Geisel, abril de 1995.

43 Carlos Chagas, *A guerra das estrelas (1964/1984)*, p. 206.

44 *Correio da Manhã*, 26 de junho de 1972, "Dever de fidelidade", capa do 1º caderno.

45 Informação dada a Geisel pelo senador maranhense Vitorino Freire, em *Diário de Heitor Ferreira*, 26 de junho de 1972.

46 *Diário de Heitor Ferreira*, 28 de junho de 1972.

Onze governadores reunidos em São Paulo e um editorial na primeira página do *Correio* indicavam que se existia alguém no governo manobrando esses acontecimentos, faltava-lhe força para jogar parada tão alta. Dez governadores não haviam atendido ao chamado de Laudo Natel, entre eles os do Rio Grande do Sul, da Bahia e do Paraná. Ademais, se o editorial fora para a primeira página de um jornal agonizante, havia nisso a sugestão de que os seus inspiradores não tiveram semelhante acesso nas principais publicações do país.

Coisas estranhas estavam acontecendo à volta de Geisel. O ministro da Fazenda, Delfim Netto, queria cobrar imposto de renda à Petrobrás. O SNI vetara a matrícula de Leon Zeitel, chefe adjunto do serviço de planejamento da empresa, no curso da Escola Superior de Guerra. "Em 1964 foi denunciado por atividades comunistas", dizia a ficha do funcionário.[47] A Docenave, companhia de navegação da Vale do Rio Doce, brigava com a Frota Nacional de Petroleiros.[48] A burocracia do Ministério de Minas e Energia ordenara ao diretor financeiro da empresa que voasse para o exterior na classe turística.[49] O ministro Antônio Dias Leite rejeitara os cálculos de preços de derivados que a Petrobrás lhe encaminhara.

Com a ajuda de Leitão de Abreu, Geisel acertou Delfim. "O professor me transmitiu um recado de Medici: que não amolasse o general Geisel, porque ele ia ser o presidente da República", contaria Delfim mais tarde.[50] Com um tranco no general Fontoura, moeu o veto a Zeitel e matriculou-o na ESG. Batido, o SNI passou a ver o economista com outros olhos: "É altamente conceituado e considerado uma das maiores inteligências da Petrobrás".[51] Com a cooperação do segundo escalão, pacificou

47 Para o incidente, narrativa de Geisel, em *Diário de Heitor Ferreira*, 24 de fevereiro de 1972. Para o caso, *Juízo Sintético nº 114/10/AC/75*, da Agência Central do SNI, de 21 de julho de 1975, referente ao economista Leon Zeitel.

48 *Diário de Heitor Ferreira*, 25 de fevereiro de 1972.

49 Idem, 23 de maio de 1972.

50 Delfim Netto, novembro de 1988.

51 *Juízo Sintético nº 114/10/AC/75*, da Agência Central do SNI, de 21 de julho de 1975, referente ao economista Leon Zeitel. APGCS/HF.

a Docenave, e, provavelmente, com a clarividência política da Varig, o diretor financeiro voou na primeira classe. Com o ministro Dias Leite, a briga era mais funda. Geisel detestava-o, e não lhe passava pela cabeça prestar a ele nenhuma subordinação além daquela exigida pelo protocolo. Nem sequer lhe mostrara os nomes dos diretores que pusera nas subsidiárias e, quando soube de sua contrariedade, respondeu que não via razão para tê-lo consultado.[52] Ao sentir-se desafiado, Geisel decidiu que daí em diante deveria dissimular: "Mais tarde acertaremos as contas. Sei que é uma solução safada. Mas para safado, safado e meio".[53]

Engano. Em abril, Dias Leite voltou a contraditar os cálculos de preços da Petrobrás, e Geisel mudou de conduta. Levou o caso a Figueiredo e pela primeira vez falou em deixar a presidência da Petrobrás.[54] Repetiu a advertência a Leitão de Abreu.

> — Mas o senhor não pode fazer isso, general. O senhor é o nome em que estamos pensando para suceder o presidente.
>
> — Talvez isso também seja um bom motivo para eu sair — respondeu Geisel.[55]

O chefe do Gabinete Civil ficou de conversar com o ministro. Conversou, mas não se fez a paz. Na primeira reunião com Dias Leite, Geisel esmurrou a mesa. Horas depois teve uma idéia: ia falar com Medici.[56] Figueiredo acertaria o encontro através do professor Leitão de Abreu. Nada. Dias Leite não cedeu. Exercendo sua autoridade e aceitando a possibilidade de um choque, determinou a Geisel que procedesse a um aumento de capital da Petrobrás e tornou a discutir a tabela de preços dos derivados.[57]

52 Explicação de Geisel, em *Diário de Heitor Ferreira*, 7 de março de 1972. Ernesto Geisel, janeiro de 1995.

53 Geisel a Heitor Ferreira, em *Diário de Heitor Ferreira*, 25 de fevereiro de 1972.

54 *Diário de Heitor Ferreira*, 27 de abril de 1972.

55 Idem, 28 de abril de 1972.

56 Idem, 3 de maio de 1972.

57 Idem, 13 de junho e 5 de julho de 1972.

No dia 5 de julho, passadas três semanas do fracassado banquete da prorrogação, Geisel decidiu atirar de volta. Foi ter com o irmão, botou as cartas na mesa e disse que precisava levar o caso a Medici, pois estava disposto a ir embora.[58] Orlando deu-lhe razão, estranhou até que tivesse agüentado tanto. Falaria com Medici no dia seguinte. Mais: iria junto.[59]

Menos de 72 horas depois os irmãos Geisel chegaram ao Laranjeiras. A cena impressionou Medici: "Eles nunca se meteram nas coisas um do outro".[60] Ernesto levou um roteiro historiando suas divergências com Dias Leite, mas não falou em ir embora, nem tentou sair da conversa com a cabeça do ministro debaixo do braço. O presidente apoiou-o com reminiscências e platitudes, e do encontro sobrou uma só frase, estudada e repetida: "Seu Ernesto, faltam vinte meses e sete dias".[61]

E assim apareceram novas preocupações. Onde instalar a equipe de transição? Quem convidar para o primeiro escalão de maneira a demonstrar continuidade administrativa? Quais ministérios visitar? O que colocar na lista das providências a serem tomadas na primeira semana de governo? Figueiredo acreditava que o convite formal seria feito dali a cinco meses, em janeiro.[62]

Por mais fáceis que parecessem as coisas, surgiam novas e pequenas pedras no caminho. Em quase todos os casos, o pronto remédio usado pelo governo sempre foi a censura.

Em menos de um mês, cinco ordens abafaram a sucessão. Desde dezembro de 1969 a Censura jamais mostrara tamanha ferocidade. Emitira 117 ordens, calando Ariel Pacca com uma e Rodrigo Octavio com duas. Todo o esforço para silenciar a Igreja custara dezesseis proibições

58 *Diário de Heitor Ferreira*, 5 de julho de 1972.

59 Idem, 6 de julho de 1972.

60 Informação dada pelo general Figueiredo ao almirante Floriano Faria Lima, em *Diário de Heitor Ferreira*, 21 de julho de 1972.

61 Narrativa do encontro feita por Geisel a Heitor Ferreira, em *Diário de Heitor Ferreira*, 10 de julho de 1972.

62 *Diário de Heitor Ferreira*, 14 de agosto de 1972.

(seis delas só para impedir que se mencionasse a existência de d. Helder Câmara). Seu negócio era proteger a tortura e combater o terrorismo (sessenta proibições). Negativo fiel das preocupações do governo, a imposição do silêncio ecoava as vozes dos fantasmas que assombravam o regime. Era significativo que no "Brasil Grande" se proibissem notícias que pudessem abalar as bolsas de valores ou revelar a existência de surto hemorrágico na população infantil da cidade de Altamira, jóia da coroa da colonização transamazônica.[63]

O objetivo da operação era impor às empresas jornalísticas e aos dignitários que as cultivavam a percepção de que assim como não podiam falar dos assassinatos políticos, não poderiam também tratar da sucessão presidencial, o mais precioso entre os temas de interesse da elite nacional. Todos os grandes jornais, revistas e redes de comunicação louvavam o Milagre Econômico e haviam tolerado a Censura que protegia a repressão, cujas vítimas eram pessoas deliberadamente rompidas com a ordem política da ditadura e com a ordem social. O caso da sucessão era diverso. Tratava-se de marginalizar toda a elite civil e quase toda a elite militar, bem como as publicações dispostas a vocalizar seus interesses.

Numa demonstração da preferência de Medici pela força, o general Figueiredo desembarcou no Rio de Janeiro no meio da tarde de 24 de agosto e tocou direto para o palácio Laranjeiras. Pouco depois chegou o general Ernesto Geisel. Nessa mesma hora o presidente conversava com Orlando Geisel. O ministro da Justiça, acompanhado pelo chefe da Polícia Federal, já deveria ter desembarcado em São Paulo, no olho do furacão.[64]

O caso era o seguinte: em sua próxima edição *O Estado de S. Paulo* deveria revelar, com grande destaque, que o general Ernesto Geisel seria o futuro presidente da República, e o governo decidira apreender o jornal. Se necessário, sua sede seria ocupada militarmente. Figueiredo fora enviado por Medici para prevenir o general e evitar que ele viesse a interpretar a providência como um ato de hostilidade. Esse também era o

63 Para a bolsa e o surto, ordens da Censura de 6 de janeiro e 22 de maio de 1972, em Paolo Marconi, *A censura política na imprensa brasileira — 1968/1978*, p. 243.

64 *Diário de Heitor Ferreira*, 25 de agosto de 1972.

tema da conversa de Medici com Orlando Geisel, em Brasília.[65] Geisel concordou com o plano, agradeceu a comunicação, lembrou que não estava interessado em ser presidente, pediu que não se constrangessem em procurar outro nome e tratou com Figueiredo do cronograma para o lançamento da candidatura. ("Bem que eu queria colocar a mão num exemplar desse jornal amanhã", comentou com Heitor Ferreira logo que deixou o palácio.)[66]

À meia-noite, um censor e quatro agentes da Polícia Federal entraram no prédio do *Estadão* enquanto policiais armados cercavam o edifício e bloqueavam as saídas. Leram tudo o que quiseram e não acharam nada.[67] O governo se mobilizara em torno de uma balela. A Candelária não tinha pacto com o jornal, nem queria ter. Quando um amigo levou a Geisel uma carta do diretor do *Estado* endereçada ao seu irmão Orlando, reconstituindo a bufa investida da polícia, ele sugeriu que a levasse de volta: "Endereço errado, é assunto do ministério da Justiça".[68] Falhara o pretexto, mas persistia a determinação de mostrar às empresas jornalísticas que deviam ficar ao largo do jogo de pressões para a escolha do próximo presidente.

Passaram-se três semanas, e o marechal Cordeiro de Farias deu uma entrevista ao *Estado*. Louvou o governo Castello Branco, falou mal de Costa e Silva, defendeu a possibilidade de revisão para algumas punições políticas e concordou quando o repórter mencionou o risco de se repetir no regime vigente o vácuo de quadros políticos provocado pela ditadura do Estado Novo.[69] Era carne magra, mas enfureceu o presidente.[70] Acionada, a Censura voltou a mostrar os demônios que assombra-

65 Narrativa de Geisel a Heitor Ferreira, em *Diário de Heitor Ferreira*, 25 de agosto de 1972.

66 Idem.

67 Narrativa de Julio de Mesquita Neto, em *O Estado de S. Paulo*, de 12 de dezembro de 1993, "Relatos de luta pelo poder incomodavam militares", Caderno 2 Especial, p. D3, e Julio de Mesquita Neto, dezembro de 1993.

68 *Diário de Heitor Ferreira*, 4 de setembro de 1972. A carta era assinada por Julio de Mesquita Neto, e o portador fora o senador Vitorino Freire.

69 *O Estado de S. Paulo*, 13 de setembro de 1972, p. 4.

70 Informação dada a Heitor Ferreira por Antonio Carlos Magalhães, que estivera com Medici dias antes, em *Diário de Heitor Ferreira*, 16 de setembro de 1972.

vam o Planalto. Proibiu entrevistas "cujo teor coloque em análise governos revolucionários de forma crítica, ou exaltação aos governos referidos". Tradução: era proibido falar bem do presidente Castello Branco. Envolto numa mortalha liberal produzida pela reavaliação de seu consulado e pela divulgação dos documentos de seu arquivo, o marechal acabara de ser pomposamente trasladado para um mausoléu de concreto em Fortaleza.[71]

Ruy Mesquita, um dos diretores d'*O Estado de S. Paulo*, conspirador de 1964, telegrafou ao ministro da Justiça. Acusou-o de rebaixar o Brasil "à condição de uma republiqueta de banana" e denunciou o governo por "enveredar pelos rumos de um caudilhismo militar que já está fora de moda".[72] Recusando-se a aceitar as ordens da Polícia Federal, o *Estado* foi submetido à censura prévia. Passou a publicar receitas culinárias e, depois, trechos de poemas e fragmentos d'*Os lusíadas* nos espaços abertos pelos textos proibidos. Foi, assim, o único periódico a mostrar sistematicamente aos leitores, todos os dias, que estava sob censura. O telegrama de Mesquita circulou pelo Congresso e pelas redações, mas só o gaúcho Breno Caldas, estancieiro patriarcal e dono do *Correio do Povo*, resolveu divulgá-lo. Arquétipo da elite do Rio Grande, era amigo dos Mesquita e tivera o general Costa e Silva a pedir-lhe barbadas nas corridas de cavalos. Poucas semanas antes Medici fizera-se convidar para um churrasco em sua casa. O *Correio* foi impedido de circular e não voltou a mexer com sucessão nem censura. O presidente conservou o apetite, e Breno Caldas serviu-lhe a carne.[73]

No "Brasil Grande" daquele final de setembro de 1972, a investida contra o *Estadão* e o *Correio do Povo* foi mantida ao largo do debate público. Medici era o dono da festa do Sesquicentenário. Reunira mais de 100 mil pessoas para um espetáculo de som e luz em São Paulo e levara 30 mil a uma exposição industrial. Na parada do dia 7 as baterias de fo-

71 *Veja*, 26 de julho de 1972, p. 13.

72 Telegrama de Ruy Mesquita ao ministro Alfredo Buzaid, de 19 de setembro de 1972, em Paolo Marconi, *A censura política na imprensa brasileira — 1968/1978*, pp. 64-5.

73 Breno Caldas, *Meio século de Correio do Povo*, depoimento a José Antonio Pinheiro Machado, pp. 79-85.

guetes Sonda davam uma coreografia de potência ao tradicional desfile de velhos tanques americanos. As autoridades, vestidas de fraque, davam um toque de passado à hierarquia do país do futuro.[74] Depois de vagar por todo o Brasil, d. Pedro foi deixado numa cripta do Museu do Ipiranga. Na maior festa do regime, proibiu-se a lembrança de que o dono da ossada assinara em 1822 o decreto abolindo a censura à imprensa.[75]

74 *Veja*, 13 de setembro de 1972, pp. 12-9.

75 Paolo Marconi, *A censura política na imprensa brasileira — 1968/1978*, p. 243.

Um voto, o voto

Emilio Medici e os dois irmãos Geisel formaram um intrigante triângulo político. Examinado pelos códigos convencionais de conduta, soava banal. Dado um presidente retraído, um ministro do Exército poderoso e um irmão candidato, o desdobramento é óbvio: os irmãos se entendem, Orlando vai a Medici, empurra a candidatura de Ernesto, e acabou-se. Não se conhece documento ou mesmo indiscrição capaz de amparar esse raciocínio. Por óbvio, pode-se entender que o ministro do Exército trabalhou pelo irmão. Orlando contou que dissuadiu o presidente da idéia de entregar a escolha de seu sucessor a um sacro colégio de generais.[1] Humberto Barreto, amigo pessoal de Geisel, ouviu-o dizer, na casa do irmão, que embora sentisse algumas manobras contra sua indicação, o caso estava decidido: "Não tem mais volta. É você".[2] Não foi pouca coisa. Se a indicação passasse pelo Alto-Comando, quase certamente resultaria na escolha de um quatro-estrelas da ativa. Se houvesse volta, ela seria a prorrogação do mandato do presidente. Foi a vontade de Medici que levou Ernesto Geisel à Presidência.

O presidente contou a Geisel: "Eu não fui buscar um general da ativa. O fato de não ter ido buscar um general da ativa demonstra que o país está bem e está evoluindo, porque se houvesse um problema militar e não sei o quê, teria que buscar o general da ativa. [...] Você que de um lado

1 Informação dada por Ernesto Geisel a Heitor Ferreira, em *Diário de Heitor Ferreira*, 26 de março de 1972.

2 Humberto Barreto, fevereiro de 2001.

foi general, já está fora há algum tempo. Na administração, na empresa. Não é isso? É um sujeito também empresário. Isso mostra uma evolução, uma transição".[3]

Geisel sempre admitiu que Orlando trabalhou a sua candidatura, mas ressalvava: "Não vou dizer que ele não influiu, mas que ele tenha imposto a minha candidatura, não acredito. [...] As relações dele com o Medici não eram próprias para isso".[4] O presidente e seu ministro do Exército partilhavam uma amizade típica do meio militar, em que o afeto se subordina à hierarquia. Socialmente retraídos, não se tornaram íntimos quando Orlando comandou Emilio, nem quando essa situação se inverteu. Já as relações de Ernesto com o presidente eram nulas. Durante todo o ano de 1972 viram-se três vezes. Dois encontros foram protocolares, e neles Medici manteve a conversa no circuito das trivialidades. Num só — o da ofensiva contra Dias Leite — tiveram agenda séria. Nesse mesmo período Geisel foi ao palácio quatro vezes para discutir seus assuntos. Nem foi ao presidente, nem ele o chamou.[5]

No dia 15 de janeiro de 1973, alterou-se a escrita. Medici recebeu o ministro com um "ah, seu Orlando, faltam só 14 meses".[6] Acabado o despacho, perguntou:

— E então, como é que vão as coisas? O que é que dizem por aí?

— Dizem o de sempre, que você vai continuar.

— Isso é uma safadeza desse pessoal. [...]

— Bom, olhe. Se esse negócio cair na mão do Ernesto, você compreende, eu não posso ficar.

— Que é isso? Por que não? Fica sim, deixe de histórias.[7]

3 Narrativa de Geisel a Heitor Ferreira, 10 de dezembro de 1973. APGCS/HF.

4 Ernesto Geisel, janeiro de 1995.

5 Geisel e Medici encontraram-se protocolarmente na inauguração da refinaria de Paulínia e no traslado dos restos de Castello Branco. Geisel esteve no palácio em 10 de março, 28 de abril, 5 de maio e 21 de novembro. *Diário de Heitor Ferreira.*

6 Narrativa de Orlando Geisel, em *Diário de Heitor Ferreira,* 22 de janeiro de 1973.

7 Telefonema de Orlando a Ernesto Geisel, 16 de janeiro de 1973, em *Diário de Heitor Ferreira,* 17 de janeiro de 1973.

Foi tudo. A Candelária esperava um sinal do Planalto nos primeiros meses de 1973. Ninguém acreditava que Medici conseguisse manter a promessa de só tratar do assunto no segundo semestre. Desde janeiro Heitor Ferreira começara a trabalhar na simulação da conversa que Geisel teria com o presidente e a listar nomes de possíveis ministros.[8] Golbery trabalhava nos anteprojetos de lei que deveriam criar o Ministério da Previdência e o Conselho de Desenvolvimento Econômico.[9] Geisel estudava papéis do Itamaraty remetidos pelo gabinete do chanceler, leis eleitorais enviadas pelo deputado Flávio Marcílio e a posição dos generais no *Almanaque do Exército* na época de sua posse.

No dia 13 de fevereiro de 1973 Heitor Ferreira encontrou-se em Brasília com Figueiredo. O general estava assustado. Queixava-se de que estava tudo no ar, "o que me alarma". Detectara um novo surto continuísta, envolvendo até mesmo o comandante do III Exército. A permanência de Orlando Geisel no ministério parecia-lhe essencial: "Não pode sair. Saindo pode alterar tudo". Heitor anotou as informações de Figueiredo e levou-as a Geisel. Nesse registro há uma linha onde se lê: "Golbery & Geisel".[10] É muito provável que essa nota críptica contenha um dos mistérios da sucessão de 1973.

Roberto Médici, filho e assessor do presidente, sustentou que a possibilidade de um retorno de Golbery ao poder perturbava seu pai, levando-o a duvidar da própria conveniência da escolha de Geisel. Pela narrativa do filho, Medici explicitou sua angústia num encontro com Figueiredo, Leitão de Abreu e Fontoura, mas o chefe do Gabinete Militar disse-lhe: "Não se preocupe, presidente. Estão completamente separados".[11] Em 1995 o general Fontoura — única testemunha sobrevivente — conside-

8 Cinco folhas manuscritas, de Heitor Ferreira, intituladas *Notas para a Conversa a Ocorrer entre Hoje e 31 de Março de 1973*, de 10 de janeiro de 1973. Duas folhas de Heitor para Geisel, intituladas *Só para o Presidente*, de janeiro de 1973. APGCS/HF.

9 Cinco folhas intituladas *Anteprojeto de Lei que Dispõe sobre a Criação, na Presidência da República, do CDE e da Seplan, sobre o Desdobramento do Ministério do Trabalho e Previdência Social.* APGCS/HF. Nelas Heitor Ferreira anotou: "Discutido por Geisel e Golbery a 18 de janeiro de 1973".

10 *Diário de Heitor Ferreira*, 13 de fevereiro de 1973.

11 Roberto Nogueira Médici, *Medici — O depoimento*, p. 39.

rou verdadeiro o relato de Roberto Médici.[12] Também em 1995, Figueiredo afirmou que, quando Medici lhe perguntou se Geisel chamaria Golbery para o governo, sua resposta foi outra: "Isso não sei, presidente".[13]

Figueiredo mentiu duas vezes, a Medici em 1973 e ao público em 95. Ele narrou o fato a Geisel de maneira semelhante a Roberto Médici. Anos depois, Geisel relembrou: "O Figueiredo garantiu a ele que eu não levaria o Golbery para o governo. Ele me disse isso". Passados mais de vinte anos, já afastado de Figueiredo, Geisel tratava desse episódio com perplexidade. Insistia: "Ele diz que disse". Entendia o que acontecera: "Ele não queria invalidar a minha candidatura".[14]

Que Golbery e Geisel estivessem separados era uma mentira absurda. Os dois mantinham um permanente fluxo de papéis. Heitor, ex-assistente de um no SNI, durante o governo Castello, era secretário do outro, na Petrobrás. No ano anterior, Geisel e Golbery haviam-se encontrado pelo menos sete vezes. Duas em público, no casamento do filho de Golbery, em maio de 1972, e num almoço com dois outros generais, em julho. Ao contrário de Cordeiro de Farias, que evitava entrar no prédio onde funcionava a presidência da Petrobrás, Golbery lá foi em fevereiro, maio e junho. Em julho visitou Geisel em casa e em outubro, quando se restabelecia de uma operação de catarata, recebeu-o em Jacarepaguá.[15] Que Figueiredo não soubesse do retorno de Golbery ao poder também era mentira absurda. Seis meses antes, numa conversa em Brasília, perguntara a Heitor Ferreira:

— E se você fosse presidente, que Chefe do Gabinete Civil escolheria?

— Não sei. Não conheço o pessoal. Que acha o senhor?

— Ah, o Golbery. Não tem outro.[16]

12 *Folha de S.Paulo*, 16 de julho de 1995.

13 Idem.

14 Ernesto Geisel, abril de 1995. Em 1975 Figueiredo contou a Heitor Ferreira que, quando Medici o autorizou a conversar sobre a candidatura de Geisel, "a reação era contra o Golbery". *Diário de Heitor Ferreira*, 14 de maio de 1975. Para a queixa contra Figueiredo, ver também Antonio Carlos Scartezini, *Segredos de Medici*, pp. 49-50, ou Carlos Chagas, *A guerra das estrelas (1964/1984)*, pp. 214-5.

15 Para todos esses casos, *Diário de Heitor Ferreira*.

16 *Diário de Heitor Ferreira*, 14 de agosto de 1972.

Medici desprezava Golbery por dirigir uma empresa americana depois de ter passado pelo SNI, onde conheceu "o direito e o avesso de todos os homens importantes do país". Atribuía-lhe a capacidade de "explicar com brilhantismo todos os seus fracassos".[17] Habituado a se informar por meio do SNI, o presidente não recorreu a ele para saber as relações e expectativas que uniam os dois generais. Se o tivesse feito, bastariam uns poucos dias para que o general Fontoura comprovasse a profundidade da relação. Golbery retornara à atividade política e falava em nome do futuro governo até para jornalistas malvistos pelo regime. É certo que Figueiredo mentiu ao presidente, mas é duvidoso que a angústia de Medici diante de uma eventual volta do *GeneDow* ao poder fosse tão incontornável.

Orlando Geisel achava que seu irmão punha demasiada importância na conversa com Medici: "Mas, afinal, que é que o Ernesto tanto quer que a conversa seja demorada? Ela vai ser simples: um vai dizer: olha, você é o próximo presidente. O outro responde que não quer e o primeiro replica: pois é, eu também não queria e tive que aceitar, vai ter que ser você".[18]

Em meados de março Medici disse a Orlando que resolveria o assunto na sua próxima ida ao Rio de Janeiro. Depois mudou de idéia. O ministro do Exército não acreditava em continuísmo, até porque sabia que o presidente tivera uma leve perturbação cardíaca.[19]

Na tarde de 15 de março o senador Vitorino Freire, velha raposa e veterana vivandeira, entrou na sala de Delfim: "Estou preocupado com uma informação que me deram a seu respeito. Informaram ao ministro Orlando Geisel que você estava chefiando uma campanha ou operação continuísta, quando é público e notório que o Presidente Medici não deseja permanecer no Governo".

Delfim negou e perguntou-lhe como seria possível desfazer essa impressão.

17 Roberto Nogueira Médici, *Medici — O depoimento*, p. 22.

18 *Diário de Heitor Ferreira*, 14 de março de 1973.

19 Idem, 14 e 15 de março de 1973.

"Pule fora do barco ou faça como eu, que estou como macaco do rio Grajaú, no Maranhão, só bebo água com canudo de talo de mamão para preservar o beiço da mordida da piranha", respondeu Vitorino.[20]

Durante dois meses a hierarquia do regime sugou talos de mamão. Medici foi ao Rio de Janeiro, e Geisel determinou aos seus colaboradores que não buscassem contatos com a equipe da Presidência. Mantiveram-se quietos, e do outro lado veio apenas silêncio.[21] Através de um amigo, o embaixador francês mostrou desejo em conhecê-lo. O recado de volta: "Se o embaixador quer falar sobre petróleo, eu o recebo o tempo que ele precisar, lá na Petrobrás. Se não é petróleo, não me interessa ser conhecido pelo embaixador da França".[22] O presidente da Arena, senador Filinto Müller, disse ao colega Luiz Viana que pretendia sugerir a Medici a preparação de uma lista de nomes para que ele escolhesse o sucessor. Viana, colega de palácio de Geisel durante o governo de Castello, fez que não entendeu a proposta, destinada a embaralhar as cartas, puxou o talo e argumentou que a lista haveria de estimular rivalidades nas Forças Armadas.[23] De canudo na boca, o embaixador americano, William M. Rountree, informava a Washington que Geisel era o "favorito", mas cobria a retaguarda dizendo que a escolha de outro general era "uma possibilidade que eu nunca descartei".[24] Por via das dúvidas, a Censura avisava: "De ordem superior reiteramos manter proibição referente sucessão presidencial, principalmente evitar divulgação nomes prováveis candidato".[25]

As confabulações de 1973 superaram em sigilo os debates do consistório de generais que escolhera Medici quatro anos antes. Dos 100 milhões de brasileiros, talvez 500 mil soubessem da existência de Geisel. É

20 Carta do senador Vitorino Freire ao ministro Orlando Geisel, de 15 de março de 1973, em *Diário de Heitor Ferreira*, 15 de março de 1973. Delfim nega que esse encontro tenha ocorrido: "Tudo invenção do Vitorino". Delfim Netto, outubro de 2002.

21 *Diário de Heitor Ferreira*, 14 de março de 1973.

22 Idem, 19 de abril de 1973.

23 Idem, 16 de abril de 1973.

24 Telegrama do embaixador William M. Rountree ao Departamento de Estado, de 30 de maio de 1973.

25 Paolo Marconi, *A censura política na imprensa brasileira — 1968/1978*, p. 255.

possível que 100 mil tenham ouvido falar na possibilidade de ele vir a governar o país. Destes, pode ser que não chegassem a 5 mil os que, tendo ouvido falar no seu nome, fossem capazes de encher uma página com tudo o que sabiam a respeito dele. Ao corrente dos principais movimentos, ou do ritmo das conversas, havia menos de quinhentas pessoas. Sabendo de tudo, talvez não fossem cinqüenta. Geisel calculou, anos depois, que até maio de 1973 não chegaram a vinte as pessoas a quem deu liberdade de mencionar o assunto em sua presença.[26]

A oposição mantinha-se ao largo, e o deputado Ulysses Guimarães, presidente do MDB, recusava-se a discutir a coreografia legal da sucessão argumentando que "não adianta debater o nada".[27] No dia 19 de maio o ministério esperava no aeroporto de Brasília o desembarque de Medici, que regressava de uma viagem a Portugal. Mário Andreazza, dos Transportes, da Transamazônica e da ponte Rio—Niterói, dirigiu-se a Orlando Geisel. Tinha Delfim Netto ao seu lado.

— Ministro, há tempos estávamos para falar com o senhor para desfazer uma intriga: sabemos que dizem por aí, e foram dizer ao senhor, que nós somos contra a candidatura do general Ernesto. Isso é uma inverdade. [...]

— Bem, o que sei não é isso. Sei, sim, e inclusive mandei a respeito um recado aqui ao doutor, é que ele estava envolvido numa articulação do continuísmo do presidente Medici, coisa sabidamente contra as intenções do presidente e que perturba um processo ordenado de sucessão. Isso, sim. Quanto a essa candidatura do Ernesto, não me consta, não sei nada a respeito e não creio que seja esse o problema.[28]

26 Ernesto Geisel, fevereiro de 1995.

27 *Veja*, 13 de junho de 1973, p. 25.

28 *Diário de Heitor Ferreira*, 30 de maio de 1973. Em 1984 o general Gustavo Moraes Rego narrou ao autor diálogo semelhante. Durante uma conversa em 1984, pouco antes da convenção do PDS em que disputou a indicação de candidato a presidente da República, Mário Andreazza confirmou ao autor que teve um diálogo com o general Orlando Geisel "no aeroporto". Em novembro de 1988, Delfim Netto confirmou ao autor que falou sobre o assunto com Orlando Geisel "no aeroporto". Nenhum dos dois reconstruiu a conversa.

Na tensão desses meses, produzida pelo silêncio de Medici, circularam diversas manobras. Em nenhuma delas se percebe o beneplácito do presidente, da mesma maneira que em todo esse período não partiu dele restrição alguma a Geisel. Pelo contrário. No início de maio o general Figueiredo informava que Medici introduzira um bordão nas reuniões matinais do palácio: "Isso agora é com o *Alemão*", "é problema que já vai ser do Ernesto".[29] Na Candelária, Geisel discutia nomes para sucedê-lo na Petrobrás e para acompanhá-lo na chapa.[30] Em Brasília, o chefe da segurança do Planalto dedicava-se ao que começava a ser a nova brincadeira nacional: compor o novo ministério.[31]

No dia 30 de maio de 1973, o coronel Moraes Rego acabara de chegar ao gabinete da Candelária, de volta de Brasília. Sentou-se, acendeu um cigarro e anunciou: "O troço, acho que desembocou". Dois dias antes, no despacho com Orlando Geisel, o presidente dissera-lhe: "Vou conversar em seguida com o Ernesto". Pelas contas de Figueiredo, "em seguida" significava quarta-feira, 13 de junho, quando o presidente estaria no Rio de Janeiro para comemorar o aniversário do Correio Aéreo Nacional.

No dia seguinte, Heitor Ferreira entregou a Geisel a última versão do ensaio da conversa com Medici.[32] Era uma simulação trivial. Servia para determinar o ritmo de uma entrevista que corria o risco de se transformar em conversa fiada. Estava entendido que Medici seria o primeiro a falar:

> — Mandei chamá-lo aqui para conversarmos porque... você é que vai ser...
>
> Deixá-lo falar o mais possível e esclarecer bem o convite — depois a convocação. A esta altura do ano e das coisas, a proposta de continuação já deve ser em tom menor e no pretérito.

29 *Diário de Heitor Ferreira*, 5 de maio de 1973.
30 Idem, 11 de abril de 1973.
31 Idem, 13 de abril de 1973.
32 Idem, 31 de maio de 1973.

— Medici, eu não sou candidato, presidência da República não é posto que se busque, e tem mais, a minha opinião pessoal é que você deveria ter concordado em continuar.

Argumentar, se for o caso, mas como caso liquidado. Aqui então deve ocorrer a caracterização de uma convocação de missão irrecusável, de "eu também não queria e tive que vir para cá". Esta parte da conversa bem concluída, e chegado ao ponto ideal de pressão, aceite.

— Sim, está bem, em vista do que você me diz, e entendendo que sou convocado, a minha resposta é que aceito.[33]

Depois, as providências. A coreografia, um novo presidente da Petrobrás, o vice e a necessidade de uma "vacina contra intrigas".

Do outro lado da cena, Figueiredo informava que no Planalto se concebera um pequeno bailado. Chamariam Geisel ao Laranjeiras às dezessete horas de quarta-feira, para tratar um assunto de petróleo. Lá, por acaso, encontraria Medici, Leitão de Abreu e o general Fontoura, do SNI. Iriam para uma sala e pouco depois seriam deixados a sós.[34] Isso quanto à forma. Quanto ao conteúdo, na noite de segunda-feira Figueiredo reuniu-se com Heitor Ferreira em seu apartamento do Leblon e passou-lhe seu projeto de conversa.

Estava preocupado em desfazer a impressão de que se estivesse diante de um retorno do castelismo, do qual Geisel — ex-chefe do Gabinete Militar de Castello — seria produto, em oposição ao costismo, do qual Medici — ex-chefe do SNI de Costa e Silva — teria sido conseqüência:

1. Falar em continuidade da Revolução.

2. Castelismo.

3. Continuidade do governo Medici.

Razões: sucesso em alguns setores, popularidade do presidente, restrições em setores das Forças Armadas.

33 Nota apensa à transcrição do *Diário de Heitor Ferreira*, 31 de março de 1973. APGCS/HF.

34 Informação dada por Figueiredo a Humberto Barreto, em *Diário de Heitor Ferreira*, 4 de junho de 1973.

> Como? Não hostilizar, não alterar as linhas gerais. Habilidade para alteração, não hostilizar amigos, não nomear inimigos, manter alguns elementos do primeiro escalão, submeter a Medici os nomes do primeiro escalão.
>
> 4. Vice-presidente: submeter (deixar nome mais tarde).
>
> 5. Como missão o convite. Não deseja, não pode fugir, pedir apoio.
>
> 6. Abertura política: Não abrir mão do AI-5. Fazer ver a Medici a necessidade de tomar iniciativa. Diálogos políticos. Censura.
>
> 7. Contra sucessor e sucedido: vacina contra intrigas, necessidade de entendimento contínuo.[35]

Figueiredo e Heitor conversaram durante quatro horas, até meia-noite e meia. Figueiredo insistiu na questão "essencial" da política: "Falar na 'abertura política'. Há de chegar, mas de uma coisa não vou abrir mão, ô Medici: o AI-5. Mesmo porque não vou iniciar o meu governo estabelecendo uma comparação com você. [...] Estou convicto de que o AI-5 serve à Revolução. Se você acha que chegou a hora de conversar um pouco mais com os políticos, por que você não inicia? Assim eu não estabeleceria comparação".[36]

Na manhã seguinte Heitor relatou o encontro. Geisel achou que havia "um exagero de cuidados numa coisa que precisa de um pouco mais de franqueza", e refugou dois pontos dos propostos por Figueiredo. Não diria que estava convicto da serventia do AI-5, nem sugeriria a Medici que iniciasse os contatos com os políticos: "Parece que estou dando lição". (Dias antes, em sua casa, Orlando contara-lhe que receberia o governo com Ato e tudo.) Geisel seguiu para uma reunião de diretoria da Petrobrás, e Heitor foi para o escritório de Golbery. Estavam trancados, a secretária tinha ordens para barrar todos os telefonemas até que tocou Moraes Rego. Emilio Medici mandara buscar Ernesto Geisel:

35 Transcrição apensa à nota de 11 de junho de 1973 do *Diário de Heitor Ferreira*, sob o título "Papel que Figueiredo havia preparado para a conversa". APGCS/HF.

36 *Diário de Heitor Ferreira*, 11 de junho de 1973.

APGCS/HF

Em 1928, Ernesto Geisel saiu tenente de artilharia de um exército pequeno, com 45 mil homens e trinta generais, inapto, frágil, militarmente insignificante. Perdera três expedições massacrando jagunços em Canudos e mil homens enfrentando caboclos nas matas de Santa Catarina.

CPDOC/FGV

Os Geisel (cerca de 1912). Sentados, Augusto Guilherme, o menino Ernesto e sua mãe, Lídia. De pé, Henrique, Amália (a mais velha), Bernardo e Orlando.

ABRIL IMAGENS

Os três irmãos militares, sócios da Associação do Estudante Pobre: Henrique, Ernesto e Orlando. Nos fins de semana eles não saíam da Escola de Realengo.

CPDOC/FGV

Geisel (em pé, no centro) em Buenos Aires, em 1941, na comitiva de Goes Monteiro (fardado, sentado) durante seu encontro com Eva Perón.

ICONOGRAPHIA

O amigo comunista:
Agildo Barata.

ARQUIVO HISTÓRICO DO EXÉRCITO

O protetor filonazista:
Alcio Souto.

APGCS/HF

O tenente-secretário de finanças da Paraíba com Getulio Vargas, batalhando verbas para o porto de Cabedelo.

MANCHETE/REPRODUÇÃO/APGCS/HF

ABRIL IMAGENS

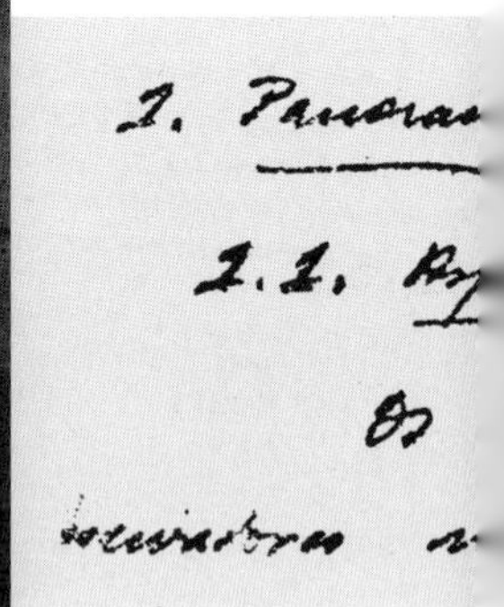

Contrariado com a posse de Jango, Golbery saiu do Exército: "Não pensaram em resistir. Nosso pessoal foi cagão".

25 de agosto de 1961. Jânio retira-se da cerimônia do Dia do Soldado. Atrás dele está o chefe do Gabinete Militar, general Pedro Geraldo de Almeida. Pouco antes, o general avisara a Geisel (ao fundo): "Hoje vai haver coisa grossa".

ICONOGRAPHIA

5 de setembro de 1961. João Goulart desembarca em Brasília para assumir a Presidência. Geisel recebeu-o no aeroporto e acompanhou-o no carro até a granja do Torto. Aconselhou: "Conduza o governo de modo a que se pacifique a nação".

APGCS/HF

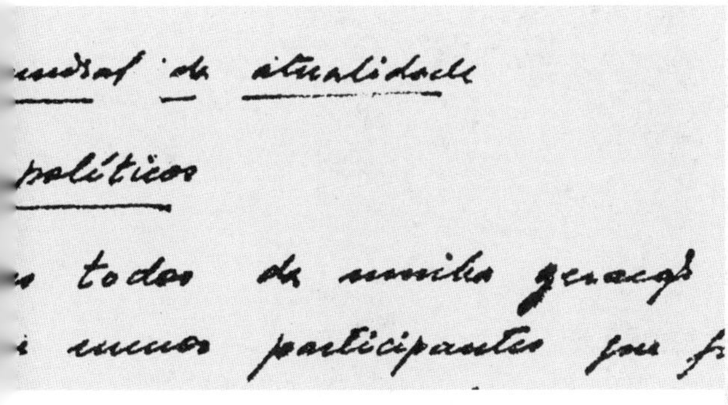

JACYNTO/AGÊNCIA JB

Em março de 1962 o primeiro-ministro Tancredo Neves discursou na Escola Superior de Guerra. Na foto ele lê uma palestra intitulada *O Panorama Mundial e a Segurança Nacional.* O texto é de Golbery, o escriba do manifesto dos coronéis de 1954 (que derrubou Goulart do Ministério do Trabalho) e da proclamação dos ministros militares contra a sua posse na Presidência, sete meses antes.

Geisel com Moraes Rego
no palácio Laranjeiras, durante
o governo Castello Branco.
Ele, Golbery e Heitor Ferreira
(ao lado) dividiam a mesma sala
no primeiro andar. O capitão
Heitor completara 28 anos.

APGCS/HF

APGCS/HF

ODIR AMORIN/AGÊNCIA JB

Carlos Lacerda

AGÊNCIA O GLOBO

Eugênio Gudin

CHICO NELSON/ABRIL IMAGENS

Antonio Gallotti

ABRIL IMAGENS

Castello Branco

AGÊNCIA O GLOBO

Jesus Soares Pereira

AGÊNCIA O GLOBO

A. L. (*Cacau*) de Barros Nunes

EVANDRO TEIXEIRA/AGÊNCIA JB

Uma rara fotografia de Golbery fora do palácio, em setembro de 1964. Com ele, Geisel, que voltava do Nordeste, aonde fora apurar denúncias de torturas de presos. (Concluiu que elas só aconteceram nos primeiros dias de abril e encerrou o assunto.)

ABRIL IMAGENS

ARQUIVO DO ESTADO DE SÃO PAULO

Em 1965 Geisel foi para o Superior Tribunal Militar. Caso único de oficial promovido a general-de-exército e imediatamente remetido ao tribunal. Foi um juiz duro: "Houve casos em que eu condenei, tal era a minha convicção, apesar da deficiência de provas do processo".

O general Pery Bevilaqua tornou-se um adversário de Geisel no STM. Denunciava as torturas e o surto militarista. Houve uma sessão em que os dois se estranharam e Pery chegou a levantar-se da cadeira. Foi cassado em 1968. Lutou pela anistia dos outros e morreu em 1990.

SOMMER ANDREY/ABRIL IMAGENS

Em 1968 o general Golbery tornou-se consultor da empresa americana Dow Química. Meses depois passou a presidir a filial brasileira da companhia. Ganhava cerca de 10 mil dólares mensais. Nunca vira tanto dinheiro na vida, nem voltaria a ver.

AGÊNCIA JB

O marechal Costa e Silva presidiu o Brasil de março de 1967 a agosto de 1969, quando foi abatido por uma isquemia cerebral. Geisel e Golbery fizeram o possível para tirá-lo do Ministério do Exército e evitar sua candidatura. Em 1966, Golbery dizia: "Eu prefiro o *showdown*, e que o Costa e Silva dê o golpe e assuma o poder agora a que haja uma eleição que cooneste tudo e difira por um ou dois anos o golpe e a ditadura".

Medici com Geisel, em agosto de 1973, depois de tê-lo escolhido para sucedê-lo. O presidente disse-lhe: "Eu não fui buscar um general da ativa. O fato de não ter ido buscar um general da ativa demonstra que o país está bem e está evoluindo, porque se houvesse um problema militar e não sei o quê, teria que buscar o general da ativa. [...] Você que de um lado foi general, já está fora há algum tempo. Na administração, na empresa. Não é isso? [...] Isso mostra uma evolução".

LUIS HUMBERTO/ABRIL IMAGENS

SALOMON CYTRYNOWICZ / ABRIL IMAGENS

AGÊNCIA ESTADO

No dia 10 de novembro de 1973, Golbery aceitou um convite do magnata Augusto Trajano de Azevedo Antunes (acima, de óculos) e jantou com Julio de Mesquita Neto (acima), dono d'*O Estado de S. Paulo*. Discutiram a censura e o futuro governo. Naquele dia o *Estadão* chegara às bancas com 65 versos de Camões no lugar de uma reportagem sobre a má fama da ditadura na Europa. Julio Neto contou o jantar a seu irmão por telefone. Estava grampeado.

AGÊNCIA ESTADO

O Jap

capita

mbaixador Atsushi Uyama: o Japão quer colaborar com o Brasil

Canto terceiro

(Continuação)

LUIZ DE CAMÕES

O Estado de S. Paulo,
10 de novembro de 1973.

AGÊNCIA O GLOBO

ICONOGRAPHIA

JACOB/AGÊNCIA JB

Um mistério. Golbery almoçou com d. Paulo Evaristo Arns na casa de Candido Mendes (nos medalhões, com suas silhuetas visíveis dentro do carro) e aceitou uma carona do professor. Com isso permitiu que a imprensa o fotografasse com o cardeal de São Paulo, a quem Medici e os comandantes militares detestavam. Geisel aborreceu-se. Golbery disse que foi um mau acaso. Nem Heitor Ferreira acreditou.

RICARDO CHAVES/ABRIL IMAGENS

Em janeiro de 1974, quando o MDB tinha menos de um terço do Congresso, o anticandidato Ulysses Guimarães disse que "navegar é preciso". E saiu pelo Brasil, organizando o partido para a eleição de novembro.

CORBIS/STOCK PHOTOS

CORBIS/STOCK PHOTOS

No mundo em que Ernesto Geisel assumiu a Presidência do Brasil, a direita americana viu o esfacelamento da presidência de Richard Nixon. Encurralado pelo escândalo Watergate, ele renunciou em agosto de 1974. Foi o único a sair da Casa Branca, vivo, no meio do mandato. Em janeiro Geisel achava que "ele devia dar o fora".

DORRIT HARAZIM/ABRIL IMAGENS

CORBIS/STOCK PHOTOS

Em setembro de 1973, os militares chilenos bombardearam o palácio de La Moneda, depuseram o governo. O presidente socialista Salvador Allende suicidou-se no seu gabinete. Foram presas 45 mil pessoas. A esquerda latino-americana espalhou-se pela Europa, não como uma temível força de militantes radicais, mas como um abatido grupo de refugiados.

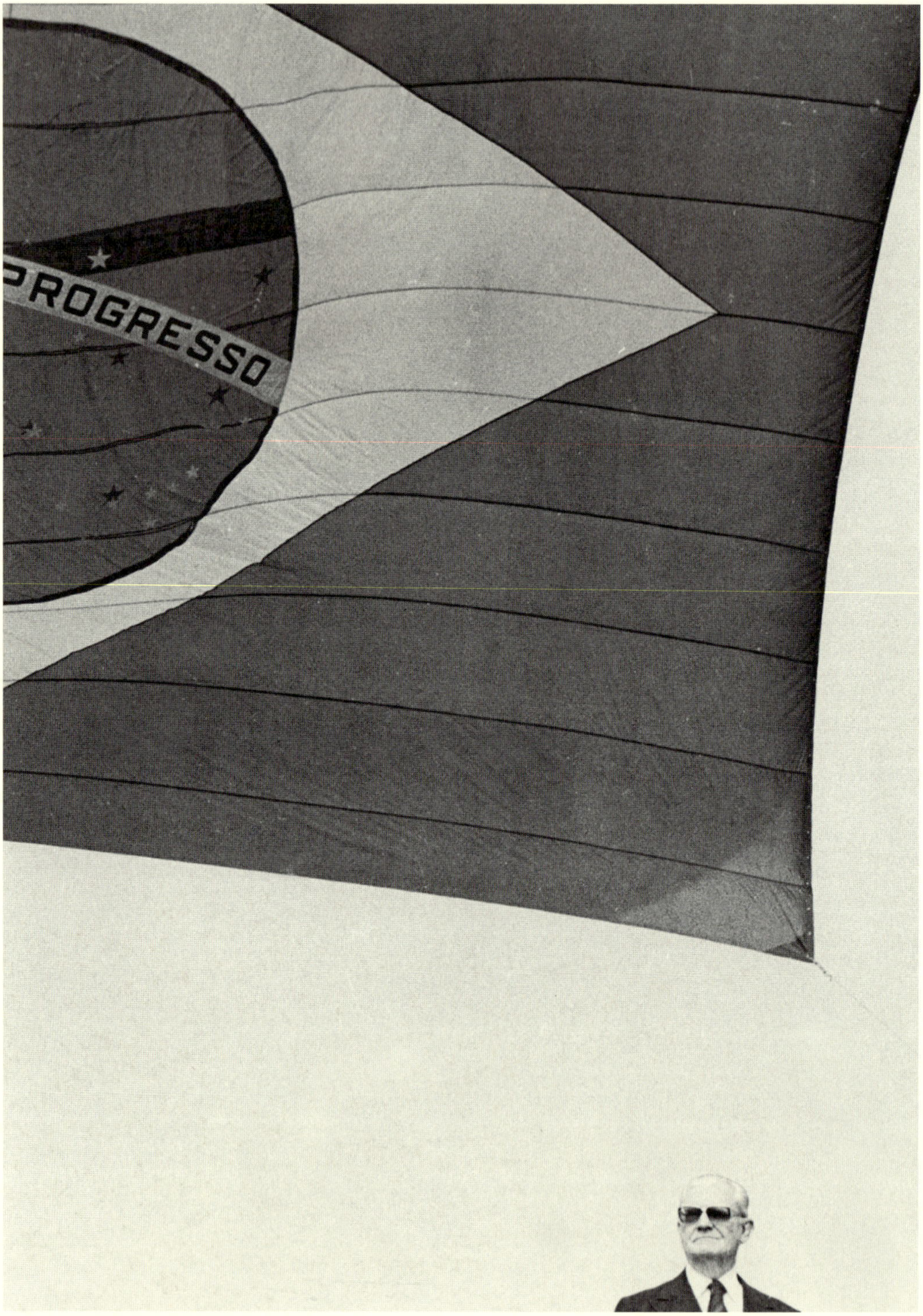

ORLANDO BRITO/OBRITONEWS

Ernesto Geisel: "Só num país como o Brasil na situação atual eu poderia chegar a presidente da República". "Como é que se chega ao meu nome? Ora, porque fulano é cretino, sicrano é burro, beltrano é safado! Isso é jeito?"

> O *Nabuco* [Figueiredo] tocou agora para cá e a conversa é hoje, à mesma hora, em vez de amanhã... Ele estava preocupado e perguntou se você já tinha podido conversar com o chefe, se o chefe estava preparado... e perguntou muito se o *Lessa* [Golbery] estava informado... Mas o melhor de tudo, você vai rir, é o motivo da antecipação: tem futebol amanhã [Brasil × Áustria], o próprio *Nabuco* disse... estava telefonando do Galeão... Esta eu acho até melhor não contar ao *Dr. Sá* [Geisel]...[37]

O *Dr. Sá* almoçou em casa e às 16h35, com Heitor, tomou o carro a caminho do Laranjeiras, o palacete dos Guinle onde oito anos antes vivera as angústias do emparedamento de Castello Branco. Figueiredo levou-o para sua sala e retomou o tema do "costismo e castelismo". As feridas que se pretendia esconder eram tão profundas que os dois antigos colaboradores do governo Castello se precipitaram numa troca de maledicências contra Costa e Silva. Figueiredo contou que pouco tempo antes, durante uma recepção, Yolanda Costa e Silva, viúva do marechal, apresentara a Medici uma ex-funcionária do Itamaraty posta para fora do serviço por ter um pé em grandes negócios e outro num plantel de acompanhantes inesquecíveis.[38] Geisel acrescentou que a madama, comboiando um paraguaio, tentara vê-lo na Petrobrás. Um ajudante-de-ordens entreabriu a porta e avisou: "O presidente já está aqui embaixo".

Eram 17h20. Medici estava com Leitão de Abreu e o general Fontoura. Sentaram-se todos nos sofás franceses do salão nobre. Passados alguns minutos, Medici e Geisel ficaram a sós. Meia hora depois a platéia voltou. "Cedo demais", pensou Heitor, que vigiava a cena. Um garçom serviu uísque e queijinhos. Às 19h10 estavam todos na porta, e Geisel tomou o carro. Heitor sentou-se ao seu lado:

— Como foi que ele iniciou a conversa?

37 *Diário de Heitor Ferreira*, 12 de junho de 1973. A partida empatou em 1 × 1.

38 Geisel conhecia a história, pois Figueiredo a contara a Heitor Ferreira. *Diário de Heitor Ferreira*, 5 de maio de 1973.

— Ah, disse que já vinha pensando nisso há muito tempo, há mais de um ano e meio, e tinha se fixado no meu nome, que tinha que ser eu, que não havia outro. Eu fiz ver a ele todas as desvantagens da solução. Disse que por muito tempo desejei que ele permanecesse.

Respondeu que por uma questão moral não podia.

Disse-lhe que quando ele fechou as portas a continuar, por muito tempo alimentei o desejo de que ele encontrasse outro. Que se eu fosse um sujeito vaidoso por certo me encheria com essa escolha que ele estava fazendo. Mas não. Claro que experimentava uma satisfação íntima pelo fato de merecer um juízo bom de um companheiro que há mais de 40 anos me conhecia. (Medici disse que sempre me acompanhou ao longo da vida militar.) Mas eu me via na contingência de aceitar a missão, embora sabendo que ela talvez até me liquidasse nesses poucos anos que ainda posso ter pela frente.

Os três voltaram muito cedo e sentaram-se conosco. Aí eu aproveitei para tornar a dizer que tínhamos que nos vacinar todos contra o que de uns diriam aos outros.

Aproveitei para tocar na história que corria de que eu tinha um escritório eleitoral. "Imagina, para que é que eu havia de querer um escritório eleitoral quando o Grande Eleitor está aqui" — e apontei ao Medici.

Falou-se nesse negócio de costismo e castelismo. Disse que ele, ao me nomear para a Petrobrás, havia liquidado com essa história. Ele disse que isso não era coisa do Costa e Silva, que o Costa e Silva até queria me dar o comando do IV Exército, que foi a turma dele que criou a coisa toda.

— E você não sabe como até eu sofri nas mãos deles.

— Ah, eu imagino, e o pior é que estão todos aí, vivos, o Portella, a dona Yolanda...

— O senhor os nomeou, assim? — interrompeu Heitor.

— Nomeei.

— E o Fontoura?

— Muito bem, muito cordial e muito positivo.

— E o Leitão de Abreu?

— Sabe que confirma tudo que o Figueiredo disse? Negaceou o tempo todo, sempre botando obstáculos e coisas. No negócio da convenção, por exemplo, ele acha que não precisa apressar. Que afinal, a executiva nacional decidindo, o efeito era o mesmo... O Medici disse que agora vai dormir bem e eu acrescentei que "pois eu agora é que não vou dormir mais".[39]

Dois anos depois, numa conversa com Figueiredo, Medici relembrou, satisfeito, a decisão de passar o serviço ao *Alemão*: "Eu tenho pena dele. Aliás, nós sabíamos e comentávamos o rabo-de-foguete que ele ia pegar. O mundo é outro. Eu tive sorte".[40]

Combinara-se que a notícia só seria "filtrada" à imprensa no fim do mês, depois de um almoço do presidente com os governadores, mas o sigilo começou a desabar em pouco mais de 24 horas. Na quinta-feira o *Correio do Povo*, de Porto Alegre, circulou com a manchete "Medici e Ernesto Geisel mantiveram encontro". Ruiu quando o jornalista Roberto Marinho avisou ao governo que *O Globo* tinha pronta uma reportagem sobre a reunião. A essa altura o *Guaru News*, pequeno semanário de Guarulhos, na periferia de São Paulo, e o *Nova Geração*, de Estrela, no Rio Grande do Sul, já anunciavam a escolha de Geisel, notícia divulgada pela rádio gaúcha de Taquari havia mais de uma semana.[41] Leitão de Abreu telefonou a Geisel: "Pois é, não tem jeito. O Presidente me pediu que lhe avisasse ainda hoje que resolveu antecipar tudo para segunda-feira".[42]

Estava eleito o 21º presidente da República Federativa do Brasil. Tivera um voto, o de Medici.

Contra, só conversa de barbeiro. Douglas Guy McNair, cidadão americano e vice-presidente da Atlantic, estava numa das cadeiras do salão Vo-

39 *Diário de Heitor Ferreira*, 12 de junho de 1973.

40 Idem, 2 de junho de 1975.

41 *Jornal do Brasil*, 22 de junho de 1973, 1º caderno, p. 4. Para o *Guaru News*, *Veja*, edição extra de junho de 1973, p. 25. O jornal oficial do governo da Paraíba, *A União*, informou: "Orlando Geisel é o futuro presidente". Sua tiragem foi apreendida. *O Estado de S. Paulo*, 20 de junho de 1973, p. 4. Sobre esse episódio, ver também Claudio Humberto Rosa e Silva, *Mil dias de solidão — Collor bateu e levou*, p. 168.

42 *Diário de Heitor Ferreira*, 15 de junho de 1973.

gue, na rua Santa Luzia, e criticava a escolha para o mestre que lhe cortava o pêlo. O major Tancredo Bruno Porto ouviu-o, atravessou a rua, foi ao Clube Militar, recrutou um funcionário e capturou-o. Fez-lhe algumas perguntas, anotou o número de sua carteira de identidade, deu parte à ESCEME e numa carta narrou o episódio a Geisel, dizendo-se convencido de que "a opinião emitida exprime, provavelmente, muito mais que um ponto de vista pessoal, a posição de um grupo empresarial".[43] O incidente custou a McNair uma visita de explicações ao SNI, aonde chegou protegido pelo seu próprio dispositivo: um capitão-de-mar-e-guerra e o ex-comandante do Corpo de Fuzileiros Navais.[44] Ao que se sabe, essa foi toda a mobilização civil e militar resultante da indicação de Geisel.

43 Carta manuscrita de Tancredo Bruno Porto a Geisel, de julho de 1973. APGCS/HF.

44 Informação dada a Heitor Ferreira pelo coronel Edmundo Adolpho Murgel, em *Diário de Heitor Ferreira*, 16 de julho de 1973.

Primeiras encrencas

Ungido, Geisel mudou-se para a residência oficial do ministro da Agricultura, nos fundos do Jardim Botânico. Ganhou ainda um gabinete no terceiro andar do bolo de noiva do pavilhão americano na Exposição do Centenário, no largo da Misericórdia, a poucos passos do embarcadouro da praça XV. Tinha sete meses para decidir o que fazer com o país e três pessoas para conversar diariamente: Golbery, Heitor Ferreira e o coronel Moraes Rego. Reuniam-se a cada fim de tarde e passavam em revista o que tinham ouvido. Faziam isso sem método, mas também sem conversa fiada. Aqui e ali perdiam-se em recordações, aprofundavam maledicências, mas se preocupavam sobretudo em partilhar informações.

Nas jornadas ansiosas da Candelária, Geisel dizia: "Eu só vou para lá sem compromisso. É um abacaxi e ainda vou amarrado? Nem com meus amigos, nem com Medici. Aliás, não creio que ele queira compromisso meu".[1] Medici viu-o cinco vezes antes de vestir-lhe a faixa, e em nenhuma delas adiantou sugestão ou folha de papel.[2] Nem sequer perguntou o que lhe passava pela idéia. O general que presidia o país como se comandasse um esquadrão de cavalaria concluía sua escala de guarda com a naturalidade que o regulamento determina aos capitães.

1 *Diário de Heitor Ferreira*, 4 de janeiro de 1972.

2 Medici deixou um só pedido: gostaria de ver o professor João Leitão de Abreu, chefe de seu Gabinete Civil, no Supremo Tribunal Federal. Geisel deu a Leitão a primeira vaga aberta em seu governo.

Amigos que lhe cobrassem compromisso, Geisel também não tinha. Quando sua mudança chegou ao Jardim Botânico, ele se viu diante de um problema banal, comum a toda família que troca de casa: a quem dar o novo número de telefone, 246-0655?

Afora a diretoria da Petrobrás e o irmão Orlando, listou catorze pessoas. Políticos, três. Militar em função de comando, nenhum.[3] Dias depois Heitor Ferreira decidiu cadastrar os "amigos mais chegados", a quem Geisel poderia oferecer posições no governo. Contando dois irmãos e a filha, Golbery e Moraes Rego, juntou 26 nomes.[4] A uns poucos parentes que considerava "entrões", Geisel mandou um recado: "Que se comportassem, porque se eu soubesse de qualquer porcaria em que eles se metessem, iam para a cadeia".[5]

Chegaria à Presidência com 66 anos de idade e quase meio século de serviço público, mas não tinha equipe nem projeto. Ambos deveriam sair daquela cabeça racional, nacionalista, autoritária e moralista onde as grandes questões nacionais conviviam com os pequenos problemas de uma existência passada no meio militar, nos apertos da classe média. Dava à mulher "mil contos" — pouco mais de setecentos dólares — por semana, e ela às vezes conseguia guardar a metade. No topo da montanha assombrava-se com a paisagem: "Só num país como o Brasil na situação atual eu poderia chegar a presidente da República".[6]

3 *Diário de Heitor Ferreira*, 16 de julho de 1973. Constavam da lista, além da diretoria da Petrobrás: Ademar de Queiroz, Antonio Luiz (*Cacau*) de Barros Nunes, Humberto Barreto, Vitorino Freire, Luiz Viana Filho, Ney Braga, João Baptista Figueiredo, Carlos Alberto da Fontoura, João Leitão de Abreu, Adolpho Murgel, Orlando Geisel, Raimundo de Brito e Norberto, gerente do banco onde Geisel tinha conta.

4 Amália, sua irmã, morava com ele. O terceiro irmão de Geisel, Henrique, morreu em junho de 1973. *Diário de Heitor Ferreira*, 28 de julho de 1973. Três folhas datilografadas com nota de Heitor Ferreira a Geisel, sem data. APGCS/HF. Da lista de 26 pessoas, doze não receberam função alguma, e duas seguiram suas carreiras nas corporações burocráticas a que pertenciam, sem dele receber funções especiais.

5 Ernesto Geisel, março de 1995.

6 Conversa de Geisel com Moraes Rego e Heitor Ferreira, 20 de dezembro de 1973. APGCS/HF.

O tenente que conspirara contra a posse de Julio Prestes, o major que cercara Getulio Vargas no Guanabara e o general que estivera na derrubada de João Goulart do Planalto transmutaram-se em fantasmas. Das desordens de que participara, Geisel tiraria o fulcro de seu projeto político. Repetia com freqüência uma frase de Rodrigues Alves: "Quem senta nesta cadeira não perde".[7] Perseguia-o o receio do fracasso:

> Ao assumir uma função dessas de presidente, a primeira principal preocupação é assegurar os cinco anos. [...] Quer dizer, não ser posto para fora.[8]
>
> Um presidente perde o poder na esteira de três tipos de crise: uma incompatibilização total com a opinião pública (caso de Jango), um conflito decisivo com as forças políticas (em parte o caso de Jânio); mas essas duas coisas hoje em dia seriam difíceis; resta uma confrontação com as forças armadas, aí sim, pode acontecer.[9]
>
> O pior é que chega um dia em que o sujeito transige para não ser deposto.[10]

Estava em paz com o regime e com a idéia de que seu governo seria uma continuação aprimorada do qüinqüênio de Medici. Congelara amigavelmente a publicação do livro que Luiz Viana Filho escrevera sobre o governo de Castello, para evitar que as revelações do ex-chefe do Gabinete Civil reabrissem feridas do meio militar.[11] Preocupava-se em assegurar a permanência de alguns hierarcas do primeiro escalão. Pensara dar o governo do Rio Grande do Sul ao ministro dos Transportes, Mário Andreazza, e admitira a possibilidade de colocar Delfim Netto no palácio dos Bandeirantes.[12]

7 Rodrigues Alves disse a frase quando era governador de São Paulo. Geisel mencionava essa circunstância.

8 *Diário de Heitor Ferreira*, 20 de março de 1972.

9 Idem, 20 de março de 1972.

10 Idem, 23 de fevereiro de 1972.

11 Idem, 4 de dezembro de 1973.

12 Para Andreazza, *Diário de Heitor Ferreira*, 28 de janeiro de 1972. Para Delfim, idem, 25 de fevereiro de 1972.

Desde os tempos da Candelária, Heitor Ferreira colecionava idéias e desejos que Geisel enunciava em suas conversas. Chamava-os de *Atinhos*, e listou 452 tópicos. Neles se misturavam projetos relevantes ("promover a fusão do Estado do Rio de Janeiro com o da Guanabara"), remanejamentos ("escritório de planejamento no Planalto"), idéias perdidas ("ombudsman"), sonhos (acabar com as polícias militares) e banalidades ("cortar o noticiário esportivo da sinopse matinal"). De cada quatro temas, três refletiam preocupação com a racionalidade burocrática. Mais da metade perseguia a moralidade administrativa. Nenhuma grande obra. Nada que se chocasse com a ditadura, ou mesmo que diferisse dela. Quando Heitor ia longe, lembrava: "Dessensibilizar um pouco o povo. Impactos, etc.".[13]

O triunfalismo nunca fizera o gênero de Geisel, e os irracionalismos do "Brasil Grande" pareciam-lhe injustos, sobretudo porque lhe comprometiam a caixa que deveria administrar. Contrariara-se com iniciativas megalômanas que o governo denominava de "Projetos de Impacto", como o plano da Perimetral Norte, com uma estrada paralela e outra transversal à Transamazônica (4 mil quilômetros, no total), ou a meta dos 12% de inflação durante o ano de 1973.[14]

Enquanto Geisel foi um coadjuvante, as malquerenças com os "casacas" e os plutocratas bastaram para definir-lhe a silhueta política. A caminho do papel principal, tornaram-se insuficientes. Um general convencido de que todo político é falso e todo milionário é ladrão podia levar uma vida tranqüila e, com um pouco de paciência, podia até mesmo presidir a Petrobrás. A República já seria outra conversa, sobretudo porque, ao contrário de Medici, estava disposto a governar. Sentia-se prisioneiro dessa irredutibilidade: "Há o risco de um grande fracasso. Eu não sou flexível o suficiente".[15]

13 *Temas para Ação* ou *Atinhos Possíveis*, 24 folhas manuscritas de Heitor Ferreira, datadas de dezembro de 1973 e abril de 1974. APGCS/HF.

14 Para a Perimetral Norte, *Diário de Heitor Ferreira*, 1º de novembro de 1972. Para a inflação, idem, 11 de abril de 1973.

15 *Diário de Heitor Ferreira*, 13 de junho de 1972.

Sua relação com a ditadura era intelectualmente tumultuada. Apreciava-a como fonte de força enquanto ela fosse só dele. Daí em diante, vinham-lhe as dúvidas:

> Um presidente, agora, não vai poder se apoiar exclusivamente nas forças armadas. Nem nos políticos.[16]
>
> Os políticos ficam a dizer-se esperançosos — "ah, porque o Geisel significa abertura" — não sei, significará?[17]
>
> Bom era no tempo dos reis. O problema da legitimação era simples. Era o direito divino. Depois inventaram esse negócio de povo. O povo. Quem é o povo? Resultado, de Deus passou para o povo, e agora para o sabre, um sabre enferrujado.[18]

Sua peregrinação pelo país parecia-lhe inútil: "Não houve um lugar a que eu fosse que não me chateasse". Para os peregrinos que iam à Petrobrás, a questão era não chateá-lo. Entre o dia em que saiu da Candelária e aquele em que entrou no Planalto, Geisel encontrou-se com mais gente que em todos os seus anos de vida. Reuniu-se com governadores, ministros, parlamentares, generais e empresários. Deles, só o senador Luiz Viana Filho, seu colega no governo Castello e ex-governador da Bahia, mencionou a palavra maldita, lembrando que a oposição poderia explorar a "tortura de presos" ao longo da liturgia da eleição indireta.[19] Já o presidente da Arena, senador Petrônio Portella, classificou como "injúrias" as denúncias de tortura, e Geisel interrompeu-o:

"Não, só há alguns casos isolados. Não há vítimas, há alguns casos."

"Exato", respondeu Petrônio.[20]

16 *Diário de Heitor Ferreira*, 16 de fevereiro de 1972.

17 Idem, 13 de junho de 1972.

18 Idem, 11 de setembro de 1972.

19 Conversa de Ernesto Geisel com Moraes Rego e Heitor Ferreira, 20 de dezembro de 1973. Carta de Luiz Viana Filho a Geisel, sem data, certamente de 1973. APGCS/HF.

20 Conversa de Geisel com Petrônio Portella, 15 de fevereiro de 1974. APGCS/HF.

Proposta de desarticulação do AI-5, Geisel só recebeu uma. Veio do senador Antônio Carlos Konder Reis, de Santa Catarina. Sugeria que nos primeiros seis meses de governo fosse baixado um novo ato institucional, concedendo ao Congresso que seria eleito em novembro o poder de reformar a Constituição, com base num projeto do Executivo. Apoiava-se na certeza de que a Arena conseguiria a maioria de dois terços, essencial para fazer as mudanças constitucionais que bem entendesse. A nova Constituição dispensaria o regime dos instrumentos liberticidas do AI-5, dando ao presidente a prerrogativa de governar por decretos no caso de uma emergência nacional. Konder acreditava ser possível levantar a censura criando-se um registro de licença para a publicação de periódicos. Golbery achou "esquisita" a idéia do registro, mas reconheceu que a reforma da Constituição merecia ser examinada.[21] O nome do senador estava na lista de candidatos ao Ministério da Justiça, mas Geisel não gostou do artifício, que o levaria a baixar um ato institucional, e desconsiderou a proposta, chamando-a de "meio girafa".[22]

O general Figueiredo produziu uma lista com 65 tópicos de interesse para o futuro governo. Banal, propunha a expansão do turismo, lembrava a necessidade de formação de líderes políticos e além disso não ia.[23] José Américo de Almeida, venerado paraibano, famoso por ter contribuído para o restabelecimento da liberdade de imprensa no ocaso da ditadura de Getulio Vargas, aconselhava: "A Censura deve ser exercida sem mentalidade policial. [...] O AI-5 será mantido para segurança das instituições".[24] Roberto Marinho, dono da Rede Globo de Televisão, queixara-se de humilhações, mas reconhecera que "a censura está bem nessa questão de terrorismo". Resumindo o que dele ouvira, Geisel contaria: "Aberturas, etc.,

21 Conversa de Golbery com Geisel, narrando-lhe um encontro com Antônio Carlos Konder Reis, 16 de novembro de 1973. APGCS/HF.

22 Conversa de Geisel com Golbery, Moraes Rego e Heitor Ferreira, 6 de dezembro de 1973. APGCS/HF.

23 Seis folhas timbradas do Gabinete Militar, acompanhadas de uma nota manuscrita de Figueiredo a Heitor Ferreira, de 1979, referindo-se aos "meus apontamentos de agosto de 1973". APGCS/HF.

24 Três folhas datilografadas, sem data nem assinatura, acompanhadas por um bilhete de Heitor intitulado *Notas Deixadas com Geisel pelo José Americo*. APGCS/HF. Golbery anotou: "Três pancadinhas na madeira...". José Américo, conhecido por trazer má sorte, esteve com Geisel no dia 16 de julho de 1973.

acha besteira. Liberdade, é essa aí mesmo. O importante é o Brasil tocar pra frente".[25] No Planalto, Medici costumava brincar: "Vocês não conhecem o *Alemão*. Vão ver que eu sou bonzinho".[26]

Ainda assim, o porão batia à porta de Geisel. Em alguns casos, literalmente, como em maio de 1973, quando Zuzu Angel foi ao apartamento dele no Leblon para pedir-lhe que ajudasse a localizar o filho desaparecido.[27] Noutra ocasião, sua própria filha lhe pediu ajuda para localizar um amigo que estaria no DOI.[28] A documentação conhecida revela que um só alto funcionário utilizou o canal de comunicações de que dispunha junto a sua equipe para levar-lhe uma detalhada denúncia de tortura. Foi o embaixador Dário Castro Alves, chefe-de-gabinete do ministro das Relações Exteriores. Por sugestão de Heitor Ferreira, remeteu o depoimento de um contraparente de 62 anos que estivera numa das celas especiais do DOI.[29] "Ele ficava nu, obrigado a defecar e urinar na cela. Perdia o respeito por si próprio", lembrou o diplomata anos mais tarde.[30] Depois de ler a narrativa, Geisel sentiu-se mal, e no dia seguinte queixou-se a Heitor: "Vocês me estragaram a noite. Deviam ter me dado aquilo de manhã. A carta tem vários pontos fracos e muita mentira, mesmo assim é uma barbaridade".[31]

Geisel sabia o que acontecia no porão. Golbery encontrava-se quase todas as segundas-feiras com o coronel Francisco Homem de Carvalho, o *Carvalhinho*, sócio fundador do SNI e comandante do batalhão da PE da Barão de Mesquita, condômino do segredo da existência de um aparelho clandestino do CIE em Petrópolis. Ele lhe relatava o que acontecia no DOI. Um ex-deputado da Arena entregou a Golbery uma lista

25 *Diário de Heitor Ferreira*, 17 de outubro de 1973.

26 Idem, 7 de julho de 1973.

27 Carta de Zuzu Angel a Geisel, de 29 de abril de 1975, em Angel, *Eu, Zuzu Angel, procuro meu filho*, pp. 236-7. Geisel não recebeu Zuzu Angel. Ernesto Geisel, 20 de fevereiro de 1995.

28 *Diário de Heitor Ferreira*, 30 de agosto de 1972.

29 Idem, 25 de julho de 1973, e nota de Heitor Ferreira a Geisel, do mesmo dia, passada a Golbery no dia seguinte.

30 Dário Castro Alves, setembro de 1985.

31 *Diário de Heitor Ferreira*, 26 de julho de 1973.

com os nomes de seis oficiais acusados de torturar presos.[32] Um emissário paulista contou-lhe que o arcebispo de São Paulo, d. Paulo Evaristo Arns, rompera relações com o comandante do II Exército pelos agravos recebidos e vivia indignado com os casos de tortura que comprovara.[33] Quando um grupo de deputados do MDB arrolou quinhentas perguntas ao governo, indagando desde o tamanho da dívida externa até o número exato de sindicatos sob intervenção, ele pediu a Heitor Ferreira que extraísse do *Diário do Congresso* a lista completa: "Creio conveniente catalogar essas perguntas, pois ajudarão no futuro a indagar cousas. Não creio que haja resposta conveniente agora, mas sim no 'intramuros', se houver".[34]

Os contatos de Geisel circunscreviam-se àquele mundo oficial em que as pessoas se dividem entre quem está bem e não quer ficar mal e quem se julga diante de uma oportunidade de ficar melhor. Tinha seu gabinete de trabalho no largo da Misericórdia. Quando não queria que a imprensa registrasse seus encontros, marcava as reuniões para o Jardim Botânico. Ninguém o contrariava. Os políticos reconheciam-lhe o direito de indicar não só os governadores, mas também os candidatos ao Senado nas eleições que aconteceriam no ano seguinte. Ganhou da tropa de choque de Costa e Silva o adesismo que lhe negara. Ora chegava ao largo da Misericórdia uma carta do general Albuquerque Lima, ora ali aparecia, declarando-se "um soldado", o ex-ministro da Justiça Gama e Silva.[35] Quan-

32 Folha de papel rasgada, com os nomes do major Innocencio Fabricio de Mattos Beltrão e dos capitães Homero Cesar Machado, Dalmo Lúcio Cirillo, Benoni de Arruda Albernaz e Carlos Alberto Brilhante Ustra. Numa folha de bloco Heitor Ferreira anotou: "Fonte afirma que são torturadores". Noutra Golbery identificou a fonte: o ex-deputado Gilberto Azevedo. APGCS/HF. Todos os oficiais listados serviam no DOI de São Paulo. Esse papel deve ter sido entregue a Golbery no segundo semestre de 1972.

33 *Diário de Heitor Ferreira*, 30 de outubro de 1973.

34 Recorte de *O Estado de S. Paulo*, sem data, e uma folha de bloco com anotação manuscrita de Golbery. APGCS/HF.

35 Carta do general Affonso de Albuquerque Lima a Geisel, de 7 de junho de 1973. APGCS/HF. Para Gama e Silva, *Diário de Heitor Ferreira*, 28 de outubro de 1972.

do um secretário disse a Golbery que o general Jayme Portella telefonara três vezes, ele pensou que fosse trote.[36] A elite brasileira parecia dividida em duas castas: a que já estivera com Geisel e a que ainda não estivera.

O poeta Carlos Drummond de Andrade retratou esse clima narrando a história de sua passagem pelo Jardim Botânico:

> — Tem estado com o Golbery?
>
> — Nunca nos vimos. [...]
>
> — Você não foi chamado?
>
> — Chamado para quê?
>
> — Pelo homem.
>
> — Que homem, homem de Deus?
>
> — O do Jardim Botânico, ué.
>
> — Padre Raulino, o diretor? Também não tenho o prazer de conhecê-lo. Fui lá ver as plantas.
>
> — Deixa de cortina de fumaça. Você sabe que eu me refiro ao general Geisel.
>
> — E por que o general havia de me chamar?
>
> — Sei lá, você foi visto saindo da casa dele.
>
> — Eu?
>
> — Você sim. E depois de sair, ainda ficou olhando um longo tempo para a casa, embevecido.
>
> — Eu olhava um gato dormindo. Adoro gatos. [...]
>
> Eu não seria um dos pedestais do futuro governo. [...] Minhas relações com os amigos do general limitavam-se a um gato. E gato visto à distância, sem maior comunicação. O inquiridor despediu-se com um muxoxo. Minha estrela apagou-se.[37]

36 *Diário de Heitor Ferreira*, 3 de dezembro de 1973.

37 Carlos Drummond de Andrade, "Desenvolvimento e fim de um equívoco de breve duração", p. 5 do Caderno B, *Jornal do Brasil*, 25 de agosto de 1973.

No sábado, 1º de setembro de 1973, Orlando Geisel foi ao Jardim Botânico com a mulher Alzira. A conversa caiu num tema banal: o discurso que Ernesto deveria fazer no dia 15, quando a convenção da Arena formalizaria sua candidatura. Havia semanas que estudava um texto e o descreveu ao irmão. Orlando detestava discursos e argumentou que Ernesto devia falar pouco. Fez algumas observações quanto ao conteúdo, e o irmão perguntou por que pensava daquela maneira. A certa altura Orlando sugeriu que fizesse o que lhe dizia, pois sabia de coisas que ele desconhecia. Geisel fechou o tempo: "Vocês não têm confiança em mim... Estão com medo das besteiras que eu vou dizer. Querem me tutelar, mas comigo não. Se querem manobrar, arranjem outro".

Orlando levantou-se, disse que não estava ali para ouvir desaforos e chamou a mulher para irem embora. Postos panos quentes, ficaram, mas não se falou mais de política.[38] Era o medo da tutela. Seu tamanho podia ser medido pela aparente desproporção entre as observações de Orlando e a reação de Geisel. O ministro do Exército tratava de um discurso destinado a uma cerimônia teatral onde apenas se referendaria o nome imposto pelo regime. O candidato cuidava do primeiro pronunciamento político da vida dele: "Tenho que dizer a que venho".[39] Quatro anos antes, Medici classificara sua filiação à Arena como "ato de comando" e avisara que não estava disposto "a trocar a firmeza do timoneiro pela habilidade do chefe político".[40] Quando discutiu com o irmão, Geisel trabalhava um conceito bastante diverso. Na folha manuscrita de seu discurso lia-se: "o político — o homem votado pelo povo por seu mérito e capacidade de persuasão".[41]

Golbery aprontara o projeto de discurso em meados de agosto. O escriba traía-se numa frase com 146 palavras e na grandiloqüência — "este

38 *Diário de Heitor Ferreira*, 3 de setembro de 1973.

39 Idem, 4 de julho de 1973.

40 "Tempo de reconstrução", discurso pronunciado na convenção da Arena em 20 de novembro de 1969. Emilio Garrastazú Medici, *O jogo da verdade*, p. 46.

41 Ernesto Geisel, *Discursos*, vol. 1: *1974*, pp. 12-3.

Brasil que ainda chegará a assombrar o mundo — stupor mundi — de alguma era do futuro".[42] Metade do texto foi desprezada por Geisel, mas a metade que sobreviveu ocupou quase dois terços da versão final. Entre o projeto e a fala que o país ouviu na noite de 15 de setembro de 1973 deu-se um diálogo entre os dois velhos amigos e duas cabeças diferentes. O *Corca* não escreveu a palavra *subversão*, e deixou cair no meio do texto uma "ditadura asfixiante" e uma "abertura política". Geisel cortou as duas audácias e agradeceu às Forças Armadas o restabelecimento da ordem, a salvação das instituições e a resistência às "investidas da subversão".

Em alguns casos, Geisel expressou-se através de mudanças:

GOLBERY: [A] plêiade de ilustres homens públicos que a Revolução, de Castello Branco a Garrastazú Medici, soube mobilizar.

GEISEL: [...] Castello Branco, Costa e Silva e Emilio Garrastazú Medici [...].

GOLBERY: Ao calor desse progresso efetivo que estimula e a todos contagia, despertarão, vivazes, expectativas antes dormidas na estagnação e desesperança da longa noite do passado [...]. Preveni-las, aquietá-las, encaminhar-lhes a energia vital num sentido construtivo e mais nobre, contê-las, se necessário for, com energia mas esclarecida compreensão.

GEISEL: Preveni-las, aquietá-las, encaminhar-lhes a energia vital num sentido construtivo e mais nobre, impedir que sejam exploradas ardilosamente pelos que pretendem subverter as instituições.

GOLBERY: As grandes empresas multinacionais, cujo potencial, para o bem, ou talvez para o mal é, e sê-lo-á, em escala maior talvez, condição essencial ao próprio desenvolvimento da Nação.

GEISEL: [...] cujo potencial para o bem, ou talvez para o mal, ainda não nos é dado avaliar.

Em outros trechos, passou a faca. Três exemplos:

42 Maços de treze e dezoito folhas manuscritas de Golbery, anotadas por Heitor Ferreira, sem data.

> Sem austeridade não há autoridade que se afirme, a não ser apelando à coação e à violência.
>
> Sem honestidade de propósitos não há poder que possa aspirar legitimar-se, a menos que não trepide em recorrer, maquiavelicamente, à mistificação e à clássica manipulação da vontade popular, mas essa legitimidade espúria é de uma fragilidade irremediável.
>
> Governo aberto, como os que mais o foram, almejo que venha a ser o meu, no sentido de aceitar e ponderar críticas e acatar sugestões, de abrir e manter arejados canais múltiplos de comunicação com as elites políticas, a intelligentzia brasileira, todas as demais minorias autenticamente representativas e responsáveis do país.

Lendo esse trecho para Geisel, Golbery soltou uma gargalhada:

"'Governo aberto, espero tanto como os demais o foram'. [...] Governo fechado..."

"Tudo o que você botou aí está tudo muito certo. [...] Não está na hora ainda", cortou Geisel.[43]

Nada houve na convenção que prenunciasse grandes mudanças ou mesmo receios, mas uma frase, próxima do final, enunciava um truísmo tranqüilizador: "Os partidos políticos — tanto do governo como da oposição, cada qual no papel que lhe cabe desempenhar — são essenciais ao estilo de vida democrático".[44]

Ao contrário do que sucedia desde 1964, a oposição resolvera participar da eleição de 74. Ulysses Guimarães, presidente do MDB, encabeçaria a chapa. Suas chances eram nulas, pois a Arena tinha mais de dois terços do Colégio Eleitoral. Daí, denominava-se "anticandidato".[45]

43 Conversa de Geisel com Golbery, 10 de janeiro de 1974. APGCS/HF.

44 Ernesto Geisel, *Discursos*, vol. 1: *1974*, p. 18.

45 *Veja*, "'Eu sou o anticandidato'. Como um semeador, o MDB vai para a campanha eleitoral pensando no futuro", por Marcos Sá Corrêa, 12 de setembro de 1973, pp. 3-5.

A idéia — e o termo — apareceu numa conversa do deputado Thales Ramalho, secretário-geral do partido, com Luís Maranhão, o *Miguel* do comitê central do PCB, responsável por parte dos contatos políticos da organização. Amigos desde a juventude, tinham conversado por duas horas num automóvel, vagando pelas ruas do Rio de Janeiro.[46] A sugestão atolara. Em junho de 1973, Ulysses Guimarães assegurara que o MDB não participaria da eleição. Mudou de opinião quando a ala mais combativa do partido saiu em busca de um candidato destinado a denunciar o processo eleitoral. Procuraram militares, mas acabaram se conformando com o nome do velho libertário Barbosa Lima Sobrinho. Em setembro, Ulysses anunciou-se "anticandidato". Aproveitaria a oportunidade da campanha para atacar o governo e denunciar o processo político, abandonando-o dias antes da cerimônia eleitoral, com uma renúncia cinematográfica.[47]

Aquele paulista de poucos votos que presidia um partido sem passado nem presente acabara de achar o futuro. Apelidado *Ramsés* por conta da sua seca figura, cabia nas sete palavras com que se auto-retratara em 1938, na disputa pelo lugar de orador da turma na Faculdade de Direito da USP: "Eloqüente. Verboso. Arrebata e comove. Cultura sólida".[48] Produto do irrelevante PSD de São Paulo, engrandecera-se na política interna da Câmara dos Deputados, aonde chegara em 1951. Tinha o instinto de sobrevivência que a gíria política chamava de "pessedismo". Em abril de 1964, quando os comandantes militares exigiram a degola da liderança parlamentar do governo deposto, fora um dos congressistas que ofereceram um instrumento extraconstitucional capaz de expurgar a Câmara e o Senado. Nessa proposta, as suspensões de direitos políticos durariam quinze anos.[49] Relatara o projeto da Lei de Greve sancionada por Castello Branco.[50] Viera à tona

46 Thales Ramalho, agosto de 1986. Segundo Ulysses Guimarães, em entrevista a *O Pasquim*, o termo é de sua invenção. Teria surgido durante uma conversa com o advogado Luiz Lopes Coelho, na avenida São Luís, em São Paulo. Luiz Gutemberg, *Moisés, codinome Ulysses Guimarães*, p. 126.

47 Para a articulação da candidatura dentro do MDB, depoimentos de Alencar Furtado e Fernando Lyra, em Ana Beatriz Nader, *Autênticos do MDB, semeadores da democracia*, pp. 51 e 120.

48 Antonio Carlos Scartezini, *Dr. Ulysses*, p. 21.

49 Daniel Krieger, *Desde as Missões*, p. 172. Krieger não identifica Ulysses como autor da proposta de quinze anos. Ele está identificado em Antonio Carlos Scartezini, *Dr. Ulysses*, p. 44.

50 Luiz Viana Filho, *O governo Castello Branco*, p. 119.

no naufrágio das eleições de 1970, nas quais a coação policial do regime e a campanha da esquerda pelo voto nulo deixaram o MDB com sete senadores e 87 deputados, bancada insuficiente para requerer a formação de uma CPI.[51] A derrota comera metade do partido e arrastara a cadeira de senador do seu presidente, general Oscar Passos, obrigando-o a renunciar. Ulysses era o vice, e a ala moderada de pessedistas trabalhou-lhe a promoção.

Uma semana depois da convenção da Arena, chegou sua vez de discursar: "Não é o candidato que vai percorrer o país. É o anticandidato, para denunciar a antieleição, imposta pela anticonstituição que homizia o AI-5, submete o Legislativo e o Judiciário ao Executivo, possibilita prisões desamparadas pelo habeas corpus e condenações sem defesa, profana a indevassabilidade dos lares e das empresas pela escuta clandestina, torna inaudíveis as vozes discordantes porque ensurdece a Nação pela censura à imprensa, ao rádio, à televisão, ao teatro e ao cinema".

Em outra faixa de onda, louvou a integridade do "futuro chefe da nação", lembrou as virtudes da Oposição de Sua Majestade (tema caro ao general) e ofereceu-lhe "a mais eficiente das colaborações: a crítica e a fiscalização". (Num de seus rascunhos Geisel escrevera que esperava do MDB a "necessária vigilante fiscalização".)[52]

Despediu-se citando um guerreiro romano que o poeta português Fernando Pessoa resgatara e Caetano Veloso ressuscitara:

Navegar é preciso;
Viver não é preciso.[53]

Algumas emissoras de televisão e rádio haviam prometido transmitir o discurso, mas fizeram saber ao MDB que ele iria ao ar no dia seguinte, após um jogo de futebol.[54] "Esse idiota não vai ao ar. Não foi ao vivo nem

51 Em 1970 o Senado tinha 66 cadeiras e a Câmara, 310. No registro de fundação, em 1965, o MDB tinha 21 senadores e 140 deputados.

52 Para a Oposição de Sua Majestade, *Diário de Heitor Ferreira*, 4 de julho de 1973. Para a "fiscalização", folha manuscrita de Geisel com sete tópicos para o discurso da convenção. APGCS/HF.

53 Luiz Gutemberg, *Moisés, codinome Ulysses Guimarães*, p. 116.

54 *Jornal do Brasil*, 24 de setembro de 1973, p. 3 do 1º caderno.

vai em gravação", disse o general Milton Tavares de Souza, chefe do CIE, depois de ouvir Ulysses.[55] Os grandes jornais, contudo, publicaram-lhe a íntegra, o que não era pouca coisa. Criticando o AI-5, o processo de escolha do próximo presidente e as prisões arbitrárias, Ulysses transgredira três tópicos do controle que o governo exercia sobre a imprensa. Afinal, poucos meses antes a Polícia Federal lembrara que era proibido criticar "o sistema de censura, seu fundamento e sua legitimidade".[56] Era pouco, mas era algo.

A condição de candidato oficial deu a Geisel liberdade de movimento. Visitou a Amazônia, o cacau baiano, o vale do São Francisco e uma escola de agronomia paulista. Até o final de dezembro encontrou-se com dezesseis ministros, catorze governadores, 21 senadores e dezoito deputados.[57] Ecos trazidos de Brasília pelo general Figueiredo sugeriram algum desconforto do Planalto diante dos paralelos com a reclusão de Medici. "Estou recebendo políticos, evidentemente. O ano que vem temos eleições diretas. Não podemos perder. Como é?", rebateu Geisel.[58] Oito meses depois de sua posse, presidiria uma eleição que renovaria um terço do Senado, toda a Câmara e as assembléias legislativas, e Ulysses já avisara que a anticandidatura seria o pontapé inicial da mobilização do MDB. Nenhuma grande encrenca.

Duas, uma maior que a outra, apareceram no fim do ano. Em meados de novembro Augusto Trajano de Azevedo Antunes, o dono das jazidas de ferro do Amapá e financiador do IPÊS, oráculo invisível de boa parte da plutocracia nacional, tivera dois convidados para jantar num apartamento da avenida Vieira Souto. Um era Julio de Mesquita Neto, da família proprietária d'*O Estado de S. Paulo*, quatrocentão conservador e irredutível.[59] Chamado a depor num IPM, se recusara a aceitar a qualificação

55 Luiz Gutemberg, *Moisés, codinome Ulysses Guimarães*, p. 121.

56 Paolo Marconi, *A censura política na imprensa brasileira — 1968/1978*, p. 256.

57 Agenda de Geisel, 1973. APGCS/HF.

58 Nota apensa à transcrição do *Diário de Heitor Ferreira*, 19 de outubro de 1973. APGCS/HF.

59 *Diário de Heitor Ferreira*, 10 de novembro de 1973.

de diretor responsável do jornal. Quando o oficial que o interrogava lhe perguntou quem, nesse caso, era o responsável pelo *Estadão*, respondeu que essa função estava com o ministro da Justiça, Alfredo Buzaid, "que todas as noites tem um censor na tipografia do jornal".[60] O depoimento foi encerrado.

O outro convidado era Golbery. Naquele dia o jornal de Julio Neto chegara às bancas com 65 versos d'*Os lusíadas* ocupando o espaço de uma reportagem do jornalista Alberto Tamer, enviado especial à Brasil-Expo 73, em Bruxelas. Tamer contava que a despeito do enorme sucesso de público (20 mil visitantes) e de crítica (11 milhões de dólares de negócios fechados), a feira se tornara uma oportunidade para manifestações contra a ditadura. Sofrera uma explosão, uma tentativa de invasão e pequenos comícios. O título do texto suprimido dizia tudo: "Feira: Êxito econômico, porém malogro político".[61]

A realização desse jantar à mesa de Antunes indicava o interesse de um setor tradicional da plutocracia por algum tipo de armistício entre o regime e o jornal. Não se tratava de uma gestão para acabar com a censura, mas de um entendimento para amenizar as hostilidades contra o *Estadão*. Toda a indústria de comunicações permanecia controlada. A *Tribuna da Imprensa* continuava com censores dentro da redação. Os semanários *O Pasquim* e *Opinião* estavam obrigados a enviar seus textos a Brasília, onde, numa só edição do segundo, carimbaram "censurado" em 170 das 348 laudas escritas pela redação.[62]

Golbery e Julio Neto conversaram até as primeiras horas da madrugada. Trataram do ministro Delfim Netto, da moralidade do Poder Judiciário, do delegado Fleury e do Esquadrão da Morte. O general passou suas mensagens: insinuava o fim da censura e pedia que se evitassem turbulências até a posse de Geisel.[63] Levou o jornalista ao aeroporto e deu

60 *O Estado de S. Paulo*, 30 de dezembro de 1996.

61 Idem, 10 de novembro de 1973, edição submetida aos censores e edição censurada. O Departamento de Pesquisas do jornal conserva as páginas preparadas pela redação antes de serem mutiladas pelos censores.

62 Bernardo Kucinsky, *Jornalistas e revolucionários*, p. 271.

63 Julio de Mesquita Neto, junho de 1994.

a missão por bem-sucedida: "A conversa em si não tem um outro fato, uma coisa mais importante, a não ser o trabalho de amaciamento".[64] Duas semanas depois Geisel receberia um aviso: o DOPS gravara a conversa de um encontro de Golbery com os irmãos Julio e Ruy Mesquita, em São Paulo.

"Então está ótimo. Mandem a gravação. Vamos ver essa gravação", respondeu Golbery.[65]

Não era bem assim. Depois do jantar no Rio, Julio de Mesquita telefonara ao irmão Ruy, diretor do *Jornal da Tarde*, narrara o encontro, e essa conversa fora gravada. Golbery voltou a interessar-se pela fita: "Eu vou querer do Figueiredo a cópia, porque agora eu quero ver se os caras estão falando certo ou mentindo. [...] Agora interessa a mim".[66] Havia dois urubus na linha, a Polícia Federal e o CIE. O diretor do DPF, general Antonio Bandeira, mandou o grampo ao SNI, e de lá ele foi para a mesa de Medici.

Heitor Ferreira presenciou a reação de Geisel:

> Quer dizer, por causa desse sistema que está montado aí, de SNI, Bandeiras, e CIE, e não sei o quê, eu vou ficar inibido, eu vou me meter num quarto e só vou falar no dia 15 de março, quando eu tomar posse. Porque aí eu arrebento com todos eles. Eu quebro o CIE, quebro o SNI, quebro o Bandeira e quebro toda essa turma. [...] O primarismo dessa gente é o seguinte, Heitor: eles são contra *O Estado de S. Paulo*. Querem massacrar *O Estado de S. Paulo*, mas não têm a coragem de chegar e liquidar o jornal. Porque eu aceito isso, mas então rasga a Constituição, rasga tudo, vai lá, desapropria o jornal, quebra o jornal, fuzila o Mesquita. Por que não vão a isso? Não, *O Estado de S. Paulo* é livre, funciona, mas é leproso, ninguém pode tocar nele, ninguém pode conversar.[67]

64 Conversa de Golbery com Geisel, cerca de 15 de novembro de 1973. APGCS/HF.

65 Conversa de Golbery com Geisel, 3 de dezembro de 1973. APGCS/HF.

66 Julio de Mesquita Neto, junho de 1994. Conversa de Geisel com Golbery, 6 de dezembro de 1973, APGCS/HF.

67 Conversa de Geisel com Heitor Ferreira, 10 de dezembro de 1973. APGCS/HF.

Dias depois o caso foi liquidado numa conversa de Geisel com Figueiredo.[68] Medici nunca levantou o assunto, e Golbery ficou frio. Por falar em encontro com leprosos, Golbery acabara de marcar outro, com d. Avelar Brandão Vilela, cardeal-arcebispo de Salvador. Meses antes o governador de Pernambuco humilhara o arcebispo, tirando-lhe um crachá. Convinha conversar num lugar discreto, e o cardeal-primaz parecia um senhor cumprindo sua rotina de fim de tarde, quando entrou numa agência de banco da esquina da rua do Carmo com a Ouvidor. Caminhou até o fundo e subiu ao segundo andar. Golbery o esperava.[69]

A dificuldade que influenciaria profundamente a formação do governo de Geisel e que haveria de amargurar-lhe o resto dos tempos, esgueirou-se aos poucos. Na segunda metade de novembro, chegaram-lhe murmúrios de que seu irmão, insuflado por um grupo de generais, pretendia continuar no Ministério do Exército.[70] Não fazia sentido. Aos 68 anos, Orlando estava um caco. Havia mais de um ano, dissera a Ernesto que era "um homem condenado". Tivera uma pneumonia e padecia de pericardite. Despachava freqüentemente em casa. Enxergava mal: "Eu estou com a impressão de que eu passei o pente nas sobrancelhas e estou vendo através dos cabelos". Em outubro tivera febres, definhara catorze quilos. Geisel mandara-lhe seu médico, e o diagnóstico fora tifo. Temera pela vida dele, mas resignara-se.[71]

Mesmo assim, no jogo dos palpites, Orlando continuava ministro, tanto na lista do senador Ney Braga como na do ajudante-de-ordens de

68 Bilhete de Heitor Ferreira a Golbery, 10 de dezembro de 1973, com os temas que Geisel trataria com Figueiredo durante um encontro marcado para o dia 15. APGCS/HF.

69 Telefonema de d. Avelar Brandão a Golbery, 11 de dezembro de 1973. APGCS/HF.

70 *Diário de Heitor Ferreira*, 3 de dezembro de 1973. Conversa de Geisel com Golbery e Heitor Ferreira, 20 de novembro de 1973, APGCS/HF.

71 Ernesto Geisel, julho de 1988. Para a perda de peso, Octavio Costa, maio de 1985. Para os olhos, conversa de Geisel com Golbery, 7 de janeiro de 1974. Para a possibilidade da morte de Orlando, conversa de Geisel com Golbery, Heitor Ferreira e Moraes Rego, 22 de novembro de 1973. APGCS/HF.

Medici.[72] O coronel Danilo Venturini, íntimo colaborador do general Orlando, foi chamado a Jacarepaguá, discutiu o assunto com Golbery, minimizou-o e achou boa a idéia de que tudo poderia ser resolvido através de um cuidadoso oferecimento do lugar de embaixador em Portugal.[73]

No dia 20 de dezembro, Geisel voltou do almoço e encontrou o general *Cacau* de Barros Nunes na ante-sala. *Cacau* vinha pedindo para ser recebido desde a tarde anterior. Contrariando seu temperamento expansivo, recusava-se a revelar o assunto. Só contou sua história ao candidato. Estivera com Orlando para entregar-lhe um presente de Natal, e a certa altura ouvira dele: "Os três ministros militares têm que permanecer". Encerrada a agenda, Geisel sentou-se com Golbery e Heitor. Não admitia a hipótese. Renunciaria à candidatura, e logo, evitando o constrangimento da eleição de 15 de janeiro.[74]

O velho demônio reaparecera. A permanência do ministro do Exército — fosse quem fosse — significaria uma tutela militar disfarçada em continuidade administrativa. Produto do conchavo dos generais, resultaria num condomínio de tutores. Se tudo isso fosse pouco, aquilo era coisa "do *Minguita*, do *Coalhada*, do *Gordo Sinistro*", oficiais que Geisel sempre desprezara.[75] Era também coisa de sua família. Atribuía-se à irmã Amália, uma frase tão simples quanto significativa: "O Orlando cuida do Exército, e o Ernesto cuida do resto".[76] A idéia de abater o próprio irmão transtornara-lhe o sótão de emoções que tanto protegia.

Eram bons amigos, mas tinham uma relação mais próxima dos hábitos alemães que da cultura familiar brasileira. Ainda tenente, Ernesto fizera um empréstimo na Caixa Econômica para pagar uma encalacrada de Orlando nas mesas de pôquer. Já capitães, casados, viveram na mesma casa. A força dos vínculos afetivos com a família podia ser medida

72 Três folhas manuscritas de Heitor Ferreira com o resumo de sua conversa com o major Clóvis Magalhães Teixeira, 15 de dezembro de 1973. APGCS/HF.

73 *Diário de Heitor Ferreira*, 20 de dezembro de 1973.

74 Idem.

75 Pela ordem, os generais Antonio Jorge Corrêa, Ramiro Tavares Gonçalves e Humberto de Souza Mello. Ernesto Geisel, julho de 1988.

76 Heitor Ferreira, 1998.

pelo nome das crianças: Ernesto dera ao filho o nome do irmão.[77] Mesmo assim, visitavam-se de terno e gravata.[78] Mais velho em casa e mais antigo no Exército, Orlando acumulara precedências. Em 1932, depois de combater a Revolução Constitucionalista de São Paulo, Ernesto recusara a estrela de capitão porque com ela ultrapassaria o tenente Orlando.[79] Evitavam discutir política militar. O ministro apreciava as histórias do irmão, tanto que contou a Medici o chega-pra-lá que levara quando quis influenciar o texto do discurso da convenção.[80] Gostavam-se, mas Ernesto era o caçula. E o caçula lia nos jornais que tinha oito estrelas, quatro dele e outras quatro do irmão mais velho.[81]

Desde que a encrenca aparecera, Geisel vinha repetindo:

"Por mais que nós sejamos amigos, eu e o Orlando, nós temos pontos de vista diferentes, ele é cabeçudo, eu sou também. [...] Orlando é mais velho, eu sou mais moço, mas eu vou ser o chefe."[82]

"No primeiro despacho nós vamos ter briga, ou então eu vou passar cinco anos fazendo coisas que eu não quero. [...] Por outro lado, vão dar uma imagem muito ruim do país e do governo. Que eu fui escolhido pelo Orlando, que o Orlando, por meu intermédio, manda neste país, e que isso é uma comandita de dois irmãos, e que não sei o quê. Acho que isso é de um senso elementaríssimo."[83]

Era preciso que alguém falasse com Orlando. Quem? Medici.

Naquela mesma tarde Geisel chamou Figueiredo ao Jardim Botânico e pediu-lhe que levasse o problema ao Planalto.[84] Poucos dias depois, no meio de um despacho de rotina, Medici tratou o assunto com Orlan-

77 Orlando teve dois filhos. A um deu o nome do pai (Augusto) e a outra o da mãe (Lídia). Ernesto deu a um o nome do irmão (Orlando) e a outra o da irmã (Amália).

78 Amália Lucy Geisel, julho de 1991.

79 Golbery do Couto e Silva, 1983.

80 Nota apensa ao *Diário de Heitor Ferreira*, 28 de setembro de 1973.

81 Conversas de Geisel com Golbery, 7 de janeiro e 8 de fevereiro de 1974, com Dyrceu Nogueira, 4 de fevereiro de 1974, e com Dale Coutinho, 16 de fevereiro de 1974. APGCS/HF.

82 Conversa de Geisel com Golbery, 3 de dezembro de 1973. APGCS/HF.

83 Conversa de Geisel com Golbery, Heitor Ferreira e Moraes Rego, 10 de dezembro de 1973. APGCS/HF.

84 *Diário de Heitor Ferreira*, 20 de dezembro de 1973.

do. Segundo a versão de Figueiredo, que conversara com o presidente, o velho general surpreendera: "Nem me passa pela cabeça criar problema para ele. Eu apenas imaginei ajudar, por alguns meses. Ele vai ter tanto problema no início do governo...".

Parecera encantado com a embaixada em Portugal: "Ah, não deixa a minha mulher saber disso que ela vai ficar numa felicidade...".[85]

Segundo a versão do coronel Venturini, as coisas foram diversas. Ele continuava pensando em ficar "por alguns meses" e via a embaixada como simples hipótese: "Se fosse hoje, a resposta seria não".[86] Estava certo. Quando Medici insistiu com o lugar em Lisboa, o general desviou-se: "Por que não nomeia o Fontoura?".[87]

Orlando Geisel sabia transformar-se num mestre da esquiva, hábil manipulador de subentendidos. Queria permanecer no ministério e não se renderia a intermediários. Seus generais pouco podiam fazer num conflito de irmãos. Depois de uma conversa com Medici, Figueiredo concluíra que esse era o pior caminho: "O único que não pode entrar de sola nessa questão é o Alemão".[88]

Ademais, o chefe do CIE, general Milton Tavares de Souza, passara ao coronel Venturini informações que ele se apressou em comunicar a Golbery. Foi ao largo da Misericórdia e revelou:

"Há uns espíritas", disse Venturini.

"Qual é a mensagem dos espíritos?", indagou Golbery. [...]

"A mensagem deles é de que o homem deve permanecer."

"Por quê? Porque é espírita?", perguntou Heitor.

"Não, o general não é espírita. Os espíritas é que dizem. Fazem lá as suas sessões. Me disse o general Milton... [...]"

Golbery achou que havia macumba na mensagem:

"Olha aqui, ô Venturini, esse negócio de espírita é o seguinte: há men-

85 *Diário de Heitor Ferreira*, 27 de dezembro de 1973.

86 Idem, 29 de dezembro de 1973.

87 Duas folhas manuscritas de Heitor Ferreira, de 4 de janeiro de 1974. APGCS/HF.

88 Telefonema de Figueiredo a Heitor Ferreira, 17 de dezembro de 1973. APGCS/HF.

sagens espíritas, ou soi-disant espíritas, ou por outra, mensagens que os participantes acham que é espírita, convictamente. Se essa mensagem, ela é autêntica ou se ela tem um pouco de desejo, consciente ou inconsciente, não interessa. Quer dizer, o indivíduo tem aquilo que ele considera que é. Mas essa mensagem nunca é essa: deve ser. Nunca. Essa mensagem vai ser. A mensagem espírita nunca vem com isso: deve ser fulano. Nunca vi mensagem espírita, a não ser assim: cuidado com isso, com aquilo, cuidado com aquilo outro, mas nunca assim no 'deve'. É mudar a orientação da coisa. Mas também isto é um dos meios que se usa para plantar muito troço."

"Foi o dado que o Milton me deu", argumentou Venturini.[89]

Dias depois, referindo-se a esse episódio, Geisel teve um momento de humor cruel: "Mas diz que o astral é que diz que ele tem que continuar, não é?".[90]

No início de janeiro, a poucos dias da eleição, Geisel convenceu-se de que a isca da embaixada em Lisboa se perdera. Abandonou a idéia da renúncia e caminhou lentamente em direção ao pior. Fechou-se em copas, como se ignorasse o problema. Embarcou para Brasília e, em vez de hospedar-se na casa do irmão, foi para o hotel Nacional. No caminho, descobriu que a reserva de uma suíte de 3400 cruzeiros ficara por conta do Centro de Informações do Exército.[91] Mandou desmanchar o trato, alugou um apartamento comum e pagou pouco mais de mil cruzeiros do seu bolso.[92]

Recebeu Orlando duas vezes no Jardim Botânico, mas as conversas não saíram da temática familiar. Emitiu um só sinal: escolheu o almirante Geraldo de Azevedo Henning para o Ministério da Marinha sem nenhuma consulta fora do seu círculo de colaboradores.

Orlando acusou o golpe. No fim da tarde de 9 de fevereiro, sábado

89 Conversa de Golbery e Heitor Ferreira com o coronel Danilo Venturini, 19 de dezembro de 1973. APGCS/HF.

90 Conversa de Geisel com Golbery e Heitor Ferreira, 20 de dezembro de 1973. APGCS/HF.

91 Conversa de Geisel com Moraes Rego e Heitor Ferreira, 9 de janeiro de 1974, APGCS/HF, e *Diário de Heitor Ferreira*, 10 de janeiro de 1974.

92 *Diário de Heitor Ferreira*, 10 de janeiro de 1974. O CIE acabou pagando uma das diárias. Conversa de Geisel com Lilian e Humberto Barreto, Moraes Rego e Heitor Ferreira, 16 de janeiro de 1974. APGCS/HF.

de Carnaval, atravessou o portão do Jardim Botânico. O irmão o esperava: "Olha, Orlando, não vou manter você no ministério, por diversas razões. Primeiro, porque militarmente você é mais antigo que eu. Segundo, porque você é meu irmão, e o Brasil vai parecer uma república de bananas, com um irmão na Presidência e outro no Exército. Além disso, eu penso diferente de você em relação a muitas coisas, inclusive no Exército. Na primeira lista de promoções a generais nós vamos brigar. Não vai dar certo, eu conheço o nosso temperamento".[93]

> Foi uma conversa melancólica. Ele ouviu em silêncio. Não respondeu nada. Percebi que não gostou. Foi uma dor terrível para mim. E olhe que ninguém me ajudou nessa luta. Nem o Medici, nem o Figueiredo, ninguém. Com aqueles bestalhões botando coisa na cabeça dele. Mas botei todos na reserva, e ninguém conseguiu colocação nenhuma. Todos eles me pagaram.
>
> O Orlando nunca mais me visitou. Até morrer, nem foi ao palácio, nem ao Riacho Fundo. Eu é que o visitei muitas vezes. Foi uma coisa muito dolorosa. Eu e o Orlando éramos os mais ligados da irmandade.[94]

Três dias depois, contando a conversa a Antonio Carlos Magalhães, Geisel chorou.[95] Vinte anos depois, relembrando-a ao autor, seus olhos marejaram-se.

Orlando morreu em 1979. Até aí, falaram-se pouco, nunca sobre assuntos de Estado. Da fraternidade restara apenas um elo. Era uma senhora que todos os dias deixava o palácio da Alvorada e, apoiando-se numa bengala, entrava no apartamento onde vivia o general, que respirava com a ajuda de periódicas aspirações de oxigênio.[96] Ficava pontualmente das duas às seis. Amália Geisel, a primogênita, uma bela mulher que não se casara, cinco anos mais velha que Orlando, sete mais que Ernesto, fora a primeira mestra dos dois. Aposentara-se como pro-

93 Ernesto Geisel, julho de 1988.

94 Idem.

95 Antonio Carlos Magalhães, janeiro de 1998.

96 Ernesto Geisel, março de 1995.

fessora do colégio de Cachoeira do Sul, e a família sempre lembrava que faltara ao trabalho pela primeira vez em 1930 para ir a Bento Gonçalves informar a Lídia e Augusto Geisel que seus dois filhos estavam na Revolução.[97]

Três semanas antes da conversa com o irmão no Jardim Botânico, na manhã de 15 de janeiro, Geisel fora eleito por 406 votos contra 76 dados a Ulysses Guimarães e 23 abstenções. Dias antes da cerimônia o presidente do MDB informara aos deputados mais combativos da bancada — autodenominados "autênticos" — que romperia o compromisso assumido no início da campanha: não renunciaria à candidatura e iria à votação. Aos "autênticos", que não queriam coonestar a decisão do Colégio Eleitoral, só restou o caminho da abstenção.

Num curto discurso, Geisel avisara que não se deixaria desviar por "impulsos quaisquer, por mais generosos, de amizade ou do coração".[98] Como a grande encrenca se circunscrevia ao restrito plenário de hierarcas, o sinal passara despercebido.

A curiosidade fora noutra direção, atraída pela afirmação de Geisel de que se julgava no dever de "estar aberto a quaisquer pleitos, sugestões ou críticas construtivas, todas merecedoras de acolhida".[99] O uso da palavra *aberto* tinha algo de intrigante. Os verbos *abrir* e *fechar* haviam-se transformado em veículos de síntese da conduta e das intenções das personalidades do regime. Denominava-se abertura o restabelecimento de quaisquer franquias democráticas, e chamava-se de fechamento às ameaças de surtos punitivos.

Comparada ao que se dera em Brasília, a frase de Geisel continha uma tênue promessa de contraponto. A Agência Nacional transmitira trechos da cerimônia do Colégio Eleitoral em rede de televisão e rádio. Do pre-

97 Amália Lucy Geisel, julho de 1991.

98 Ernesto Geisel, *Discursos*, vol. 1: *1974*, p. 22.

99 Idem.

sidente do MDB, Ulysses Guimarães, nem uma palavra.[100] Às oito da noite, depois da saudação de Geisel, e antes da novela *O Semideus*, o *Jornal Nacional* divulgou os fatos do dia. Além do resultado da eleição, noticiou que havia pouco o ministro Mário Andreazza, a bordo de um jipe, atravessara a ponte Rio—Niterói, ainda inacabada. Quanto ao discurso de Ulysses, uma só informação: tinha onze páginas. Do que havia nelas, nada. O anticandidato anunciara que o MDB "sairá deste recinto nem vencido muito menos convencido, pois haverá esperança para a liberdade enquanto restar um homem sobre a face da terra".[101] A poucos quilômetros do Congresso, uma tropa do Exército estivera de prontidão. Eram duas companhias de infantaria preparadas para dissolver a reunião do Colégio Eleitoral caso houvesse algum imprevisto.[102]

Assim como sucedera na convenção da Arena, Golbery redigira o projeto do discurso de Geisel. E assim como sucedera três meses antes, deu-se um eloqüente diálogo entre seu rascunho e a versão final. Golbery escreveu o texto no verso de quatro formulários de consulta ao serviço de pesquisas da Enciclopédia Britânica, ao qual pedira informações sobre arte pop, Botticelli e Chagall.

Com a formalidade dos discursos de posse, queria que Geisel prometesse o seguinte: "A coibição enérgica de toda violência ilegal, partida de onde ou de quem partir".[103]

Geisel argumentou: "Olha aqui, você tem um negócio, uma coisa aqui, que não pode se referir agora. Quer ver? Isso é uma das grandes verdades [...]. Isso é verdade, e vamos ver se fazemos, mas você não pode dizer".[104]

Heitor Ferreira, diante da mesma argumentação, ponderara: "Tem um alerta bom, que é: não venham querer criticar o senhor por qualquer coisa que façam por aí".

100 Gravação da cerimônia transmitida pela Agência Nacional, 15 de janeiro de 1974. APGCS/HF.

101 *Diário do Congresso Nacional*, 16 de janeiro de 1974.

102 Conversa de Geisel com Heitor Ferreira e Moraes Rego, 17 de janeiro de 1974. APGCS/HF.

103 Pasta com três textos, cada um de quatro folhas. APGCS/HF. No primeiro conjunto está o manuscrito de Golbery, no segundo o texto datilografado desse rascunho, com anotações manuscritas de Geisel. No terceiro, a versão final, manuscrita, de Geisel.

104 Conversa de Geisel com Golbery e Heitor Ferreira, 10 de janeiro de 1974. APGCS/HF.

"Não é nessa hora que eu vou começar a brigar. Não posso pegar essa guerra. Não devo. O negócio do Golbery está todo certo, agora, é discutível a oportunidade", foi a resposta de Geisel.[105]

Noutro trecho, Golbery escrevera: "[...] confiar num futuro próximo de grandeza, paz e justiça social que assegure, afinal, em nossa terra, clima salutar à plena expansão da potencialidade humana de cada cidadão brasileiro, sem privilégios indevidos, sem constrangimentos arbitrários".

Geisel não quis: "Pois é. Eu não vou falar nisso. Vão me cobrar. E depois eu vou reconhecer, agora, que há constrangimentos arbitrários? Há, mas não sou eu que devo dizer isso".[106]

Golbery voltou com o parágrafo que preparara meses antes, para a fala da convenção: "Governo aberto, almejo assim, venha a ser o meu, no sentido de abrir e manter, arejados sempre, múltiplos canais de comunicação com as elites políticas e técnicas, a intelligentzia sempre trepidante das mais nobres insatisfações, a mocidade incontida embora, em seus arroubos de idealismo, por vezes transbordantes, todas as minorias autenticamente representativas e responsáveis do país e mesmo, partindo do rincão mais remoto, a voz individual de qualquer cidadão ferido em seus direitos ou clamando por justiça".

Geisel pescou o "cidadão ferido": "Há uma referência velada às torturas. Eu não posso dizer isso, não é? Aí é que está, então o sujeito não pode dizer o que ele realmente quer dizer. O que que ele vai dizer? Vai embromar? Não é? É difícil".[107]

O trecho se transformou no seguinte: "Entendo mesmo que das maiores qualidades de um governante é saber dizer 'não' a proposições que lhe pareçam intempestivas ou que, em justa análise, se lhe afigurem ilegítimas. Dever não menor será, por outro lado, o de estar aberto a quaisquer pleitos, sugestões ou críticas construtivas, todas merecedoras de acolhida, para exame imparcial e sereno da verdade que contenham".[108]

105 Conversa de Geisel com Heitor Ferreira e Moraes Rego, 7 de janeiro de 1974. APGCS/HF.
106 Conversa de Geisel com Heitor Ferreira e Moraes Rego, 5 de janeiro de 1974. APGCS/HF.
107 Conversa de Geisel com Heitor Ferreira e Moraes Rego, 7 de janeiro de 1974. APGCS/HF.
108 Ernesto Geisel, *Discursos*, vol. 1: *1974*, p. 22.

Golbery encaixou a mudança: "Graças a Deus está conservado aquele negócio de dizer não".[109]

Se Ulysses Guimarães tivesse lido trechos do rascunho que Geisel dispensou, certamente seria chamado de provocador. Mal se pode dizer que Golbery insinuasse. Nos porões do governo abundavam cidadãos feridos em seus direitos. O projeto chegara a condenar a "caçada às bruxas, sempre negativa e na verdade contraproducente em si mesma".

Entre os rascunhos de setembro e de janeiro Golbery se tornara mais audacioso em suas sugestões. Partiam da certeza de que o regime tinha de mudar. Em conversas reservadas, argumentava: "Vamos tentar uma abertura gradual. Ninguém ainda o conseguiu. Se der certo, bem. Senão, virá um período de violência do Estado e, depois, uma reação. Aí, vamos todos para o poste, menos o papai aqui, que estará velho".[110]

Geisel podia concordar com a estratégia, mas não estava disposto a acompanhar a tática. Refletindo a relação peculiar que mantinham, em nenhum dos dois casos a diferença estimulou discussões proporcionais à importância dos temas propostos nos textos.[111] Aliás, eles não discutiam. Ao sinal de divergência, Golbery retraía-se, mudava de assunto. Fazia isso até mesmo nas conversas inconseqüentes de fim de tarde no largo da Misericórdia, quando Geisel provocava Heitor Ferreira e Moraes Rego em polêmicas que de certa forma se tornavam seu principal divertimento. Defendera a permanência do trecho que falava em canais de comunicação abertos, mas, no caso da "violência ilegal", ele próprio sugerira o corte. Se Heitor Ferreira não tivesse preservado os manuscritos, talvez fosse difícil acreditar que guardassem tamanhas diferenças, pois nem Geisel se queixava dessas audácias, nem Golbery reclamava da cautela. Tais documentos, bem como episódios em que os dois amigos se colocam em campos distintos, estimulam paralelos entre as personalidades e as condutas desses dois importantes personagens da ditadura. Muitas vezes essa comparação foi apontada ao próprio Golbery. Ele admitia di-

109 Conversa de Golbery com Geisel, 10 de janeiro de 1974. APGCS/HF.

110 Golbery do Couto e Silva, fevereiro de 1974. Em *Veja*, 19 de março de 1980, "O fabricante de nuvens", p. 27.

111 Golbery do Couto e Silva, agosto de 1986.

vergências com Geisel, mas sempre ressaltava "minha condição de oficial de Estado-Maior, cuja função é apresentar caminhos ao chefe, sabendo que a escolha, uma vez feita, deve ser obedecida".[112] Como se soubesse que a ditadura podia produzir um Geisel sem o aconselhamento de Golbery, mas que não poderia haver um Golbery sem um Geisel na Presidência da República.

Geisel não queria comparações com o passado nem compromissos para o futuro. Irritou-se quando um articulista viu no seu discurso um aceno liberal: "Como é que o bestalhão conclui que pelo fato de eu receber a crítica construtiva vou dar liberdade? Pois se eu disse lá que não ia abrir mão dos instrumentos que eu tinha. É vontade de enganar a si mesmo".

Logo depois, indicou sua preferência: "Vocês viram o editorial do *Globo* de ontem? Está muito bem-feito. Diz que os quatrocentos caras que votaram em mim votaram no Brasil".[113]

No fundo, não queria encrencas. Horas depois de sua conversa com o irmão Orlando, sentara-se com o general João Baptista Figueiredo na sala da casa do Jardim Botânico: "Tenho cinco anos e o cajado na mão. Se eu não for muito burro, me agüento no poder".[114]

112 Golbery do Couto e Silva, junho de 1987.

113 Conversa de Geisel com Heitor Ferreira e Moraes Rego, 17 de janeiro de 1974. APGCS/HF.

114 Uma folha manuscrita de Heitor Ferreira intitulada *Da Conversa Geisel & Figueiredo na Noite de 09-02-74*. APGCS/HF.

A grande encrenca

A mãe de todas as encrencas começou em outubro de 1973. Em menos de três meses os países produtores de petróleo subiram de 2,90 para 11,65 dólares o preço do barril. Num mundo que nos 25 anos anteriores crescera quintuplicando o consumo de petróleo e àquela altura bebia mais 20 milhões de barris a cada dia, teve início um terremoto que redesenharia a sua economia. Os Estados Unidos entraram numa crise que nos dois anos seguintes lhes reduziria em 6% o Produto Interno Bruto e dobraria a taxa de desemprego. Pela primeira vez desde o fim da guerra a economia japonesa haveria de se contrair.[1] Encerrava-se uma das fases de maior prosperidade da história humana, que o historiador inglês Eric Hobsbawm chamaria de a Era de Ouro. O mundo começava a "deslizar num período de instabilidade e crises".[2]

Em 1970, no esplendor do Milagre Brasileiro, o barril de petróleo custava US$ 1,80. O país dependia de óleo para 44% do seu consumo de energia elétrica, importava 80% dos combustíveis fósseis que queimava. Desde 1968 o consumo crescia uma média de 16% ao ano.[3] Os novos pre-

1 Daniel Yergin, *The prize — The epic quest for oil, money & power*, pp. 606, 625, 500, 567 e 635.

2 Eric Hobsbawm, *Era dos extremos*, pp. 221-390.

3 Laura Randall, *The political economy of Brazilian oil*, p. 13. José Serra, "Ciclos e mudanças estruturais na economia brasileira do após-guerra", *Revista de Economia Política*, abril-junho de 1982, vol. 2/1, nº 6, p. 15. Para o crescimento do consumo, João Paulo Reis Velloso, *O último trem para Paris*, p. 139.

ços significavam um dreno de 2 bilhões de dólares anuais.[4] Um ano antes, Geisel destruíra uma articulação dos ministros Dias Leite e Delfim Netto para franquear a exploração de petróleo aos contratos de risco com empresas estrangeiras. Argumentava que o preço internacional estava baixo, as pesquisas da Petrobrás eram promissoras, e não tinha sentido o "Brasil Grande" chamar estrangeiros para fazer esse serviço.[5] (A administração de Geisel na Petrobrás deu prioridade aos investimentos na distribuição, no refino e na petroquímica, colocando em segundo plano a pesquisa e a exploração.)[6] De uma hora para outra o petróleo abriu um buraco na economia brasileira equivalente a 32% das suas exportações.[7]

Anos mais tarde o professor Henry Kissinger perguntaria: "Como uma transformação tão ampla e profunda pôde acontecer repentinamente? Olhada em retrospecto, vêem-se com nitidez as sementes e os sinais daquela mudança dramática. A revolução do petróleo, como tantas revoluções históricas, manteve um padrão. Era inevitável, mas a sua inevitabilidade só foi vista depois".[8]

Ela poderia ter sido percebida em 1960, quando a Esso derrubou o preço do barril, levando-o para 1,76 dólar.[9] A truculência dos compradores abrira o caminho para os visionários que sonhavam com um cartel de vendedores, e dela resultou a Organização dos Países Exportadores de Petróleo, OPEP. Poderia ainda ter sido percebida em 1970, quando a Líbia, a Argélia e o Irã introduziram os cortes na produção como arma para negociar melhores preços, mas sucedeu o contrário.[10] O governo americano rejeitara uma proposta do xá do Irã que oferecia o barril a um dó-

4 Lincoln Gordon, *A segunda chance do Brasil*, p. 128.

5 Ernesto Geisel, janeiro de 1995. Delfim Netto, novembro de 1988. Delfim fora advertido pelo ministro das Finanças francês, Valery Giscard d'Estaing, de que os países árabes armavam uma alta do preço do barril de petróleo.

6 Cinco folhas intituladas *Petrobrás, Ernesto Geisel — As Grandes Modificações que Introduziu na Vida da Companhia*. A alta do preço do barril viabilizou a exploração das reservas de águas profundas descobertas no litoral fluminense um ano depois.

7 *Veja*, 9 de janeiro de 1974, pp. 70-1.

8 Henry Kissinger, *Years of upheaval*, p. 854.

9 Ian Skeet, *OPEC — Twenty-five years of prices and politics*, pp. 16-9.

10 Idem, p. 60. Henry Kissinger, *Years of upheaval*, p. 862. Daniel Yergin, *The prize — The epic quest for oil, money & power*, p. 580.

lar por dez anos. Afinal, a idéia de um cartel coordenado pela OPEP continuava como coisa de visionários, desdenhada pelas petromonarquias do Golfo.

O mundo dos países produtores parecia confundir-se com a megalomania do xá Reza Pahlavi. Filho de um cossaco, em 1971 ele comemorou os 2500 anos da Coroa persa com uma festa em que o presidente da União Soviética e o vice-presidente dos Estados Unidos puxaram o comboio da maior boca livre de todos os tempos. Nove reis, cinco rainhas, 21 príncipes, treze chefes de Estado e convidados de todo o mundo beberam 25 mil garrafas de vinho, servidas por 565 cozinheiros e garçons franceses, com menu do restaurante Maxim's. No sorvete da sobremesa derramava-se champanhe Moët, safra 1911.[11] Pahlavi simbolizava o sucesso das ditaduras desenvolvimentistas do Terceiro Mundo. Na década anterior o Irã crescera 11% ao ano. A renda per capita pulara de 225 dólares anuais para perto de 2 mil. O governo investira 12 bilhões de dólares naquilo que denominava Revolução Branca. Hidrelétricas e estradas asfaltadas eram as jóias da Coroa de seu regime.[12]

Sete em cada dez barris das reservas existentes fora do mundo comunista e dois terços do óleo destinado a suprir aumento do consumo estavam no islã.[13] E os grandes países compradores apoiavam Israel.

Numa noite de junho de 1973 o secretário-geral do Partido Comunista Soviético, Leonid Brejnev, estava na casa de praia do presidente americano Richard Nixon, na Califórnia. Passara nove dias nos Estados Unidos, e supunha-se que já esgotara a agenda. Repentinamente pediu uma nova conversa, e os dois trancaram-se na biblioteca, pouco antes de meia-noite. Nixon, sonolento, prestava pouca atenção no que Brejnev lhe dizia e ajeitava almofadas para apoiar a cabeça. Nervoso, o secretário-geral do PC soviético repassava-lhe um discurso encomendado pelo Politburo: era preciso fazer alguma coisa no Oriente Médio, pois a tensão entre ára-

11 William Shawcross, *The shah's last ride*, pp. 38-41. Mansur Rafizadeh, *Witness — From the shah to the Secret Arms Deal, an insider's account of U. S. involvement in Iran*, pp. 173 e segs.

12 William H. Forbis, *Fall of the Peacock Throne*, pp. 236-7.

13 Daniel Yergin, *The prize — The epic quest for oil, money & power*, pp. 500 e 568.

bes e israelenses tornara-se explosiva. Nixon achou que seu velho inimigo estava blefando.[14]

Ao alvorecer de 6 de outubro, Dia do Perdão no calendário religioso judaico, 2 mil canhões egípcios abriram fogo. Dois corpos de exército invadiram o deserto do Sinai. Do outro lado avançaram duas divisões sírias. Somadas, as tropas que atacavam Israel tinham um efetivo maior que as forças da OTAN. Dois dias de combates levaram o Estado judeu às portas do desespero. "O Terceiro Templo está ruindo", advertia o general Moshe Dayan, chefe do estado-maior do exército, legendário herói de duas guerras, mundialmente conhecido pela venda negra que lhe cobria o olho esquerdo.[15] Amparado num maciço fornecimento de armas americanas e no heroísmo de seus soldados, o exército israelense conteve a ofensiva e contra-atacou. Entrou em território sírio no dia 11 de outubro, e no dia 16 atravessou o canal de Suez e invadiu o Egito. A quarta guerra do Oriente Médio terminou como todas as outras, com a vitória de David.

Na mesma manhã de 6 de outubro, em Viena, os países árabes produtores de petróleo atiraram à sua maneira. Pediram um aumento de 100% no preço do barril. Dez dias depois o mundo, perplexo, assistia ao colapso dos exércitos egípcios, acompanhando uma daquelas histórias de guerra em que se reconhece com facilidade vencedor e derrotado. A profunda transformação ocorrida naqueles dias não foi devidamente percebida sequer quando aconteceu. Afinal, tanques israelenses rolando na estrada que leva ao Cairo formavam uma realidade muito mais imediata e tangível do que sheiks pitorescos aumentando o preço do óleo em 70%, de 2,90 dólares por barril para 5,12.

De calção, tomando banho de sol no Jardim Botânico, Geisel perguntava a Heitor Ferreira:

14 Anatoly Dobrynin, *In confidence — Moscow's ambassador to America's six Cold War presidents*, p. 283.

15 Daniel Yergin, *The prize — The epic quest for oil, money & power*, p. 604.

— Como vão as coisas?

— Tudo tranqüilo.

— Tranqüilo como? Os árabes vão cortar o óleo e está tudo tranqüilo? Preparem-se para deixar os carros na garagem.[16]

O "Brasil Grande" combateu a guerra do petróleo com a retórica do Milagre. Divulgou-se a descoberta, no litoral de Campos, de uma província petrolífera comparável às do Oriente Médio, e anunciaram-se reservas de 9 mil toneladas de urânio.[17] (Nos dois casos faltava ao ufanismo qualquer base técnica.) Enquanto os preços subiam em Viena, o ministro Delfim Netto lutava no auditório da FIESP: "Só um idiota não vê que a escassez de matérias-primas de que muitos empresários vêm se queixando, numa atitude histérica, decorre do ritmo de desenvolvimento de nossa economia. Quem é suficientemente irresponsável para propor que freemos o desenvolvimento econômico por causa de matérias-primas?".[18]

Dias depois, em Porto Alegre, proclamou que o Brasil seria uma nação desenvolvida, "a menos que os próprios brasileiros optem pelo subdesenvolvimento".[19] Voou de volta para o Rio de Janeiro e reuniu-se com Geisel. Duas coisas o preocupavam: o racionamento — "desestímulo ao consumo supérfluo", no jargão da Petrobrás — e um aumento dos preços internos dos derivados antes de janeiro.[20] Preferiria um aumento imediato de apenas 10%.[21] Geisel, por seu lado, preocupava-se com o ba-

16 *Diário de Heitor Ferreira*, 15 de outubro de 1973.

17 Para o petróleo, *O Globo*, 7 de outubro de 1973, capa do 1º caderno e p. 28. Para o urânio, idem, 11 de novembro de 1973, p. 25.

18 *Gazeta Mercantil*, 13-15 de outubro de 1973, em Sebastião C. Velasco e Cruz, *Empresariado e Estado na transição brasileira*, p. 45.

19 Para Delfim Netto, *O Globo*, 17 de outubro de 1973, capa do 1º caderno e p. 18.

20 *Resumo da Conversa Geisel & Delfim*, 18 de outubro de 1973, nota manuscrita de Heitor Ferreira. Para a menção da Petrobrás ao "desestímulo ao consumo supérfluo", seis folhas de *Nota ao Senhor Presidente*, do almirante Floriano Faria Lima, marcadas "secreto", de 26 de dezembro de 1973. APGCS/HF.

21 Narrativa do almirante Floriano Faria Lima, presidente da Petrobrás, a Heitor Ferreira, de uma conversa que teve com o general João Figueiredo, em *Diário de Heitor Ferreira*, 29 de outubro de 1973.

lanço da Petrobrás. Se vendesse combustível barato, fecharia o ano com um mau desempenho, apesar de ter conseguido lucros profusos.[22]

No final de dezembro veio um novo choque. Reunida em Teerã, a OPEP subiu o preço do barril para 11,65 dólares. O diretor comercial da Petrobrás, Shigeaki Ueki, conversou por hora e meia com Delfim e saiu com uma promessa de um novo aumento, dessa vez de 15%. Somados, os dois reajustes não cobriam o efeito da pancada de outubro, mas Delfim oferecia recursos da reserva monetária para tapar o buraco que abria nas contas da Petrobrás. "Como diretor da Petrobrás, resolvi o meu problema. Como brasileiro, fiquei com uma bruta dor de barriga", observaria Ueki.[23] Anos depois Delfim narrava a mesma conversa: "O que ele queria é que toda a inflação fosse carregada ao governo Medici. O objetivo era 12. Ela terminou em 15. Se jogasse o petróleo, ia a 28. Mandei-o tomar no rabo".[24]

Capturado pela retórica do Milagre, o regime estava enfeitiçado pela própria fantasia. Geisel se queixava de que a Petrobrás chegara a comprar petróleo iraquiano a dezoito dólares e o vendera, refinado, a três.[25] Os aviões que saíam de Buenos Aires com destino a Nova York ou à Europa vinham com os tanques quase vazios para enchê-los com um dos querosenes mais baratos do mundo.[26] O subsídio ao sucesso custava 150 milhões de dólares por mês.[27]

Como o sapo de Guimarães Rosa, a ditadura não pulava por boniteza, mas por precisão. Dois anos antes, durante um seminário realizado na universidade americana de Yale, Juan Linz, um professor espanhol que ja-

22 Num telefonema de Paulo Belotti, no qual soube que uma subsidiária tivera lucros enormes, Geisel disse-lhe: "Você tem que escamotear isso, senão é um escândalo". Quando Geisel sugeriu que usasse o dinheiro para quitar uma dívida junto ao BNDE, Belotti respondeu: "O problema é que ao BNDE eu pago juros de 4%. Por que é que vou pagar?".

23 Bilhete de Shigeaki Ueki a Heitor Ferreira, 7 de janeiro de 1974. APGCS/HF.

24 Delfim Netto, novembro de 1988. A inflação de 1973 foi calculada pela Fundação Getulio Vargas em 15,5%. Em 1977 o Banco Mundial recalculou-a em 22,5%. Logo depois a FGV corrigiu suas contas e colocou-a em 20,5%. Margaret E. Keck, *The workers' party and democratization in Brazil*, p. 63.

25 Conversa de Geisel com Golbery, Moraes Rego e Heitor Ferreira, 23 de janeiro de 1974. APGCS/HF.

26 *Veja*, 19 de dezembro de 1973, pp. 131-2.

27 Idem, 23 de janeiro de 1974, pp. 72-4.

mais pisara no Brasil e pouco conhecia das futricas de sua política, surpreendeu um plenário de especialistas reunidos para debater a ditadura e seu milagre. Falava-se em "mexicanização", "portugalização", "dependência", "ideologia gerencial dos militares". Linz começou refugando a noção corrente de que o Brasil vivia um regime autoritário. "Situação autoritária", propunha. Não via futuro na capacidade desmobilizadora de uma ditadura obrigada a viver de slogans passados (as desordens dos dias de João Goulart) ou a magnificar ameaças (o terrorismo). Faltava-lhe uma legitimidade que só poderia advir da emergência de um caudilho, o que a rotatividade da Presidência desestimulava, ou de uma articulação corporativa que carecia do necessário apoio de uma elite católica conservadora e influente: "Em termos práticos, um processo onde se misturam administração, manipulação, decisões arbitrárias, mistificações e mudanças freqüentes de equipe só poderá ser bem-sucedido enquanto a economia for bem".[28]

O fim do "Brasil Grande" seria o fim do regime. Os Estados Unidos, o Japão e as potências européias recalculavam suas taxas de crescimento, mas no Brasil o ministro Delfim Netto dizia que "a visão apocalíptica é um produto da ignorância histórica".[29] Faltando-lhe poucos meses para deixar o governo, Medici não pretendia reconhecer dificuldades. Preferiu usar o tempo de sua última mensagem de fim de ano orgulhando-se de chegar ao final do mandato com um crescimento de 63% do PIB (11,4% só em 1973).[30] Entregava ao seu sucessor uma economia robusta, em dez anos o regime devolvera ao Brasil o crédito internacional e investimentos estrangeiros. O Estado podia investir. Dispunha de fontes de financiamento e criara uma eficiente máquina de arrecadação tributária. Para cada cruzeiro arrecadado em 1963, arrecadavam-se nove em 73.[31]

28 Juan J. Linz, "The future of an authoritarian situation or the institutionalization of an authoritarian regime: the case of Brazil", em *Authoritarian Brazil*, editado por Alfred Stepan, pp. 233 e segs.

29 *Veja*, 9 de janeiro de 1974, pp. 70-1.

30 *O Estado de S. Paulo*, 1º de janeiro de 1974, p. 9.

31 Em 1963 arrecadava-se 1,05 bilhão de cruzeiros. Em 1973, 52,8 bilhões. Aplicando-se o IGP como deflator, resulta um aumento real de nove vezes. *Conjuntura Econômica*, vol. 30, nº 3, março de 1976.

Mesmo sem o choque do petróleo o Milagre tinha vulnerabilidades. Apresentava os desequilíbrios típicos de sua personalidade política e das economias que crescem a taxas elevadas. Enquanto a produção de bens de consumo duráveis (geladeiras, aparelhos de televisão e outras delícias da classe média) praticamente dobrou entre 1970 e 1973, a de bens intermediários (lingotes de aço, parafusos, bens capazes de empregar novas levas de mão-de-obra) aumentou 45%.[32] Havia mais gente comendo o bolo do que amassando a farinha. A felicidade do consumo permitira aos comerciantes de São Paulo acarpetar o asfalto da rua Augusta na decoração do Natal de 1972. O número de passaportes expedidos, que até 1968 girara em torno de 4 mil por ano, batera os 200 mil, levando ao colapso as máquinas da casa Harrison, de Londres, e obrigando o governo a fabricá-los na Casa da Moeda.[33] No período que foi de 1966-67 a 1972-73, a disponibilidade de alimentos caíra 3% enquanto a renda por habitante crescera 56%.[34] Prenunciavam-se pressões inflacionárias.

Fosse qual fosse a gravidade dos problemas, viessem eles da fronteira rural ou dos campos de petróleo do golfo Pérsico, tudo poderia ser resolvido se a desmobilização política do país preservasse a sensação de sucesso que legitimava o regime através do desempenho da economia. Desmobilizar, no caso, significava desmobilizar mesmo, abafar o debate.

No segundo semestre de 1973 o economista Paul Samuelson, do Massachusetts Institute of Technology, publicara a nona edição do clássico *Economics*, o livro-texto mais vendido do mundo sobre o assunto. Obra brilhante na sua elegante simplicidade, fora fator decisivo para que o autor se tornasse o primeiro americano a ganhar o Prêmio Nobel de Economia.

32 José Serra, "Ciclos e mudanças estruturais na economia brasileira do após-guerra", em *Revista de Economia Política*, vol. 2/1, nº 6, abril-junho de 1982, pp. 5 e segs.

33 Ovídio de Melo, janeiro de 1999.

34 José Serra, "Ciclos e mudanças estruturais na economia brasileira do após-guerra", em *Revista de Economia Política*, vol. 2/1, nº 6, abril-junho de 1982, p. 41.

Na página 870, oferecia uma reflexão política:

> Fascismo:
>
> É mais fácil caracterizá-lo política do que economicamente. Seja na Alemanha de Hitler, na Itália de Mussolini, na Espanha de Franco, em Portugal de Salazar, na Argentina de Perón ou nas juntas da Grécia e do Brasil, o fascismo foi habitualmente identificado por ditaduras pessoais, partido único e pela supressão das liberdades públicas. [...] O indivíduo é secundário diante do Estado. [...]
>
> Quando uma economia populista vai mal, com inflação e desemprego, surge o desejo de que os fascistas assumam o poder, "restaurando a ordem e promovendo o desenvolvimento econômico"? Arre, quase sempre a resposta é: sim.
>
> Mais entristecedor é testemunhar o sucesso econômico ocasional de tais regimes ditatoriais — coisa de curto prazo. Assim, nos anos 70 o regime militar brasileiro pode ter batido duro nos professores, nos intelectuais e na imprensa livre. Mas como as pessoas diziam no tempo de Mussolini: "Pelo menos os trens andam na hora". Quando se olha para o *Anuário estatístico da ONU*, verifica-se que nos últimos anos o Brasil foi um verdadeiro Japão na América Latina, com taxas médias anuais de 10% de crescimento do PNB.
>
> A história mostra que é raro os despotismos benevolentes persistirem na benevolência, e quase nunca conseguem manter-se eficientes. [...] Na vida real, o fascismo é incapaz de realizar até mesmo seu próprio projeto.[35]

Desde 1952 *Economics* era publicado no Brasil pela editora Agir, de propriedade de Cândido Guinle de Paula Machado, amigo de Golbery do tempo do IPÊS e do SNI. Vendera 100 mil exemplares, e havia pouco o Ministério da Educação co-patrocinara a sétima edição. A Agir informou à editora americana de Samuelson que considerava as observações do professor "preconceituosas" e "ofensivas". Não havia jogo. Cortar não seria

35 Paul A. Samuelson, *Economics*, pp. 870-1.

suficiente. Ou ele reescrevia o texto, ou a edição seria recusada. A Agir não a publicaria.[36]

Noutra trincheira, Cândido Guinle mobilizou sua academia. O ex-ministro da Fazenda Eugênio Gudin escreveu a Samuelson: "Nós temos um Congresso; os juízes são independentes e as restrições às liberdades que se deram de 1967 a 1969 são agora coisa do passado".[37]

Guinle levou a questão a Golbery, informando-o de que já haviam pedido ao professor Mario Henrique Simonsen, da Fundação Getulio Vargas, que reforçasse a gestão de Gudin.

Golbery contou a Geisel: "Tem um trecho horroroso contra o Brasil. [...] O perigo é o livro, a significação [...]. Toda universidade tem, todo mundo estuda por aquele livro. Eles estão querendo é não fazer a edição, mas tirar o trecho também não resolve. Eles querem que o homem reconsidere".[38]

Decidiu ampliar a ofensiva, pedindo ao economista Roberto Campos, ministro do Planejamento no governo Castello Branco, mais pressão sobre Samuelson.[39] Não precisava. O Prêmio Nobel capitulara diante da ameaça da Agir, antes de receber a carta de Gudin. Não mexeria na versão original, mas deixava seus censores brasileiros à vontade: "Há 25 anos mantenho a prática de não me considerar responsável pelas traduções. Assim, quando o livro foi traduzido em certos países esquerdistas, perguntaram-me se objetaria a omissão de trechos que seriam ofensivos aos governos. Minha resposta foi que não me cabia recusar ou policiar a supressão de páginas ou mesmo capítulos que tratavam de comparações entre sistemas econômicos".[40]

Samuelson propôs a supressão da referência à "Junta", reescreveu o parágrafo seguinte, e sugeriu que a nova versão fosse transferida para longe da discussão do fascismo. A edição brasileira diria:

36 Carta de Ernst Fromm, diretor da editora Agir, a William Orr, da McGraw Hill, 8 de novembro de 1973. APGCS/HF.

37 Carta de Eugênio Gudin a Paul Samuelson, de 14 de novembro de 1973. APGCS/HF.

38 Conversa de Golbery com Geisel, 16 de novembro de 1973. APGCS/HF.

39 *Diário de Heitor Ferreira*, 25 de novembro de 1973.

40 Carta de Paul Samuelson a Eugênio Gudin, de 26 de novembro de 1973. APGCS/HF.

> É preciso encarar a realidade de que os sistemas de governo a que muitos intelectuais se opõem podem conseguir um crescimento razoável, muitas vezes por curto prazo. Assim, a militância sindical e as agitações revolucionárias podem se tornar adversárias do investimento privado e da eficiência do mercado. A preocupação com uma distribuição igualitária da renda pode custar um crescimento do bolo como um todo, resultando numa perda do pedaço desse bolo para os operários e lavradores. Assim, quando se vê o Anuário Estatístico da ONU, verifica-se que o Brasil foi um verdadeiro Japão da América Latina, com taxas médias anuais de 10% de crescimento do PNB. Os defensores desse sistema podem argumentar que não se teria conseguido isso no ambiente de desordem das décadas anteriores.[41]

Sumira a frase premonitória: "Mais entristecedor é testemunhar o sucesso econômico ocasional de tais regimes ditatoriais — coisa de curto prazo".[42]

Cândido Guinle festejou a vitória num bilhete a Golbery pedindo-lhe que desse um telefonema a Gudin, "pois ele ficaria satisfeito".[43] Ficou tão satisfeito que, dias depois, almoçou com o general e recomendou-lhe nomes para o Ministério da Fazenda e para a presidência do Banco Central.[44] Entre eles, o de Roberto Campos, conscrito tardio à brigada que pressionou Samuelson. Sua carta seguiu um mês após a capitulação do professor.

Campos escreveu a Samuelson: "Podem ter ocorrido casos isolados de brutalidade policial ou de tortura. Coisa deplorável e vergonhosa.

41 Carta de Paul Samuelson a Eugênio Gudin, de 26 de novembro de 1973. APGCS/HF.

42 Nove anos depois dessa controvérsia o Brasil foi à bancarrota. Os estudantes americanos haviam sido advertidos pela 9ª edição do *Economics*. A editora Agir, Eugênio Gudin e Roberto Campos, príncipes do conservadorismo econômico brasileiro, conseguiram, com a ajuda de um Prêmio Nobel de Economia, que os brasileiros não recebessem essa previsão de Samuelson.

43 Cartão de Cândido Guinle de Paula Machado a Golbery, de 3 de dezembro de 1973. APGCS/HF.

44 Conversa de Golbery com Heitor Ferreira, narrando-lhe o almoço, 19 de dezembro de 1973. APGCS/HF. Gudin ofereceu o nome de Casemiro Ribeiro para a presidência do Banco Central, além de elogiar Roberto Campos, Octávio Gouvêa de Bulhões e Mario Henrique Simonsen.

Mas seria injusto confundir acidentes de brutalidade policial com uma política deliberada de repressão policial e punições físicas".[45]

(Entre o início de novembro de 1973, quando começou a controvérsia com Samuelson, e o fim de dezembro, quando Campos mandou sua carta, os serviços de repressão mataram nove pessoas nas cidades. Dois exilados foram seqüestrados em Buenos Aires, e um casal de militantes da ALN assassinado com quatro tiros na cabeça no aparelho do DOI paulista. No Araguaia, dois dias antes da carta de Campos a Samuelson, três patrulhas do Exército surpreenderam a comissão militar da guerrilha do PC do B e mataram quatro de seus combatentes. Inaugurara-se uma perseguição aos sobreviventes na qual a tropa estava formalmente instruída para não manter prisioneiros. E prisioneiros não foram mantidos.)[46]

Campos falava também em "censura voluntária da imprensa". Foram dezoito as proibições expedidas pela Censura durante a ofensiva sobre Samuelson.[47] Voluntária era a censura a que Roberto Campos se submetia. Colaborador d'*O Globo* e d'*O Estado de S. Paulo*, escreveu em janeiro um artigo sobre o choque do petróleo, sugerindo que se abrisse o território brasileiro à prospecção por companhias estrangeiras. Acautelara-se apresentando uma cópia a Golbery, que a engavetou. Campos insistiu, e o general encerrou a questão. O artigo não deveria ser publicado, e ele não deveria publicar coisa alguma antes da posse de Geisel.

Conservador audaz, adversário da megalomania do Milagre, do monopólio estatal do petróleo e de toda a mitologia amazônica, Roberto Campos deixara o Ministério do Planejamento em 1967 e passara por fugaz e fracassada experiência como banqueiro. Seu cosmopolitismo valorizava-o para consumo externo, porém depreciava-o nas competições internas. Golbery justificava o silêncio obsequioso que lhe impunha: "Qualquer coisa, partindo dele, será inoportuna. Se ele propõe uma

45 Carta de Roberto Campos a Paul Samuelson, 27 de dezembro de 1973. APGCS/HF.

46 Para o casal de militantes da ALN, documento entregue em novembro de 1991 pelo ex-sargento Marival Chaves Dias do Canto, do DOI paulista, a *Veja* — 18 de novembro de 1992, pp. 20-32. A guerrilha do Araguaia está contada em *A ditadura escancarada* (São Paulo: Companhia das Letras, 2002).

47 Paolo Marconi, *A censura política na imprensa brasileira — 1968/1978*, pp. 268-70.

idéia boa, vai queimá-la. Se partir dele, vai ser ruim. É uma tristeza, mas é a verdade".[48] Por conta do mau-olhado que Campos carregava, Geisel evitara cumprimentá-lo em público durante a cerimônia de traslado dos restos do marechal Castello Branco do Rio de Janeiro para um mausoléu em Fortaleza.[49]

Verdadeira sinuca. A economia internacional prenunciava dificuldades para o novo governo, e faltava espaço político tanto para a crítica liberal de Paul Samuelson como para a militância conservadora de Roberto Campos. Os exercícios de triunfalismo haviam-se esgotado como recurso político capaz de dar ao regime a legitimidade pelo desempenho.

Como dizia o poeta Cacaso:

Ficou moderno o Brasil
ficou moderno o milagre:
a água já não vira vinho,
vira direto vinagre.[50]

O Milagre Brasileiro chamara-se Delfim Netto. Em quatro anos saíra dezoito vezes na capa da revista *Veja*, uma na edição latino-americana da *Newsweek* e outra, como Super-Homem, na *Institutional Investor*.[51] Era o principal personagem do governo nas primeiras páginas dos jornais. Caso raro de ministro recebido pelo presidente Richard Nixon na Casa Branca. Nos seus sete anos de mandarinato (1967-73) o Produto Interno Bruto crescera 85% e a renda per capita, 62%.[52] Ao santo do Milagre, o futuro governo reservava um lugar no inferno.

48 Telefonema do coronel Newton Leitão a Golbery, 8 de janeiro de 1974. APGCS/HF.

49 Nota manuscrita intitulada *Figueiredo e Medeiros com Golbery*, datada de 21 de julho de 1972. APGCS/HF.

50 Antonio Carlos de Brito, "Jogos florais", em *Lero-lero (1967-1985)*, p. 157.

51 "The Brazilian Miracle", *Newsweek*, 19 de março de 1973.

52 Jeffry A. Frieden, *Debt, development, & democracy*, p. 117.

O *Gordo* era antes de tudo troncudo. O tórax de cantor de ópera espetado em pernas curtas dava-lhe uma aparência obesa mesmo quando conseguia derrubar vinte dos 105 quilos que carregava em 1,60 m de chassis. Era um carcamano do Cambuci. Seu avô, Antonio Delfini, pedreiro calabrês, desembarcara com a mulher em São Paulo aos dezenove anos, em 1888. Trazido por uma companhia de colonização que fornecia mão-deobra às fazendas abandonadas pela escravaria, escondeu-se nas vielas da cidade e nela viveu uma modesta existência. O luxo da casa era um rádio Cacique amarrado a trinta metros de antena, capaz de receber as notícias das tropas de Mussolini na guerra africana. Órfão de pai aos seis anos, Delfim foi educado pela mãe, Maria. Dela jamais esqueceu as jornadas de costura para a vizinhança e a crença de que os filhos só teriam futuro se estudassem. As más notas eram cobradas com a mão forte da senhora. Começara a vida como contínuo da Gessy aos catorze anos, e subira a escriturário de uma oficina mecânica do Departamento de Estradas de Rodagem. Na infância, a maior autoridade em seu círculo de relações foi um tio policial, lotado no DOPS.[53] Na adolescência namorara o socialismo campestre de Monteiro Lobato.[54] Catedrático de Economia Brasileira da Faculdade de Ciências Econômicas da Universidade de São Paulo aos trinta anos, ministro da Fazenda aos 38, aos 44 exercia no cargo um poder sem paralelo na história nacional. Nenhum ministro concentrou, como ele, poder e sucesso.

Na manhã de 31 de março de 1964, quando as emissoras de rádio noticiavam o levante do general Mourão Filho, ele fazia num Simca o trajeto habitual de sua casa para a USP. Fazia bicos na Confederação Nacional da Indústria e na Associação Comercial de São Paulo. Ganhara algum dinheiro com pequenos estudos para o IPÊS.[55] Chegara ao ministério depois de uma curta passagem pela Secretaria da Fazenda de São Paulo. Nunca tivera dúvidas a respeito da base sobre a qual edificara seu êxito:

53 Luiz Apolônio, escriturário do DOPS, era casado com uma irmã da mãe de Delfim. Delfim Netto, dezembro de 2000, e Percival de Souza, *Autópsia do medo*, p. 373. Apolônio era um destacado funcionário da delegacia, autor de dois livros: *Mitos e táticas comunistas*, de 1949, e *Manual de polícia política e social*, de 1954.

54 Entrevista de Delfim Netto, em *Histórias do poder*, organizado por Alberto Dines, Florestan Fernandes Jr. e Nelma Salomão, vol. 3: *Visões do Executivo*, p. 179.

55 Delfim Netto, março de 1988.

"Quando eu entrei no ministério o serviço já estava feito. O professor Bulhões[56] e o Roberto Campos tinham terminado a obra de salsicharia".[57] Haviam recebido o Tesouro com 300 milhões de dólares em contas atrasadas e entregaram-no com 400 milhões de dólares de reservas cambiais. Baixaram a inflação de 90% para 25% ao ano e reduziram o déficit federal de 4,2% do PIB para 1,1%.[58] O conjunto da economia, que em 1963 crescera apenas 1,6%, expandira-se 5,1% em 66.[59]

Desconhecido, solteiro e estrábico, Delfim falava rápido demais, com o marcante sotaque dos italianos de São Paulo. A mulher do marechal Costa e Silva chamava-o *Gordinho.*[60] Parecera um ministro fugaz, daqueles que surgem sem que se saiba como e somem sem que valha a pena perguntar por quê. "Eu não conhecia ninguém, e aquela burguesia carioca não aceitava um ministro paulista. Como eu era solteiro, não tinha conversa. Tinha que ser fresco. Então eu me vestia de terno preto, camisa branca e gravata preta. Era fantasia de viúvo, para parecer o mais sério possível", comentaria trinta anos mais tarde, de terno preto, camisa branca e gravata azul.[61]

Dormia quatro horas por noite. Abria o escritório do Ministério da Fazenda às sete da manhã e dali raramente saía antes das sete da noite. Dividia-se entre Brasília, onde estava o poder, São Paulo, onde se firmava a base política de uma nova plutocracia nacional, e o Rio de Janeiro, onde se esfarelava a burguesia do Estado Novo. Era mais acessível na pequena mesa do fundo do restaurante Le Bistrô, em Copacabana, do que no gabinete mussoliniano do seu ministério. Acumulou poder pelo desempenho e pela pertinácia com que articulou uma rede de lealdades na administração. Controlava diretamente o Banco Central, a Caixa Econômica e o Banco do Brasil, geria as grandes caixas dos fundos e dos incentivos. Numa

56 Octávio Gouvêa de Bulhões, ministro da Fazenda de Castello Branco.

57 Delfim Netto, novembro de 1988.

58 Rubens Penha Cysne, "A economia brasileira no período militar", em *21 anos de regime militar*, organizado por Gláucio Ary Dillon Soares e Maria Celina d'Araujo, p. 245.

59 Donald V. Coes, *Macroeconomic crises, policies, and growth in Brazil — 1964-90*, p. 14.

60 Informação dada por Geisel a Heitor Ferreira, em *Diário de Heitor Ferreira*, 27 de julho de 1972.

61 Delfim Netto, novembro de 1998.

disputa pelo comando da política cafeeira, defenestrara o ministro da Indústria e Comércio e, numa controvérsia em torno do preço da carne, derrubara o ministro da Agricultura. Operava estendendo linhas de amizade e gratidão na burocracia, no empresariado e na imprensa. Seu curso era óbvio: o governo de São Paulo em 1974, a Presidência da República em 79.

Suas relações com Geisel eram nulas. Nunca tinham se visto.[62] Limitavam-se a cortesias e atritos burocráticos. Delfim sabia que contrariara o presidente da Petrobrás em questões tributárias. Além disso, em outubro de 1972, ofendera-o defendendo a abertura do mercado brasileiro para empresas estrangeiras de prospecção de petróleo. Delfim e Geisel desentenderam-se novamente numa disputa pelos preços da borracha sintética. O ministro não permitia que eles subissem, até que o general ameaçou mandar-lhe a chave da fábrica e decidiu aumentar os preços sem ouvi-lo.[63] Nada os separava, nada os aproximava. Delfim não tinha — nem lançara — pontes em direção à Candelária. O general não sabia o que fazer com ele, e via no distanciamento uma perigosa soberba.[64] Era forte demais para ser mantido no ministério como símbolo de continuidade, e fraco para impor a própria permanência. Até 1971, Geisel admitia sem entusiasmo a hipótese de escolhê-lo para governador de São Paulo, mas reclamava de seu desembaraço e notoriedade.[65] A partir do início de março de 1972 a Candelária começou a receber sinais de que o ministro da Fazenda trabalhava a substituição de Medici pelo chefe do Gabinete Civil, o professor João Leitão de Abreu, mesmo que para isso fosse necessário prorrogar o mandato presidencial. Numa daquelas situações que só as ditaduras produzem, durante dois anos coexistiram dois Delfins. Um parecia carro de préstito, festejado e glorioso. O outro, carreta de condenado.

62 Geisel viu Delfim Netto pela primeira vez quando, já indicado para a Presidência, visitou-o em 1973. Ernesto Geisel, janeiro de 1975.

63 Para o preço da borracha, Ernesto Geisel, dezembro de 1995.

64 Ernesto Geisel, março de 1994. Para as divergências tributárias, *Diário de Heitor Ferreira*, 21 de fevereiro de 1972.

65 Geisel a Heitor Ferreira, em *Diário de Heitor Ferreira*, 16 de março de 1972.

Do alto da alegoria proclamava a inexorabilidade do Milagre. Diante do primeiro pulo do preço do petróleo, assegurava: "Se o progresso brasileiro se estagnasse por três anos, ainda assim pagaríamos nossa dívida externa calmamente".[66] Tornara-se uma usina de sucessos. Previa um crescimento de 10% para 1973, e no início do ano, pela primeira e única vez no após-guerra, o cruzeiro valorizara-se em relação ao dólar. De Milão, a Fiat informava que instalaria uma fábrica de automóveis em Minas Gerais. Hermann Abs, ex-presidente do Deutsche Bank, sugerira que a Alemanha precisava de um Delfim.[67] Milton Friedman escrevia que as taxas de crescimento "justificavam a expressão 'Milagre Brasileiro'".[68] Medici chegara a duvidar que Geisel o substituísse.[69]

O desmanche de Delfim teve no general João Figueiredo um precursor. Haviam sido colegas no governo de São Paulo, quando um cuidava da Fazenda e o outro da Força Pública. O chefe do Gabinete Militar ouvia-lhe o telefone. Acusava-o de manipular concorrências para beneficiar a empreiteira Camargo Corrêa. Combatia-o sobretudo pela obstinação com que se fixara na meta dos 12% de inflação para 1973.[70] Afastar-se do *Gordo* tornou-se meio eficaz de manter-se ancorado no regime. Mário Andreazza, ministro dos Transportes, parceiro de Delfim nos projetos do "Brasil Grande", confessou a Geisel que conseguira tantos recursos porque "conheço os podres do *Gordo*".[71] O plutocrata Augusto Trajano de

66 *Jornal do Brasil*, 17 de outubro de 1973, 1º caderno, p. 18.

67 Conversa de Golbery com Geisel e Heitor Ferreira, 22 de novembro de 1973. APGCS/HF.

68 *Newsweek*, 21 de janeiro de 1974, citado em Milton e Rose D. Friedman, *Two lucky people*, p. 426.

69 Observação feita por Medici ao general Figueiredo e contada por ele a Heitor Ferreira, em *Diário de Heitor Ferreira*, 11 de junho de 1973.

70 Para o favorecimento da Camargo Corrêa, conversa de Figueiredo com Geisel, 7 de julho de 1973, em *Diário de Heitor Ferreira* dessa data, e telefonema de Figueiredo a Golbery, 18 de fevereiro de 1974, APGCS/HF. Nele, Figueiredo conta: "Eu tive um documento que eu levei para o presidente há uns meses atrás, do Delfim, de que antes da concorrência, aquela de Água Vermelha, ele afirmava a um grupo francês que queria entrar no financiamento de que a firma construtora seria a Camargo Corrêa. Antes da concorrência. Então está aí, na cara. É Camargo Corrêa, é Bradesco. É tudo a mesma panela". Golbery pediu-lhe que juntasse todas aquelas informações "numa pastinha separada, nós precisamos ter uma pastinha".

71 Conversa de Geisel com Golbery, Heitor Ferreira e Moraes Rego, narrando o encontro que tivera com Andreazza, em *Diário de Heitor Ferreira*, 22 de outubro de 1973.

Azevedo Antunes assegurava a Golbery que o ministro da Fazenda trapaceava nos negócios com carne, protegendo um frigorífico.[72] Nenhum deles atacou Delfim em público, nem enquanto esteve no governo, nem depois. Também não ofereceram prova de suas acusações ou se dispuseram a documentá-las.[73]

Era Golbery quem ia fundo na sua crítica ao condestável do Milagre: "O *Gordo* é um ditador. Não tem escrúpulo em usar o poder. O *Gordo* faz misérias. Pega o sujeito, põe na rua da amargura. Ele não tem ilusão, para o bem ou para o mal, para proteger ou para massacrar. Se ele amanhã fosse presidente da República, vamos ver o que seria [...]. Para ele não ser, ele não pode ser governador de São Paulo [...] paulista e civil e ditador".[74]

No andor, Delfim e o regime orgulhavam-se de ter baixado a inflação para 15,5%. No desmanche, o professor Eugênio Gudin, nave-mãe do conservadorismo econômico, dizia a Golbery que o ministro manipulava os preços das cestas de alimentos para o cálculo do custo de vida. Quem fazia as contas era a Fundação Getulio Vargas, e quem tinha assento no seu Conselho era Gudin, não Delfim, mas isso lhe parecia secundário: "Nós não podemos resistir a certas coisas. O homem é diabólico. O homem é diabólico. Nós sabemos que ele sabe exatamente quais são os gêneros que entram na cesta. Ele chama os donos dos supermercados e diz: 'Esses gêneros os senhores vão vender pela tabela ou abaixo da tabela. Os outros, vocês vendam por fora'".[75] O ministro explicaria de outra maneira. Se o arroz estava caro no Rio (cidade cujos preços determinavam o índice) e barato em Minas, ele providenciava a transferência

72 Conversa de Golbery com Geisel, narrando-lhe um encontro com Augusto Trajano de Azevedo Antunes, cerca de 15 de novembro de 1973. APGCS/HF.

73 Todos tiveram com ele boas relações. Em 1979 Golbery foi o orador da cerimônia da ida de Delfim para o Ministério do Planejamento. Em 1982, Antunes negociou com Delfim a passagem do Projeto Jari para um grupo de empresários nacionais. Dois anos depois de sua reunião com Geisel, Andreazza encontrou-se com Delfim para articular a candidatura do general Figueiredo à Presidência da República. No governo de Figueiredo, Golbery, Andreazza e Delfim viriam a ser colegas de ministério.

74 Conversa de Golbery com Geisel, cerca de 15 de novembro de 1973. APGCS/HF.

75 Conversa de Golbery com Geisel, Heitor Ferreira e Moraes Rego, narrando seu almoço com Eugênio Gudin, 21 de dezembro de 1973. APGCS/HF.

de estoques mineiros para o comércio carioca.[76] Nas estatísticas da Fundação, em dezembro a carne de primeira estava a Cr$ 6,60, mas custava Cr$ 14,00 nos açougues do Rio ou Cr$ 15,00 nos de São Bernardo do Campo.[77] Numa indicação da extensão do êxito da política de desmobilização da sociedade, uma comandita de hierarcas e barões da academia oficialista fraudou o índice econômico de maior relevância social do país com a naturalidade de quem atrasa um relógio. (A FGV corrigiu o embuste em 1977, transformando os 15,5% de 73 em 20,5%.) A Agência Rio do SNI calculara o aumento do custo de vida na cidade em 32%, e seu chefe fizera saber a Golbery que confrontara Delfim com essa estatística.[78]

Orlando Geisel fora afastado numa conversa cruel porém amiga. O *Gordo* foi para a máquina de moer carne. Reclamando dos subsídios que a manutenção do Milagre cobrava à economia, Geisel fechara o caso: "Ele está frito comigo".[79] Mantê-lo na Fazenda, nem pensar. Agricultura? "Só se for para jejuar", respondia Golbery.[80] Depois de uma de suas longas conversas com Geisel, ele recomendou a Heitor Ferreira: "Dossiê do Delfim Netto no SNI. Selecionar antes".[81] Heitor anotou no cartapácio de *Temas para Ação*: "Ver declaração de rendimentos de Delfim Netto".[82]

O petróleo azedara o Milagre. Seu mago virava vinagre.

76 Antonio Delfim Netto, maio de 2003.

77 *Nota Apresentada pela FGV*, entregue por Mario Henrique Simonsen a Golbery em abril de 1974. APGCS/HF. *Tribuna Metalúrgica* de outubro-novembro de 1973, p. 8.

78 Telefonema de Adolpho Murgel, chefe da Agência Rio do SNI, a Golbery, 24 de janeiro de 1974. APGCS/HF.

79 Conversa de Geisel com Golbery, 10 de janeiro de 1974. APGCS/HF.

80 Bilhete manuscrito de Heitor Ferreira, com resposta de Golbery, sem data. APGCS/HF.

81 Bilhete de Golbery a Heitor Ferreira, sem data. APGCS/HF.

82 Maço de 24 folhas manuscritas de Heitor Ferreira, datado de dezembro de 1973. APGCS/HF.

O PODER

A equipe

No final de 1973 a importância de uma pessoa podia ser medida pelo desembaraço com que dava palpites sobre o ministério de Geisel. Quem arriscava a continuação de Delfim Netto traía incompreensão do presente. Se arriscasse um retorno de Roberto Campos, traía desconhecimento do passado. Bem informado, só quem sabia pronunciar Shigeaki Ueki.[1] O diretor-financeiro da Petrobrás, 38 anos, filho de japoneses e até pouco tempo um anônimo executivo da fábrica de plásticos Cevekol, seria ministro. Do quê, nem Geisel imaginava. Quem tentava descobrir um nome para as Comunicações era um neófito. O general não esquecera a competência e integridade do comandante Euclides Quandt de Oliveira, genro de Goes Monteiro, o condestável do Estado Novo, diretor da Siemens, seu assistente no Gabinete Militar de Castello.[2] Quem conhecesse os nomes dos ministros do Exército ou da Justiça ainda em 1973 seria um simples chutador, pois nem ele os sabia.

Os vinte ministros foram escolhidos em 67 dias. Heitor Ferreira manteve um minucioso registro desse processo.[3] Começou a colecionar hipóteses em maio de 1972. Bastava que um nome caísse nas ro-

1 Num relatório confidencial a Golbery, datado de 21 de abril de 1974, o embaixador Roberto Campos, que conhecia Ueki havia tempo, grafaria "Shigeato". APGCS/HF.

2 Em março de 1972 Geisel se referia a Quandt como provável ministro das Comunicações. *Diário de Heitor Ferreira*, 26 de março de 1972.

3 Os ministros eram dezesseis. Os chefes dos gabinetes Civil e Militar, do SNI e do Estado-Maior das Forças Armadas eram membros do gabinete, do ponto de vista do cerimonial.

das de conversas do Jardim Botânico e do largo da Misericórdia para que o capturasse. As listas renovavam-se, e de quando em quando o próprio Geisel as consultava. Alguns nomes batiam e ficavam, outros passavam de raspão.

Circularam 124 nomes. Podiam ser divididos em dois blocos. Num, os 41 militares que disputavam os cinco ministérios privativos da caserna.[4] Noutro, os 83 que rondaram as dezessete cadeiras civis. Nesse grupo estampou-se um retrato da gestação da elite do poder da época. Eram apenas dezesseis aqueles que deviam renome público a atividades privadas.[5] Os políticos eram quinze.[6] Os demais eram pessoas cujo prestígio fora adquirido em funções burocráticas, de carreira ou fortuitas. A burocracia impulsionara seis em cada dez nomes da lista.

Como todos os presidentes antes e depois dele, Geisel começou a formar seu ministério na suposição de que tinha grande liberdade de escolha e teria calma para analisar detalhadamente cada nome, sobretudo nas pastas civis, onde a indicação estava livre dos constrangimentos dos almanaques militares. Nenhum governante brasileiro dispôs de tanto tempo e liberdade quanto ele. Ainda assim, escolheu dois ministros que não conhecia. Outros dois, conhecia, mas não lhe ocorrera escolhê-los. A um, conhecia, mas queria-o em outra pasta. Houve mesmo um caso em que, pretendendo nomear um general para três ministérios, não conseguiu convidá-lo. Geisel pensou seriamente em colocar o general Euler Bentes Monteiro, a quem admirava, nos Transpor-

4 Eram privativos, de fato, os ministérios da Marinha, do Exército e da Aeronáutica, bem como as chefias do Gabinete Militar e do Serviço Nacional de Informações. O número elevado de nomes deveu-se ao excesso dos que foram mencionados para a chefia do Gabinete Militar.

5 Eram os seguintes: Mario Henrique Simonsen (sócio do Banco Bozano Simonsen), Luiz Fernando Cirne Lima (fazendeiro gaúcho), Flexa Ribeiro (dono do colégio Andrews, no Rio de Janeiro), Luiz Gonzaga do Nascimento e Silva e José Luís Bulhões Pedreira (advogados), Lafayette Prado (empreiteiro), Severo Gomes (industrial), Marcílio Marques Moreira (diretor do Unibanco), José Carlos Figueiredo Ferraz (empreiteiro), José Mindlin (industrial), Hélio Beltrão (diretor das lojas Mesbla), Og Leme (consultor), Ângelo Calmon (dono do Banco Econômico), Marinho Nunes (diretor da Icomi), Jorge Oscar de Mello Flôres (diretor do Banco Lar Brasileiro) e Paulo Maluf (dono da Eucatex).

6 A saber: Ney Braga, Aureliano Chaves, Marco Maciel, Petrônio Portella, Antônio Carlos Konder Reis, Armando Falcão, Célio Borja, Alacid Nunes, Nina Ribeiro, Antonio Carlos Magalhães, Luiz Viana Filho, Arnaldo Prieto, Paulino Cícero, Accioly Filho e Bilac Pinto.

tes, no Interior e, mais tarde, na Previdência. Acabou não o chamando para nada.[7]

A TROPA

As cadeiras militares tiveram graus variáveis de dificuldades. A permanência do brigadeiro Joelmir de Araripe Macedo na Aeronáutica foi uma barbada. Amigo de Geisel e seu colega de turma, tratava-o por "você". Estivera praticamente escolhido para a Vice-Presidência em junho, mas se percebeu que a saída dele do ministério seria o estopim de um conflito na área. Continuaria ministro.[8] Estava no cargo desde 1971, quando Medici o tirara do pijama. Liquidara em algumas semanas o núcleo de insubordinação que controlava a Força desde a crise do Para-Sar, em 1968. A escolha do almirante Geraldo de Azevedo Henning, um oficial imponente, recomendado pelos poucos amigos de Geisel na Marinha, foi fácil.[9]

O Milagre triplicara as despesas militares do governo, levando-as para 1,66 bilhão de dólares em 1973.[10] Entre 1968 e 1971 as despesas com pessoal militar aumentaram 63,7%, enquanto o pessoal civil sofrera uma contração de 13%.[11] Essa expansão fizera estragos no Exército, na FAB e na Marinha. Uma adquirira dezesseis jatos Mirage sem o material de terra necessário para apoiá-los.[12] A outra entrara num programa de reequipa-

7 *Diário de Heitor Ferreira*, 26 de março de 1972, 26 de junho e 28 de julho de 1973, 9 e 23 de janeiro de 1974.

8 A primeira referência de Geisel à permanência de Araripe está no *Diário de Heitor Ferreira*, 1º de junho de 1973. Para a malograda ascensão à Vice-Presidência, idem, 11, 12, 13, 20 e 24 de junho de 1973.

9 A primeira referência ao almirante Henning está na lista preparada por Heitor Ferreira em janeiro de 1973.

10 Maria Helena Moreira Alves, *Estado e oposição no Brasil (1964-1984)*, p. 176, citando *The Military Balance*, do International Institute for Strategic Studies (1963-1980/81), *Armed Forces of the World: A Reference Handbook* (1966, 1973), e o *Almanac of World Military Power* (1969, 1971, 1972, 1973).

11 Luciano Martins, *Estado capitalista e burocracia no Brasil pós 64*, p. 246.

12 Para a compra dos aviões, *The New York Times*, 7 de junho de 1970. Para a falta de equipamento, conversa do marechal Cordeiro de Farias com o ministro Joelmir de Araripe, narrada por Cordeiro a Heitor Ferreira, em *Diário de Heitor Ferreira*, 28 de janeiro de 1972.

mento que custaria 1 bilhão de dólares, comprometendo-lhe o orçamento por quinze anos.[13] De sete submarinos comprados aos Estados Unidos, seis estavam enguiçados. Alguns deles iam para o ferro-velho quando foram vendidos por 150 mil dólares cada. Para reformá-los, pagaram-se 7,5 milhões de dólares. Um navio de desembarque de carros-de-combate chegara do Vietnã com a rampa quebrada. Havia quatro contratorpedeiros mancos. Na Armada o cruzador *Tamandaré* não funcionava, e o porta-aviões *Minas Gerais*, tendo navegado dois dias, passaria todo o ano seguinte no cais.[14] O chefe do Estado-Maior fazia saber que a situação era "catastrófica".[15]

O nó do Exército fora desatado na penosa degola de Orlando Geisel, mas faltava escolher o substituto. Os generais de quatro estrelas eram treze. Não restavam sobreviventes da anarquia de 1969, quando um sacro colégio de generais elegeu Medici para o lugar do marechal Costa e Silva; eram todos coronéis de 64, ano da grande alavancagem de generais, quando os expurgos e a rotina produziram o dobro das vagas habituais. Cadetes da primeira metade dos anos 30, época em que o capitão Ernesto Geisel já participara de uma revolução e combatera outras duas. Garotos, enfim. "Eu não tenho ministro do Exército", queixava-se o general.[16] Sem muito entusiasmo, a escolha ficou entre dois: Vicente de Paulo Dale Coutinho, chefe do Estado-Maior, e Sylvio Couto Coelho da Frota, comandante do I Exército.

Geisel ponderou as duas hipóteses. Aos 64 anos, Dale Coutinho tinha a vantagem de ser mais antigo, "mais meu amigo", e conhecer melhor o Exército. Temia que fosse pedinchão e que a mulher se deslum-

13 Duas folhas manuscritas do general Antonio Carlos Muricy a Geisel, sem data. Para o custo, *Estado Atual dos Meios Flutuantes*, 23 páginas, de 12 de janeiro de 1974. APGCS/HF. Para uma visão oficial do programa de reequipamento naval, *A Marinha no Governo Medici*, conferência do ministro Adalberto de Barros Nunes na Escola de Guerra Naval, 26 de outubro de 1973. APGCS/HF.

14 *Estado Atual dos Meios Flutuantes*. APGCS/HF.

15 Conversa de Geisel com Golbery, 1º de fevereiro de 1974, para os quatro almirantes. Nota de Euclides Quandt de Oliveira a Golbery, narrando um encontro com o almirante José de Carvalho Jordão, chefe do Estado-Maior da Armada, de 5 de fevereiro de 1974. APGCS/HF.

16 Conversa de Geisel com Golbery, Heitor Ferreira e Moraes Rego, 22 de novembro de 1974. APGCS/HF.

brasse com o poder. Suas desvantagens eram três: "toma três uísques e fica dizendo besteira", era "revolucionário novo", e havia o "físico".[17] Com menos de 1,60 m, safenado, tinha um histórico de doenças pulmonares. O tronco mirrado dava-lhe aparência infantil. O pai dele comandara a guarnição do Rio em 1930 e fora o último baluarte da República Velha. Moderado de 31 de março, o filho tornara-se um radical de 1º de abril.

Chefiara com mão de ferro a repressão política no Nordeste. Lá, no dia 11 de março de 1972, foi assassinado no DOI do Recife o geólogo Ezequias Bezerra da Rocha, de 27 anos. Emprestara o carro a dois militantes do PCBR. Numa farsa semelhante à que o DOI do Rio de Janeiro montara, um ano antes, para encobrir a morte de Rubens Paiva, o IV Exército informou que ele ludibriara a escolta que o levava a um "ponto" e desaparecera num Volkswagen branco de placa desconhecida. Nada adiantou a mulher tê-lo visto, após uma sessão de torturas. Ele lhe disse: "Estou bem, meu amor. Tenha calma". Muito menos provar-se que não poderia ter fugido às nove e meia da noite se a documentação do IV Exército dizia que fora preso três horas e meia depois. O corpo de Ezequias, com marcas de torturas, foi achado no dia 13 de março, numa barragem, mas o IV Exército não permitiu o reconhecimento e enterrou-o como se fosse outra pessoa.[18] Coutinho obstruiu as investigações, mesmo sabendo que Ezequias morrera dentro do seu DOI.[19] O general tinha a simpatia de Orlando Geisel, seu padrinho de espada.[20]

Frota era filho de um suboficial, casado em família modesta, pai abnegado de um excepcional, suburbano do Grajaú. Orlando divertia-se dizendo que o general era da "turma do Pedro II", referindo-se aos fatos de

17 Para os uísques, conversa de Geisel com Golbery, Moraes Rego e Heitor Ferreira, 22 de novembro de 1973. Para "revolucionário novo" e o "físico", treze folhas de bloco, manuscritas por Heitor Ferreira, intituladas *Resumo da Conversa com Figueiredo*, datadas de 18 de janeiro de 1974, e conversa de Geisel com Moraes Rego e Heitor Ferreira, 9 de janeiro de 1974. APGCS/HF.

18 Para a história de Ezequias, *Desaparecidos políticos*, organizado por Reinaldo Cabral e Ronaldo Lapa, pp. 101-4. Ver também *Pedido de Busca 96B-E/2*, do IV Exército, em *Projeto Brasil: nunca mais*, tomo V, vol. 4: *Os mortos*, p. 117. Ezequias Bezerra da Rocha foi julgado pelo 7º CJM e absolvido. *Dossiê dos mortos e desaparecidos políticos a partir de 1964*, pp. 290-2. Ver ainda Nilmário Miranda e Carlos Tibúrcio, *Dos filhos deste solo*, pp. 586-7.

19 Conversa de Dale Coutinho com Geisel, 16 de fevereiro de 1974. APGCS/HF.

20 Padrinho é o oficial que entrega ao coronel, em cerimônia pública, a espada de general.

não ter cursado o Colégio Militar e de gostar de escrever cartas. Ernesto via nele três qualidades. "Mais soldado", "conviveria melhor" com ele e "se submeteria a uma certa ascendência minha". Os defeitos: "curriola", "físico" e "mais curto de idéias que o outro".[21] Tinham-se desentendido havia pouco tempo, quando Frota, no comando do I Exército, mandou a Geisel um ofício pedindo que lhe encaminhasse cerca de vinte funcionários da Petrobrás suspeitos de subversão. Ernesto tratou o assunto com o irmão, e um telefonema de Orlando colocou a Petrobrás fora da jurisdição de Frota.[22] Golbery já o chamara de "irritadiço" e em 1969 dissera ao embaixador americano que ele via fantasmas na ameaça comunista.[23]

Um pouco mais alto que Dale Coutinho, Frota carregava debaixo do nariz adunco uma figura redonda que lembrava o Reizinho das revistas infantis. Sua fala fina incomodava. Não era propriamente um oficial de curriolas, mas o quarto cavalariano de um alto-comando cujos outros três Geisel estranhava.[24] Tinha grande influência na tropa do Rio de Janeiro, onde comandava desde 1969. No governo Castello, freqüentara as desordens da linha dura e, com Costa e Silva, ocupara a chefia do gabinete do ministro Lyra Tavares.[25] Fora um dos articuladores da criação do CIE. Esses dois pecados valiam-lhe a antipatia de Orlando Geisel, que o achava "detalhista" mas reconhecia: "Será leal".[26] Golbery achava-o chato.[27] Figueiredo, que o classificara como "burro de todo" porém "milico", dissera a Geisel que, num governo sem problemas militares, o melhor seria

21 Treze folhas de bloco, manuscritas por Heitor Ferreira, intituladas *Resumo da Conversa com Figueiredo*, datadas de 18 de janeiro de 1974. Para as "idéias" de Frota, conversa de Geisel com Heitor Ferreira e Moraes Rego, 9 de janeiro de 1974. APGCS/HF.

22 Para o caso dos funcionários da Petrobrás, Ernesto Geisel, fevereiro de 1995. Ver também *Ernesto Geisel*, organizado por Maria Celina d'Araujo e Celso Castro, p. 241.

23 Telegrama do embaixador John Tuthill ao Departamento de Estado, de 3 de janeiro de 1969, p. A11, narrando um encontro com Golbery, em *O Estado de S. Paulo* de 13 de dezembro de 1998.

24 Eram os generais Ramiro Tavares Gonçalves, Oscar Luiz da Silva e Antonio Jorge Corrêa.

25 Bilhete de Heitor Ferreira a Geisel, de 20 de dezembro de 1974. APGCS/HF. Heitor listou aquilo que seria "O Grupo dos Onze" da linha dura: Syseno Sarmento, Jayme Portella, Ramiro Tavares Gonçalves, Henrique Assumpção Cardoso, Clovis Bandeira Brasil, Sylvio Frota, Affonso de Albuquerque Lima, Lauro Alves Pinto, Cesar Montagna de Souza, Arthur Candal Fonseca e João Dutra de Castilho. Geisel anotou: "É".

26 Conversa de Geisel com Figueiredo, 9 de fevereiro de 1974. APGCS/HF.

27 Conversa de Golbery com Geisel e Heitor Ferreira, 18 de dezembro de 1973. APGCS/HF.

Dale Coutinho: "Agora, se o senhor vai ter que partir para uma guerra, uma luta dentro do troço, vai para o Frota".[28]

As maneiras compostas e o temperamento retraído de Sylvio Frota no comando do I Exército tornavam-no a antítese do general Humberto Mello, o senhor da tropa de São Paulo, ferrabrás da repressão política. O comandante do II Exército estava rompido com o cardeal Arns. Frota tinha boas relações com d. Eugênio Sales:[29] Mello podia ser visto no saguão de Congonhas de roupa esporte, com um revólver na cintura.[30] Frota, quando era visto, vestia farda ou terno. Essas diferenças de forma não se refletiram nas atividades do DOI do I Exército sob seu comando. Entre fevereiro de 1972 e março de 74, enquanto mandou no pedaço, morreram 29 pessoas no Rio de Janeiro (em São Paulo foram 33). Duas jovens assassinadas em "tiroteios" tinham balas na cabeça, outra foi entregue à família com afundamento do crânio.[31] Destruindo o PCBR, o DOI do Rio foi o único a encenar confrontos carbonizando os cadáveres dos prisioneiros dentro de automóveis: três no Grajaú e quatro em Jacarepaguá.[32] Das 29 mortes, duas foram reconhecidas como execuções

28 Nota manuscrita de Heitor Ferreira, intitulada *Notas de Conversa com Figueiredo*, datada de 12 de setembro de 1972. (Geisel encontrou-se com Figueiredo no dia 5.) Relato de Geisel a Golbery, em 14 de fevereiro de 1974, de uma conversa que tivera com Figueiredo no dia 9 de fevereiro de 1974. APGCS/HF.

29 O cardeal Sales disse ao autor em junho de 1987 que "o Frota foi um dos que mais me ajudou".

30 Ernesto Geisel, 10 de dezembro de 1973, em conversa com Heitor Ferreira. APGCS/HF.

31 Morreram com tiros na cabeça Lígia Maria Salgado Nóbrega e Maria Regina Lobo Leite de Figueiredo, ambas da VAR-Palmares. Autópsias em *Projeto Brasil: nunca mais*, tomo V, vol. 4: *Os mortos*, pp. 223 e 276. Aurora Maria Nascimento Furtado, presa depois de balear um detetive em Parada de Lucas, foi entregue à família num caixão lacrado. A autópsia (na obra citada, p. 55) registra "dilaceração cerebral".

32 Os carbonizados do Grajaú, em 29 de dezembro de 1972, foram Fernando Fonseca, Lourdes Maria Pontes e Getúlio de Oliveira Cabral, este com um tiro na cabeça. *Projeto Brasil: nunca mais*, tomo V, vol. 4: *Os mortos*, p. 147. Os de Jacarepaguá foram Ranúsia Alves Rodrigues, Almir Custódio de Lima, Vitorino Alves Moitinho e Ramires Maranhão do Vale. Jacob Gorender, *Combate nas trevas*, pp. 226-7. Segundo a *Informação nº 2805/73* do I Exército, de 1º de novembro de 1973, Ranúsia foi presa pelo DOI no dia 27 de outubro. Em *Folha de S.Paulo*, 27 de março de 1994. As fotografias do cadáver, feitas pela perícia, mostram que Ranúsia foi morta a tiros. *Relatório da Comissão Externa Destinada a Atuar junto aos Familiares dos Mortos e Desaparecidos Políticos após 1964, na Localização de seus Restos Mortais*, publicado no *Diário do Congresso Nacional* de 23 de março de 1995, seção I, p. 4171.

por um oficial que acompanhava o aniquilamento das organizações de esquerda. Dois dos mortos foram a ex-estudante de sociologia Isis Dias de Oliveira e o ex-estudante de economia Paulo César Botelho Massa, da ALN. No dia 31 de março de 1964 ele estivera no palácio Guanabara, com o pai general.[33]

Geisel pensava em reforçar a equipe nomeando um competente chefe do Estado-Maior do Exército. Sustentava que havia dez anos ele não tinha chefe competente.[34] Sua preferência ia para o general Euler Bentes Monteiro. Era quase uma empolgação. Queixava-se da má qualidade dos quatro-estrelas, mas nesse caso parecia convencido da qualidade de sua decisão: "O Euler como chefe do Estado-Maior, meu caro, ele vai arrumar aquela casa".[35]

Depois da conversa de fevereiro com Orlando Geisel, Ernesto decidiu-se por Dale Coutinho. Optara pelo radical da preferência do irmão. No fim de uma conversa de mais de três horas com Dale Coutinho, desistiu de Euler, dando o Estado-Maior a Frota. Optara pela cautela, evitando impor o general moderno e escolhendo um dos mais antigos. Fez o contrário do que pretendera. Como ele mesmo dizia, "Exército que não faz guerra é um organismo tremendamente conservador".[36] O inesperado choque com o irmão levara-o a uma linha de prudência: "Eu não estou na hora de agora criar maiores ondas".[37]

O Ministério do Exército era o segundo cargo da República, mas também um osso duro de roer. O tenente de 1928 assombrara-se com o fausto do Milagre. Mantinha-se uma residência de veraneio para o ministro na serra carioca, apesar de a capital estar no planalto goiano fazia mais de dez anos. Seu mordomo chamava-se Jacy. Cada general-de-exército tinha dois carros, três empregados e casa decorada. Pelo menos um ten-

33 Para o reconhecimento das execuções, "A repressão à guerrilha urbana no Brasil", reportagem de Henrique Lago e Ana Lagoa publicada pela *Folha de S.Paulo* de 28 de janeiro de 1979. Para Paulo Massa e seu pai, *Desaparecidos políticos*, organizado por Reinaldo Cabral e Ronaldo Lapa, p. 200.

34 Conversa de Geisel com Golbery, Heitor Ferreira e Moraes Rego, 22 de novembro de 1973. APGCS/HF.

35 Conversa de Geisel com Golbery, Heitor Ferreira e Moraes Rego, 10 de dezembro de 1973. APGCS/HF.

36 Nota de Heitor Ferreira, de 1º de outubro de 1973. APGCS/HF.

37 Conversa de Geisel com Heitor Ferreira, 12 de fevereiro de 1974. APGCS/HF.

tou conservá-la depois de passar para a reserva.[38] No final de 1970, os generais-de-brigada que se transferiam para Brasília recebiam 130 mil cruzeiros (equivalentes a cerca de 27 mil dólares) para a compra de mobília.[39] Em 1971 incorporara-se à rotina dos "milicos" a mordomia aeronaval da taifa, através da qual cabos e sargentos prestavam serviços domésticos aos comandantes.[40] As verbas do Planalto pagavam transporte e hospedagem da turma de aspirantes de Medici para um churrasco em Brasília. As da Companhia Siderúrgica Nacional, o almoço da turma de seu presidente, no Rio. Quando sugeriram a Geisel que acompanhasse a cadeia de gentilezas, pagando o almoço da sua turma pela caixa da Petrobrás, respondeu: "Olha, a Petrobrás existe para furar poço de petróleo. Não faço".[41] Sentira na pele o desconforto do público externo quando, logo que se mudou para a casa do Jardim Botânico, recebera uma carta anônima que ponderava: "Meu caro general, não é moral este proceder, nem revolucionário".[42] "O Exército, do ponto de vista moral, caiu muito", observava Geisel.[43]

O coronel de 1953 assombrara-se com os absurdos profissionais. Aborrecera-se com a promoção do general sob cujas barbas a guerrilha de Carlos Lamarca escapara ao cerco do vale do Ribeira: "Quando alguém é testado e sai mal, deve ser posto para fora. Em qualquer Exército decente o homem é convidado a pedir retiro".[44] Atribuía à "carranca do Orlando" a facilidade com que a tropa conseguia verbas e expandia seu efetivo.[45]

38 Para os carros, nota manuscrita de Heitor Ferreira intitulada *Conversa Geisel-Reynaldo Mello de Almeida*, de 17 de dezembro de 1973. APGCS/HF. Para o caso do general que tentou manter a casa, *Diário de Heitor Ferreira*, 2 de agosto de 1973, narrando uma visita do general Reynaldo a Geisel. Para o decorador, conversa de Geisel com Heitor Ferreira, em *Diário de Heitor Ferreira*, 27 de dezembro de 1971.

39 Carta do major Athos Marques de Amorim a Heitor Ferreira, de 9 de agosto de 1975. APGCS/HF.

40 *História do Alto-Comando do Exército*, reunião do Alto-Comando de 21 de julho de 1971. APGCS/HF.

41 *Diário de Heitor Ferreira*, 22 de janeiro de 1972.

42 Carta anônima endereçada a Geisel em 28 de junho de 1973. APGCS/HF.

43 Duas folhas manuscritas de Heitor Ferreira, intituladas *Conversa Geisel-Reynaldo Mello de Almeida*, de 17 de dezembro de 1973. APGCS/HF.

44 *Diário de Heitor Ferreira*, 12 de setembro de 1972. Geisel referia-se ao general Paulo Carneiro Thomaz Alves.

45 *Diário de Heitor Ferreira*, 27 de dezembro de 1972.

Entre 1971 e 1973, enquanto as despesas militares cresceram cerca de 35%, as do Exército aumentaram 45%.[46] Em 1964 havia 124 generais; em 74, 155.[47] (Na reserva, Geisel calculava que fossem 3500.)[48] No final de um dispendioso programa de modernização, pretendia-se organizar dezessete brigadas mecanizadas, mas faltavam engenheiros e sobravam cavalos. Em três anos entraram nos quartéis 7 mil viaturas, mas nenhum mecânico. Compraram-se ao exército americano tanques para os quais não se fabricava mais munição, e de cada dois que chegavam, um não andava. Equipou-se a brigada de Campinas com tamanha ferragem que sua mobilização exigiria a requisição de todas as pranchas de transporte de São Paulo.[49] No fim de um relato dessas irracionalidades, o general Figueiredo concluíra: "É um deus-nos-acuda. É aquilo que o senhor diz, estão botando dinheiro fora".[50]

O futuro presidente acreditava que poderia dispor de uma peça de sua confiança para tratar da repressão política. Queria a permanência do general Milton Tavares de Souza na chefia do Centro de Informações do Exército.

Não conseguiu. Num apelo emocional, Dale Coutinho pediu o lugar para o amigo Confucio Danton de Paula Avelino, um general-de-brigada detestado por Geisel e Moraes Rego. No comando da Força Pública de São Paulo em 1971, acobertara a tortura prolongada e sistemática da neta do marechal Hasckett Hall, de quem fora ajudante-de-ordens, di-

46 Alfred Stepan, *Os militares — Da abertura à Nova República*, p. 87. Stepan usa números do *Anuário estatístico do Brasil — 1971* e da Seplan, convertendo-os em dólares correntes de 1978. Em 1971 gastou-se 1 milhão e 862 mil dólares e em 73, 2 milhões e 51 mil. Para as despesas do Exército, *Estatísticas históricas do Brasil*, p. 623. São os seguintes os gastos do Exército de 1970 a 1973, em milhões de cruzeiros: 1970: 2 598 515; 1971: 3 195 319; 1972: 3 901 144, e 1973: 5 183 870. De uma conversão pelo câmbio da época resultou: 1970: 577 milhões de dólares; 1971: 560 milhões; 1972: 630 milhões, e 1973: 836 milhões.

47 *Almanaque do pessoal militar do Exército*, de 1964 e de 1975.

48 Observação de Geisel, em *Diário de Heitor Ferreira*, 28 de maio de 1975.

49 Para o reequipamento, narrativa de Dale Coutinho a Geisel, 16 de fevereiro de 1974. Para o caso dos tanques, narrativa de Figueiredo a Geisel, contando-lhe o que ouvira de Dale Coutinho, 9 de fevereiro de 1974. APGCS/HF.

50 Conversa de Figueiredo com Geisel, 9 de fevereiro de 1974. APGCS/HF.

zendo à mãe que a filha estava sendo bem tratada.[51] Interrogava prisioneiros convalescentes.[52] Geisel preparara o roteiro da conversa que teria com Coutinho disposto a impedir a sua escolha, mas cedeu. "O Dale era meu amigo. Ele insistiu muito, alegando que tinha uma grande ligação pessoal com ele, que fora ele quem o cuidara quando adoeceu e que tinha sido muito leal em outras comissões."[53]

Muitas foram as mudanças que Geisel pensou fazer no Exército. Não fez nenhuma. Nomeou um ministro inexpressivo, não conseguiu colocar um general moderno no Estado-Maior e aceitou Confucio no CIE. Havia mais: o que fazer com Orlando Geisel? Puxava de uma perna, emagrecera. Embaixada, nem pensar. Como os outros ministros, deveria voltar para casa, mas seu apartamento da rua Ribeiro da Costa, no Leme, pedia pintura. Era preciso pensar na segurança dele. O general Orlando resolveu passar algum tempo na casa do comandante do I Exército, mas Ernesto sugeriu que continuasse no palácio Laguna, residência oficial do ministro no Rio de Janeiro. Treze dias depois da posse do irmão caçula, Orlando teve um pequeno acidente vascular cerebral enquanto fazia a barba, caiu no banheiro e quebrou a perna.[54] Suas dificuldades respiratórias agravaram-se. Mantinha ao seu lado um cilindro de oxigênio. Usava-o para respirar melhor mesmo durante conversas sociais. A mudança para o Leme foi esquecida. Aos 69 anos, depois de ter vivido uma existência frugal, a permanência de Orlando Geisel no Laguna tornou-o símbolo das mordomias dos hierarcas da ditadura. Só duas pessoas podiam obrigá-lo a mudar-se: o ministro Dale Coutinho e seu irmão Ernesto. Nenhum dos dois tinha a coragem necessária para provocar-lhe tamanha contrariedade.

51 Trata-se do caso da jornalista Norma Freire, presa na *Operação Bandeirante.*

52 Em novembro de 1969 interrogou Diógenes de Arruda Câmara dois dias depois de ele ter sofrido uma crise cardíaca na Oban. *Projeto Brasil: nunca mais*, tomo V, vol. 1: *A tortura*, p. 724.

53 Uma folha com anotação de Heitor Ferreira, de fevereiro de 1974, anterior à conversa de Geisel com Dale Coutinho: *CIE — Confucio não.* APGCS/HF. Ernesto Geisel, 12 de julho de 1988.

54 *O Estado de S. Paulo*, 30 de março de 1974, p. 15. Para o distúrbio vascular enquanto fazia a barba, Ernesto Geisel, 24 de abril de 1995.

O COFRE

Depois do Exército, a economia. Mario Henrique Simonsen, verdadeiro Siegfried do imaginário do regime, tinha 38 anos. Aos 26 fora professor do Instituto de Matemática Pura e Aplicada e da Escola Nacional de Engenharia. Aos 28, simultaneamente aluno e professor da Faculdade de Ciências Econômicas da Universidade do Brasil. Antes dos trinta dirigira o Departamento Econômico da Confederação Nacional da Indústria e criara a fórmula de cálculo de reajustes salariais imposta aos trabalhadores e conhecida por "arrocho". Era tudo isso e mais ex-aluno do colégio Santo Inácio das safras elitistas do jesuitismo pré-conciliar. Colaborador eventual do IPÊS, dirigia a escola de pós-graduação em economia da Fundação Getulio Vargas, e sentava-se nos conselhos da Mercedes-Benz e da Souza Cruz. Dirigia também um dos sonhos do Milagre, o Movimento Brasileiro de Alfabetização, Mobral. Barítono fracassado por conta de uma pneumonia, leitor voraz, polemista cáustico, unia numa personalidade tumultuada razão matemática e romantismo musical. Era sócio e nome de banco (Bozano Simonsen), mas vestia-se como um investigador. Bebia e fumava demais (Minister, "mas não trago"),[55] matava o tempo ouvindo música e jogando xadrez com sua mulher arqueóloga. Nada mais anti-social. Mesmo assim, era o quindim do empresariado e da elite econômica. Em 1969, quando um futurólogo americano previu que o Brasil não iria longe, Simonsen respondeu com um *Brasil 2001*, desmentindo-o e defendendo uma política de dirigismo estatal na educação e nos setores elétrico e siderúrgico.[56] Seria ministro da Fazenda. Restava saber quando e de quem.

Humberto Barreto, amigo de juventude de Simonsen, já patrocinara um encontro superficial do professor com o general. Heitor Ferreira lançou-o em sua lista em fevereiro de 1972 e nunca mais o tirou.[57] Em outu-

55 Conversa de Mario Henrique Simonsen com Golbery e Heitor Ferreira, 5 de fevereiro de 1974. APGCS/HF.

56 Mario Henrique Simonsen, *Brasil 2001*, p. 184. Simonsen respondia a *O ano 2000*, de Hermann Khan.

57 *Diário de Heitor Ferreira*, 25 de fevereiro de 1972.

bro do ano seguinte Golbery reuniu-se com ele, a pedido de Geisel. Seguindo seu velho riscado, encomendou-lhe alguns papéis com idéias para o futuro governo. Fazia isso com todo mundo, mas era disso que Simonsen gostava. Mandou oito páginas de "esclarecimentos" e os números de seus telefones. Olhando para a frente, propunha que se jogasse no mercado financeiro uma parte dos recursos do Programa de Integração Social, o PIS, tributo criado em 1970 por Delfim Netto com o objetivo de assegurar um pecúlio aos trabalhadores e o propósito de fazer caixa para o governo.[58] No mundo do Milagre, oferecia 32 salários no fim de trinta anos de serviço.[59] No mundo real, recolhia 720 milhões de dólares anuais dos cofres da Caixa Econômica, cuja chave Delfim mantinha na gaveta.[60] Olhando para trás, como candidato a ministro, Simonsen sugeria mais: "A partir de 1969 estabeleceu-se uma política de não deixar quebrar nenhuma instituição financeira, e o Banco Central passou a cobrir com os conseqüentes déficits. [...] Muitos dos recentes problemas de insolvência eram previstos no mercado e só chegaram às dimensões finais a que chegaram, pela lentidão da ação das autoridades. Por outro lado, a filosofia de que 'instituição financeira não quebra', além de custar caro ao governo, nivela o mercado por baixo".[61]

Golbery anotou: "Caso do Banco Português e outros". "Outros", de saída, era o Banco Mineiro do Oeste. Juntos formavam um buraco de 2 bilhões de cruzeiros, dinheiro equivalente a cinco vezes a emissão de moeda em 1973. O Banco Português do Brasil fora salvo por Delfim, trocando de dono.[62] Também conhecido como *Bandoleiro do Oeste*, o BMO fora praticamente dado de presente ao Bradesco. Havia pelo menos três outras instituições financeiras quebradas.[63]

58 Carta de Mario Henrique Simonsen a Golbery, de 31 de outubro de 1973, com o anexo *Problemas do Mercado de Crédito a Longo Prazo*. APGCS/HF.

59 *Veja*, 26 de agosto de 1970, pp. 28-33.

60 *Estrutura de Governo, Notadamente quanto à Área Econômica*, oito folhas do Ministério do Planejamento, sem data nem assinatura, de 1973, refere-se a 4,7 bilhões de cruzeiros do PIS na Caixa e 7,4 bilhões de cruzeiros do Pasep no Banco do Brasil. APGCS/HF.

61 *Liquidações Bancárias*, anexo à carta de Mario Henrique Simonsen a Golbery, de 31 de outubro de 1973. APGCS/HF.

62 *Diário de Heitor Ferreira*, 24 de janeiro de 1973, e *Informe* enviado a Heitor pelo general Barros Nunes, APGCS/HF.

63 Os grupos Aurea e Audi, de São Paulo, e o Halles, do Rio de Janeiro.

Simonsen reuniu-se por duas horas com Geisel no final de novembro, deixou boa impressão e continuou escrevendo papéis para Golbery. Dele recebia consultas e leituras. O general enviou-lhe um artigo de 22 páginas tirado do exemplar de *Authoritarian Brazil* que lhe chegara às mãos. O texto concluía advertindo que "o problema não está num excesso de poupança para escassez de gastos, mas exatamente o contrário".[64] "Um clarão de bom senso", respondeu Simonsen.[65] Treinava para o novo papel tentando parar de fumar e de beber.

Geisel entrara na questão econômica com humildade. Lera artigos de Simonsen, uma *Introdução às contas nacionais* e o clássico *Inflação*, trabalho do economista americano Milton Friedman que prenunciava a alvorada do liberalismo econômico.[66] Nem ele nem Golbery tiveram espaço em suas agendas para receber Friedman em dezembro de 1973, quando passou pelo Brasil. O professor pedira para encontrar Geisel com uma semana de antecedência, prontificando-se a ir ao Rio no dia que ele marcasse.[67]

O general começou estudando mais os mecanismos de comando da administração do que a doutrina econômica. Suas diferenças com Delfim eram mais de forma que de conteúdo, e estava decidido a organizar seu governo de maneira que dele não brotasse outro *Gordo*.

Simonsen cumpriu seu destino. Foi escolhido para ministro da Fazenda. Sua ascensão refletia no novo governo uma aparência de restauração da dinastia fundada pelo professor Eugênio Gudin e projetada no consulado de Castello Branco pela dupla Octávio Gouvêa de Bulhões-Roberto Campos. Era engano. Geisel não queria Campos no ministério, nem por perto. O professor Bulhões fez saber a Simonsen que aceitaria a presidência do Banco Central, mas o futuro ministro derrubou-o, argu-

64 Samuel A. Morley e Gordon W. Smith, "The effect of changes in distribution of income on labor, foreign investment, and growth in Brazil", em *Authoritarian Brazil*, editado por Alfred Stepan, pp. 119-41.

65 Carta de Mario Henrique Simonsen a Golbery, de 10 de dezembro de 1973. APGCS/HF.

66 *Diário de Heitor Ferreira*, 23 de agosto de 1972.

67 Bilhete de João Carlos Palhares a Golbery, de 10 de dezembro de 1973. Friedman podia se encontrar com Geisel qualquer dia, entre 17 e 21 de dezembro. Geisel teve agenda praticamente livre ou tomada por compromissos secundários nos dias 17, 18 e 21.

mentando que não cairia bem no lugar com um "garoto" no Ministério da Fazenda.[68]

O empresariado aplaudiu a escolha, e Gudin saudou a indicação de Simonsen com uma barretada ao "diabólico" Delfim. Lembrou que, durante uma visita de Rachmaninoff a Paris, o crítico musical do *Figaro* escrevera: "Não é possível tocar piano melhor". Seis meses depois chegou à cidade Wladimir Horowitz, e o mesmo crítico informou: "Este é o maior pianista do mundo". "O comentário pode-se aplicar ao caso da nossa substituição do ministro da Fazenda, em que com o ótimo ou com o excelente o nosso barco está em boas mãos." Assegurava que "em tudo quanto se refere à economia do país", o "grande conselheiro" seria Simonsen.[69] Dois erros: Geisel não queria um "grande conselheiro", e ainda que o quisesse, uma louvação de Gudin mais atrapalhava do que ajudava. A convivência do general com o liberalismo cosmopolita era tributo à unidade da elite que apoiava a ditadura. Em outras palavras, dele: "Você pega a elite. [...] o Golbery teve a paciência de aturar durante três horas este patife do Gudin, que é um salafra, é um judeu sem-vergonha. *O Globo* abre as colunas para o Gudin escrever as sandices todo dia. E o sujeito se dá o direito de escrever as maiores besteiras, as maiores barbaridades. Todo mundo tolera porque o Gudin é a favor da Revolução... Esse sujeito já devia estar há muito tempo num asilo de velhos".[70]

Como Geisel não podia trocar de corifeus e a plutocracia não podia trocar de general, fez-se de conta que o novo ministro da Fazenda, mes-

68 Para o desinteresse de Geisel por Campos, conversa de Geisel com Golbery e Heitor Ferreira, 18 de dezembro de 1973. Para Golbery e para o caso de Bulhões, conversa de Mario Henrique Simonsen com Golbery, 5 de fevereiro de 1974. APGCS/HF. Um ano depois, Paulo Egydio Martins quis nomear o banqueiro Olavo Setubal para a Secretaria da Fazenda de São Paulo. Simonsen ponderou que ele seria visto como seu eventual substituto, e Setubal foi nomeado prefeito da capital. *Diário de Heitor Ferreira,* 11 de janeiro de 1975.

69 *O Globo*, 8 de fevereiro de 1974, p. 3 do 1º caderno, citado em Eugênio Gudin, *Reflexões e comentários — 1970/1978*, p. 162. Gudin era parente afim de Simonsen. Sua mulher era irmã gêmea da avó paterna de Mario Henrique. Depoimento de Carlos Ivan Simonsen Leal, em *Mario Henrique Simonsen — Um homem e seu tempo*, organizado por Dora Rocha, Verena Alberti e Carlos Eduardo Sarmento, p. 22.

70 Conversa de Geisel com Heitor Ferreira e Moraes Rego, 20 de dezembro de 1973. APGCS/HF.

mo não sendo um novo *Gordo*, seria o comandante da política econômica. Entretanto, o Simonsen que impressionara Geisel não era o cosmopolita que Gudin aplaudia. Era o interlocutor moralista que sugeria ao general transformar em presídio o prédio da praça XV de Novembro onde funcionava a bolsa do Rio de Janeiro.[71]

Campos e Gudin viam na internacionalização da economia brasileira um imperativo da eficácia. Acreditavam que havendo concorrência estrangeira, a indústria e o comércio nacionais seriam obrigados a produzir melhor e "mais barato" para poderem sobreviver. Geisel detestava-os exatamente por isso. Via a participação do capital estrangeiro como um complemento do processo de desenvolvimento do país. As empresas estrangeiras podiam fazer o que quisessem, desde que fosse coisa que brasileiro não soubesse fazer.[72] Era um nacionalismo sincero, utilitário e dirigista. Nele se infiltrava o conceito de projeto nacional comum às formulações dos autoritarismos de direita e de esquerda da metade do século XX. Costumava repetir que nascera num país que importava manteiga, e orgulhava-se de ter participado da sua transformação numa nação industrializada. Achava que o cosmopolitismo econômico condenava o Brasil e os brasileiros a uma posição subalterna. Mais: desde o tempo em que comia manteiga importada, nunca encontrara um defensor do liberalismo econômico que tivesse se associado a um projeto de progresso acelerado para a nação brasileira.[73]

O general não tinha economistas no seu círculo de relações, nem se guiava por nenhum pensamento econômico articulado.

Seu contato mais próximo com a espécie deu-se com Jesus Soares Pereira, o colega de Conselho Nacional do Petróleo, tanto no trabalho como nos almoços que tiveram nos anos 50.[74] Em abril de 1964 a figura discreta de Soares Pereira entrou na lista dos cem primeiros cidadãos

71 Conversa de Geisel com Mario Henrique Simonsen, 29 de janeiro de 1974. APGCS/HF.

72 Ernesto Geisel, janeiro de 1995.

73 Um exemplo desse raciocínio: "Se o Victor Civita [criador da editora Abril] dissesse ao Roberto Campos que pretendia publicar uma revista como a *Veja*, ele tentaria dissuadi-lo, dizendo-lhe que era muito mais fácil traduzir a revista *Time*". Ernesto Geisel, 1988.

74 Ernesto Geisel, abril de 1995.

a terem os direitos políticos cassados pela nova ordem.[75] Do outro lado do chicote, o general Geisel procurou salvá-lo. Chegou mesmo a falar com Castello Branco, mas perdeu a parada: "Foi safadeza do pessoal de Capuava junto ao Costa e Silva, foi a vingança deles".[76] Cassado, Jesus Soares Pereira viveu no Chile até 1969. Trabalhava na Cepal e era uma espécie de tesoureiro da caixa de socorro aos asilados. Convencido de que sua cassação recebera o beneplácito do colega, e desinteressado de qualquer aproximação com o regime, comentara: "Pelo que restar de consideração entre nós dois, vou pedir a Geisel que me casse por mais dez anos".[77] (Jesus voltou ao Brasil em 1969, mas ele e o general não se reencontraram.)

O coronel do CNP saíra da casca como presidente da Petrobrás. Lançara agressivamente a empresa na distribuição de derivados, tomara à Shell os cobiçados e simbólicos postos do Aterro do Flamengo, no Rio de Janeiro. Em 1972 tinha 23% do mercado distribuidor, contra 11% em 65.[78] Quando o presidente da Shell se mostrou surpreso por ter sido chamado a uma concorrência para a montagem de uma unidade de refino, já que competiam na distribuição, Geisel explicou-lhe: "É por isso mesmo que eu sou a favor da participação da Shell. Porque a Shell vem aí nos ensinar alguma coisa, que é a tecnologia de produção na área petroquímica,

75 Três folhas mimeografadas com a transcrição do *Ato do Comando Supremo da Revolução*, de 10 de abril de 1964. Nesse documento os nomes estão listados de forma desordenada, mas percebem-se nele alguns segmentos em que os cassados foram agrupados por atividade. Assim, do número 11 ao 15 encontram-se dirigentes sindicais. Jesus Soares Pereira foi o 24º, ficando entre Francisco Mangabeira, ex-presidente da Petrobrás, Hugo Régis dos Reis e Jairo José Farias, ambos diretores da empresa. Soares Pereira não tinha ligação direta com a Petrobrás. Era diretor de vendas da Companhia Siderúrgica Nacional. Foi colocado na lista por ter contrariado algum interesse no Conselho Nacional de Petróleo.

76 Ernesto Geisel, janeiro e abril de 1995. No dia 10 de abril, quando saiu a primeira lista de cassações, Castello ainda não fora empossado. Geisel era um general influente, mas sem função. Só iria para a chefia do Gabinete Militar cinco dias depois. Doente e perseguido, Jesus Soares Pereira morreu em Petrópolis, em dezembro de 1974. Deixou pouco mais que uma biblioteca, comprada à viúva por amigos e doada à Fundação Getulio Vargas. *Dicionário histórico-biográfico brasileiro pós-1930*, coord. de Alzira Alves de Abreu e outros, vol. 4, p. 4554.

77 Adão Pereira Nunes, *Do Planalto à Cordilheira — Memórias de um médico cassado*, pp. 155-6.

78 Edelmira del Carmen Alveal Contreras, *Os desbravadores — A Petrobrás e a construção do Brasil industrial*, p. 90, nota.

coisa que nós não sabemos, não sabemos nada. Agora, encher tanque de gasolina nós já sabemos. Não precisamos da Shell para isso".[79]

Geisel levara as antigas relações da empresa com a indústria nacional de equipamentos pesados a uma inédita parceria. Estimulou a formação de uma equipe técnica, diretamente ligada a ele, por meio da qual a Petrobrás perfilhava seus fornecedores brasileiros. Pagava-lhes em dia equipamentos entregues com atraso, com defeitos, ou mesmo inúteis. Prestava-lhes assessoria técnica gratuita. Como diria mais tarde, "a Petrobrás, nessa ocasião, foi uma verdadeira mãe para a indústria paulista". Era uma maternidade assumida, praticada por um general convencido de que a empresa devia servir de estímulo à indústria nacional.[80]

A segunda escolha para a área econômica parecia fácil: Golbery, o curinga da equipe, era a opção para o Planejamento. No lugar, estava o economista João Paulo dos Reis Velloso. Geisel queria mantê-lo no ministério, transferindo-o para a pasta do Interior. Parecia um detalhe irrelevante. Aos 43 anos, desgracioso e desengonçado, Reis Velloso encarnava a figura do nordestino transplantado para o eixo Rio—Brasília. Filho de um funcionário do correio em Parnaíba, no Piauí, estivera entre os Águias Brancas, braço juvenil do integralismo, e fora para o Rio aos vinte anos.[81] Começara a vida na burocracia do Instituto de Aposentadoria e Pensões dos Industriários. Tornara-se funcionário de carreira do Banco do Brasil, mas não conseguira chegar a conferente de seção. Em setembro de 1964, com um diploma da Universidade de Yale, incorporara-se à equipe de Roberto Campos. Ajudara a fundar o Escritório de Pesquisa Econômica Aplicada, o futuro IPEA. Seu negócio eram os números. Tinha horror a telefone e a documentos assinados. Subira à secretaria geral do Planejamento e ganhara o ministério na formação do governo Me-

79 Ernesto Geisel, janeiro e fevereiro de 1995. Ver também *Diário de Heitor Ferreira*, 17 de janeiro de 1972.

80 Ernesto Geisel, janeiro e março de 1995.

81 Para a relação de Reis Velloso com o integralismo, citação de Plínio Salgado em entrevista a *Veja* de 13 de maio de 1970, pp. 20-3.

dici. Era difícil defini-lo. O general Figueiredo chamara-o de "besta" numa conversa com Heitor Ferreira. Avaliando-o diante de Geisel, vira-o "eficiente", ainda que "chato".[82]

Velloso produzira um documento com uma proposta audaciosa: o Ministério do Planejamento deveria ser apenso à Presidência da República "ao nível dos Chefes do Gabinete Civil, Gabinete Militar e SNI". Insinuara que, sem isso, o surgimento de um novo *Gordo* seria inevitável: "A dificuldade de um sistema como o atual é que, mesmo na melhor das intenções [...] os ministérios da Fazenda e da Indústria e Comércio, na prática, podem levar a política econômica para direções que representem distorções quanto à orientação geral de governo".[83] Geisel comprou a idéia, mas decidiu que o nicho fosse chamado de secretaria, não de ministério. Fosse qual fosse o título republicano de Velloso, a melhor definição partiu de Heitor Ferreira: "um barão do presidente".

O barão tinha atrás de si a maior rede de economistas do país. Eram cem no IPEA e outros cinqüenta no BNDE. Como ministro de Medici, tentara, sem sucesso, formular aquilo que chamava de uma "orientação geral". Esse conceito hierárquico e disciplinador resultara num cronograma pelo qual todo governo prepararia um plano estratégico. Na teoria, cada governo planejaria seus três últimos anos e os dois primeiros da administração seguinte. Na prática, o texto do *Programa de Metas e Bases para a Ação do Governo* estava na gráfica quando Velloso foi surpreendido pela decisão de Medici (tomada durante uma conversa de avião) de mandar rasgar a rodovia Transamazônica.[84] Tivera de recolher os originais do seu plano estratégico, reescrevendo-os e fazendo crer que o voluntarismo presidencial fora um ato pensado, inserido no Programa de Integração Nacional, o PIN.[85]

82 *Anotações da Conversa com Figueiredo*, em *Diário de Heitor Ferreira*, 11 de junho de 1973. Para "chato", anotação manuscrita de Geisel num bilhete remetido por Heitor Ferreira em 28 de setembro de 1973. APGCS/HF.

83 *Estrutura de Governo, Notadamente quanto à Área Econômica*, oito folhas do Ministério do Planejamento, sem data nem assinatura, de 1973. APGCS/HF. Heitor Ferreira refere-se a um documento, entregue a Geisel por Velloso, na entrada do dia 10 de novembro de 1973 de seu *Diário*.

84 Depoimento de Delfim Netto, em *Histórias do poder*, organizado por Alberto Dines, Florestan Fernandes Jr. e Nelma Salomão, vol. 3: *Visões do Executivo*, p. 192.

85 Marcos Vianna, novembro de 1997.

Geisel ofereceu a Velloso o Ministério do Interior. Para amaciá-lo, Heitor Ferreira elaborara até mesmo uma lista de argumentos que poderiam ser apresentados, inclusive chamando-o de "um dos meus desafortunados curingas".[86] Aconteceu o impensável: Velloso recusou. Argumentou que preferia ficar na área econômica. Polidamente: isso ou nada. Geisel deu-lhe razão e a Secretaria do Planejamento.[87]

Ofuscado por Delfim, Reis Velloso parecia destinado a ser uma sombra do brilho intelectual de Simonsen, de quem fora aluno em duas ocasiões. Nas semanas de organização do governo, levou a Geisel uma idéia e um projeto. Sugeriu a transferência dos recursos do PIS/Pasep da Caixa Econômica e do Banco do Brasil para o BNDE. Coisa de 12 bilhões de cruzeiros, uma montanha de dinheiro, considerando-se que em 1972 a União financiara 30 bilhões de cruzeiros dos 44 bilhões investidos em capital fixo. Desses 30, cerca da metade vinha dos dois grandes fundos criados por Medici.[88] Como o BNDE era subordinado ao Planejamento, no fim da manobra a arca de investimentos sairia do Ministério da Fazenda para o palácio do Planalto. Isso significava uma deliberada migração de recursos e poder.[89] Transferia-se também o embrião de uma estratégia de ação do Estado. O projeto foi para as mãos de um general convencido de que "a nação não se desenvolve espontaneamente", precisa de "alguém que a oriente e a impulsione", e "esse papel cabe ao governo".[90]

Simonsen queria jogar uma parte do dinheiro do PIS no mercado financeiro, mas Velloso tinha outras idéias.[91] Os economistas do IPEA es-

86 Duas folhas manuscritas, de Heitor Ferreira, datadas de 12 de fevereiro de 1974. APGCS/HF.

87 Conversa de Geisel com Moraes Rego e Heitor Ferreira, 12 de fevereiro de 1974. APGCS/HF.

88 *Estrutura de Governo, Notadamente quanto à Área Econômica*, oito folhas do Ministério do Planejamento, sem data nem assinatura, de 1973. APGCS/HF. Os números referem-se a 1972. O BNDE-Finame havia financiado 7,7 bilhões de cruzeiros. Ficaram na caixa do Planalto cerca de 20 bilhões, equivalentes a 3 bilhões de dólares. Significavam o controle direto sobre dois terços de todos os financiamentos federais.

89 Conversa de Geisel com Golbery, 3 de janeiro de 1974. APGCS/HF. Golbery diz que a ida desses recursos para a gestão do ministro da Fazenda foi um "repassão de poder". Geisel sustenta que o dinheiro não deve ir para o Banco do Brasil nem para a Caixa, mas para o BNDE. E que o futuro ministro da Fazenda deve ser avisado, "para não vir depois criar caso".

90 Maria Celina d'Araujo e Celso Castro, orgs., *Ernesto Geisel*, p. 287.

91 *Problemas do Mercado de Crédito a Longo Prazo*, documento de três páginas enviado no dia 31 de outubro de 1973 por Mario Henrique Simonsen a Golbery, que o anotou. APGCS/HF.

tudavam os gargalos da economia brasileira e, se houvesse alguém interessado num projeto de desenvolvimento sob a coordenação do Estado, tinham mercadoria para oferecer. No final de 1972, quatro deles começaram uma pesquisa intitulada *Crescimento industrial no Brasil*, em que se esboçava a idéia de uma intervenção organizada do Estado na economia de forma a dinamizar a indústria pesada e os setores siderúrgico, petroquímico e de construção naval.[92] Um ano depois, um jovem economista do BNDE preparou uma projeção do futuro da produção nacional. Havia sido encomendada pelo presidente do banco, Marcos Vianna, ex-secretário-geral de Velloso no Planejamento.

José Clemente de Oliveira tinha 37 anos, morava com a mulher e um casal de filhos num apartamento alugado de Santa Teresa. Ganhava duzentos dólares por mês. Era um sobrevivente da esquerda de 1964 protegido por Vianna, que mantinha no BNDE inúmeros técnicos antipáticos ao SNI. Clemente conhecera Geisel em reuniões com técnicos da Petrobrás, discutindo questões da indústria pesada e a montagem do pólo petroquímico de Camaçari, na Bahia. Trabalhou sem saber para que serviria seu estudo.[93] O trabalho, escrito em setembro (antes da crise do petróleo, portanto), chegou a Geisel em novembro. Chamava-se *Estimativa de Crescimento Macroeconômico para o Período de 1974 a 80*.

Propunha uma maciça política de investimentos, notadamente nos setores de mineração, energia e habitação, capaz de permitir um crescimento econômico de 10% ao ano. Isso seria conseguido por meio de uma caça ao empresariado, financiando-se projetos que ainda não haviam sido levados às agências oficiais de fomento. Não se tratava mais de os empresários procurarem o BNDE, mas de o BNDE procurar os empresários. Em suas palavras: "uma programação firme de investimentos, no sentido de que já ultrapassa a fase do mero desejo de investir". Para custear o

92 *Crescimento industrial no Brasil — Incentivos e desempenho recente*, de Wilson Suzigan, Regis Bonelli, Maria Helena T. T. Horta e Celsius Antônio Lodder.

93 José Clemente de Oliveira, novembro de 1997.

salto, seria necessário elevar brutalmente a taxa de poupança (37,5% do PIB para 1975, contra 31,9% em 73 e 16,6% em 69). O que faltasse viria do aumento dos financiamentos externos, triplicando-os entre 1973 (3,01% do PIB) e 1979 (9,34%).[94] Era o preço do crescimento.

Geisel viu exagero na taxa de poupança: "Não tem país no mundo que faça isso".[95] À margem desse documento, Golbery anotou: "Faraônicos. E não querem que a Dow toque o projeto com recursos próprios...".

O comentário refletia um conceito e um ódio pessoal. O general não tinha simpatia pelo fortalecimento do BNDE e detestava Marcos Vianna. Haviam-se desentendido num episódio em que Golbery defendia os interesses da Dow, cuja presidência só abandonaria nos primeiros dias de fevereiro. Numa simplificação grosseira, a Dow queria montar — com financiamento do BNDE — um pólo petroquímico próprio na Bahia. Vianna respondeu com uma carta dura. Golbery não o esqueceu. Quando a idéia da transferência dos recursos do PIS/Pasep para o BNDE começou a tomar corpo, ele disse a Geisel:

"Não fico confortável em ter lá o seu Marcos Vianna. [...] Eu acho que o presidente desse banco tem que ser um homem seu."

"Mas o problema é que ele é", respondeu Geisel.[96]

Golbery manteve a restrição. Influenciado pela animosidade, Geisel chegou a pôr na mesa a carta do governo do Espírito Santo, estado natal de Vianna, mas uma rápida defesa, feita por Reis Velloso, encerrou o assunto. A contrariedade de Golbery foi sentida pelo presidente do BNDE meses depois, quando o encontrou numa das primeiras recepções diplomáticas do novo governo. Vianna estendeu a mão a Golbery e ele a congelou com um olhar.[97] Desde então, nunca trocaram uma palavra.

94 *Estimativa do Comportamento Macroeconômico: 1974-1980* (*Confidencial*), documento encaminhado por Paulo Belotti a Heitor Ferreira em 13 de novembro de 1973, anotado por Golbery e visado por Geisel. APGCS/HF.

95 Conversa de Geisel, Golbery e Heitor Ferreira, 20 de novembro de 1973. APGCS/HF.

96 Conversa de Geisel com Golbery, 23 de janeiro de 1974. APGCS/HF. Para a opinião sobre Marcos Vianna, a quem Geisel chegou a pensar em nomear ministro da Fazenda ou do Planejamento, ver *Diário de Heitor Ferreira*, 25 de fevereiro e 26 de março de 1972.

97 Marcos Vianna, novembro de 1997.

A ESPLANADA

Os "curingas" do presidente eleito eram três. O primeiro, Golbery, perdeu o Planejamento para Velloso, mas foi para a chefia do Gabinete Civil.

O segundo era o senador Ney Braga, 56 anos, coronel da reserva, poderoso político paranaense.[98] Convivera com Geisel em Curitiba, como governador do estado, quando inaugurava uma escola por dia. Reencontrara o general no gabinete de Castello Branco, onde ocupou o Ministério da Agricultura. Fora um dos três parlamentares premiados com o acesso ao número do telefone do Jardim Botânico, mas somava ao temperamento discreto tamanha capacidade de dissimulação que até seria capaz de negar que o conhecia. Haveria de ser o único parlamentar a quem Geisel consultaria em suas escolhas políticas. Mestre da costura silenciosa e inimigo implacável, chamava seu rival no Paraná de "canalha". Listava os defeitos dos colegas de Congresso com crueza: "louco", "debilóide", "chato", "narcisista".[99] Iria para o governo por político. Podia ser ministro da Previdência, de Minas e Energia, ou mesmo chefe do Gabinete Civil. No segundo semestre de 1973 bateu na Educação e lá ficou.[100]

O terceiro curinga era Shigeaki Ueki. Chegara à Petrobrás de Geisel pelas mãos do marechal Ademar de Queiroz. Humilde, didático e grandioso, dava aulas de economia a Heitor Ferreira, de quem recebia conselhos de conduta política. Gostava de repetir que aprendera a lição com o armador chinês Yue-Kong Pao: "A fonte do sucesso é a capacidade de simplificar coisas complicadas". Tinha o dom de expor números e idéias com clareza, sem alterar a voz. Foi o grande negociador da Petrobrás, tanto para cravar a última estaca nos barões de Capuava, como para arrancar contratos de petróleo aos países árabes durante a crise de 1973. Arquite-

98 Ney Braga chegou a coronel pelos mecanismos de promoções cumulativas das Forças Armadas. Terminou a carreira militar em 1952, como major, aos 35 anos, quando se tornou chefe de polícia do governo do cunhado, Bento Munhoz da Rocha.

99 Tratava-se de Paulo Pimentel, que começara a carreira sob sua asa. Uma folha manuscrita de Heitor Ferreira, intitulada *Detalhes da Conversa com Ney*, de 27 de setembro de 1973. APGCS/HF. Para os adjetivos, pela ordem: Dirceu Cardoso, Nina Ribeiro, Murilo Badaró e Clovis Stenzel. Idem.

100 *Um Exercício Direto sobre a Composição do Governo Geisel*, três folhas manuscritas de Heitor Ferreira, de 28 de julho de 1973. APGCS/HF.

tara uma aproximação comercial com o Iraque e até concebera um plano para dominar o mercado internacional de açúcar.[101] Medici chamava-o de "japonesinho pão-duro".[102] Geisel chegava a brincar: "Sabe o que eu queria? Ter algum dinheiro, me associar com o Ueki e deixá-lo trabalhar".[103] Foi um curinga para os ministérios da Indústria e Comércio, da Agricultura e de Minas e Energia. Um mês antes da posse sabia que seria ministro e portanto devia ir a um alfaiate que lhe cortasse a casaca.[104] Só não sabia de quê. Geisel informou-o de que iria para Minas e Energia num breve telefonema, sem a formalidade das audiências que envolvera todos os outros convites, salvo o de Golbery.[105]

Com Ueki fechava-se a conta dos colaboradores diretos que Geisel tinha na cabeça quando começou a montar a equipe. Eram sete. Em apenas dois casos tivera o nome certo para o lugar certo: Quandt para as Comunicações e Figueiredo para o SNI.

A escolha de Figueiredo tivera razões claras e práticas. Geisel queria-o no palácio e colocou-o no SNI porque, tendo chefiado o Gabinete Militar de Medici, seria barreira eficaz para impedir que se vasculhasse o governo de seu antecessor. Reforçaria essa barreira pondo no Ministério dos Transportes o general Dyrceu Araujo Nogueira, cujas quatro estrelas serviriam de respaldo para neutralizar amigos e inimigos do coronel Mário Andreazza.[106] Restavam oito cadeiras.

Três foram ocupadas por ministros que Geisel não conhecia. O médico Paulo de Almeida Machado era o candidato do coronel Moraes Rego ao Ministério da Saúde. Navegou sem contratempos, mesmo que não lembrassem direito seu nome. Heitor Ferreira, sempre tão minucioso em suas anotações, listava todos os nomes cogitados, mas na Saúde

101 Para a relação com o Iraque, Ernesto Geisel, abril de 1995. Para o controle do mercado de açúcar, conversa de Shigeaki Ueki com Golbery e Heitor Ferreira, 7 de fevereiro de 1974. APGCS/HF.

102 *Diário de Heitor Ferreira*, 20 de junho de 1972.

103 Idem, 14 de setembro de 1972.

104 Bilhete de Heitor Ferreira a Geisel, informando-o: "Tomei a liberdade de dizer ao *Honorável* que sim, fizesse a casaca. Foi a São Paulo e já tirou as medidas". APGCS/HF. *Honorável* era o apelido de Ueki no grupo.

105 Telefonema de Geisel a Shigeaki Ueki, 20 de fevereiro de 1974. APGCS/HF.

106 Ernesto Geisel, abril de 1995.

escrevia "Instituto de Medicina Tropical". Seria o nome da instituição dirigida por Almeida Machado no Pará, mas ainda assim estava errado. Esse médico de 57 anos, 29 dos quais passados dentro da máquina de saúde do governo, dirigia o Instituto Nacional de Pesquisas da Amazônia.[107] De outros dois ministros, Geisel nem sequer ouvira falar.

O agrônomo Alysson Paulinelli, secretário de Agricultura de Minas Gerais, tinha 37 anos e transformara o seu estado no maior plantador de café do país. Seu nome chegara ao largo da Misericórdia numa sugestão inocente de um general por quem Geisel não nutria maiores simpatias, mas foi o suficiente para atrair-lhe a curiosidade pelo jovem técnico que de início julgou chamar-se Parelli.[108] Leu algumas conferências dele, encontrou-o numa visita a um projeto de irrigação e colocou-o entre os favoritos para a Agricultura.[109] Em menos de um mês o anônimo Parelli converteu-se no ministro Paulinelli.

Maurício Rangel Reis era um tímido burocrata do IPEA. Tinha 52 anos, um currículo de economia agrícola e a proteção de Ney Braga. Quando Geisel voltou da conversa surpreendente em que Velloso rejeitou o Ministério do Interior, descobriu que estava sem estepe. Estudara perto de dez nomes, cogitara seis, mas faltavam poucos dias para o anúncio da equipe e não restava sobrevivente.[110] Engasgara, mas a essa altura Ney Braga, já escolhido para ministro, movia-se nos bastidores, sobretudo junto a Golbery. Geisel viu Rangel Reis pela primeira vez na audiência em que o convidou. O SNI, que habitualmente dispunha de alguns dias para verificar o passado dos candidatos, teve uma hora para liberar o nome do novo ministro do Interior.

Geisel acreditava que o Ministério do Trabalho não lhe custaria esforço. Pretendia nomear o advogado Arnaldo Sussekind, que ocupara o

107 *Novo Exercício sobre a Composição do Governo Geisel*, nota manuscrita de Heitor Ferreira, datada de 10 de outubro de 1973. APGCS/HF.

108 *Diário de Heitor Ferreira*, 2 de janeiro de 1974. A sugestão foi do general Carlos de Meira Mattos. Para "Parelli", conversa de Geisel com Golbery e Heitor Ferreira, 3 de janeiro de 1974. APGCS/HF.

109 Ernesto Geisel, 12 de março de 1995, e *Diário de Heitor Ferreira*, 21 de janeiro de 1974.

110 Os seis cogitados foram: Reis Velloso, Alacid Nunes, Severo Gomes, Dyrceu Araujo Nogueira, Euler Bentes Monteiro e Moura Cavalcante.

cargo no governo Castello Branco. Sussekind detestava Brasília, tivera problemas de saúde e fizera saber a Golbery que não aceitaria o convite. Nada feito. Geisel regia-se pela regra de Machado de Assis segundo a qual "ministério não se rejeita". Convidou-o e recebeu a única recusa da rodada. Para o lugar foi o deputado gaúcho Arnaldo Prieto, amigo de Bernardo, irmão mais velho do futuro presidente.

Ao contrário do que se supõe olhando de fora e do que se pensa estando dentro, os ministérios se formam numa dinâmica que se autoinfluencia. Ueki ia para a Indústria e Comércio, mas caiu no Ministério de Minas e Energia porque pouco menos de um mês antes da posse Geisel se deu conta de que devia reforçar a base paulista do gabinete. A saída de Delfim, sua substituição por um carioca e a certeza de que disputaria o governo de São Paulo prenunciavam dificuldades que convinha prevenir. Tinha dois ministros paulistas, Dale Coutinho e Ueki, mas um era general e o outro, mesmo nascido em Bastos, japonês. Como o problema estaria na ausência de paulistas no comando econômico, o remédio era entregar a cadeira da Indústria e Comércio. E assim, em menos de uma semana, escolheu-se o empresário Severo Gomes, ministro da Agricultura nos últimos sete meses de Castello, homem elegante e divertido, industrial têxtil e criador de búfalos. Estivera nas listas de Heitor Ferreira, ora na Agricultura, ora no Interior. Geisel vira nele "um sujeito bom".[111] Severo qualificara-se também por suas ligações com a banca paulista e com o jornal *O Estado de S. Paulo*.[112] Chamava os Mesquita pelo primeiro nome e, se isso fosse pouco, sentava-se no conselho de administração do Banco Mercantil de São Paulo, de Gastão Vidigal.

No final da tarde de quinta-feira, 21 de fevereiro, a dois dias do Carnaval, o coronel Moraes Rego convocou a imprensa e leu a composição do ministério. O primeiro nome anunciado foi o de Golbery. Seguiram-

111 Conversa de Geisel com Golbery, 18 de dezembro de 1973. APGCS/HF.

112 Nota manuscrita de Geisel a Heitor Ferreira, 19 de fevereiro de 1974. Nela Geisel escreveu "falando com Paulo Egydio sobre Severo Gomes", e Heitor acrescentou: "Qual a posição em relação aos vários grupos de São Paulo. Com *Estadão*?". Conversa de Geisel com Paulo Egydio Martins, 19 de fevereiro de 1974. APGCS/HF.

se os chamados "ministros da Casa", os da área econômica e, depois deles, em nono lugar, o da Justiça: Armando Ribeiro Falcão. O embaixador Antônio Francisco Azeredo da Silveira, novo chanceler, foi o 16º numa relação de dezenove. Isso nunca acontecera antes, nem aconteceria depois. Os nomes foram listados sem respeito algum pela ordem de precedência do cerimonial. Se a tivessem respeitado, Falcão seria o primeiro e Silveira o quarto, logo após os ministros da Marinha e do Exército.

Jogo de fichas

A desordem da lista passou despercebida. Poderia ter parecido uma banalidade, mas havia método na barafunda de nomes e cargos. Trancado com Golbery, Heitor e Moraes Rego, Geisel consumira boa meia hora embaralhando a relação de nomes, com o propósito de evitar que seu ministério saísse com Falcão na cabeça e dois ministros militares sanduichados entre ele e Silveira.[1] Logo os dois indigestos. Algumas escolhas causaram desconforto à equipe de Medici, mas a Censura se encarregara de impedir que o ressentimento aflorasse. Proibira "opiniões de ministros de Estado e outras autoridades do atual governo sobre pessoas indicadas para integrar o ministério do presidente Geisel".[2]

A indigestão provinha da biografia de cada um. Armando Falcão, um produto típico da associação da política nordestina (no seu caso, a cearense) com a máquina previdenciária do Rio de Janeiro, fora ministro da Justiça de Juscelino Kubitschek. Azeredo da Silveira, o *Silveirinha*, tinha a hostilidade da direita do Itamaraty e cinco anos antes vetara-se sua indicação para a Secretaria Geral do Ministério. Encurralado pelas pressões

1 Maço de seis folhas, intituladas por Heitor Ferreira *Rascunho da Nota Lida no Largo da Misericórdia*, de 21 de fevereiro de 1974. A primeira folha tem só os cargos, listados pela ordem de precedência do cerimonial. Heitor preencheu-a, numerando-a de forma que Falcão ficava em 15º lugar e Silveira em penúltimo. Uma segunda folha, datilografada nessa ordem, foi alterada por Golbery, que transferiu Silveira para o 12º lugar. Essa versão foi datilografada e novamente alterada, dessa vez por Geisel, que passou Falcão para o nono lugar, deixando Silveira em 16º. APGCS/HF.

2 Uma folha, vinda do fichário de ordens da Censura, compilada pela redação do *Jornal do Brasil*, datada de 2 de fevereiro de 1974, posteriormente anotada por Geisel e Golbery. APGCS/HF.

dos inimigos, acabara embaixador em Buenos Aires. Os dois davam ao ministério um toque de surpresa. Quando o nome de Falcão começou a circular, chegou-se a pensar que fosse brincadeira. Eram controvertidos, porém tenazes. Isso os diferenciava de todos os colegas. Não haviam sido ministros de governos da ditadura, como Ney Braga e Severo Gomes, nem eram politicamente irrelevantes como Rangel Reis e Almeida Machado. Sem eles, Geisel produzira um ministério óbvio, quase trivial. Com eles, prenunciava novidades e até audácia.

Castello Branco escolhera um ministério de notáveis, selecionado na elite combativa da divisão ideológica de 1964. Dez anos depois, o melhor do velho conservadorismo parlamentar distanciara-se do regime. Adaucto Lúcio Cardoso deixara o Supremo Tribunal e advogava contra a censura do semanário *Opinião*. Aliomar Baleeiro criticava o AI-5. Mesmo os heróis do passado comportavam-se de forma diversa. O marechal Juarez Távora, ídolo do tenente de 1930, chefe do coronel de 54 e colega de palácio de 64, defendia publicamente a normalidade democrática.[3] O brigadeiro Eduardo Gomes, sempre bonito e solteiro, dizia aos cadetes da FAB que "só a liberdade cria valores estáveis".[4] Cordeiro de Farias sugeria a Geisel que lançasse no discurso à Arena um apelo de união nacional.[5] Muricy denunciava a existência de uma "mentalidade policialesca que vem se firmando dentro dos órgãos de segurança das Forças Armadas".[6] Até o general Albuquerque Lima falava em "restauração da Liberdade e do Direito", e atacava:[7] "O Brasil atual vive sob o signo do SNI, malconduzido e pessimamente compreendido como órgão de informações, à seme-

3 Entrevista a *O Estado de S. Paulo* de 4 de maio de 1973, p. 5.

4 *Veja*, 5 de julho de 1972, p. 20.

5 Uma folha datilografada, intitulada por Heitor Ferreira *Contribuição do Marechal Cordeiro Entregue ao General Golbery*. APGCS/HF.

6 Conversa de Geisel com Golbery, Heitor Ferreira e Moraes Rego, lendo um papel recebido de Antonio Carlos Muricy, 8 de março de 1974. APGCS/HF.

7 Carta do general Affonso de Albuquerque Lima a Geisel, de 7 de junho de 1973. APGCS/HF.

lhança do que ocorreu com a Gestapo de Hitler, que prende e persegue os que não estão na sua graça".[8]

O estreitamento da ditadura estimulara a ascensão de burocratas conhecidos e parlamentares de segunda linha. Magalhães Pinto, o único grande político do gabinete de Costa e Silva, foi encostado no Itamaraty. No ministério de Medici só o coronel Costa Cavalcanti tivera experiência parlamentar, e ainda assim se mantivera no cargo por militar, não por ex-deputado. Criara-se uma rede de restrições que estigmatizava a atividade política. Dela resultava um processo de recrutamento da hierarquia pelo qual quem já tivesse sido, poderia voltar a sê-lo (Ney Braga e Severo Gomes). Fora daí, era sempre mais seguro recorrer ao plantel de técnicos ignotos (Ueki e Paulinelli). Espremidos entre esses dois blocos, como numa modalidade de danados do inferno, ficavam pessoas que por uma razão ou por outra haviam sido marcadas pela controvérsia. Falcão e Silveira levaram Geisel ao primeiro choque com a Comunidade de Informações.

Armando Falcão era ao mesmo tempo o político profissional que o regime pretendera aposentar e o político profissional reciclado, exemplo de uma nova ordem. Aí estava seu indigesto paradoxo. Cearense de Quixeramobim, começara a vida no Rio de Janeiro com um terno de caroá, um primo ministro e um emprego na previdência. Estivera em todas. Esquerdista em 1935, germanófilo em 39, petebista em 50, lacerdista em 54, antilacerdista em 56 e ministro de Kubitschek em 59.[9] Sua sinuosidade tinha duas características: a opção pela direita e a preferência pela ferocidade. Dotado de uma grande capacidade de expressão verbal, e até mesmo de algum estilo na escrita, era um *charmeur* na corte e um carrasco no calabouço. Saíra do governo Kubitschek com um rendoso, vitalício e hereditário cartório de registro de imóveis da Zona Sul do Rio de Janeiro. Conhecia meio mundo e conseguia se tornar amigo de infância de quem quer que fosse. Bem relacionado na imprensa, era informado por empenho e mexeriqueiro por temperamento.[10]

8 Carta do general Affonso de Albuquerque Lima a Golbery, de 24 de dezembro de 1973. APGCS/HF.

9 Armando Falcão, *Tudo a declarar*, pp. 19, 41, 83, 88-9, 129, 161 e segs.

10 Um mexerico exemplar de Falcão pode ser encontrado na sua descrição das circunstâncias da morte do amigo Augusto Frederico Schmidt. O poeta morreu em 1965. Segundo a versão publi- ►

Havia nele o alvoroço da vivandeira.[11] Falcão exibia na biblioteca de seu apartamento as placas de madeira e metal com que os comandantes de quartéis presenteiam visitantes ilustres. Sua reaparição política foi resultado da tenacidade. Soubera fazer-se lembrar. Mandava cartão de Natal a Geisel em 1967, quando o futuro político do general não valia o selo, e estivera com ele em outubro de 73. Visitava Golbery com freqüência, e vinham discutindo formas de melhorar o relacionamento com a Igreja e com a imprensa. Em campanha, intermediava contatos e cortejava jornalistas.

Até a primeira metade de novembro, o favorito para o Ministério da Justiça fora o senador Antônio Carlos Konder Reis, um político reservado, cauteloso e aplicado, produto da oligarquia catarinense. Impressionara Golbery com seu projeto de reforma constitucional capaz de revogar o AI-5. (Geisel viria a receber uma informação do SNI segundo a qual Konder Reis era um dos seis senadores que, em 1968, assinaram um telegrama a Costa e Silva condenando o AI-5 e, doze dias depois, outro a favor. A informação era falsa.)[12] Na segunda metade de novembro, Falcão almoçou com Golbery. A essa altura, o general tratava como uma brincadeira a idéia de colocá-lo no ministério.[13] Após alguns dias, o general João Baptista Figueiredo e Heitor Ferreira tiveram um de seus demorados encontros no apartamento do general, no Rio. Como de hábito, Heitor anotava os principais tópicos numa folha de bloco. A certa altura, Figueiredo disse: "O ministro da Justiça tem que ser o Falcão". Heitor ini-

cada na época, sentiu-se mal quando passava de carro pelo Aterro do Flamengo, pediu ao motorista que o levasse ao apartamento de seu amigo Julio Barbero, no Leme, e lá um colapso cardíaco matou-o. Em seu livro de memórias, Falcão informa que "apurei os fatos, com absoluta segurança", e estabelece: "Lia o último poema de sua autoria, no *Ciclo da Moura*, para uma admiradora platônica". Armando Falcão, *Tudo a declarar*, p. 194.

11 Qualificativo usado pelo general Gustavo Moraes Rego no seu depoimento em *A volta aos quartéis*, organizado por Maria Celina d'Araujo, Gláucio Ary Dillon Soares e Celso Castro, p. 52.

12 Conversa de Geisel com Golbery e Heitor Ferreira, 29 de janeiro de 1974. APGCS/HF. Para os signatários dos telegramas, Jayme Portella de Mello, *A Revolução e o governo Costa e Silva*, pp. 664 e 682.

13 Conversa de Golbery com Geisel, 23 de novembro de 1973. APGCS/HF. Nesse almoço estava o presidente da Câmara dos Deputados, Flávio Marcílio. Ele sugeriu a Golbery o nome de Falcão para o Ministério da Justiça, e o general lhe disse: "Esse é o nosso mestre. É o meu mestre". Depois, contou a conversa a Geisel, como piada.

biu-se e escreveu: "um Falcão".[14] (Nessa época a palavra *falcão* designava também os políticos e militares americanos que pretendiam ampliar a Guerra do Vietnã. Era sinônimo de dureza.)

Ao se despedirem, Heitor repassou para Figueiredo os tópicos que anotara. Figueiredo emendou: "Bem, quer dizer, um camarada do tipo".[15]

"Eu quase caí da cadeira", disse Heitor a Golbery quando lhe narrou a conversa. O general aceitou imediatamente a idéia. Elogiou Konder Reis, mas ressalvou: "Não é um homem experimentado em certas coisas. Não é provado. O outro é. O outro nós não temos dúvida. Era um sujeito que ia funcionar mesmo".[16] Geisel o conhecia desde que, juntos, operaram o combate a um surto de greves ocorrido no final do governo Kubitschek.[17] A lembrança soprou o fogo: "O Armando Falcão é suficientemente inteligente. E é combativo e esperto para fazer o que a gente quer. Todo mundo vai se arrepiar".[18]

Em janeiro, diante do convite, Falcão confirmou a expectativa: "Presidente, sei muito bem que ministro não tem programa. O programa é do presidente. Como dizia Rodrigues Alves, o ministro faz tudo o que quer, menos o que o presidente não quer".[19] (Tiro certo: naqueles dias, Geisel lera uma biografia de Rodrigues Alves e se encantara com essa frase.)

A escolha de Falcão ofendera a memória dos "fritadores de bolinhos" dos anos 50. Aquilo que outrora parecera oportunismo ao coronel Golbery, continuava a ser oportunismo para pessoas próximas a Geisel, como o coronel Moraes Rego.[20] Era um bom nome pelo que fizera como ministro de JK, e, exatamente pelo que fizera como ministro de JK, era in-

14 Nota de Heitor Ferreira, intitulada *Conversa Heitor Ferreira com Figueiredo, 26 de Novembro de 1973, 20,35.* APGCS/HF.

15 Conversas de Heitor Ferreira com Golbery, 30 de novembro de 1973, e com Geisel, 3 de dezembro de 1973. APGCS/HF.

16 Conversa de Heitor Ferreira com Golbery, 30 de novembro de 1973. APGCS/HF.

17 Ernesto Geisel, março de 1995.

18 Reunião de Geisel com Figueiredo, 9 de fevereiro de 1974. APGCS/HF.

19 Armando Falcão, *Tudo a declarar*, p. 324.

20 Depoimento do general Moraes Rego, em *A volta aos quartéis*, organizado por Maria Celina d'Araujo, Gláucio Ary Dillon Soares e Celso Castro, p. 52.

digesto para os antigos adversários. A ficha de Falcão no SNI registrava o papel dele na conspiração de 1964 e listava algumas restrições. Uma delas relacionava-se com um caso de falência. Não se conhece o seu texto, apenas uma curta observação de Heitor Ferreira a Geisel depois de terem-na lido: "Não é tão ruim".[21]

O general decidiu bancar a escolha.

O embaixador Antônio Francisco Azeredo da Silveira, *Silveirinha*, tivera um cabo eleitoral discreto e eficiente. Desde março de 1972, quando Geisel não tinha idéia de quem seria seu chanceler, o chefe-de-gabinete do ministro do Exterior, Dário Castro Alves, mandava a Heitor Ferreira uma seleta de telegramas enviados pelos embaixadores ao Itamaraty.[22] Desses envelopes, chamados "papéis do Rei", e dos contatos quase semanais entre os dois amigos, resultou que, enquanto esteve na Petrobrás, Geisel teve naquela janela o único posto de observação privilegiada do que acontecia na área civil do governo Medici. Foi das poucas pessoas a saber com antecedência que o presidente Nixon receberia o ministro Delfim Netto na Casa Branca, ou mesmo que o apoio brasileiro ao colonialismo português na África aumentava o risco de uma suspensão do fornecimento de petróleo pelos países árabes.[23] Quando o processo de escolha entrou na reta final, Dário abriu-se com Heitor: "Minha torcida é por Silveira, pois sou a pessoa de maior confiança dele na minha categoria. Claro, se ele vier, o controle do Itamaraty por vocês e ele, e com a minha colaboração direta, seria total".[24] No início de dezembro, Geisel conversara por quase duas horas com o embaixador. Silveira teve um desempenho brilhante, mostrando conhecimentos técnicos e segurança doutrinária na complexa questão da encrenca criada pelo governo argentino, que se opunha à construção da hidrelétrica de Itaipu.[25]

21 Conversa de Geisel com Heitor Ferreira, 29 de janeiro de 1974, e de Geisel com Golbery, 30 de janeiro de 1974. APGCS/HF.

22 Para o início da remessa dos telegramas e para o fato de Geisel não ter nome para a chancelaria, *Diário de Heitor Ferreira*, 26 de março de 1972.

23 Para Nixon, *Diário de Heitor Ferreira*, 26 de julho de 1972. Para o boicote, telefonema de Dário Castro Alves a Heitor Ferreira, 21 de novembro de 1973. APGCS/HF.

24 Carta de Dário Castro Alves a Heitor Ferreira, de 7 de fevereiro de 1974. APGCS/HF.

25 Reunião de Geisel com Azeredo da Silveira, 5 de dezembro de 1973. APGCS/HF.

Tinha 56 anos, trinta de carreira, com mais de dez postos no exterior. Não fazia o gênero do diplomata de salão. Era pequeno, estridente e falava sem parar. Conhecia como ninguém a máquina do Itamaraty e passara seis anos entre a chefia da Divisão do Pessoal e do Departamento de Administração. Com o poder desses dois cargos fizera todos os amigos e inimigos a que a vida lhe daria direito. *Silveirinha* era irredutível em suas lealdades e insuperável nas vinganças. Tinha uma cultura utilitária, acompanhada por um egocentrismo que lhe permitia formular teorias com a naturalidade de quem manuseia um catálogo de ferramentas. Havia nele um nacionalismo assustador, quase xenófobo. Ninguém o julgava pelo que pensava, mas pelo que fazia.

Logo depois da conversa, Geisel resumira-o: "Ele não é bobo não. Eu acho que ele é um dos melhores de cabeça, do ponto de vista diplomático. Agora, nós tínhamos que ver a vida dele, aquela série de acusações que faziam com ele".[26]

Da série mobilizada contra Silveira, são conhecidos três papéis. Como Geisel obtinha as fichas de seus prováveis colaboradores por meio de uma gambiarra montada com a ajuda do chefe da agência do SNI no Rio de Janeiro, nenhum dos três tem timbre. Dois foram produzidos no Ministério do Exército, e um saiu do SNI. Formam o único conjunto completo de fichas de um nome cogitado para o ministério. O primeiro, e mais detalhado, chegou em janeiro, mandado por Orlando Geisel, que detestava Silveira.

Dizia:

> 1) Brilhante, excelente profissional, competentíssimo, hábil negociador.
>
> 2) a) de 59 a 61 — Chefe do Departamento Administrativo do Itamaraty. [...]
>
> b) de 61 a 63 — Cônsul-Geral em Paris. [...]
>
> c) de 63 a 66 — Voltou a ser chefe do Departamento de Administração. Em 64 foi promovido a ministro de primeira classe, por influência de Almino Afonso. Tinha ligações com o governo Jango, envolvido por um

26 Conversa de Geisel com Golbery, Moraes Rego e Heitor Ferreira, 6 de dezembro de 1973. APGCS/HF.

irmão que era comunista (obteve para o irmão passaporte especial para viajar a Cuba, onde esse irmão foi eleito presidente da associação internacional de arquitetos). Trocou correspondência com Jango, essa correspondência foi interceptada e está arquivada no SNI.

d) Quando da Revolução de 64 sua situação no Itamaraty teria sido contornada, segundo duas versões:

1ª — Foi defendido pelo ministro das Relações Exteriores Vasco Leitão da Cunha, que intercedeu também por Sette Câmara, Nogueira Porto e Celso Diniz, conhecidos na Casa como esquerdistas.

2ª — Teria sido amigo do presidente Castello Branco.

e) De 66 a 69 foi chefe da delegação em Genebra.

f) Em princípios de 69 foi convidado pelo então ministro Magalhães Pinto para o cargo de secretário-geral do Itamaraty. Regressou de Genebra mas não tomou posse por interferência do SNI, sendo então designado embaixador em Buenos Aires, cargo que ocupa atualmente.[27]

Uma informação era falsa: Silveira não estivera na lista dos diplomatas que poderiam ter sido cassados em 1964.[28] A ficha tinha uma só acusação letal. Bastaria que aparecesse uma única peça de correspondência do embaixador com Jango para que ele fosse desqualificado, mas Geisel queria vê-la. Pediu-a em quatro ocasiões diferentes. Heitor Ferreira saiu no rastro da denúncia, e aquilo que era um documento com base no qual seria julgado um provável ministro, transformou-se num instrumento de avaliação da máquina de informações do governo. Heitor perguntou pelas cartas ao chefe da Agência Rio do SNI e ouviu que elas deviam estar no arquivo. Passou-se uma semana sem que as achassem. Acharam o autor da acusação. Era um oficial da Marinha lotado no SNI. Admitiu que as cartas não estavam no Serviço, mas assegurou que existiam. Tratavam de uma nomeação para o setor comercial da embaixada em Roma,

27 Uma folha manuscrita, anotada por Heitor Ferreira: *Papel que Veio do Orlando* [*Geisel*], *Letra do Ivan?*, datada de 27 de dezembro de 1973. APGCS/HF.

28 Observação de Geisel, numa conversa com Golbery, Heitor Ferreira e Moraes Rego, de 17 de janeiro de 1974. APGCS/HF.

mas não se sabia se eram cartas de Silveira a Jango ou de Jango a Silveira.[29] Se a correspondência fora interceptada e arquivada no SNI, estava implícito que Silveira se entendera com Goulart depois de sua deposição. Falso. Descobriu-se que o funcionário fora nomeado em 1962. O autor do pedido fora Leonel Brizola, e não Jango. Não se sabia ao certo se o destinatário era Silveira, muito menos se o que se chamara de "correspondência" era uma carta ou um simples telegrama.

Seria razoável supor que diante da trapalhada Silveira fosse deixado em paz, mas deu-se o inverso. A Comunidade contra-atacou. O chefe da Agência Rio do SNI sugeriu a Heitor Ferreira que localizasse um dossiê guardado no CIE. Nele haveria segredos da vida do embaixador. Pressionado, o coronel Murgel passou da condição de oficial de informações para a de mexeriqueiro: informou que a morte de uma das filhas do embaixador, ocorrida poucos anos antes, em Roma, parecia "meio fantasiada", porque a jovem senhora teria sido eletrocutada pela descarga de uma escova elétrica.[30] (Na realidade, ao escorregar numa banheira cheia d'água, ela se agarrara à fiação da parede e, ao cair, fora morta pelo curto-circuito). Cartas, nada.

A essa altura, Geisel decidira ultrapassar as restrições da Comunidade. Quando o SNI se meteu na dor que Silveira carregava, tocou na corda sensível da morte do filho do coronel de Quitaúna. O embaixador e sua mulher perderam não só a filha morta em Roma, grávida, mas também outra, assassinada pelo marido, diante do filho.

Faltavam poucos dias para o anúncio do ministério, e o general Figueiredo entregou a Geisel outra ficha do embaixador, baseada em investigações feitas na infância do SNI, durante o governo Castello Branco. É um exemplo da estrutura e da linguagem das fichas do Serviço. Dizia:

29 Telefonema de Heitor Ferreira a Adolpho Murgel, 5 de fevereiro; conversa com Figueiredo, 6 de fevereiro de 1974, e telefonema de Murgel a Heitor, 7 de fevereiro de 1974. APGCS/HF. Duas notas manuscritas de Heitor Ferreira, uma delas datada de 7 de fevereiro de 1974. APGCS/HF. O pedido relacionava-se com Giacomo Mandarino, ex-secretário particular de Batista Lusardo.

30 Telefonema de Adolpho Murgel a Heitor Ferreira, 9 de fevereiro de 1974. APGCS/HF.

Antonio Francisco Azeredo da Silveira

DLN — 22 set 1917 — Rio de Janeiro (GB)

Filiação: Flavio da Silveira e Lea Maria Azeredo da Silveira.

Posto: Ministro de Primeira Classe do Quadro Permanente do Ministério das Relações Exteriores.

Função: Embaixador do Brasil na Argentina.

Aspecto funcional: Um dos melhores conhecedores da parte administrativa do Itamaraty.

Foi chefe do Departamento de Administração do Itamaraty antes e depois da Revolução de Mar 64.

Tal departamento é uma função-chave no MRE, porque lhe cabe a responsabilidade de remoção dos funcionários, designação pelos departamentos e divisões, poder seletivo para promoções, manuseio de verbas, inclusive a Verba Secreta, isenta de fiscalização do Tribunal de Contas.

Fonte: Comissão de Sindicância no Ministério das Relações Exteriores. (24 Out 64)

Homem de João Goulart, que nomeou o marginado chefe do Departamento Administrativo do Itamaraty. Movimenta todo o pessoal do MRE e manobra com as verbas tanto em cruzeiros como em dólares. Elemento corruptor de jovens inexperientes do MRE, face ao poder que enfeixa em suas mãos. Abusou de sua posição para favorecer o irmão, Flavio Leo Azeredo da Silveira, elemento suspeito por suas atividades internacionais ligadas aos comunistas. Como presidente da Comissão de Promoções permitiu que na organização do quadro de acesso fosse obedecida uma orientação tipicamente comunista para as promoções que se viriam a processar em 1964.

Aspecto político — Dotado de grande mimetismo político. Não tinha escrúpulo de indicar para postos importantes, do Itamaraty, elementos reconhecidamente de esquerda.

Aspecto moral — Caráter fraquíssimo, sem escrúpulos, egocêntrico. Inteligência privilegiada, muito viva, bem acima do normal. Conceito social: muito bem relacionado, possui enorme encanto pessoal.

Aspecto religioso — católico.

Aspecto econômico-financeiro — x x x

Aspecto cultural — x x x

Aspecto sanitário — x x x

Outros aspectos —

[...] Em 1966, aos 49 anos de idade e 23 de serviços na carreira diplomática, era sem dúvida alguma um dos embaixadores que atingiram o posto máximo da hierarquia itamaratiana, numa idade onde muitos ainda estão a se iniciar. Com o manejo da máquina do DA, sobressaía na distribuição de favores a políticos poderosos e também somas monetárias principalmente a jornalistas. [...]

É criatura insinuante, extremamente inteligente e astuto e, no campo profissional, um funcionário competente, imensamente relacionado, inclusive através da indústria de favores políticos em que transformou o DA da Casa. [...]

Típico da atuação do embaixador Silveira é o caso da compra de uma casa relativamente velha numa parte afastada da cidade de Washington, para instalação, ali, da chancelaria da embaixada do Brasil, mas pessimamente colocada e sem condições para perfazer esta finalidade. Adquirida por 250 mil dólares foi, de certa forma, abandonada, durante uns dois anos. O senhor Leo da Silveira, arquiteto de medíocre reputação, irmão do embaixador Antonio Azeredo da Silveira e "cliente" contumaz das generosidades do Itamaraty, passou por Washington e, sem autorização do embaixador, avocou a si a iniciativa de elaborar e, eventualmente, executar os projetos de reforma do prédio velho [...].[31]

Silveira não comprara uma casa, mas o terreno vizinho ao palacete onde vivia o embaixador, adquirido em 1934 por Oswaldo Aranha. Desenhado nos anos 20 por John Russell Pope, o maior arquiteto americano de seu tempo, era um patrimônio cultural da cidade. No novo lote construíra-se o prédio da chancelaria, dando ao conjunto uma conveniente

31 Cinco folhas sem marca de origem. A primeira tem o visto de Geisel. APGCS/HF. Esse documento veio do SNI.

funcionalidade. Não ficava longe (a meia hora da Casa Branca), muito menos era mal localizado (a duzentos metros da embaixada britânica).

As pressões militares contra Silveira artilharam-se no gabinete do ministro do Exército. Num caso inédito na composição de sua equipe, Geisel permitiu que Figueiredo discutisse o assunto com Medici. "No Itamaraty uns se destruíam aos outros", respondeu o presidente.[32]

Naqueles dias Geisel recebera um documento sem assinatura descrevendo seis dos prováveis ministros das Relações Exteriores de seu governo. Acusava Silveira, "cuja instrução sistemática é, apenas, primária", de ter cuidado, em Paris, de negócios pessoais de Jango.[33] Dias depois, chegou ao general outro papel, assinado pelo diplomata José Maria Vilar de Queiroz, ex-assessor de Roberto Campos e chefe da área internacional do Ministério da Fazenda. Nele, Silveira era homem "de grande inteligência, perspicácia, capacidade de trabalho e experiência na política multilateral e bilateral".[34]

As dificuldades surgidas com Silveira e Falcão foram produto de suas biografias, mas essas mesmas trajetórias os fizeram ministros. Nos dois casos, por terem construído fama de operadores. Silveira deveria sacudir uma diplomacia anacrônica cujos fundamentos remontavam a 1964. Falcão deveria sacudir o marasmo político. De seu primeiro encontro com Geisel, saíra com a encomenda de botar por escrito algumas idéias. Preparou cinco documentos. Um tratava do "problema da liberdade de manifestação do pensamento e de informação". Outro, do "problema da Igreja".[35] Em suma, do futuro da ditadura.

32 Telefonema de Figueiredo a Heitor Ferreira, 7 de fevereiro de 1974. APGCS/HF.

33 Sete folhas datilografadas, visadas por Geisel e anotadas por Golbery: "Anônimo, trazido por...". Heitor Ferreira completou: "Vilar de Queirós". APGCS/HF. Numa conversa com Geisel, Moraes Rego e Heitor Ferreira, de 19 de fevereiro de 1974, Golbery conta que "a carta anônima não é dele". Menciona que a recebeu de Vilar e a passou para Geisel, que mostrou a carta ao senador Vitorino Freire. APGCS/HF.

34 Carta de José Maria Vilar de Queiroz a um "prezado senador", visada por Geisel. APGCS/HF.

35 Armando Falcão, *Tudo a declarar*, p. 324.

“Esse troço de matar”

De todas as conversas com seus futuros ministros, a mais demorada e reveladora foi a que Geisel teve com o general Dale Coutinho no dia 16 de fevereiro de 1974, um mês antes da posse. Eram velhos conhecidos, sem intimidades. Começaram-na tratando de assuntos aparentemente triviais, como o casamento recente de Coutinho, tirado da solidão da viuvez por uma senhora vinte anos mais moça. O general contou que pensara em afastar-se mas decidira pedi-la em casamento.

“Muito melhor você casar do que você ter uma vida irregular”, disse-lhe Geisel.

“Pela minha formação que meus pais me deram, me repelia uma outra situação que não o casamento. Eu achava injusto, eu gostando dela, eu não poder apresentá-la, isto é uma humilhação para ela”, respondeu o general.

Passaram à safena de Coutinho. Ele reportou que seguia uma dieta e fazia exercícios em dias alternados, pedalando uma bicicleta ergométrica. Levava sua pulsação a 120 em dez minutos. Esgotadas as duas questões extracurriculares, Geisel convidou-o para o Ministério do Exército e engatou uma dissertação política. Louvou os êxitos da Revolução e foi ao tema:

> Na área política continuamos com a mesma droga. [...] Todos nós, de um modo geral, temos uma repulsa ao político, mas o político é necessário. Nós não podemos ter os políticos só para dar uma fantasia, quer dizer, não

vamos ter o político para chegar no dia lá e votar no general Geisel ou votar no Medici. Não é? Ou chegar no dia tal e votar a lei que o governo quer. Quer dizer, isso tem que evoluir. Eu não vou fazer, eu vou ver se consigo fazer um esforço para melhorar esse país, tem que trabalhar nesse sentido. Não vou dar aos políticos o que eles querem, não vou, não vou me mancomunar com eles, mas vou viver com eles, eu tenho que viver com eles. Porque senão como é? Nós vamos, nós temos a outra alternativa, que é ir para uma ditadura. Então vamos fechar esse troço, vamos fechar Congresso, vamos fechar tudo isso e vamos para uma ditadura, que é uma solução muito pior. Não é? Quer dizer, esse é um dos quadros em que a Revolução, no meu modo de ver a coisa, fracassou. [...] Ora o sujeito vai conversar com os políticos, ora dar coice nos políticos, fecha o Congresso, abre o Congresso, e vivemos nessa porcaria. Temos que ver se melhoramos esse quadro, vamos ver se a gente consegue melhorar esse partido da Arena, vamos ver se a gente dá... porque em todo lugar onde você chega é um saco de gatos. [...]

O general ouvia em silêncio.

Eu, hoje em dia, tenho que pensar, ô Coutinho. Admitindo que eu consiga governar cinco anos. O que que vai ser nesses cinco anos? A quem eu vou passar e como é que eu vou passar isso? Não é verdade? Eu muitas vezes dizia ao Castello, digo: "Não adianta o senhor estar fazendo lei, isso e aquilo, sem pensar como vai ser depois". [...] Nós vamos pensar em eternizar esse quadro que está aí? Não pode. Passaram-se dez anos [...] você pega, analisa essa nossa Revolução, e você vê que ela foi uma coisa que eu chamei muitas vezes de arca de Noé, entraram todos os bichos lá dentro: como ela também não durou na sua parte operacional, não houve depuração. Você teve como líderes políticos, teve o seu Lacerda, teve o seu Magalhães Pinto, teve o seu Adhemar de Barros. [...] Na área militar você teve Justino Alves Bastos, você teve Amaury Kruel e teve uma série de outros. Não é? Então aí começou a primeira salada. Acabou o Lacerda se juntando com Juscelino e com Jango. Não é? O Magalhães Pinto, que é um grande revolucionário e não sei o quê, era um sujeito que comia também no cocho do Jango. Foi muito tempo o homem do Jango. Você pega os outros revolucionários da área civil, e você repara que eles estão quase todos contra nós. Você pega o Aliomar Baleeiro, era líder revolucionário, não era? Pega Adaucto Lúcio Cardoso. Pega o meu amigo Daniel Krieger. Liberal, porque não sei o quê, porque isso, porque o Ato 5. [...] Você não conta com essa gente, não é? Esses são piores do que os outros. Porque eles, por personalismos, por vaidade, abandonaram o barco, querem fazer bonita figura. Então, você não pode hoje em dia estar dizendo só: "É revolucionário, não é revolucionário". Se você for fazer essa triagem, acaba quase sozinho. [...]

Dale Coutinho foi seco: "Na área política só houve decepções para mim".

GEISEL: Mas, olha aqui, não houve de nossa parte a preocupação de melhorar. Não houve. Tanto o governo do Costa e Silva como o do Medici de certa maneira escorraçaram os políticos, como sendo uma lepra. Eu posso escorraçar os políticos se eu resolver não ter mais política. Mas isso não é mais possível. Se nós queremos ter um regime aberto, democrático no país algum dia, nós temos é que construir uma política, não é? Agora, isso evidentemente é um trabalho perseverante de muitos e muitos longos anos. Não sou eu que vou dizer que em cinco anos eu vou retomar, mas a gente tem que trabalhar para isso. É um trabalho difícil, persistente, tenaz. Temos que ser realistas.

COUTINHO: É, se continuar sem uma abertura aí, isso vai ter que acabar numa ditadura mesmo.

GEISEL: Eu sei, mas e aonde é que vai parar?

COUTINHO: Aí não pára mais.

GEISEL: Inclusive, Coutinho, vamos pôr a mão na consciência. O nosso Exército tem condição de durar numa ditadura? Com os nossos homens? Porque os nossos homens, dentro do Exército tem muita gente boa, mas também tem muita gente que não presta. Você sabe muito bem disso. Tem de tudo. O Exército é de certa forma uma representação do que é a nação. Assim como tem gente boa lá fora, aqui dentro também tem. É claro que nós temos outra formação. Mas quantas vezes você chega com o sujeito lá em cima e você começa a ter uma surpresa, o sujeito é individualista, é per-

> sonalista. [...] O Exército pode manter uma ditadura? Eu acho que o Exército pode manter uma ditadura, mas não a longo prazo. Não dura. Outro setor onde a Revolução não conseguiu fazer nada e que está aí, continua a mesma porcaria, é a Justiça. Nós nunca tivemos ministro da Justiça. Olha aqui, o Castello botou o Milton Campos, um homem de primeira ordem, liberal. Olha aqui, quem foi ministro da Justiça durante grande parte do governo Castello fui eu. O Costa e Silva arranjou um ministro da Justiça que era revolucionário mas era louco, o seu Gaminha.[1] Agora o Medici botou aí um ministro da Justiça que é o quê? É muito bom sujeito, mas é inoperante. [...] Você tem problema de padre, que é um problema sério, complicado. Você hoje em dia tem problema de entorpecente. Você continua a ter o problema da subversão. Tem uma infinidade de problemas lá.

A palavra *subversão* acendeu a loquacidade de Coutinho: "Os comandantes de exército estão sem um respaldo legal para esse problema. A verdade é essa. [...] Para a guerra externa a gente tem legislação, mas para a nossa guerra específica, não temos. Muitas vezes eu era obrigado a deter um homem por mais de trinta dias. Era ilegal. [...]".

Geisel contornou o assunto: "Nós temos problemas na área econômica. [...] O Delfim, querendo fingir que não tem inflação, não deixa os preços seguir naturalmente. Então, ele agora não quer deixar subir o preço da gasolina como deve subir. Ele entrou na mentira. Ele está entrando no sistema do Jango, subsídio [...]".

"Está se voltando ao tempo do Juscelino", observou o general.

Geisel continuou: "Tudo isso é a preocupação de criar a imagem do Medici. Eu acho que o Medici não precisa disso. Foi o único sujeito que conseguiu levar a Revolução para o povo. Então ele não precisa dessa coisa. Mas é a entourage, o Delfim [...]. Hoje em dia existe um dique represando a inflação, e esse dique vai romper quando eu for presidente. Então eu sou ruim porque a inflação foi para vinte e tanto. Mas eu estou aqui para isso, eu sou pago para isso, não é verdade? Eu não tenho razões personalistas. Não me queixo do Medici".

1 Professor Luiz Antonio da Gama e Silva, ex-reitor da Universidade de São Paulo.

Seguindo sua pauta, foi ao item seguinte:

Eu não abro mão do Ato 5. O Ato 5 é um cajado. Eu sou besta de abrir mão desse negócio? Eu sei lá o que que vem. Como essa história de abertura e descompressão. Ah, eu sou um sujeito profundamente democrático. Toda a minha vida fui. Eu sempre fui um homem muito simples, despido de coisas, e cansei de ir com minha mulher fazer compra na feira. Agora, não sou nenhum burro de amanhã fazer uma vasta abertura, fingir aí uma democracia e depois ter que recuar dois, três, quatro passos. Eu não vou recuar. Eu só vou caminhar para a frente, devagar, para não ter que recuar, não é? Seria uma beleza eu chegar: não há mais censura, e agora o troço é vontade, e a Câmara vota como quer, e não sei o quê. E no dia seguinte está o estudante fazendo bagunça na rua, está o padre fazendo meeting, está não sei o quê. Não aconteceu isso com o Costa e Silva? Quer dizer, o Castello fez uma Constituição, convencido de que aquilo era para valer, o Costa e Silva na sua boa intenção quis cumprir, e dali a pouco estava a esculhambação aí. Os estudantes foram inclusive apedrejar e pintar lá o Tribunal Militar. Então eu não vou voltar para trás. [...]

COUTINHO: Naquele AI-5, eu estava vendo que o presidente ia cair. Ia cindir a Revolução.

GEISEL: [...] É evidente. Brincaram tanto com o fogo, mexeram tanto, tanto, tanto. Ou o governo faz um ato institucional, ou então isso aqui vai virar bagunça. [...]

COUTINHO: Mas estavam dispostos a fazer com ele ou sem ele. [...]

GEISEL: Ele fez o AI-5 constrangido como o Castello fez o AI-2 constrangido, também. Porque por tendência eles não fariam, eles foram quase que obrigados. Agora, eu não quero ser obrigado. Quando for o caso, eu aplico. Porque se amanhã tiver um ministro, um desembargador, não sei o quê, salafrário, fazendo um mundo de bandalheiras por aí, e eu tiver as provas do troço, eu faço, porque eu tenho o AI-5. [...] Eu vou aplicar é racionalmente, com moderação e com decência e pronto.

Finalmente, Geisel chegou ao ponto que Coutinho esperava: "Agora vamos ver [...] o problema da subversão nossa. Bom, eu acho que a subversão continua. Esse negócio não se acabou. Isto é um vírus danado que não há antibiótico que liquide com facilidade. Está amainado. Está resolvido. Você vê, de vez em quando há uma desarticulação, morre gente, ou é gente presa, ele continua a se movimentar. [...] E fazem uma propaganda externa tremenda contra o Brasil".

O general fechou a guarda: "[...] Repare o seguinte. Que antes de 64 não havia propaganda praticamente nenhuma contra nós. E ninguém mais investia no nosso país. Hoje, com toda essa propaganda que há, quem tem, quer vir investir no Brasil, que é obrigado a fazer um estudo mais detalhado sobre o nosso país, ele não titubeia e vem. [...]"

Geisel manteve-se na posição: "Temos que dar valor relativo a isso".

Dale Coutinho também: "A resposta é o nosso progresso. Porque isso para mim é coisa de dom Helder, dessa turma progressista por aí. Eu acho que ninguém que tivesse vontade de empregar dinheiro no Brasil, tenha deixado de empregar".

Geisel recuou: "[...] o Brasil hoje em dia é considerado um oásis. É a área mais procurada. [...]".

Coutinho tinha o recado do porão: "E eu que fui para São Paulo logo em 69, o que eu vi naquela época para hoje... Ah, o negócio melhorou muito. Agora, melhorou, aqui entre nós, foi quando nós começamos a matar. Começamos a matar".

Geisel: "Porque antigamente você prendia o sujeito e o sujeito ia lá para fora. [...] Ó Coutinho, esse troço de matar é uma barbaridade, mas eu acho que tem que ser".

Dale Coutinho contou sua experiência no IV Exército: "Eu fui obrigado a tratar esse problema lá e tive que matar. Tive que matar. Outro dia ainda tive uma satisfação que, no último relatório do CIE, a origem, o fio, o início da meada dessa guerrilha lá em Xambioá começou num estouro que nós fizemos em 72 lá em Fortaleza. Foi dali que um falou que tinha guerrilheiros no norte de Goiás, não sei o quê".

GEISEL: Sabe que agora pegaram o tal líder e liquidaram com ele. Não sei qual é o nome dele.

COUTINHO: É. O Chicão. Luizão. [Referia-se a Osvaldão, o guerrilheiro Osvaldo Orlando da Costa, morto semanas antes.]

GEISEL: Bom, o que eu queria assinalar é isso. Nós vamos ter que continuar ano que vem. Nós não podemos largar essa guerra. Infelizmente nós vamos ter que continuar. É claro que vamos ter que estudar [...]* processo, vamos ter que repensar...

(Continuavam. Exterminavam-se o PC do B no Araguaia e a APML nas cidades. Havia pelo menos vinte guerrilheiros no mato. Fugiam como bichos e, quando não morriam na cena da captura, eram assassinados na prisão. O guerrilheiro *Piauí*[2] foi capturado nesses dias. Viram-no duas vezes. Numa, amarrado, quando o colocaram numa camionete. Noutra, com os olhos vendados, quando desceu de um helicóptero e foi metralhado à beira de um igarapé.[3] A matança continuava também com os que se rendiam. Esse pode ter sido o caso de *Josias*.[4] Ele sumiu no dia 18 de dezembro, mas, segundo um relatório da Marinha, só morreu no dia 15 de fevereiro de 1974, véspera do encontro de Geisel com Dale Coutinho.[5] Uma semana depois, desapareceram no Rio Eduardo Collier Filho e Fernando Santa Cruz Oliveira. Ambos estudavam direito e militavam na APML, que nada tinha a ver com a guerrilha do Araguaia. Teriam sido levados para o DOI de São Paulo. Estava-se aí no prosseguimento da política de extermínio das organizações armadas que agiam no meio urbano, iniciada em 1971.)[6]

* Pedaço de difícil audição, Pode ser "algum processo" ou "um novo processo".

2 Antônio de Pádua Costa, 28 anos, ex-aluno do Instituto de Física da UFRJ.

3 Para a prisão, declarações de José Francisco Dionísio, Salviana Xavier Lima, Sinvaldo de Souza Gomes, e Adalgisa, José e Pedro Moraes da Silva aos procuradores Felício Pontes Jr. e Guilherme Zanina Schelb, e "Guerrilha ainda tortura lembranças", reportagem de Sonia Zaghetto, *O Liberal*, 5 de junho de 2001. Para a morte, entrevista de Manuel Leal Lima, o *Vanu*, em *O Globo* de 2 de maio de 1996, capa e pp. 8-10 do 1º caderno.

4 Tobias Pereira Júnior, 24 anos, ex-estudante de medicina.

5 *O Globo*, 28 de abril de 1996, p. 15, reportagem de Adriana Barsotti, Aziz Filho e Consuelo Dieguez.

6 Nilmário Miranda e Carlos Tibúrcio, *Dos filhos deste solo*, pp. 501-2.

Dale Coutinho retomou o fio que perdera minutos antes:

> Aí é que entra a Justiça. Eu comandei exército e sofri habeas corpus em cima de mim. É que os comandantes de exército estão completamente sem cobertura legal das ações deles. A gente assume a responsabilidade porque tem que assumir. Eu me lembro que eu perdi... morreu lá dentro do meu DOI um homem, foi justamente em cima daquele que veio o habeas corpus. O homem tinha morrido dentro do meu DOI. E eu tive que responder. Eu crente que já tinha acabado o negócio com o Perdigão,[7] o relator, um brigadeiro, passaram uns dois ou três meses veio outro. Agora pior, porque veio em cima de mim e do meu major-chefe do meu DOI. Aí eu não deixei ele responder.[8]

Geisel estava diante de um ministro do Exército que não lhe pedia diretrizes. Ao contrário, mostrava-se disposto a unificar a doutrina de acordo com os métodos que empregara no IV Exército. O presidente eleito retomou o tema da unidade militar:

> Nós temos que estudar bem isso. Vamos ver se nós conseguimos uma certa uniformidade nisso. Eu não tenho... Eu confesso a você que eu não estudei isso em minúcias. Se nós amolecermos na ação, não tenha dúvida que isso cresce. Isso é um fogo, está meio apagado. Se você parar, daqui a pouco ele levanta outra vez. Agora, neste quadro todo, nós só conseguimos viver esses dez anos porque nós conseguimos nos unir. As Forças Armadas, apesar de certos personalismos, certas coisas, nestes dez anos, elas conseguiram se unir. A técnica da intriga do Juscelino e do Jango, dessa gente, era nos dividir: era o general do povo, era o Lott, era isso, era aquilo [...].

7 Brigadeiro Armando Perdigão, ministro do Superior Tribunal Militar.

8 Coutinho refere-se ao caso de Ezequias Bezerra da Rocha. Conversa de Geisel com Dale Coutinho, 16 de fevereiro de 1974. APGCS/HF.

Geisel pontilhou o restante da conversa com momentos fraternais, mas sempre hierárquicos:

> Me botaram neste abacaxi, agora vão ter que confiar em mim. Eu estarei sempre com os ouvidos e os olhos abertos para receber toda e qualquer crítica. [...]
>
> Nós dois podemos nos entender. A partir desta hora você é um homem meu. Você bota o seu coração à mostra. Você não crie compromissos, não avance às vezes certas situações para não criar dificuldades, porque muitas vezes você pode inocentemente assumir um compromisso, chega para mim e não pode, aí você fica mal. Eu nunca vou lhe deixar mal. Agora, para poder haver isso, você tem que se abrir comigo.
>
> Vocês têm é que ter confiança em mim. [...] Muita coisa que eu vou fazer, vocês vão achar errado. Mas vocês têm que partir do princípio que eu estou fazendo porque acho que está certo. E vocês têm que muitas vezes chegar a mim e dizer: "Olha, chefe, está acontecendo isso, eu estou pensando isso". E eu vou dizer: "Não, você não tem razão, ou tem". Quer dizer, a convivência que vocês têm que ter comigo tem que ser... têm que ter confiança, têm que acreditar em mim. Agora, têm que ter a franqueza de me dizer as coisas. Eu não sou dos tais que só quer receber notícia agradável. Claro que você não vai me dar notícia ruim na hora que eu vou dormir. Deixa para o outro dia de manhã, para pelo menos eu dormir à noite tranqüilo. [...] Eu, por exemplo, não sou do tipo que gosta de ser cortejado [...]. Vou dizer não muitas vezes a vocês, e vou discutir, e vou ficar veemente.[9]

Estavam no fim do que Geisel chamaria depois de "três horas de parola", quando ele disse ao futuro ministro:[10] "Coutinho, nós estamos 100% em tudo".

Terminara o treino. Ia começar a quarta Presidência da Revolução, 21º período de governo republicano. Duraria 1826 dias, de 15 de março de 1974 a 15 de março de 1979.

9 Reunião de Geisel com Dale Coutinho, 16 de fevereiro de 1974. APGCS/HF.

10 Conversa de Geisel com Heitor Ferreira e Moraes Rego, 16 de fevereiro de 1974. APGCS/HF.

PARTE III No Planalto

O REGIME É IMPLACÁVEL

A escolha essencial

Geisel entrou no palácio do Planalto com o nome de seu provável sucessor na mochila. Era o general João Baptista Figueiredo. Seria exagero dizer que fosse um propósito irremovível, mas em março de 1974 essa era a primeira e principal opção de Geisel. Contavam-se nos dedos de uma só mão as pessoas que sabiam disso.[1]

Dois anos antes da posse, Heitor Ferreira já estava convencido de que o general governaria com um olho no mandato e outro no nome de seu substituto: "Conhecendo como eu conheço o *Dr. Sá*, no dia 16 de março ele já estará preparando a solução, atrás da cabeça".[2]

Até o final de 1972, o único nome mencionado por Geisel como seu possível sucessor foi o do general Euler Bentes Monteiro. Pensava em aproveitá-lo no Ministério do Interior: "Uma excelente posição para ele para ser o seguinte, no fim dos cinco anos. Eu admito isso".[3]

Em dezembro de 1973, Geisel via as coisas de outra maneira. Figueiredo tornou-se "uma das hipóteses de ser o futuro presidente".[4] Carregava uma dificuldade: era um simples general-de-brigada, subiria a general-de-divisão em julho de 1974, mas em 78, quando a sucessão deveria ser decidida, haveria de lhe faltar a quarta estrela, essencial para preen-

1 Geisel, Heitor Ferreira, Golbery e, meses depois, o próprio Figueiredo, informado por Golbery.

2 *Diário de Heitor Ferreira*, 11 de setembro de 1962.

3 Idem, 26 de março de 1972.

4 Conversa de Geisel com Golbery e Heitor Ferreira, 10 de dezembro de 1973. APGCS/HF.

cher o requisito eleitoral que a ditadura impunha aos seus candidatos a presidente. Não seria fácil promovê-lo a tempo, e Geisel achava pouco provável que se conseguisse. Três dias antes da posse, conversou sobre o assunto com Heitor Ferreira:

> Eu estive estudando esses dias muito o *Almanaque*. [...] Eu vejo a carreira do Figueiredo retardada. Quer dizer, o Figueiredo não vai chegar em meados de 78 como general-de-exército. A não ser que ele desse muita carona. O azar dele é que na frente dele está o Ayrosa, e está o Walter Pires de Albuquerque, que é outro amigo dele, e está esse *Chupeta*, o Hugo Abreu. E são caras que não devem levar carona. O ideal, se a gente olhar o problema sucessório, e se esse troço não evoluir para uma outra posição, o único homem que eu vejo aí em condições de ser o futuro presidente seria o próprio Figueiredo.[5]

Na noite de 15 de março de 1974, quando o novo chefe do SNI entrou na recepção do Itamaraty com seu uniforme de gala, óculos escuros, quatro medalhas espetadas na túnica, uma faixa sobre o peito, um par de cruzes penduradas no pescoço e um cigarro (Parliament) na mão, já era o candidato do presidente que acabara de ser empossado.[6]

Em julho Geisel o promoveu a general-de-divisão, pensando em mantê-lo no SNI o tempo suficiente para corrigir o curso do Serviço. Queria entregar-lhe o comando da Vila Militar do Rio de Janeiro nos primeiros meses de 1975.[7]

Desde 1972 Geisel sabia que Figueiredo tinha problemas de saúde. Conversando com Heitor Ferreira, observara que ele estava "muito gordo — comida é um derivativo quando se anda agoniado — tem aquele problema de espinha e também de coração".[8] Ele confessava que seu apetite por costelas gordas, rabadas e coisas do gênero o levava a engordar

5 Conversa de Geisel com Heitor Ferreira, 12 de março de 1974. APGCS/HF.

6 *Fatos e Fotos*, 1º de abril de 1974, pp. 26-33.

7 *Diário de Heitor Ferreira*, 15 de junho de 1974.

8 Idem, 2 de fevereiro de 1972. Para uma referência posterior, idem, 12 de novembro de 1974.

um quilo por dia.[9] A coluna não o incomodava desde 1969.[10] O coração recomendava exames periódicos.

O coronel Americo Mourão, chefe do serviço médico da Presidência, disse a Geisel que a cardiopatia de Figueiredo era assunto sério. Indicava que ele já sofrera um enfarte do miocárdio, daqueles que passam deixando sintomas brandos, como uma dor de barriga.[11] Geisel tinha confiança absoluta em Mourão. Era o médico de toda a sua família. Oito anos antes, diagnosticara o entupimento do marechal Costa e Silva.

No final da tarde de 12 de novembro de 1974 o presidente entrou na sala de Heitor Ferreira e demorou-se na análise do futuro de Figueiredo: "Tem o complicador que é o problema da saúde. Ah, é o maior complicador, é o maior complicador de toda a lista. De um lado, porque eu tenho que poupá-lo, apesar de que isso é extremamente difícil, de outro lado eu não vou incorrer na besteira do Costa e Silva, de o camarada estar com problemas, eu sabendo, eu empurrá-lo para a presidência para ele se matar. Não é verdade? Não vou fazer isso. Então, estou aí numa [...] angústia danada".[12]

No dia seguinte Golbery teve uma longa conversa com Figueiredo.[13] Do que conversaram não ficou registro, mas o chefe do SNI passou a carregar um coração de candidato. Comentou o resultado de seu eletrocardiograma com o coronel Moraes Rego, garantindo: "Eu nunca vou ter um enfarte".[14]

9 Conversa de Figueiredo com Geisel, 9 de fevereiro de 1974. APGCS/HF.

10 *Diário de Heitor Ferreira*, 13 de janeiro de 1975.

11 Sete folhas manuscritas de Heitor Ferreira, intituladas *Presidente Geisel e HF em 12 de Novembro de 1974 na Secretaria Particular*. APGCS/HF. Americo Mourão, fevereiro de 1998.

12 Sete folhas manuscritas de Heitor Ferreira, intituladas *Presidente Geisel e HF em 12 de Novembro de 1974 na Secretaria Particular*. APGCS/HF. *Diário de Heitor Ferreira*, 12 de novembro de 1974.

13 *Diário de Heitor Ferreira*, 13 de novembro de 1974.

14 Idem, 14 de novembro de 1974.

Um mundo difícil

A casaca é a última instância do fardo do homem público. Geisel vetou o fraque na cerimônia de posse, mas se conformou com o seu uso na recepção da noite, no Itamaraty. Reclamava das sessões de prova, e aprendeu com a irmã a usar no colete os botões de madrepérola do pai. Um empregado, apelidado de *Casaqueiro*, vigiou o transporte da ilustre carga até Brasília. O tenente de 1930 vestiu-a reclamando de um defeito na gola.[1] A de Golbery custou-lhe 5600 cruzeiros (pouco mais de oitocentos dólares) e ficou pronta em cima da hora. O ministro Quandt de Oliveira arrependeu-se de ter jogado fora a sua. Heitor Ferreira trocou-se no guarda-roupa dos agentes da segurança de Medici.

Era a primeira posse com cerimonial desde o desastre de 1967, quando o marechal Costa e Silva e a República ficaram engarrafados no caminho para o palácio da Alvorada. *Seu Arthur* safara-se com os batedores, mas seus convidados viram-se debaixo de um temporal, até que alguém teve a idéia de iluminar a pista com um holofote de artilharia antiaérea, somando pânico ao desconforto. Um embaixador caíra no espelho-d'água do Alvorada, e muitas senhoras de salto alto tiveram de escolher entre chegar ao palácio com os sapatos na mão ou correr o risco de ficar espetadas no gramado do jardim, com as toaletes arruinadas.

Geisel recebeu a faixa no salão nobre do Planalto e saudou o povo do alto da tribuna de mármore branco que tem aos pés a praça dos Três

1 Ernesto Geisel, março de 1995.

Poderes. Três fotografias da cena indicam que havia pelo menos seis pessoas na tribuna e, no máximo, sessenta na praça.[2]

No palácio, umas quinhentas. O mundo em que Geisel governaria o Brasil era o do choque do petróleo. Se isso fosse pouco, nele o presidente dos Estados Unidos lutava pela sobrevivência política, um general tomara o lugar do presidente civil chileno e um civil, o do presidente militar argentino. A América do Sul estava praticamente loteada entre generais. No Uruguai mandavam pela mão de um presidente civil. Na Argentina o caudilhismo peronista renascera nas urnas. Havia ditaduras velhas, como a do Paraguai, recentes como a chilena, esquerdistas como a peruana e direitistas como a boliviana. Alguns personagens dessa história se encontravam na cerimônia.

A AMÉRICA DE NIXON

Pat Nixon, mulher do presidente dos Estados Unidos e sua representante na festa, passou pelo Brasil em silêncio. As lembranças que deixou foram poucas: um vestido rosa, um Cadillac à prova de balas e um coral do Sesi cantando na sua despedida. Richard Nixon estava no centro da maior crise constitucional da história americana desde a Guerra Civil. Raras vezes a biografia de um governante conteve tensão semelhante à que ele suportara nos dois anos anteriores. Sua personalidade mesquinha e paranóica produziu o escândalo que moeu a vida política do homem mais poderoso do mundo.

É um drama que pode ser ilustrado pelos acontecimentos de três dias:

9 de julho de 1971

Enquanto Carlos Lamarca lia as obras de Mao Zedong em Buriti Cristalino, no sertão baiano, um Boeing da Pakistan Airlines decolou do

2 *O Estado de S. Paulo*, 16 de março de 1974. Uma terceira foto, mais ampla, que não foi publicada, mostra metade da platéia, e nela podem-se contar cerca de sessenta pessoas. Ela está na capa deste livro.

aeroporto de Chaklala.[3] Levava secretamente um passageiro de óculos escuros e chapéu, com cinco acompanhantes. Era o professor Henry Kissinger, assessor especial da Casa Branca. A bordo encontrou uma equipe de navegadores, intérpretes e diplomatas chineses. Com eles foi para Pequim, onde se reuniu com Mao, o *Grande Timoneiro*. Terminara uma hostilidade de 22 anos desfazendo-se a macumba que travava a diplomacia americana na Ásia.

No dia em que Kissinger entrou na Cidade Proibida, o chefe da Assessoria de Assuntos Internos de Nixon concebeu, em Washington, uma manobra que, a seu juízo, abalaria a credibilidade da elite intelectual democrata. Pretendia satanizar como traidor e louco o cientista político Daniel Ellsberg, que depois de servir na Guerra do Vietnã e no Departamento de Defesa, entregara ao *The New York Times* uma coleção de documentos secretos relacionados com o envolvimento militar americano no Sudeste da Ásia. Conhecidos como os *Pentagon Papers*, tinham exposto a futilidade do conflito.[4] Supunham que Ellsberg guardasse mais informações e queriam inibi-lo. Tentavam capturar sua pasta no consultório do psicanalista que o atendera. O serviço ficou sob a coordenação de um ex-agente da CIA que acabara de ser contratado a cem dólares por dia pela Casa Branca. O consultório foi invadido, mas não havia pasta no arquivo.[5]

27 de maio de 1972

Depois de uma viagem triunfal a Pequim, em fevereiro, Nixon estava em Leningrado, visitando o cemitério Piscarev. Era a primeira visita de um presidente americano à URSS. Percorreu o monumental gramado plantado aos pés de uma escultura enorme da Mãe-Pátria, lembrança dos três anos de cerco nazista que matou de fome 650 mil pessoas. Mostraram-lhe o diário de Tanya, uma menina de doze anos que registrou, uma após a outra, as mortes de seus familiares. A última entrada do caderno

3 Para Lamarca, carta a Iara Iavelberg, em *Folhetim*, *Folha de S.Paulo* de 10 de julho de 1987. Para a viagem, Henry Kissinger, *White House years*, p. 740.

4 Nota de John Ehrlichman, *The New York Times*, equipe, *The end of a Presidency*, p. 109.

5 Testemunho dos envolvidos, *The New York Times*, equipe, *The end of a Presidency*, pp. 114-5. Daniel Ellsberg, *Secrets — A memory of Vietnam and the Pentagon Papers*, pp. 440-1.

dizia: "Morreram todos. Ficou só Tanya". Chorando, a intérprete informou-o de que ela estava enterrada por perto. Nixon chegara a um acordo com o Kremlin limitando a produção de mísseis intercontinentais, e no dia seguinte falou aos russos pela televisão. Contou a história da menina e pediu um mundo sem Tanyas, no qual "suas crianças e as nossas, todas as crianças do mundo, possam viver sua vida em paz e amizade". O chefe soviético Leonid Brejnev disse-lhe que chorou ao ouvi-lo. Despediram-se com o russo oferecendo a ele o envio de um qualificado general ao Vietnã para ajudá-lo a negociar a paz. Nixon deixou um aviso a Brejnev: "O senhor precisa acreditar só no que eu lhe digo pelo nosso canal privado. Não acredite em mais ninguém".[6] (Ninguém mesmo. O presidente americano conversava com Brejnev sem testemunhas americanas, valendo-se do intérprete russo.)[7]

À noite, em Washington, sete pessoas entraram sorrateiramente no edifício onde funcionava a direção nacional do Partido Democrata. Chamava-se Watergate. (O ex-agente da CIA que tentara roubar a pasta de Ellsberg estava no lance.) Carregavam maletas com equipamento para a instalação de escutas clandestinas. O arrombador não conseguiu abrir a porta do escritório, foi a Miami buscar ferramentas, e no dia seguinte as coisas deram certo. Gastaram-se dois filmes fotografando documentos, e plantaram-se transmissores nos telefones do presidente e do coordenador dos comitês estaduais do partido. Só um funcionou, rendendo perto de duzentas gravações. Quando o material foi examinado, decidiu-se reanimar o grampo morto. A equipe recebeu ordens para voltar ao prédio.

17 de junho de 1972

Dos sete visitantes do Watergate, voltaram cinco. Às duas e meia da manhã estavam no meio do serviço quando foram presos. Richard Nixon descansava na casa de um amigo, na Flórida. Leu uma pequena notícia no jornal, mas não lhe deu importância. Desse dia a única providência que ficou na sua memória foi um telefonema à Casa Branca para

6 Richard Nixon, *The memoirs of Richard Nixon*, pp. 616-7.

7 Henry Kissinger, *White House years*, p. 1208.

descobrir onde poderia achar John Connally, ex-secretário do Tesouro. Ele deixara o cargo e partira numa viagem semi-oficial ao redor do mundo. Passara pelo Brasil uma semana antes.

O Império Americano estava financeiramente frágil. Tinha as contas públicas desorganizadas. Pior: enquanto suas reservas de ouro estavam em 14 bilhões de dólares, havia 300 bilhões de dólares-papel entesourados nas reservas de outros países. Em 1971 os Estados Unidos fecharam o ano com déficit comercial, coisa que não acontecia desde 1893. Nixon enfrentou as dificuldades formulando uma Nova Política Econômica. Desvinculou o dólar do padrão-ouro. Quem tivesse nas mãos 35 daquelas notas verdes, passaria a ter apenas 35 notas verdes, e não mais o compromisso da águia americana de trocá-las por 28 gramas de ouro. Desvalorizou a moeda duas vezes em pouco mais de um ano, derrubando-a em 15%.[8] Caducara a ordem monetária criada no após-guerra. O Império, que parecia encurralado, recuou para reorganizar sua fortaleza.

Em janeiro de 1973, quando Richard Nixon foi novamente empossado na presidência dos Estados Unidos, Watergate deixara de ser nome de edifício para designar um escândalo político, mas ainda assim se contavam nos dedos das mãos as pessoas que viam no acontecimento uma ameaça ao previsível esplendor de seu segundo mandato. Aos 59 anos, Nixon tivera uma das maiores vitórias do século, com 61% dos votos populares e 97% dos votos eleitorais. Sabia que o Caso Watergate começara na Casa Branca e que tentara acobertá-lo, mas acreditava que tudo se resumia a "um problema de relações públicas, que precisava apenas de uma solução de relações públicas".[9] Dois dias depois anunciou a saída das tropas americanas do Vietnã, que resultaria na posterior reunificação do país, sob domínio comunista.

Aos poucos, aquilo que parecia um êxito se dissolvia em irrelevância, e um episódio considerado irrelevante foi se tornando a maior desgraça já sofrida por um presidente americano. De um lado, Nixon tinha do que se

8 Paul Volcker e Gyohten Toyoo, *Changing fortunes — The world's money and the threat to American leadership*, pp. 59-90 e 347.

9 Stephen E. Ambrose, *Nixon*, vol. 3: *Ruin and recovery — 1973-1990*, p. 27.

orgulhar: pela primeira vez em dezoito anos os Estados Unidos estavam em paz com o mundo. De outro, o Senado instalou uma comissão para investigar o Watergate. De um lado, sua popularidade chegara a 60%, contra 20% para o Congresso.[10] De outro, os sete grampeadores do Watergate se declararam culpados à Justiça, e seis deles foram condenados a penas que variavam de vinte a quarenta anos de prisão, ressalvada a possibilidade de elas serem reduzidas na hipótese de que contassem o que sabiam. A linha de defesa do governo mais poderoso do mundo recuou gradativamente. Primeiro se admitiu uma relação entre os arrombadores e funcionários da Casa Branca. Depois se reconheceu que três dos principais assessores de Nixon, entre os quais seu chefe-de-gabinete e o consultor jurídico da presidência, não podiam continuar nos cargos. A cada recuo, a imprensa, o Senado e a Justiça pegavam novos fios da meada. Não estava mais em questão a cumplicidade com os arrombadores, mas o fato de o presidente dos Estados Unidos ter mentido para acobertar um crime.

Era esse Richard Nixon que Pat carregava nos ombros quando enfeitava a posse de Geisel. Filha de um plantador de repolhos e legumes no deserto da Califórnia, passara a infância na miséria, criada numa casa sem água corrente nem eletricidade. Dormia num vão de corredor.[11] Era uma mulher frágil na aparência, dotada de uma inesgotável capacidade de dissimulação: "Se eu tenho uma dor de cabeça, ninguém fica sabendo. Se eu estiver morrendo, não deixo ninguém saber". Era sonâmbula, afora isso nada tinha de excepcional.[12] Dias antes de ela chegar a Brasília, a Câmara de Representantes começara a discutir o impedimento de Nixon. Era a derrocada. O presidente, que não tomava remédios, nem mesmo vitaminas, já fora derrubado por uma pneumonia. Sua popularidade caíra para 29%, o índice mais baixo desde a década de 30, quando o Instituto Gallup começou a medir o tamanho da alma pública dos presidentes americanos. Três ex-ministros e dois conselheiros pessoais do pre-

10 Stephen E. Ambrose, *Nixon*, vol. 3: *Ruin and recovery — 1973-1990*, p. 59.

11 Roger Morris, *Richard Milhous Nixon*, p. 211.

12 Anatoly Dobrynin, *In confidence — Moscow's ambassador to America's six Cold War presidents*, p. 282. Durante uma conferência com Brejnev na Casa Pacífica, em 1973, um dos guarda-costas do governante soviético viu Pat Nixon andando de camisola pela varanda. Carregou-a nos braços e levou-a para a cama.

sidente estavam no banco dos réus. Enquanto Pat circulava em Brasília, Nixon repetiu em Chicago, pela enésima vez, que não renunciaria.

Geisel recebeu-a duplamente contrariado, num suspiro da agenda, no meio da recepção noturna. Achava impertinente o fato de o presidente dos Estados Unidos mandar sua mulher representá-lo em atos oficiais e indelicado ela ter vindo para a festa do presidente brasileiro numa perna da viagem que fizera à Venezuela, para a posse de Carlos Andrés Pérez. Quando o Itamaraty estava montando o programa da cerimônia, ele avisara: "Vai ver quem vai pajear a dona Pat, porque ela vai querer ir num asilo ver crianças e minha mulher não vai fazê-lo. Ela não vem como mulher, vem como chefe da delegação americana".[13] Recusou-se a incluí-la no almoço que daria aos chefes de Estado.[14] Heitor Ferreira brincou: "É a Isabelita deles".[15]

Pat Nixon fez sucesso. Na solenidade do Planalto só perdeu em popularidade para Pelé. Visitou as crianças da Casa do Pequeno Polegar e meteu-se numa gafe quando a embaixada distribuiu uma nota em que dizia: "Quando estive no Brasil na última vez, assistindo, juntamente com meu marido, à posse do ex-presidente Juscelino Kubitschek, Brasília era somente um sonho". JK e seus sonhos não eram bem-vindos na cidade dos generais. Reescrita, a nota limitou-se a lembrar "as cerimônias de inauguração de Brasília".[16]

A lua-de-mel da Casa Branca com a ditadura brasileira mudara de qualidade. A destruição da experiência socialista chilena e o golpe de Banzer na Bolívia haviam mitigado as dificuldades americanas. A entrada de Perón em Buenos Aires adicionara riscos a uma excessiva fraternidade de Washington com Brasília. Geisel vira um tom de capitulação na viagem de Nixon à China.[17] O general não tinha maiores simpatias pelo presidente americano — como de resto por nenhum de seus antecessores ou sucessores. Resignava-se: "Os fatos lá de fora nos comandam. Não há

13 Conversa de Geisel com Golbery, Moraes Rego e Heitor Ferreira, 22 de fevereiro de 1974. APGCS/HF.

14 Reunião de Geisel com Azeredo da Silveira, 28 de fevereiro de 1974. APGCS/HF.

15 Conversa de Geisel com Golbery, Moraes Rego e Heitor Ferreira, 22 de fevereiro de 1974. APGCS/HF. Referia-se à mulher de Juan Perón, presidente da Argentina.

16 *O Estado de S. Paulo*, 15 de março de 1974, p. 5.

17 *Diário de Heitor Ferreira*, 21 de fevereiro de 1972.

nada que se possa fazer para controlá-los. Se o seu Nixon administra mal, e há inflação lá, nós pagamos aqui".[18] Em termos econômicos Nixon estava nas cordas. Fechara 1973 com um modesto saldo comercial e reduzira o déficit do balanço de pagamentos à metade, mas produzira uma inflação de 8,9%, a maior dos 25 anos anteriores.[19]

O novo governo brasileiro e a administração americana já tinham conversado, longe das audiências públicas. Uma semana antes da posse, Golbery e Heitor Ferreira almoçaram numa sala do Banco Cidade, com Steve Creane e Wilfred (Bill) Koplowitz. Um, veterano funcionário da Central Intelligence Agency, a CIA, conhecido dos dois desde o governo Castello, chefiava a estação da companhia no Rio de Janeiro. O outro mandava na de Brasília.[20]

Noutro nível, passara pelo Rio o professor americano Samuel Huntington, autor de um estudo clássico sobre o poder militar, emissário informal do secretário de Estado Henry Kissinger, de quem fora colega na Universidade Harvard. Tinha hora marcada com Golbery. O professor ganhara alguma notoriedade no Brasil um ano antes, ao entregar ao governo um documento em que propunha uma política de "descompressão" para a ditadura. Sua proposta tinha um leve sabor mexicano e recomendava que o Brasil, "sendo uma ditadura sem ditador, tenha uma descompressão sem descompressor". Ao contrário da propaganda do Milagre, Huntington alertava para os riscos políticos despertados pelo processo econômico: "A triste lição da História é que, durante esses períodos, tanto os que se beneficiaram melhorando de vida, como os que pioraram, ficam mais insatisfeitos psicológica e politicamente".[21] Golbery guardara má lembrança do trabalho sobre a descompressão, chamando-o de "pedestre".[22]

18 *Diário de Heitor Ferreira*, 22 de junho de 1972.

19 Paul Volcker e Gyohten Toyoo, *Changing fortunes — The world's money and the threat to American leadership*, pp. 372 e segs.

20 Carta de Joseph Kiyonaga, chefe da estação da CIA em Brasília, a Heitor Ferreira, de 26 de janeiro de 1976. APGCS/HF.

21 Dezesseis folhas, sem data, intituladas *Approaches to Political Decompression*, cedidas ao autor pelo professor Wanderley Guilherme dos Santos.

22 Golbery do Couto e Silva, 1973.

O general preparou-se para o encontro. Conversou com Geisel, recebeu um roteiro de recomendações compiladas por Heitor Ferreira, fez suas próprias observações e sentou-se com o professor. Tramitando fora dos canais diplomáticos, tão ao gosto de Kissinger e do estilo de Golbery, o recado era claro. O governo queria preservar a aliança com os Estados Unidos, desde que a Casa Branca entendesse que a relação entre os dois países não cabia numa generalização latino-americana, pois "não nos interessa ser nivelados ao Uruguai". Informava também duas alterações de curso: o Brasil realinharia sua posição no Oriente Médio e na África. No primeiro, "vamos na linha árabe". No segundo, relacionado com o apoio que se dava à política ultramarina de Portugal, "tiramos o chapéu para a mãe-pátria, [mas] vamos mudar a política nas colônias".[23] Em ambos os casos, a mudança decorria da garantia de fornecimento de petróleo. Geisel se assustara com a possibilidade de um boicote árabe e se tornara um crítico do que considerava um apoio gratuito do Brasil a Israel. Além disso, guardava uma irredutível antipatia pela criação do Estado judeu: "Francamente, eu era muito a favor dos árabes. Eu achava que o judeu era um intruso. Quer dizer, não é o fato de há dois mil anos atrás aquela terra ter sido deles, que hoje em dia devesse ser. Os romanos, os italianos também podiam reivindicar. Houve época em que aquilo foi dos romanos, dos italianos. Aquilo foi uma política do inglês, secundado por Wall Street".[24]

Referindo-se à política de Nixon, dizia: "Ele está cheio de petróleo, resolve dar armas e bilhões de dólares para Israel. E o resto do mundo que se fomente? O japonês que se arrase, o Brasil que se esbandalhe?".[25]

Geisel queria que o governo americano influísse na banca para que ela emprestasse mais, em melhores condições e com prazos longos ao Brasil. O mundo começava a ser inundado pela maior transferência de capitais já ocorrida em época de paz. A dívida externa brasileira estava em 10 bilhões de dólares, e os empréstimos eram feitos quase sempre por quin-

23 Duas folhas, uma manuscrita e anotada por Golbery, outra datilografada, intituladas *Notas para a Conversa Golbery-Huntington*, de 8 de fevereiro de 1974. APGCS/HF.

24 Ernesto Geisel, março de 1995.

25 Conversa de Geisel com Golbery e Heitor Ferreira, 10 de janeiro de 1974. APGCS/HF.

ze anos, contra uma praxe internacional de apenas oito.[26] O dinheiro tomado em São Paulo ao Citibank de Nova York saía de 5% a 20% mais barato que o do mercado nacional.[27] A Secretaria do Tesouro acabara de eliminar as restrições para que os bancos americanos emprestassem no exterior. Sugeriu também às grandes casas bancárias que colocassem no Terceiro Mundo boas quantidades dos depósitos feitos pelos sheiks empanturrados de dinheiro. Eram os "petrodólares", recursos que os países exportadores de óleo passaram a receber, sem saber onde pôr.

Golbery passou a Huntington a preocupação de Geisel com o risco de o governo americano criar barreiras tarifárias às exportações nacionais. Dois anos antes, quando Nixon massageou o ego da ditadura afirmando que o Brasil determinava os rumos da América Latina, Geisel condenou a "mania de se dizer que o Brasil é potência": "A nós importaria se os Estados Unidos comprassem 400 mil pares de sapatos ou decidissem comprar só o nosso café".[28] O professor registrou a preocupação, mas explicou que nessa área a Casa Branca pouco tinha a fazer.[29] Semanas depois os americanos impuseram sobretaxas às exportações brasileiras de calçados. Ao receber a notícia, Geisel decidiu que não visitaria os Estados Unidos enquanto vigorassem sobretaxas aduaneiras contra produtos nacionais.[30]

Huntington passou os recados a Kissinger e presenteou Golbery com um livro de Gerald Ford, o vice-presidente de Nixon. O professor achava-o "fraco, porém confiável".[31]

A BOLÍVIA DE BANZER

Banzer, ou *El Petiso*, era o xodó da diplomacia militar brasileira. Numa carta a Richard Nixon, Medici chegara ao ponto de interceder pelo cole-

26 Phillip L. Zweig, *Wriston*, p. 422.

27 Idem.

28 *Diário de Heitor Ferreira*, 28 de janeiro de 1972.

29 Duas folhas, uma manuscrita e anotada por Golbery, outra datilografada, intituladas *Notas para a Conversa Golbery-Huntington*, de 8 de fevereiro de 1974. APGCS/HF.

30 Ernesto Geisel, abril de 1995.

31 Bilhete de Golbery a Heitor Ferreira, de março de 1974. APGCS/HF.

ga, para que o presidente americano o ajudasse.[32] O boliviano tomara o poder aos 45 anos, em 1971, no oitavo golpe militar desde 64. Com um pedaço da carreira feita nos Estados Unidos e na Argentina, e a vida política armada na região de Santa Cruz de La Sierra, cuja próspera economia estava associada a interesses brasileiros. Fazia tempo que Banzer se tornara o golpista de plantão.

Derrubara o general Juan José Torres na segunda tentativa. Na primeira, em janeiro de 1970, os conspiradores pretendiam tomar o palácio e duas rádios. Tomaram o estado-maior do exército, mas foram dominados. Um major e seis capitães negociaram a paz e se asilaram na embaixada do Brasil, bateram pique em São Paulo e retornaram clandestinamente ao país.[33] O SNI intermediou o pouso de um avião militar brasileiro com armas para os conspiradores de Santa Cruz.[34] Expulso da Bolívia por Torres, o ex-embaixador brasileiro Hugo Bethlem, general da reserva, acusara-o de planejar "o imediato estabelecimento de uma ditadura socialista na Bolívia, com ajuda direta do comunismo soviético".[35] Em agosto de 1971 Torres desembarcou como asilado em Buenos Aires, e Hugo Banzer entrou no palácio de La Paz. Assim a burguesia *cruceña* produziu seu primeiro presidente.

Colaborando com a nova ordem, o coronel José Maria de Toledo Camargo, segundo homem da máquina de propaganda palaciana de Medici, foi mandado à Bolívia em missão secreta, com um passaporte falso em nome de José Manoel Torres Correa para lustrar a imagem do governo de Banzer. "Uma verdadeira comédia", nas palavras do próprio Camargo. Assinou nota de restaurante com o nome verdadeiro, encabulou-se rejeitando marafonas e se constrangeu fingindo ser Torres Correa durante um jantar na casa do embaixador brasileiro em que diversos convidados sabiam perfeitamente quem era.[36]

32 Narrativa de Medici a Geisel, registrada por Heitor Ferreira em seu *Diário*, na entrada de 12 de maio de 1972.

33 *Jornal do Brasil*, 19 de fevereiro de 1971, p. 22. Para o retorno clandestino, acusação feita pelo ministro boliviano Jorge Gallardo Lozada, telegrama da agência Latin de 4 de abril de 1971.

34 General Newton Cruz, adido militar em La Paz entre 1971 e 1972, dezembro de 1996.

35 Telegrama da ANSA, de 15 de janeiro de 1971.

36 José Maria de Toledo Camargo, *A espada virgem — Os passos de um soldado*, p. 155.

Durante o governo de Banzer a Bolívia servira de trilha para o contrabando de armas de militares chilenos que conspiravam contra Allende em bases montadas no meio empresarial americano-brasileiro. Afora as afinidades políticas, o general queria vender petróleo ao Brasil e, desde 1938, o Brasil queria controlar as reservas de gás natural da Bolívia. Enquanto esteve na Petrobrás, Geisel complicou a compra de óleo boliviano pois custava mais que o árabe.[37]

Depois de se reunir com Geisel, *El Petiso* deixou uma lista miúda. Queria negociar um gasoduto e se contentava com coisa modesta na área química. Parecia mais interessado em conseguir 50 milhões de dólares e, no mínimo, dois aviões para transporte de tropas.[38] Levou os aviões.[39] Pelos canais da Comunidade de Informações, o SNI estava cuidando de remeter 750 capacetes de combate a La Paz.[40] Meses mais tarde Banzer pediria um lote de granadas, para serem pagas em vinte anos com dez de carência e juros de 5% ao ano.[41]

O URUGUAI DE BORDABERRY

Dos três ditadores latino-americanos que vieram à sua posse, o que melhor impressão deixou em Geisel foi o estancieiro uruguaio Juan María Bordaberry.[42] Tinha 45 anos, era civil, chegara à presidência pelo voto e tinha um temperamento reservado. Desde junho de 1973, quando o exército fechara o Congresso e suspendera as liberdades públicas, Bordaberry se tornara uma figura decorativa, mas desempenhava o papel com gosto, pois contribuíra para o desfecho ditatorial da crise.

37 *Diário de Heitor Ferreira*, 26 de março de 1972.

38 Notas de Geisel, relativas às conversas com Banzer, Bordaberry e Pinochet, de 15 de março de 1974, recebidas por Heitor Ferreira no dia 18. APGCS/HF.

39 *Informação para o Senhor Presidente da República*, do ministro Azeredo da Silveira, de 11 de abril de 1974, narrando uma rodada de negociações com os bolivianos. APGCS/HF.

40 Heitor Ferreira, junho de 1974.

41 *Diário de Heitor Ferreira*, 26 de dezembro de 1974.

42 A uma nota de Heitor Ferreira pedindo-lhe que comparasse os três presidentes que estiveram na posse, Geisel respondeu: "1º Bordaberry, 2º Banzer, 3º Pinochet". APGCS/HF.

Os conflitos latino-americanos sempre tiveram algo de espetacular, mas nos cinco anos de duração da agonia do regime democrático uruguaio o componente de teatralidade mórbida adquiriu níveis inéditos. Pela esquerda, os Tupamaros, com 3 mil militantes, fizeram coisas nunca vistas e até mesmo difíceis de imaginar. Suas ações, iniciadas em 1968, eram românticas, vingativas, pirotécnicas. Eles assaltaram um cassino e devolveram as gorjetas dos crupiês pelo correio.[43] Depenaram a mansão de um plutocrata e divulgaram que nela havia 400 mil dólares em dinheiro e barras de ouro.[44] Incendiaram o prédio da General Motors e explodiram a sede do Montevideo Country Club.[45] Praticaram o maior roubo de jóias dos tempos modernos, levando o equivalente a 6 milhões de dólares da caixa-forte de um banco.[46] Seqüestraram o cônsul brasileiro e o embaixador inglês. Assassinaram um policial americano e um coronel acusados de torturar presos.[47] Expuseram a conexão brasileira do terrorismo de direita uruguaio divulgando a confissão de um policial seqüestrado. Agentes metidos com explosões e assassinatos tinham feito cursos no Brasil e retornado ao Uruguai com armas que repassaram a um grupo paramilitar.[48]

O maior espetáculo tupamaro foi a fuga, por um túnel, de 106 presos do presídio de Punta Carretas em setembro de 1971. O Estado uruguaio, que parecera inerte diante da audácia tupamara, entregou o caso aos militares. Em três meses o terrorismo de esquerda estava desarticulado.[49] No final de 1972 havia na cadeia 2600 pessoas.

Se houve uma teatralidade no terrorismo, correspondeu-lhe outra na repressão. Até certo ponto a ditadura uruguaia assemelhava-se às de-

43 Lawrence Weschler, *Um milagre, um universo — O acerto de contas com os torturadores*, p. 110. Para as gorjetas, idem, p. 109.

44 Arturo C. Porzecanski, *Uruguay's Tupamaros*, p. 40.

45 *The New York Times*, 22 de junho de 1969.

46 Arturo C. Porzecanski, *Uruguay's Tupamaros*, p. 40.

47 Alain Labrousse, *The Tupamaros*, p. 131.

48 Carlos Wilson, *The Tupamaros, the unmentionables*, pp. 92-111.

49 Martin Weinstein, "The decline and fall of democracy in Uruguay: lessons for the future", em *Repression, exile, and democracy*, editado por Saúl Sosnowsky e Louise B. Popkin, p. 86. Ver também Lawrence Weschler, *Um milagre, um universo — O acerto de contas com os torturadores*, p. 113.

mais. Proibiram-se as reuniões políticas, censurou-se a imprensa, e se loteou a administração pública para a oficialidade. O exército que em 1967 se recusara a treinar oficiais em técnicas antiguerrilheiras, em 73 assenhoreou-se, pela primeira vez na história, de verbas superiores às destinadas para a educação.[50]

A ditadura uruguaia começou a se tornar típica quando se autodenominou um regime "cívico-militar". Dias antes da chegada de Bordaberry a Brasília uma nova Lei Orgânica das Forças Armadas informava que "o Estado Militar impõe: obediência, sacrifício, estoicismo, rigorismo, renúncia em prol da eficácia e continuidade do serviço".[51] Os cidadãos haveriam de ser divididos em três categorias: A, B e C. Um A podia trabalhar no serviço público, mas um C, indigno da confiança do regime, nem numa empresa privada podia entrar sem causar embaraço ao patrão. Os militares supervisionavam até mesmo as escolhas de capitães de times de futebol.[52] O principal presídio da ditadura chamou-se La Libertad. Os prisioneiros políticos foram transformados em cobaias de vingança e de experiências psiquiátricas. Ao banimento dos textos freudianos nas universidades correspondeu um experimentalismo behaviorista nos cárceres. Nas palavras do principal psiquiatra do regime, "a guerra continuava na cadeia [...] a cada dia, a cada regra, tudo fazia parte de um plano para fazê-los sofrer psicologicamente".[53] Criavam-se ambientes instáveis, onde aquilo que era privilégio num dia virava delito no outro. Punia-se com um mês de solitária um gesto paternal de afeto durante a visita das crianças (nove horas por ano).[54]

Mauricio Rosencof, teatrólogo de 38 anos, fundador dos Tupamaros e negociador da ajuda de Fidel Castro ao movimento, foi preso em

50 Lawrence Weschler, *Um milagre, um universo — O acerto de contas com os torturadores*, pp. 117-8.

51 *Relatório da Comissão de Direitos Humanos da Organização dos Estados Americanos*, de janeiro de 1978. Em A. Veiga Fialho, *Uruguai — Um campo de concentração?*, pp. 49 e segs. Para o Estado militar, José Luiz Baumgartner e outros, *Os desaparecidos — A história da repressão no Uruguai*, p. 158.

52 Lawrence Weschler, *Um milagre, um universo — O acerto de contas com os torturadores*, pp. 96-8.

53 Idem, pp. 136-7.

54 Idem, pp. 137 e segs.

1973 e torturado por nove meses. Ficou onze anos na prisão, durante os quais calcula que não enxergou a luz do sol por mais de oito horas. Soube do golpe chileno com três anos de atraso. Nunca viu o rosto de outro prisioneiro, viveu em celas de três metros quadrados, perdeu a noção das cores e freqüentemente teve de matar a sede com a própria urina.[55] Resistiu sonhando passeios. Quando era chamado para as sessões de tortura, se lembrava da filha, dos judeus do gueto de Varsóvia, e recitava: "Eu sou os que foram".[56]

Antes da ofensiva militar, quando os Tupamaros ainda metiam medo, o ministro da Justiça, Alfredo Buzaid, expôs a um grupo de convidados que reuniu à mesa no Jockey Club a possibilidade de um conflito militar "com um país do Sul". Seria algo como o surgimento de uma legião estrangeira atravessando o Chuí. Um dos comensais associou essa eventualidade a uma inevitável prorrogação do mandato de Medici. Três semanas depois a conversa estava nos ouvidos de Golbery.[57]

As duas ditaduras se entendiam. O presidente americano Richard Nixon contara ao primeiro-ministro britânico Edward Heath que os brasileiros ajudaram a fraudar a eleição que levara Bordaberry à presidência.[58] No meio das tropas que ocuparam as ruas de Montevidéu durante o golpe de junho, havia veículos militares brasileiros, parte de um lote de trezentos, remetidos numa transação de governo para governo.[59] Geisel, que em 1971 não levara a sério os planos de invasão do Uruguai pelos soldados do III Exército, se equipou para proteger a nova ordem, caso ela precisasse de combustíveis da Petrobrás para dobrar uma greve das refinarias.[60]

55 Depoimento de Mauricio Rosencof, "On suffering, song, and white horses", em *Repression, exile, and democracy*, editado por Saúl Sosnowsky e Louise B. Popkin, pp. 120-32.

56 Idem, p. 130.

57 Narrativa feita a Heitor Ferreira por Paulo Egydio Martins, que participara do jantar, em *Diário de Heitor Ferreira*, 5 de maio de 1972.

58 Memorando secreto de Henry Kissinger sobre um encontro do presidente Richard Nixon com o primeiro-ministro Edward Heath, de 20 de dezembro de 1971. *National Security Archive*: <http://www.gwu.edu/~nsarchiv/NSAEBB/NSAEBB71/doc15.pdf>.

59 Telegrama da agência Latin, de 13 de julho de 1973, transcrevendo uma denúncia do senador Wilson Ferreira Aldunate, publicada no jornal *La Opinión*, de Buenos Aires.

60 *Diário de Heitor Ferreira*, 29 de junho de 1973.

As duas polícias colaboravam, e as cidades fronteiriças se tornaram uma espécie de zona de livre captura. Em outubro de 1972, Adamastor Bonilha, veterano do PC do B e da guerrilha de Caparaó, manco de tantas surras, conseguiu escapar a uma patrulha brasileira que foi caçá-lo na cidade uruguaia de Rivera.[61]

Bordaberry veio e voltou com uma agenda leve. Trouxera duas preocupações: um projeto de hidrelétrica para o rio Jaguarão — destinado a irrigar terras de cultura de arroz — e, sobretudo, a falta de freguesia para suas exportações de carne, que tinha levado os estancieiros a suspender os abates.[62] Três meses depois, o Brasil comprou um pedaço do estoque uruguaio, e o próprio Bordaberry fez chegar a Geisel um agradecimento formal.[63]

O CHILE DE PINOCHET

Augusto Pinochet, chefe da junta militar que governava o Chile, chegara na véspera. Em sua primeira viagem ao exterior, era um hóspede constrangedor. Ótimo que existisse, preferível que não tivesse vindo. Tinha 58 anos, e foi percebido no dia 11 de setembro de 1973, quando comandou a rebelião militar que derrubou o governo do presidente Salvador Allende. A experiência neo-socialista chilena durara mil dias, arruinara a economia e dividira a sociedade. O palácio presidencial foi bombardeado sete vezes pela aviação, atacado por tanques e invadido pela tropa no início da tarde. Allende foi encontrado num salão, sobre um sofá de veludo vermelho, com a cabeça destroçada. Matara-se com uma submetralhadora soviética. Nela fora gravada uma dedicatória: "Para Salvador, do teu

61 José Wilson da Silva, *O tenente vermelho*, p. 198.

62 Notas de Geisel, relativas às conversas com Bordaberry, Banzer e Pinochet, de 15 de março de 1974, recebidas por Heitor Ferreira no dia 18. APGCS/HF.

63 Nota do embaixador uruguaio Carlos Manini Ríos ao ministro Azeredo da Silveira, transcrevendo uma mensagem de Bordaberry a Geisel, de 14 de junho de 1974. APGCS/HF.

companheiro de armas, Fidel Castro".[64] Em 1967 o Che Guevara jogado numa cova à beira do campo de pouso de Vallegrande significara o fim da experiência do guerrilheiro heróico. Em 1973, com Allende, acabara-se o caminho eleitoral para o socialismo. Retirado do La Moneda num poncho, o presidente foi sepultado em caixão lacrado num túmulo sem inscrição. A palavra *Pinochet* designava muito mais uma modalidade de repressão política do que aquele general de rosto fechado, bigodes grisalhos e olhos azuis, duas vezes recusado pela Academia Militar (uma por baixo, outra por magro). Fizera uma carreira comum e se comprometera com o golpe 48 horas antes da revolta. Entre o momento em que foi disparado o primeiro tiro contra o La Moneda e o instante em que o cadáver de Allende deixou o palácio, Pinochet comportou-se como um chefe militar audacioso e violento.[65] Descontando-se sua saúde de ferro, era um Costa e Silva que vinha dando certo. Ainda assim, havia alguma insegurança acerca da extensão de seu predomínio e da durabilidade de seu poder pessoal. Heitor Ferreira resumira essa sensação no diário: "Assumiu uma junta de 4. Vamos ver. Por enquanto manda o general Pinochet".[66]

Prenderam-se 45 mil pessoas. Ministros do governo deposto foram mandados como "prisioneiros de guerra" para a base militar de Dawson, no estreito de Magalhães, tendo sido submetidos a trabalhos forçados e ginástica na neve. Sete mil presos foram trancados no Estádio Nacional de Santiago, onde Garrincha ganhou a Copa de 1962.

Panfletos e comunicados radiofônicos pediam que caçassem os forasteiros que haviam confluído para o país em busca de proteção, prestígio ou proezas. "Não se terá compaixão dos estrangeiros que vieram matar chilenos."[67] José Serra, ex-presidente da UNE, que vivia no Chile desde

64 Pamela Constable e Arturo Valenzuela, *A nation of enemies — Chile under Pinochet*, p. 17. Para outra narrativa do golpe, Joan Garcés, *Allende e as armas da política*, pp. 299 e segs.

65 Para o comportamento de Pinochet durante as horas decisivas do golpe, ver Patricia Verdugo, *Interferencia secreta — 11 de Septiembre de 1973*. Trata-se do livro e do disco compacto com a gravação das conversas telefônicas mantidas pelos comandantes das três armas entre a manhã e o meio da tarde do dia 13 de setembro. Para a adesão, Nathaniel Davis, *Os dois últimos anos de Salvador Allende*, pp. 252-3.

66 *Diário de Heitor Ferreira*, 28 de setembro de 1973.

67 Alfredo Sirkis, *Roleta chilena*, p. 35.

1965 como economista da CEPAL e, mais tarde, professor da Faculdade Latino-Americana de Ciências Sociais, a Flacso, e colaborador bissexto de Allende, foi levado para o estádio. Preso em outubro, foi libertado dois dias depois graças a uma gestão do embaixador sueco junto ao major encarregado da triagem. Esse oficial se chamava Ivan Lavanderos, era um esquerdista assumido, e já soltara outros prisioneiros a pedido do diplomata. Quando sua tolerância (aliada à sua conhecida militância) chegou ao conhecimento do coronel que comandava os interrogatórios, fuzilaram-no.[68] Túlio Quintiliano, um ex-militante do PCBR, foi entregue à tropa por vizinhos e desapareceu no dia 13 de setembro. O físico Luiz Carlos Almeida foi fuzilado às margens do rio Mapocho.[69]

O ex-sargento José de Araújo Nóbrega, veterano do ataque ao QG do II Exército e do confisco do cofre de Adhemar de Barros, era conhecido como *Sete Vidas*. Escapara do cerco da base de Itapecerica da Serra e já fora dado por morto e sepultado depois de um tiroteio no Rio. Foi retirado do Estádio Nacional com as mãos amarradas com arame. Três anos antes, capturado na guerrilha do vale do Ribeira, vira-se diante da mira de um coronel que ia executá-lo e, certo de que morreria, gritara "Viva a Revolução". No vale do Ribeira a execução era teatro.[70] Em Santiago puseram-no num ônibus com outros presos, levaram-nos para a periferia da cidade, mandaram que corressem e os metralharam. *Sete Vidas* tomou dois tiros de raspão na cintura, machucou o pé, pulou de um barranco, caiu num charco, fingiu-se de morto e esperou algumas horas para procurar abrigo.[71]

As embaixadas que recebiam perseguidos estavam lotadas. Na do Panamá, um pequeno apartamento, entraram 364 asilados. O embaixador

68 Pamela Constable e Arturo Valenzuela, *A nation of enemies — Chile under Pinochet*, p. 54.

69 Alfredo Sirkis, *Roleta chilena*, p. 80. *Dossiê dos mortos e desaparecidos políticos a partir de 1964*, pp. 414-5. Mais tarde o governo chileno reconheceu sua responsabilidade pela morte de Túlio Quintiliano, Luiz Carlos Almeida, Vânio José de Matos, Nelson de Souza Kohl e Jane Vanini. *Veja*, 20 de janeiro de 1994, p. 31.

70 Marcelo Rubens Paiva, *Não és tu, Brasil*, pp. 172-3.

71 Depoimento de José de Araújo Nóbrega, em *IstoÉ* de 7 de novembro de 1990.

panamenho estendeu a extraterritorialidade de sua representação à casa do economista Theotonio dos Santos, protegendo dezenas de brasileiros.[72] No palacete da Argentina, havia setecentos asilados, 120 eram brasileiros.[73] Na do Brasil, ninguém. Chefiava-a o embaixador Antonio da Câmara Canto, um gaúcho famoso no Itamaraty pela severa sinceridade e, nos postos por onde passou, pelas habilidades como cavaleiro. Pinochet o associava ao comportamento da diplomacia brasileira no dia do golpe: "Ainda estávamos disparando, quando chegou o embaixador e comunicou-nos o reconhecimento".[74] (A Casa Branca só normalizou suas relações com a junta treze dias depois.) No meio da tarde do dia 11, Câmara Canto festejava atendendo o telefone com a notícia: "Ganhamos".[75] Era um golpista militante. Em março, durante um almoço com o embaixador americano Nathaniel Davis, convidara-o para trabalharem juntos pela deposição de Allende.[76] A essa altura a organização ultramontana e terrorista Patria y Libertad contrabandeava armas valendo-se de contatos no Brasil e na Argentina.[77] A própria CIA detectou uma conexão financeira entre os conspiradores chilenos e o empresariado estabelecido no Brasil.[78] Meses mais tarde, quando a Patria y Libertad se meteu num putsch, Câmara Canto asilou um de seus dirigentes.

É verdade que nem mesmo o medo levava a diáspora esquerdista de Santiago a confiar na embaixada, mas dela não partiu sinal de piedade para com os brasileiros perseguidos. Nos dias seguintes, foi negado um salvo-conduto para que a companheira do ex-capitão da PM paulista Vânio José de Matos, morto no Estádio Nacional, deixasse o país, com a con-

72 Martha Vianna, *Uma tempestade como a sua memória — A história de Lia, Maria do Carmo Brito*, p. 134.

73 Alfredo Sirkis, *Roleta chilena*, pp. 130-3. Para o número de brasileiros, Fernando Gabeira, *O crepúsculo do macho*, p. 161.

74 *O Estado de S. Paulo*, 15 de março de 1974, p. 5, citando a revista chilena *Ercilia*.

75 Dorrit Harazim, setembro de 1973. Dorrit esteve em Santiago até o dia 18 de setembro, e no dia 11 telefonou ao embaixador.

76 Nathaniel Davis, *Os dois últimos anos de Salvador Allende*, p. 374.

77 Idem, p. 179.

78 Depoimento de Frederick Davis, da CIA, ao Congresso Americano. Citado em Nathaniel Davis, *Os dois últimos anos de Salvador Allende*, pp. 373-4.

cordância da junta e sob a proteção das Nações Unidas.[79] A ditadura só tinha interesse nos mortos. O Centro de Informações da Aeronáutica informava à Comunidade que quatro banidos tinham sido mortos. Um deles era José de Araújo Nóbrega, o *Sete Vidas*, que vivo continuava.[80]

Havia regozijo pela virada chilena. Em seu escritório da Dow, o general Golbery dizia: "Não se faz omelete sem quebrar ovos".[81] Para ajudar a quebrá-los, quatro aviões militares brasileiros desceram em Santiago ainda quando as fronteiras do Chile estavam fechadas. Oficialmente, levavam remédios e comida.[82] José Serra, naquela altura preso no Estádio Nacional, ouviu carcereiros falando português.[83] Um acidente burocrático fez com que 26 anos depois saísse de sua pasta do DOPS paulista um bilhete dos dias em que viveu asilado na embaixada da Itália em Santiago. Continha trechos da ficha dele e concluía: "Como vês, trata-se de 'boa gente', que bem merece ser 'tratado' pelos chilenos".[84]

Para Pinochet a visita ao Brasil servia como uma tênue demonstração de que furava o isolamento internacional. Associava-se à milagrosa ditadura brasileira, que, bem ou mal, tinha prestígio. O regime chileno encerrara o ano com 1500 mortos e 7 mil exilados.[85] Fechara o Congresso, banira os partidos e cancelara qualquer tipo de eleição, até mesmo para a indicação das diretorias de associações esportivas. Dois mortos o acompanharam na viagem. Na véspera de seu embarque os chilenos souberam que o general Alberto Bachelet, diretor do sistema nacional de abastecimento durante o governo Allende, desaparecido desde o golpe, sucumbira a um ataque cardíaco na cadeia pública de Santiago.[86] No dia da posse de

79 Dorrit Harazim, setembro de 1973. Em Santiago, Dorrit acompanhou as negociações para a obtenção do salvo-conduto. Denise Rollemberg, *Exílio*, p. 175.

80 *Informação nº 583*, do CISA, de 11 de novembro de 1973, em *O Globo* de 3 de janeiro de 1999, pp. 37-40. Em 1992 o Estado chileno reconheceu-se responsável pela morte de cinco brasileiros.

81 Comentário feito por Golbery ao autor dias depois do golpe chileno.

82 *O Globo*, 24 de setembro de 1973, 1º caderno, p. 19.

83 José Serra, 2000.

84 Dácio Malta, "Documento mostra ameaça a Serra no Chile", *O Globo* de 21 de maio de 2000, p. 45.

85 Pamela Constable e Arturo Valenzuela, *A nation of enemies — Chile under Pinochet*, p. 20.

86 *O Estado de S. Paulo*, 14 de março de 1974, p. 16.

Geisel, veio a notícia de que o ex-ministro da Defesa José Tohá se enforcara na prisão da ilha de Dawson.[87]

Aquilo que podia parecer uma exposição desnecessária foi um gesto de astúcia de Pinochet. Ele visitou Brasília e o Rio de Janeiro com todas as honras de chefe de Estado e sem as aporrinhações de ditador. Ainda obrigado a partilhar poderes com os outros três comandantes da junta, tirava partido da sua condição de representante da nação, chegando inclusive a forçar uma reunião com o presidente boliviano Hugo Banzer. Afora o espetáculo, Pinochet não tinha agenda, e da audiência com ele Geisel registraria poucas linhas: "Pede constituição de uma comissão de alto nível para estudar todas as questões, não só econômicas, que devem servir para incrementar as relações com o Brasil".[88]

A grande colaboração chilena já estava consumada. Os documentos da Associação Chileno-Brasileira de Solidariedade, que funcionava em Santiago, foram capturados e levados para a Agência Central do SNI.[89] A diáspora brasileira sofreu em 1973 uma nova derrota de seus sonhos. Até 1969, dividida entre a Europa e o Uruguai, ela fora o exílio da radicalização do regime de 46, desterro de João Goulart, Leonel Brizola e Darcy Ribeiro. A partir de 1969, mudara de qualidade. Era formada por revolucionários dispostos a combater pelo socialismo retornando ao país ou mesmo fazendo a Revolução Chilena. Era o desterro de Onofre Pinto, dos sargentos da VPR e dos dólares do cofre de Adhemar de Barros, dos banidos e dos combatentes da ALN. Perdida a base operacional de Santiago, essa diáspora se espalhara pelo mundo, buscando apenas abrigo. Como registrou Herbert José de Souza, o *Betinho* da AP, deu-se um "salve-se-quem-puder e embarque para onde possa". (Ele embarcou para o Panamá e, de lá, refugiou-se no Canadá.)[90] No inverno europeu de 1973, os brasileiros deixaram de ser os exilados-combatentes que vi-

87 *O Estado de S. Paulo*, 16 de março de 1974, p. 14.

88 Notas manuscritas de Geisel, entregues a Heitor Ferreira no dia 18 de março de 1974. APGCS/HF.

89 Centro de Informações do Exército, Relatório Especial de Informações nº 04/74, intitulado *Subversão Comunista no Brasil*, de 20 de junho de 1974. AA.

90 *De muitos caminhos*, coord. de Pedro Celso Uchôa Cavalcanti e Jovelino Ramos, p. 106.

nham da VPR e da ultra-esquerda chilena, como Ângelo Pezzuti, ou da central cubana, como Chizuo Osava, o *Mário Japa*. Na Europa, tornaram-se simples refugiados, protegidos pelo Alto Comissariado da ONU. No campo de refugiados de Alvesta, na Suécia, para onde foram mandados alguns brasileiros, havia cerca de mil. Uns vinham de Uganda e de Bangladesh. Outros, do Leste europeu ou da Turquia. Quase todos migrantes econômicos. Terminara a viagem dos codinomes. *Elisa* e *Diogo* de Santiago, que haviam sido *Márcia* e *Honório* do seqüestro de Elbrick, voltaram a ser Vera Sílvia Magalhães e Fernando Gabeira. Ele, motorneiro de metrô em Estocolmo. Ela, vendo o tamanho da mudança: "Até então o exílio era uma coisa transitória. [...] Foi na embaixada da Argentina, no Chile, que me identifiquei como Vera Sílvia. Aí, tive a visão de que ia ficar muito tempo no exterior".[91] "Nosso estatuto legal era o de apátridas", registrou Maria do Carmo Brito, a *Lia* da VPR, assentada na Bélgica.[92] A professora Denise Rollemberg, autora de um criterioso estudo sobre a diáspora brasileira, procurou quantificar os expatriados e concluiu que "qualquer tentativa de fazê-lo seria mera suposição, sem nenhum fundamento". Sabe-se que em agosto de 1973, um mês antes do golpe chileno, a ONG Cimade contara 1500 brasileiros na França.[93] Com todas as ressalvas, é possível que os brasileiros que partiram naquilo que anos mais tarde João Bosco e Aldir Blanc chamariam de "rabo de foguete" tenham ficado entre 2500 e 5 mil.[94]

A esquerda moderada, na qual anos antes o sociólogo Fernando Henrique Cardoso comera em Santiago o "amargo caviar do exílio", migrou para a Europa e para os Estados Unidos. José Serra chegaria em julho à Universidade de Cornell.

91 Denise Rollemberg, *Exílio*, p. 55. Fernando Gabeira, *O crepúsculo do macho*, pp. 163-9.

92 Martha Vianna, *Uma tempestade como a sua memória — A história de Lia, Maria do Carmo Brito*, pp. 140-1.

93 Denise Rollemberg, *Exílio*, pp. 53 e 115-21.

94 João Bosco e Aldir Blanc, "O bêbado e a equilibrista". Esses números incluem os exilados (que não podiam regressar porque estavam condenados ou tinham certeza de que seriam presos) e todos aqueles que deixaram o país por suspeitarem que tinham a liberdade ameaçada.

A ARGENTINA DE PERÓN

Os dois grandes caudilhos sul-americanos se mantiveram longe da festa de Geisel. Alfredo Stroessner, que completava vinte anos de poder pessoal no Paraguai, não viera, porque era inimigo de Banzer. Juan Perón, novo presidente da Argentina, mandara o ministro do Interior. Havia encrenca no pedaço. Refletia o reencontro com o fantasma das demagogias dos anos 50, mas também a complexidade das relações entre dois vizinhos que não podiam aparar suas divergências com sentimentalismos anticomunistas, partidas de capacetes ou importações de carne.

Perón tinha uma biografia de trapezista. Em 1916, quando era subtenente, os argentinos viviam com uma renda per capita maior que a dos japoneses, 70% da canadense.[95] Chegara ao poder em 1946, coroando um período de anarquia militar. Depuseram-no dez anos depois, numa crise em que bombardearam o palácio, metralharam a multidão, mataram duzentas pessoas e inauguraram nos bivaques um novo período de bagunça, perceptível desde a primeira hora, quando o poder ficou com uma junta de transição onde se sentavam dezessete generais.[96]

Ele encarnava o general latino-americano de caricatura. Juntou uma fortuna calculada em algo como 12 milhões de dólares da época. Só no espólio de Evita, sua mulher, os generais acharam 1650 diamantes, 65 quilos de ouro, outros tantos de prata e três lingotes de platina.[97]

Exilado em Madri, Perón cultivou rosas e a destruição do que chamava de "canalha ditatorial". Em 1955 a ditadura militar se denominava Revolución Libertadora. Onze anos depois, o novo surto denominou-se Revolución Argentina. Os militares empossaram e depuseram dois civis (Arturo Frondizi e Arturo Illia) e dois generais (Juan Carlos Onganía e Roberto Levingston). Por mais que perseguissem o ex-ditador, generais e plutocratas nunca conseguiram calar uma antiga rima peronista:

95 William C. Smith, *Authoritarianism and the crisis of the Argentine political economy*, p. 16.

96 Para a cena da crise do golpe, Robert A. Potash, *El ejército y la política en la Argentina, 1945-1962*, pp. 259 e segs. Para a junta, idem, p. 279.

97 Alicia Dujovne Ortiz, *Eva Perón*, p. 293.

Se siente, se siente,
Perón está presente.

O caudilho tinha nas costas a cicatriz da antipatia da ditadura brasileira. Para os hierarcas da Revolução de 31 de Março, o peronismo era a versão virulenta da demagogia nacional. Em novembro de 1964, num documento do SNI, Golbery sugeria que "se vá alertando a mente para a existência real de um plano perono-comuno-brizolista, visando à agitação na América Latina".[98] Temia que Perón saísse de Madri, desembarcasse em Buenos Aires e virasse a política argentina de cabeça para baixo. Na manhã de 2 de dezembro de 1964 um jato da Iberia que fazia o vôo Madri—Buenos Aires, com escala no Rio, pousou no aeroporto do Galeão com Juan Perón a bordo. O governo sabia de sua presença e não deixou sequer que ele descesse para tomar um café no bar. O chefe do cerimonial do Itamaraty entrou no avião e informou ao passageiro que ali começava sua viagem de volta para a Espanha.

Perón retornou a Buenos Aires oito anos depois, em novembro de 1972. Tinha 76 anos e a saúde alquebrada por padecimentos da bexiga e do pulmão e por uma infecção no pericárdio.[99] Meio milhão de pessoas foram esperá-lo no caminho do aeroporto de Ezeiza. Aproximava-se da senilidade como senhor de um país cuja renda per capita caíra a menos da metade da japonesa, um quinto da canadense. Somando-se a uma sucessão de desastres, a salada de teorias corporativas, cosmopolitas e contracionistas dos oito ministros da Economia de sete anos de ditadura militar havia produzido uma inflação de 75,9% e um déficit público de 6,3% do Produto Interno Bruto.[100]

A natureza militarista e repressiva do regime, bem como a militarização das bases peronistas, levou a violência política argentina a um ní-

98 *Impressão Geral nº 11*, de 9 de novembro de 1964.

99 Conversa de Geisel com Golbery e Heitor Ferreira, narrando-lhe uma entrevista com Azeredo da Silveira, 5 de dezembro de 1973. APGCS/HF.

100 William C. Smith, *Authoritarianism and the crisis of the Argentine political economy*, pp. 201 e 204.

vel inédito. Antes do retorno de seu líder a Buenos Aires, o braço terrorista do peronismo explodira 1817 bombas e seqüestrara vinte pessoas.[101] Matara o presidente da Fiat, o comandante da guarnição militar de Rosario e o general Pedro Aramburu, ex-presidente da República, que autorizara o fuzilamento de dezoito militares (um deles, general) e nove civis na repressão a um levante peronista. Era a guerrilha urbana mais próspera, ativa e letal do mundo. Até o final de 1973 arrecadara mais de 20 milhões de dólares extorquindo e seqüestrando empresários.[102] Em 1972 os terroristas italianos haviam matado cinco pessoas em 595 ações (um morto para cada 119 ações).[103] Os argentinos, 68 em 737 (um morto para cada onze ações). Do outro lado institucionalizara-se a tortura e, no primeiro massacre de um triste ciclo, dezesseis prisioneiros foram assassinados na base naval de Trelew. O chefe da operação, contra-almirante Horácio Mayorga, diria mais tarde: "Para mim, era preciso que tivesse havido fuzilamento no estádio do River, com Coca-Cola grátis e tudo sendo televisionado".[104]

Os comandantes militares tinham concebido uma manobra de entrega do poder aos civis na qual tosariam o lobo velho e desdentado. Chamavam-na Gran Acuerdo Nacional. Asseguravam-se o direito de veto às decisões do novo poder civil e se mantinham como supervisores do que haveria de ser um governo de "transição e consolidação".[105] Três anos antes de assumir a presidência, quando comandava o exército, o general Alejandro Lanusse já dizia que a melhor saída para as forças armadas era "embolsar" Perón, permitindo seu regresso.[106] Perón tosou-os.

101 "Archive on socio-political violence in Argentina, 1956-1974", citado em William C. Smith, *Authoritarianism and the crisis of the Argentine political economy*, p. 141.

102 Susanna W. Purnell, "Business and terrorism in Argentina, 1969-1978", em *Terrorism and personal protection*, editado por Brian M. Jenkins, pp. 91 e 93.

103 Alison Jamieson, *The heart attacked — Terrorism and conflict in the Italian State*, p. 20. Um levantamento feito pela Central Intelligence Agency, *Patterns of International Terrorism. A Research Report*, Washington, junho de 1981, usando critérios que não permitem uma comparação direta entre os dois números, diz que em 1972 as vítimas de atos terroristas foram 157.

104 Horacio Verbitsky, *O vôo — A história da operação militar de extermínio que abalou a Argentina*, p. 21.

105 William C. Smith, *Authoritarianism and the crisis of the Argentine political economy*, p. 212.

106 Pio Corrêa, *O mundo em que vivi*, p. 1056.

O lobo velho impôs aos generais não só a eleição dele (com 62% dos votos), mas a presença de sua mulher, Isabelita, na vice-presidência.[107] Era a humilhação definitiva para uma tropa que rosnara em 1951, quando 1 milhão de argentinos marcharam por Buenos Aires pedindo a Perón que colocasse Evita na chapa de sua reeleição. A nova vice-presidente se chamava María Estela Martínez. Perón conhecera-a quando era uma dançarina gostosona no Panamá. Afora o diminutivo, em nada lembrava a gloriosa antecessora. Atarracada, com uma boca pequena e um temperamento tímido, faltavam-lhe a elegância esguia, o sorriso aberto e a energia cruel da primeira. Descendo as escadas do palácio com seus Dior longos, Evita fora um personagem de um conto de fadas fraudulento. Isabelita, aos 42 anos, com suas saias apertadas, não conseguira sair da crônica banal dos oportunistas. O casal entrou na Casa Rosada no dia 12 de outubro de 1973.

Três semanas depois, o comandante da armada argentina, de viagem marcada para o Brasil, pediu que Geisel o recebesse e informou que lhe sugeriria um encontro com Perón, em Buenos Aires.[108] O pedido foi recusado, e a proposta nem sequer foi ouvida. Perón simbolizava tudo o que Geisel detestava: general corrupto, politiqueiro e demagogo. Nas conversas pessoais chamava-o de "uma múmia", mas policiava-se para não agravar a verdadeira dificuldade surgida nas relações com Buenos Aires ainda na época dos consulados militares: era Itaipu.[109]

Em abril de 1973 os governos brasileiro e paraguaio haviam assinado o tratado que permitiria a construção, em condomínio, de uma barragem no rio Paraná, na altura das cataratas do Iguaçu. Com 18 milhões de quilowatts, seria a terceira hidrelétrica do mundo, garantindo o abastecimento do parque industrial brasileiro e dos cofres da plutocracia militar paraguaia.

Os militares argentinos temiam que uma barragem daquele tamanho resultasse numa "irradiação brasileira" ou mesmo na incorporação econômica da região nordeste do seu país, sobretudo as províncias de For-

107 William C. Smith, *Authoritarianism and the crisis of the Argentine political economy*, p. 227.

108 Telegrama do embaixador Azeredo da Silveira ao Itamaraty, de 30 de outubro de 1973. APGCS/HF.

109 Para "uma múmia", conversa de Geisel com Moraes Rego e Heitor Ferreira, 5 de dezembro de 1973. APGCS/HF.

mosa e Misiones.[110] Baseavam-se nos próprios receios e num trecho do *Conjuntura política nacional — O Poder Executivo e geopolítica do Brasil*, do general Golbery, em que ele chamou de "fronteira viva" a linha que separa os dois países na altura da Mesopotâmia argentina.[111] Como fronteira viva pode se mexer e a do Vice-Reinado do Prata sempre se moveu reduzindo o território da Argentina, enquanto o tamanho do Brasil e do Chile dobrava, a obsessão geopolítica tinha pelo menos antecedentes históricos.[112] Julgavam ainda que a obra colocaria o Paraguai definitivamente sob influência brasileira.

Armaram-se de diversas teorias jurídicas (a soberania compartilhada dos rios internacionais), hidrológicas (uma catástrofe que rompesse Itaipu inundaria cidades argentinas) e sanitárias (o lago da barragem propagaria a esquistossomose rio abaixo). Sustentavam a tese segundo a qual o país que fica a montante de um rio internacional de curso sucessivo está obrigado a submeter seus projetos de utilização das águas às nações que ficam a jusante. Em miúdos: para represar o rio Paraná e erguer Itaipu, Brasil e Paraguai precisavam consultar a Argentina, sócia da foz da bacia do Prata. Com o apoio do Chile, da Bolívia e do Uruguai, o presidente Lanusse forçou um convite para visitar o Brasil. Durante o banquete oferecido por Medici, provocou um incidente ao enfiar um "caco" no discurso de agradecimento que entregara ao Itamaraty: condenou o uso do rio sem consultas prévias.[113] Sua comitiva cortou do comunicado conjunto dos dois presidentes o rotineiro *indestructible* que adjetiva a amizade dos países latino-americanos.[114]

110 Para a preocupação argentina, ver Osiris Guillermo Villegas, *Políticas y estrategias para el desarrollo y la seguridad nacional*, pp. 214-5. O general Osiris Villegas foi embaixador da Argentina no Brasil de 1969 a 1972. Antes, durante três anos, fora secretário-geral do Conselho de Segurança Nacional. Ver também Juan Enrique Guglialmelli, "Argentina frente al Operativo Misiones del Brasil", em *Estrategia*, Buenos Aires, n°s 19/20 de novembro e dezembro de 1972 e janeiro e fevereiro de 1973.

111 Golbery do Couto e Silva, *Conjuntura política nacional — O Poder Executivo e geopolítica do Brasil*, p. 58.

112 Em Osiris Guillermo Villegas, *Políticas y estrategias para el desarrollo y la seguridad nacional*, a página 225 desdobra-se em três mapas comparativos do tamanho dos três países sob o título "La geografía en marcha".

113 Mario Gibson Barboza, *Na diplomacia, o traço todo da vida*, pp. 114-6.

114 Informação dada pelo general João Baptista Figueiredo a Heitor Ferreira, em *Diário de Heitor Ferreira*, 13 de março de 1972.

Todas as restrições argentinas a Itaipu podem ser resumidas numa só frase, do chanceler argentino Luis María de Pablo Pardo a seu colega brasileiro Mario Gibson Barboza, num almoço a sós: "O que não queremos, realmente, é que vocês construam essa hidrelétrica com o Paraguai".[115]

Geisel via na rivalidade argentina um exercício fútil. Achava que Lanusse errara o tiro procurando despertar um sentimento de hispanidade sul-americana. "Devia juntar-se ao Brasil e ao Paraguai no esforço anticomunista."[116] Para surpresa dos generais que em 1964 temiam o perono-comuno-brizolismo, o velho lobo congelou a manipulação da rivalidade com o Brasil. Para o governo brasileiro, Perón foi um vizinho menos encrenqueiro que os generais.

PORTUGAL E SUAS COLÔNIAS

O chanceler Rui Patrício chegou ao Rio de Janeiro quase uma semana antes das cerimônias da posse de Geisel. Quadro coadjuvante da ditadura instalada em Portugal desde os anos 30, foi de festa em festa, seguindo o receituário da diplomacia portuguesa: costurar por cima a amizade luso-brasileira. A cada novo governo brasileiro, ela tratava de desarticular os impulsos de boa parte do Itamaraty, que estava interessada em afastar o Brasil da política ultramarina de Lisboa. Portugal mantinha colônias em Angola, Moçambique, Guiné-Bissau e Cabo Verde — tudo o que restava do seu império, quase tudo o que restava da experiência colonial européia. Nem colônias eram mais. Eram guerras perdidas de uma metrópole falida.

Com a economia estagnada, drenado pela imigração para a França e para a Alemanha, Portugal padecia um declínio populacional. Tinha 8,2 milhões de pessoas em casa e 1 milhão fora, a maioria na faixa dos dezoito aos 35 anos. Um português ganhando salário mínimo na França con-

115 Mario Gibson Barboza, *Na diplomacia, o traço todo da vida*, p. 109. Esse almoço ocorreu em junho de 1971.

116 *Diário de Heitor Ferreira*, 17 de janeiro de 1972.

seguia uma renda superior à de 92% de seus compatriotas.[117] A segunda maior população de portugueses vivia na cidade de Paris.[118] Um em cada três dos 120 mil portugueses que emigraram em 1973 eram operários qualificados. A poupança remetida pelos emigrados equivalia a 70% do total das exportações do país.[119]

Esse império anacrônico enfrentava os movimentos de libertação africanos mantendo 150 mil homens armados no além-mar. Estava batido na Guiné-Bissau, onde o poder dos guerrilheiros já fora reconhecido por 54 governos, quase todos africanos ou comunistas. Passava dificuldades em Moçambique e se segurava em Angola, com 60 mil homens aquartelados. As despesas militares chegavam a 425 milhões de dólares, cerca de 7% do Produto Interno Bruto, percentual maior que o dos Estados Unidos e três vezes superior ao da África do Sul.[120] De cada quatro homens com idade suficiente para o serviço militar, um estava na tropa. A percentagem da população portuguesa em armas só era superada em Israel e nos dois Vietnãs.

Todos os governos brasileiros apoiaram Portugal na sua guerra contra os africanos. Desde 1964, faziam isso por solidariedade ao anticomunismo de Lisboa. Em 1965 o governo Castello Branco não disse uma única palavra quando a brasileira Arajaryr Moreira de Campos foi assassinada perto da fronteira espanhola junto com seu companheiro, o general Humberto Delgado, último candidato oposicionista à presidência de Portugal. A polícia política portuguesa operava no Rio, e o ministério do exército português ofereceu estágios de guerra antiinsurrecional a oficiais brasileiros.[121] Fez isso também por conta do poder de pressão da pequena e decadente plutocracia portuguesa do Rio de Janeiro. Esse foi o caso de políticos como Juscelino Kubitschek e Carlos Lacerda, que tinham

117 Kenneth Maxwell, *The making of Portuguese democracy*, pp. 23-4.

118 Donald Sassoon, *One hundred years of socialism*, p. 603.

119 Kenneth Maxwell, *The making of Portuguese democracy*, pp. 23-4.

120 Idem, pp. 29 e 32.

121 Para a ação da PIDE, artigo de Hermano Alves no *Correio da Manhã* de 22 de julho de 1964 denunciando a invasão da casa de um jornalista angolano. Para os estágios, carta do embaixador brasileiro em Lisboa, Boulitreau Fragoso, ao general Ernesto Geisel, de 16 de setembro de 1964. APGCS/HF.

amigos em Lisboa. Tanto os Diários Associados como *O Globo* e o *Jornal do Brasil*, embora em graus variáveis, eram militantes da guerra portuguesa. A indústria bélica brasileira contrabandeava armas para as tropas coloniais em Angola.[122] A conexão se sustentava ainda num romantismo utilitário. Rendera ao presidente Medici os ossos de d. Pedro I para enfeitar a festa do Sesquicentenário da Independência.

Enquanto o apoio brasileiro a Portugal foi uma questão de anticomunismo e romance, Geisel se incomodou pouco com ele. Tentou se associar ao império, juntando a Petrobrás aos portugueses na exploração do petróleo angolano. Foi contraditado e vencido pelo chanceler Gibson Barboza, que via na iniciativa um perigoso envolvimento brasileiro na guerra africana.[123] O general só se transformou num adversário do colonialismo lusitano depois da crise do petróleo de 1973. Pressionado pelos americanos, o governo de Lisboa permitiu que a ponte aérea destinada a garantir o suprimento de armas para Israel se reabastecesse nos Açores. Os países árabes responderam embargando as exportações de petróleo para Portugal.

Discutindo um editorial do *Jornal do Brasil* que defendia uma negociação afro-luso-brasileira para a questão angolana, Geisel disse a Golbery: "Eu acho que nós deveríamos mandar Portugal passear. [...] Acho que está na hora de pegar Portugal e dizer: 'Olha, não conte mais com o Brasil'".[124] No dia seguinte a essa conversa, o Itamaraty informou-o de que era grande a possibilidade de o Brasil sofrer alguma retaliação dos árabes por conta do apoio que dava à política colonial portuguesa.[125] Quando um diplomata lhe ofereceu um esboço de política externa, sugerindo que o Brasil trocasse com Portugal o apoio à política colonial pelo petróleo angolano, Geisel anotou um seco N.[126]

122 Antonio Delfim Netto, julho de 1988. Delfim afirmou que o Itamaraty fazia de conta que não via. "Eles estavam fartos de saber que havia [venda de armas], mas a gente respondia dizendo que não constava nada a esse respeito, e o assunto se encerrava."

123 Mario Gibson Barboza, *Na diplomacia, o traço todo da vida*, p. 244, e *Diário de Heitor Ferreira*, 19 de setembro de 1972.

124 Para o editorial, intitulado "Família atlântica", *Jornal do Brasil* de 7 de novembro de 1973, 1º caderno, p. 6. Conversa de Geisel com Golbery, 20 de novembro de 1973. APGCS/HF.

125 Telefonema de Dário Castro Alves a Heitor Ferreira, 21 de novembro de 1973. APGCS/HF.

126 Carta do embaixador Vasco Mariz a Geisel, de 6 de dezembro de 1973. APGCS/HF.

Em fevereiro, durante a conversa em que convidou o general Dale Coutinho para o Ministério do Exército, foi mais didático. Argumentou que a crise do petróleo obrigava o Brasil a se aproximar dos árabes:

> Eu tenho a impressão de que está na hora da gente dizer para Portugal: 'Nós somos amigos, nós somos parentes, somos irmãos, mas esse troço vocês têm que evoluir, vocês têm que estudar a maneira de dar liberdade a esses países. O inglês não deu, o francês não deu? [...] Eles vêm com o negócio que aquilo não é colonialismo, que eles são províncias, mas isso é tapeação. [...] Mas eu acho que a nossa política em relação a Portugal tem que mudar. Eu tenho informações de que a mocidade de Portugal toda está contra. Já não quer prestar o serviço militar, o número de mutilados moços que voltam a Portugal, que se vê nas ruas, já é muito grande. E os comunas esperando. Já estão infiltrados, esperando as coisas lá dentro. Aquela posição monolítica que havia antigamente em Portugal, no tempo do Salazar,[127] hoje em dia já não tem mais.[128]

Conheciam-se os números que alimentavam a inquietação militar. Um milhão de soldados portugueses já haviam passado pela guerra da África. A maioria dos combatentes era analfabeta, e os filhos das boas famílias se protegiam servindo nos estados-maiores, que além de ficarem longe do fogo, só começavam a trabalhar depois do almoço. Em Angola, um subtenente ganhava menos que porteiro de cinema, metade do que recebia um barbeiro. Como a classe média fugiu do serviço militar, o governo preencheu com conscritos as vagas dos níveis inferiores da oficialidade. Os conscritos não podiam subir na hierarquia e, portanto, evitavam as linhas de combate.[129] Em julho de 1973, procurando quebrar o círculo vicioso, ampliou-se o acesso dessa parte da tropa às promoções. Como seria levada em conta a antiguidade de serviço, a providência obs-

127 Refere-se a António de Oliveira Salazar, o pai e encarnação da ditadura, que governou Portugal por quase cinqüenta anos, até 1968, quando a cadeira em que estava sentado se desmanchou, ele bateu a cabeça, teve um derrame e viveu os dois anos seguintes em coma. Tinha 81 anos quando morreu.

128 Reunião de Geisel com Dale Coutinho, 16 de fevereiro de 1974. APGCS/HF.

129 Kenneth Maxwell, *The making of Portuguese democracy*, pp. 19-20 e 36-7.

truiria as promoções dos oficiais regulares e, com isso, estaria criado outro círculo vicioso. Em dezembro o governo recuou, revogando as facilidades oferecidas aos conscritos e aumentando os salários dos oficiais.[130] Podia não ser um retorno ao monolitismo de Salazar, mas tentava ser paliativo aceitável. Parecia que nem havia por que temer os comunas. Vinte e dois membros do Partido Comunista Português tinham gramado um total de 308 anos de cadeia, e seu secretário-geral, depois de pagar treze de cárcere, estava no 14º de exílio. O chefe da Central Intelligence Agency, William Colby, pensara em fechar a estação da companhia em Lisboa. O adido militar americano se orgulhava de nunca ter conversado com nenhum oficial português cuja patente fosse inferior à de coronel.[131]

Geisel duvidava que a guerra africana pudesse resultar numa vitória portuguesa, mas confiava na estabilidade do regime. Só isso explica a sua vontade de mandar o irmão Orlando para a embaixada do Brasil em Lisboa. A idéia lhe ocorreu antes de saber que ele queria continuar no ministério. Garantia-lhe a segurança, proporcionava-lhe uma vilegiatura e mantinha-o próximo da filha, casada com o coronel-adido em Lisboa.[132] Orlando recusou, e a embaixada rolou para o general Carlos Alberto da Fontoura, chefe do Serviço Nacional de Informações. Era general-de-divisão, a permanência dele no Brasil seria encrenca certa, e Geisel queria que sumisse no exílio.[133]

O rompimento com a parceria colonialista relacionava-se às conseqüências embaraçosas que ela produzia junto aos árabes. Por isso, Geisel queria resolver logo a questão. Disse isso ao embaixador Azeredo da Silveira quando o convidou para o ministério, e insistiu dias depois, ao receber dele um projeto de política gradualista. Preparando-o para as conversações que haveria de ter com o chanceler português Rui Patrício, foi claro: "Ele não pode ter ilusão. Nós temos que mostrar para Portugal que a política mudou".

130 Hugo Gil Ferreira e Michael W. Marshall, *Portugal's Revolution*, p. 29.

131 Kenneth Maxwell, *The making of Portuguese democracy*, pp. 69-70.

132 Para vilegiatura, reunião de Geisel com Golbery, Moraes Rego e Heitor Ferreira, 3 de dezembro de 1973. APGCS/HF.

133 Conversa de Geisel com Moraes Rego, Americo Mourão e Heitor Ferreira, 8 de janeiro de 1974. APGCS/HF.

Silveira justificou-se: "O problema de Portugal é muito emocional no Brasil. Então, a gente tem que botar uma azeitona na empada. [...]".

Geisel foi duro. Disse-lhe que trouxera um documento "muito fraco" e repetiu o recado que tinha para a diplomacia portuguesa: "Olha, não conte mais conosco".[134]

O general entendeu que o embaixador estava preocupado com a pressão interna dos portugueses. Seu próprio irmão, ao saber do projeto de reviravolta, lhe dissera: "Vai devagar".[135] Da conversa resultou que Silveira trataria do assunto, mas seria o general Fontoura, ao chegar a Lisboa, quem cravaria a estaca. O chefe do SNI pretendia tirar férias e passear um pouco pela Europa.

Uma semana antes da posse, Geisel tinha consigo um livro que fazia imenso sucesso em Lisboa e no além-mar: *Portugal e o futuro*, do general Antônio de Spínola. Lançada em fevereiro, a edição de 50 mil exemplares esgotara-se em doze horas. O autor era vice-chefe do estado-maior e comandara as tropas na Guiné-Bissau, onde, desde 1968, dava a guerra por perdida.[136] Dizia que "o caminho para o futuro próspero de sobrevivência da Nação passa necessariamente pelo rápido restabelecimento da paz". "Pretender vencer uma guerra subversiva por meio de uma solução militar é aceitar, de antemão, a derrota."[137] Era o último general de monóculo. Combatera ao lado das tropas franquistas durante a Guerra Civil Espanhola e acompanhara o cerco de Leningrado como observador junto às forças alemãs.[138] Rui Patrício desceu em Brasília e fingiu desdenhá-lo: "Vocês falam tanto sobre este livro que estou pensando em lê-lo".[139]

Era tarde para a diplomacia colonial. Era tarde também para Geisel, cuja diplomacia anticolonialista ficara restrita ao seu círculo de interlocutores. A essa altura as caravelas coloniais perdiam tripulação. Mesmo Carlos Lacerda, um ardoroso defensor da aliança luso-brasileira, escre-

134 Reunião de Geisel com Azeredo da Silveira, 28 de fevereiro de 1974. APGCS/HF.

135 Reunião de Geisel com Golbery e Heitor Ferreira, 14 de março de 1974. APGCS/HF.

136 Kenneth Maxwell, *The making of Portuguese democracy*, p. 31.

137 Antônio de Spínola, *Portugal e o futuro*, pp. 43 e 47.

138 Kenneth Maxwell, *The making of Portuguese democracy*, p. 34.

139 *O Estado de S. Paulo*, 14 de março de 1974, capa do 1º caderno.

via: "O Brasil não pode mais apoiar uma causa perdida".[140] Já o primeiro-ministro português, Marcello Caetano, lera o livro de Spínola de uma só vez, numa madrugada de fevereiro, e concluíra que havia um golpe militar em marcha.[141] O império ruía em Portugal.

Desde setembro de 1973 um grupo de oficiais se organizara secretamente numa rede que se estendia às colônias. Autodenominara-se Movimento dos Capitães, mas logo depois ficara conhecido como Movimento das Forças Armadas, MFA. Em dezembro já recrutara duzentos dos 1600 capitães e majores portugueses, e era dirigido por uma comissão de quinze oficiais. Planejavam um golpe de estado que derrubasse a ditadura.[142]

No dia 5 de março, discutindo o projeto gradualista apresentado por Silveira, Golbery implicara com um trecho em que o embaixador dizia ser necessário "manter a posição brasileira anticolonialista". Argumentava: "Ninguém acredita nisso. A nossa posição anticolonialista é quase que subconsciente, porque os outros não se dão conta disso".[143] Em Lisboa, nesse mesmo dia, o MFA colocou-se secretamente sob as ordens do general Spínola. Enquanto Geisel era empossado em Brasília, a Guarda Republicana cercou a Academia Militar, onde se realizava uma reunião de oficiais.[144] No dia seguinte um regimento de infantaria tentou marchar sobre Lisboa, foi contido, e prendeu-se uma centena de oficiais. Diante da agitação militar, Geisel pôs o pé no freio: "Nosso propósito é chegar no fim com uma posição clara contra [a política colonial], mas a crise interna deles nos obriga a ir mais devagar".[145]

Rui Patrício recebeu o recado de Silveira com uma postura fatalista: "Se o Brasil não pensa como nós pensamos, o que é que podemos fazer?".[146] Num projeto de circular à delegação brasileira nas Nações Unidas, Silveira pedia moderação, mas informava: "O Brasil votará a favor

140 No prefácio de *Portugal e o futuro*, de Antônio de Spínola, p. 9.

141 Marcello Caetano, *Depoimento*, p. 196.

142 Kenneth Maxwell, *The making of Portuguese democracy*, pp. 38 e 43.

143 Reunião de Golbery com Geisel, 5 de março de 1974. APGCS/HF.

144 *O Estado de S. Paulo*, 16 de março de 1974, capa do 1º caderno.

145 Nota de Heitor Ferreira, de 16 de março de 1974. APGCS/HF.

146 *O Estado de S. Paulo*, 17 de março de 1974, p. 33.

de projetos que condenem a ação colonialista, ainda que dirigidos especificamente contra Portugal".[147] Ao instruir a embaixada em Lisboa, foi mais longe: "Vossa Excelência [...] não permitirá que a Chancelaria portuguesa possa alimentar a esperança de que o Brasil dará a Portugal o apoio [...] que dele espera o Governo português".[148] A virada pretendida por Geisel estava feita, mas, por falta de oportunidade e de pronunciamento público, manteve-se no circuito burocrático do Itamaraty.

Aos 25 minutos do dia 25 de abril uma rádio de Lisboa transmitiu a voz de um locutor lendo a letra da música "Grândola, vila morena", que falava de uma "terra da fraternidade". Era a senha de um novo levante. Às oito horas a praça do Comércio foi tomada por tanques insurretos. Às onze o governo se mudou para um quartel. Às 17h45, vestindo uma capa bordada e empunhando um chicote de cavaleiro, o general Spínola recebeu a rendição de Marcello Caetano. Mandou colocá-lo num blindado e remeteu-o para a mesma guarnição onde funcionara o comando operacional do golpe. Na manhã seguinte, escoltado por um sargento, Caetano foi embarcado num avião e exilado na ilha da Madeira.[149]

Portugal chegou ao futuro misturando anarquia e liberdade. As mulheres punham cravos nas armas dos soldados, dando à revolução o nome da flor. A classe média estacionava seus carros em locais proibidos, os cafetões tomaram o Rossio, e as prostitutas ocuparam a calçada da pastelaria Suíça. Os homossexuais juntaram-se aos anarquistas, e todos puderam ver a estréia de *Hair*, que sete anos antes anunciara na Broadway "a Alvorada da Era de Aquarius".[150] No dia 14 de maio foi oficialmente abolida a censura. O Partido Comunista Português saiu da clandestinidade, assumiu o controle da central sindical e ganhou o Ministério do Trabalho.

147 *Portugal — Projeto de Circular às Missões junto às Nações Unidas em Nova York e em Genebra, à Missão junto à Unesco e à Representação junto à FAO*, sem data nem assinatura, preparado por Silveira em fevereiro de 1974. APGCS/HF.

148 *Portugal — Projeto de Instruções para o Embaixador do Brasil em Portugal no que Respeita às Questões entre Portugal e os Estados e Territórios Africanos*, sem data nem assinatura, preparado por Silveira em fevereiro de 1974. APGCS/HF.

149 Kenneth Maxwell, *The making of Portuguese democracy*, pp. 58-60. Para o sargento, Marcello Caetano, *Depoimento*, p. 205.

150 Kenneth Maxwell, *The making of Portuguese democracy*, pp. 61-2.

O governo brasileiro acabou comprando o pior pedaço do passado português. No dia 19, no Rio de Janeiro, o ministro da Justiça, Armando Falcão, expediu uma nota aos seus censores informando que nada se podia escrever a respeito da iminente chegada ao Brasil do ex-primeiro-ministro Marcello Caetano e do ex-presidente Américo Thomaz, um almirante senil que batia continência para porta de elevador. Depois viriam o ex-chanceler Rui Patrício e boa parte da plutocracia portuguesa, inundando de pratas e obras de arte o mercado carioca de antiguidades. Na cadeira de chanceler sentava-se agora o advogado socialista Mário Soares. Pagara com uma deportação para a ilha de São Tomé o empenho em tentar desvendar o assassinato de Humberto Delgado e Arajaryr Moreira de Campos. Era figura fácil para a intelectualidade da esquerda carioca, um desconhecido para a ditadura.

Aconteceu tudo isso, e o general Carlos Alberto da Fontoura ainda não havia chegado a Lisboa. O novo governo português fez saber ao embaixador brasileiro em Londres que talvez fosse o caso de substituí-lo.[151] Geisel tomou a sugestão por insulto e respondeu que ou Portugal recebia o general ou ficaria sem embaixador nos cinco anos seguintes. Em sua primeira carta escrita em Lisboa, Fontoura se queixou das greves, da falta de pão e do excesso de liberdade. Arriscou um palpite: "Penso que as coisas mudarão". (Mudariam, no sentido inverso das esperanças dele.) Indicou que começara a operar: "Já andam à minha cata para saber como se organiza um SNI. [...] O Diabo não é tão feio assim".[152] (Organizou-se um serviço de informações, mas ficou sob o controle de oficiais esquerdistas.)[153]

Geisel nunca modificou sua posição favorável à independência das colônias, mas ela veio a lhe custar bem mais caro do que parecera. Assim como o embaixador Silveira procurara dissolver a crueza do rompimento desejado pelo general, a burocracia militar do próprio governo procurava contê-lo. Se no início do ano Portugal era um aliado fiel porque

151 Telegrama do embaixador Sergio Corrêa da Costa ao Itamaraty, de 24 de maio de 1975. APGCS/HF.

152 Carta do general Carlos Alberto da Fontoura ao general João Baptista Figueiredo, de 28 de maio de 1974. APGCS/HF.

153 Kenneth Maxwell, *The making of Portuguese democracy*, p. 88.

lá não existia esquerda, tornara-se um pesadelo quando pareceu ter ficado sem direita. O rompimento com a política colonial, que parecera um gesto racional de distanciamento de um velho amigo, tornara-se uma aproximação perigosa com o eterno inimigo, a esquerda.

A costura da púrpura

Às nove e meia da manhã do dia 15 de março, os cinco cardeais brasileiros, todos de batina, com largos cintos cor de púrpura, entraram no prédio do Congresso e duas horas depois, em fila, estavam no palácio do Planalto, cumprimentando o novo presidente.[1] A hierarquia católica dava ao regime um sinal de que recebia o governo com a pedra limpa. A cena era o triunfo de uma costura, mas persistia o conflito de propósitos.

Geisel enquadrava a questão da Igreja no seu universo de hierarquias e preferências. Havia os cardeais bons e os ruins, os canais de entendimento possíveis e os espúrios, os temas discutíveis e os intocáveis. No campo das preferências, d. Eugênio Sales, do Rio de Janeiro, era um bom cardeal. O arcebispo felicitara-o pela eleição e oferecera-lhe "a contribuição de minhas orações".[2] Geisel agradeceu, chamando-o de "bom pastor". Cogitara visitá-lo.[3] Também eram bons os cardeais Vicente Scherer, de Porto Alegre, e Avelar Brandão, de Salvador. Ruim: Paulo Evaristo Arns, de São Paulo. O presidente da CNBB, d. Aloísio Lorscheider, arcebispo de Fortaleza, estava classificado entre os maus bispos.

1 Eram os cardeais Eugênio Sales (Rio de Janeiro), Paulo Evaristo Arns (São Paulo), Avelar Brandão (Salvador), Vicente Scherer (Porto Alegre) e Vasconcelos Motta (Aparecida).

2 Carta de d. Eugênio Sales a Geisel, de 17 de janeiro de 1974. APGCS/HF.

3 Carta de d. Eugênio Sales a Geisel, de 23 de janeiro de 1974, e uma tira de papel de Heitor Ferreira, intitulada *Um Programa Tentativo para a Retomada até a Convenção*, de 2 de agosto de 1973. Previa o encontro para o dia 5 de setembro. A visita não ocorreu. APGCS/HF.

Luterano por hábito familiar, o general era um agnóstico discreto e anticlerical assumido. Acreditava quando muito na existência de uma força criadora do universo, a qual, no entanto, seria um ente da física, não uma divindade. Nunca se dirigira ao sobrenatural. Entendia as religiões como sacrários de princípios.[4] Lembrava-se dos padres de Bento Gonçalves ameaçando com o inferno quem entrasse em templo protestante, da professora primária ensinando que a Santa Madre era a Igreja "única e verdadeira".[5] Em condições normais, Geisel era anticlerical por agnóstico. Com uma Igreja na oposição, à sua esquerda, por convicção. Suas queixas eram fundas:

> O ato sexual, a reprodução, é pecado. Pois não é. Eu acho que Deus não seria tão cretino de dar órgãos de reprodução ao homem e à mulher para não serem usados. [...] A Igreja, desde a história de Eva, inventa que aquilo é um pecado. Isso é uma coisa que eu não aceito. Então o cachorro, o gato, o boi, a vaca, todo mundo está pecando? E Deus fez esse troço por quê?[6]
>
> Eles não tinham nada que ir atrás dos direitos do homem, porque esses direitos são direitos aqui na terra, e eles deviam ver os direitos do homem no céu. Isso não é deles. Para mim, isso inclusive foi feito pela Revolução Francesa, que era contra eles. [...] É uma atividade espúria. [...] O sujeito que quer resolver um problema social quer se impor ao governo. [...] A Igreja quer impor uma solução cretina, porque é irreal.[7]

Isso no campo das idéias. No mundo das estruturas políticas, Geisel não conseguia absorver a complexidade da hierarquia católica. Se a Igreja era uma organização comandada por um monarca, então o interlocutor do governo deveria ser seu embaixador, o núncio apostólico. Se era uma organização verticalizada, os generais deveriam conversar com os cardeais. Geisel não entendia que o cardeal-arcebispo de São Paulo não

4 Ernesto Geisel, abril de 1995.
5 Conversa de Geisel com Golbery, Moraes Rego e Heitor Ferreira, 4 de fevereiro de 1974. APGCS/HF.
6 Conversa de Geisel com Golbery, Moraes Rego e Heitor Ferreira, 23 de novembro de 1973. APGCS/HF.
7 Idem.

tivesse, como o comandante da 2ª Região Militar, jurisdição sobre todos os padres paulistas.[8]

Buscava um gancho hierárquico e, acima de tudo, uma forma de evitar contatos com a Conferência Nacional dos Bispos, presidida pelo franciscano Lorscheider. Como Geisel, Aloísio descendia de pobres imigrantes alemães. Nascera em Estrela, a pequena comunidade onde o general guardava seus poucos vínculos familiares. D. Ivo Lorscheiter, primo do arcebispo, era o secretário-geral da CNBB. Num momento da história do Brasil em que as instituições republicanas se viram debilitadas, suas mais poderosas corporações — o Exército e a Igreja — estavam sob o controle de quatro descendentes de colonos alemães, os irmãos Geisel e os primos Lorscheider. Uns tinham a marca da tropa e os outros, a marca da Igreja. Assemelhavam-se na noção de hierarquia e disciplina, bem como na frugalidade da origem comum. O general não os queria por perto. Reclamava:

> O Lorscheider acha que ele é igual a mim. Eu sou o presidente da República, e ele, o Aloísio, ou o outro, ele é o presidente da Igreja. [...] os direitos dele vêm de Deus. E os meus são espúrios, vêm do voto indireto. [...] Ele tem o direito divino de esculhambar a política e todo esse troço, foi Jesus Cristo que deu para ele. [...] Eu não vou aceitar que o Lorscheider sente aqui e venha conversar comigo: 'Bom, porque a Igreja brasileira tem essa reivindicação, porque tem isso, tem aquilo [...] do governo, porque isso, porque aquilo. Eu não posso aceitar isso. Não reconheço nele essa condição. É espúrio, o direito dele é espúrio. Isso aí é um arranjo que eles fizeram para, pela união, eles se transformarem numa força.[9]

O antagonismo abrandava-se, contudo, diante da possibilidade de um choque com o conjunto da Igreja: "Eu também tenho que ter certas condutas, mais ou menos decentes, nessa coisa para eu não estar brigan-

8 Conversas de Geisel com Golbery, Moraes Rego e Heitor Ferreira, 23 de novembro de 1973 e 4 de janeiro de 1974. APGCS/HF.

9 Conversa de Geisel, Golbery e Heitor Ferreira, 15 de fevereiro de 1974. APGCS/HF.

do com o papa. O papa daqui a pouco me excomunga. Não por mim, mas pelo reflexo que isto vai ter depois para o país".[10]

A romaria de cardeais a Brasília tinha sido coisa de Golbery. Conversara primeiro com d. Avelar Brandão. Sugeriu-lhe o impossível: que a Igreja falasse por uma só voz.[11] Almoçara com o cardeal do Rio, d. Eugênio Sales, em tamanho segredo que levou cinco dias para contar a conversa a Geisel.[12] Dois meses antes da posse do novo governo, negociava dois encontros. Um, com os primos da CNBB. O outro, com o cardeal Paulo Evaristo Arns, de São Paulo.

Não se sabe até que ponto o SNI acompanhava os movimentos da hierarquia católica, mas é certo que lhes censurava a correspondência e, quando queria, seguia-lhes os passos.

O chefe da agência carioca do SNI, coronel Edmundo Adolpho Murgel, presenteara Golbery com o livro *Destin du Brésil*, do padre belga Michel de Schooyans, endereçado — com dedicatória do autor — a d. José Maria Pires, bispo de João Pessoa. Fora interceptado pela censura postal e remetido ao Serviço. Como o trabalho tinha tinturas geopolíticas e uma referência elogiosa ao interesse do general pelos problemas do seu país, Murgel mandou-lhe o volume.[13]

No dia 24 de janeiro o telefone de Golbery tocou. Era Murgel. Passara-se pouco mais de um mês do encontro do general com d. Avelar, e faltava pouco para se marcar o almoço com os primos da CNBB. Murgel contou-lhe que o SNI seguira d. Ivo Lorscheiter e o fotografara, abraçado a uma senhora, no escurinho do cinema Azteca, no Catete. Combinaram engavetar o assunto, ficando entendido que uma cópia da fotografia já

10 Conversa de Geisel com Moraes Rego, 23 de novembro de 1974. APGCS/HF.

11 Conversa de Golbery com Geisel, Moraes Rego e Heitor Ferreira, 4 de janeiro de 1974. APGCS/HF.

12 Conversa de Golbery com Geisel, Moraes Rego e Heitor Ferreira, 14 de fevereiro de 1974. APGCS/HF.

13 Golbery leu-o, anotou e, numa margem da página onde havia uma referência à sua obra, escreveu: "Obrigado". AA. Telefonema de Adolpho Murgel a Golbery, 29 de novembro de 1973. APGCS/HF. Monsenhor Michel de Schooyans tornou-se um destacado intelectual no pontificado de João Paulo II, que o nomeou para a Academia Pontifícia de Ciências Sociais.

fora enviada a Brasília.[14] Pouco depois desse telefonema, o general sentou-se à mesa com os dois primos.

Por volta de meio-dia da terça-feira 19 de fevereiro, Golbery chegou sozinho ao apartamento do professor Candido Mendes de Almeida, no Parque Guinle. Era esperado para um almoço com o cardeal-arcebispo de São Paulo, Paulo Evaristo Arns. Conversaram por três horas. Discutiram a tortura, e o general pediu que lhe levassem as denúncias.[15] Propôs até mesmo um mecanismo. Reconhecia que a Igreja se transformara na última instância de oitiva das vítimas, mas temia a publicidade. Mais tarde explicou o estratagema a Geisel:

> Eu disse: concordo, se vier ao conhecimento depois de uma triagem, vencendo uma fase. [...] Mas, primeiro: ao encaminhar, é preciso não fazer escândalo. [...] Fazer escândalo público desmerece o encaminhamento. O encaminhamento é, a meu ver, um auxílio ao governo. [...] Agora, publicá-lo, mesmo depois da solução, é criar um escândalo em torno do fato, e isso está errado. [...] Segundo: quem encaminha à autoridade deve admitir que essa autoridade é senhora de dar a solução que lhe pareça certa. Quer dizer, ele não pode brigar com a solução, porque a responsabilidade é da autoridade.[16]

O primeiro e antigo objetivo de Golbery era zerar a partida, congelar todas as divergências até o dia da posse para, então, "começar do zero absoluto".[17] O segundo, manter sob o controle do governo as denúncias encaminhadas pela Igreja. Era mais do que havia, mas não haveria

14 Telefonema de Adolpho Murgel a Golbery, 24 de janeiro de 1974. APGCS/HF. A fotografia e sua história foram publicadas em 21 de setembro de 1975 pelo periódico neofascista italiano *Il Borghese*. A reportagem intitulava-se "O monsenhor e a amiga". Identificava a senhora, que morreu em março de 1975. Essa fotografia foi vista também por Walter Clark, diretor da TV Globo. Ver *O campeão de audiência*, de Clark e Gabriel Priolli, p. 259.

15 O encontro se deu no dia 19 de fevereiro de 1974. Candido Mendes de Almeida, maio de 1988. Depoimento de d. Paulo Evaristo a José Casado, em 22 de novembro de 1994.

16 Conversa de Golbery com Geisel, Moraes Rego e Heitor Ferreira, 19 de fevereiro de 1974. APGCS/HF.

17 Conversa de Golbery com Geisel, Moraes Rego e Heitor Ferreira, 23 de novembro de 1973. APGCS/HF.

de ser suficiente. Difícil admitir que "a autoridade" fosse "senhora" da solução, impossível aceitar que "ele não pode brigar com a solução", sobretudo porque, na maioria dos casos, a solução da autoridade não resolvia coisa alguma. (Duas semanas antes, o cadáver do guerrilheiro Osvaldão fora degolado depois de ser mostrado à população de Xambioá, pendurado num helicóptero.) Havia na proposta de Golbery um ingrediente que enfraquecia o seu estratagema. Institucionalmente, a "autoridade" não era parte da solução. Ela era o problema. As forças repressivas do governo é que torturavam e matavam prisioneiros dominados.

Pouco depois dessa exposição a conversa de Geisel com Golbery girou em torno da tortura. Não foi longa, nem conclusiva:

GOLBERY: Eu sou contra tortura de qualquer jeito. Tenha paciência. Esse negócio de tortura para mim... Quer dizer, o sujeito prende um camarada, tortura o sujeito, e depois solta porque não há nada contra ele. Francamente, isso é uma enormidade. Eu posso admitir...

GEISEL: Mas você não sabe se... Eu não acredito em 50% do que o Arns diz. Espera aí. É uma forte distorção.

GOLBERY: Eu não acredito em 100% do que ele diz, mas que eu acho que pode ter acontecido, ah, nós vimos no começo. Começam por torturar o indivíduo antes de saber o que é. [...] Espera aí, é a mentalidade que nós conhecemos. Nós não vemos esse Fleury. Eu vou dar crédito a um sujeito desses, que é um bandidaço sem-vergonha. Não, tenha paciência. Entregam o troço na mão do Fleury. Que é que pode acontecer. Eu vou até o ponto de admitir que num assunto de importância do Estado o sujeito possa ir um pouco além para obter do indivíduo uma informação vital. Eu vou até esse ponto. Suponha um negócio de atentado ao presidente, que há indícios, você aperta o indivíduo, vai até um pouco além. Mas para começo de conversa? Começam a torturar, para depois então conversar, quebrar o moral do sujeito.

GEISEL: É o tal troço do inglês... Foram lá na Inglaterra e estudaram o troço do inglês.[18]

18 Conversa de Geisel com Golbery, 19 de fevereiro de 1974. APGCS/HF.

Numa amostra da estrutura das conversas de fim de tarde no largo da Misericórdia, o assunto morreu aí. Passaram a discutir a legitimidade da CNBB, as pressões contra a escolha de Azeredo da Silveira e as observações do marechal Cordeiro de Farias sobre a política cearense.

O mecanismo oferecido a d. Paulo era bem mais tênue que "a coibição enérgica de toda violência ilegal, partida de onde ou de quem partir", mas revelava o temperamento do general. Ele queria se assenhorear das informações que chegavam à Igreja, fazendo-as tramitar de acordo com sua percepção política. A eficácia da proposta de Golbery dependia do tipo e da quantidade de soluções que retornasse. Àquela altura, sua proposta era apenas uma promessa.

Até o encontro com d. Paulo Evaristo, toda a romaria ficara em sigilo. O general sabia se mover em silêncio. É por isso que um mistério envolve o seu caminho naquela tarde. Ele saiu do Parque Guinle e ia para o largo da Misericórdia. Estava sem automóvel. D. Paulo ia para o aeroporto Santos Dumont, e Candido Mendes deu carona aos dois. Em 1973, como hoje, quem sai de Laranjeiras com um carona para o Santos Dumont e outro para a Misericórdia, passa primeiro pelo aeroporto. Candido Mendes queria conversar a sós com o cardeal, pois um almoço daqueles não era coisa comum. Poderia desembarcá-lo, deixar Golbery quinhentos metros adiante, e voltar ao Santos Dumont. Essa manobra impediria que a imprensa — sempre de plantão na entrada do edifício do Ministério da Agricultura — visse o cardeal e o general juntos. Golbery também poderia ter saltado no meio do percurso, buscando condução própria. Era comum vê-lo tomando táxis.

Passava pouco das três da tarde. Candido Mendes parou diante da pequena porta dos fundos do prédio, por onde entravam os notáveis da República. Aos repórteres surpreendidos pela tripulação daquele Opala azul, Golbery disse que se encontrara com d. Paulo mas não falaria da conversa porque era seu direito ter relações pessoais.[19] Segundo o cardeal, ele lhe disse no automóvel que se não houvesse jornalistas na rua, iriam

19 *O Estado de S. Paulo*, 20 de fevereiro de 1974, p. 4. Para a cor do carro, Candido Mendes de Almeida, setembro de 1995.

ao gabinete de Geisel. D. Paulo estranhou, mas o general insistiu.[20] Havia jornalistas, e Golbery subiu sozinho. Passados 21 anos, Candido Mendes não se recordava dessa proposta. É indiscutível que o general não tomou cuidado algum para manter em segredo o encontro com d. Paulo Evaristo. É quase certo que deliberadamente o tornou público. Quando os repórteres contaram ao coronel Moraes Rego que viram o general e o cardeal no mesmo carro, ele achou que estavam confundindo uma viagem de Golbery a São Paulo com um encontro de Golbery com d. Paulo.[21] Depois o coronel confidenciou a Heitor Ferreira que o general fizera um *foul*, mas o discípulo do *Satânico Dr. Go* tinha dúvidas: "É mesmo, a menos que ele esteja com alguma sacanagem".[22]

Durante o resto da tarde o general conversou com Geisel, narrou-lhe a conversa, mas não se referiu à cena do desembarque. O futuro presidente soube dela pelos jornais do dia seguinte e não gostou. Desabafou com Heitor Ferreira e Moraes Rego em dois tempos.

No primeiro:

> É muito cedo para rasgar esse troço. Os nossos inimigos estão aí, dentro do SNI, dentro do CIE, essa merda. E nós estamos provocando os caras. [...] Ele tinha que sair do almoço e ir embora e dizer: "Olha, essa conversa é confidencial". Como os outros. O Arns é marcado demais do outro lado. O pessoal já não gosta do Golbery, já marca o Golbery. [...]

No segundo:

> Daqui a pouco vem pressão do Exército, que o Exército não se conforma, porque o Exército não aceita. Daqui a pouco, quando menos se espera, vem essa pressão em cima da gente. E aí? Como é? Ah, porque estão fazendo a abertura com a Igreja, o Exército não aceita... O Exército não aceita, por-

20 Depoimento de d. Paulo a José Casado, em 22 de novembro de 1994, e d. Paulo Evaristo Arns, *Da esperança à utopia*, pp. 369-70.

21 Conversa de Geisel com Moraes Rego, 20 de fevereiro de 1974. APGCS/HF.

22 Idem.

que o Arns... E aí, que que eu vou fazer, não é? Eu não posso mandar o Exército à merda. Então vou eu embora. Então vocês tomem conta, e até logo. Vou acabar fazendo isso. O pessoal não se dá conta do que é o Exército. A maior excrescência.[23]

Quando Heitor lhe narrou a tempestade, Golbery recuou: "Foi muito ruim, e eu pensei que passasse despercebido".[24] Na rodada de conversas daquela tarde, Geisel e Golbery trataram o assunto superficialmente. Dois dias depois *O Estado de S. Paulo* divulgou um boletim da Arquidiocese de São Paulo informando que o general e d. Paulo discutiram "diversos problemas de importância e interesse para a Igreja em São Paulo e no Brasil". "O general Golbery mostrou-se sensível a todos os problemas levantados, externando grande apreço pela ação da Igreja", acrescentava a nota.[25] Cada peça se movera na direção que desejava. Ele dera publicidade ao encontro, e o cardeal mantivera o segredo de seu conteúdo. Como havia mais gente no jogo, um pedaço da notícia foi censurado. No seu lugar entrou Gonçalves Dias:

Meu canto de morte,
Guerreiros, ouvi:
Sou filho das selvas,
Nas selvas cresci,
Guerreiros, descendo
Da tribo Tupi.[26]

Golbery aceitou a carona do professor Candido Mendes três semanas depois de tomar conhecimento da operação do cinema Azteca.

23 Conversa de Geisel com Heitor Ferreira e Moraes Rego, 20 de fevereiro de 1974. APGCS/HF.

24 Telefonema de Heitor Ferreira a Golbery, 20 de fevereiro de 1974. APGCS/HF. Vinte anos depois do episódio, Geisel estava convencido de que Golbery se deixou ver com d. Paulo involuntariamente. Heitor Ferreira tendeu a acompanhar a opinião do ex-presidente, mas no fim das contas preferiu ficar com a opinião que deu no fragor da hora, ainda que inconclusiva.

25 *O Estado de S. Paulo*, 23 de fevereiro de 1974, p. 4.

26 Idem.

Passada uma semana, o largo da Misericórdia cuidava de que todos os cardeais recebessem convites para a posse. Narrando sua conversa com a CNBB a Geisel, Golbery registrou: "É uma sociedade civil que está aos poucos procurando coordenar e ter a autoridade da Justiça, mas que isto é um processo lento [...]".[27]

Geisel sabia das discussões secretas que o governo Medici e a Igreja mantinham desde o final de 1970. Organizada pelo general Antonio Carlos Muricy, essa linha de comunicação juntava bispos, leigos e oficiais, entre os quais se fazia representar até mesmo o SNI. Denominava-se Comissão Bipartite e já se reunira 21 vezes. Geisel não queria que o general Muricy, seu principal arquiteto, se transformasse no canal de comunicação com a Igreja, nem que o foro de debates e mútuas acusações prosperasse.[28] Há indicações de que lhe chegavam à mesa algumas das denúncias levadas aos militares pelos bispos. Golbery via nas reuniões dos religiosos com generais, no mínimo, uma oportunidade para "os caras perderem um pouco o rebolado".[29]

O contencioso do Estado com a Igreja poderia parecer extenso. Havia a peregrinação cosmopolita de d. Helder Câmara, que acabara de receber na Noruega o Prêmio Popular da Paz. Aqui e ali pipocavam crises com bispos. Em Sorocaba, pela morte de um estudante. Em São Félix do Araguaia por conflitos de terra. Isso constituía uma espécie de rotina, mas em novembro de 1973 o governo Medici criou uma crise de última hora com d. Paulo Evaristo. Cassou-lhe a rádio arquidiocesana Nove de Julho. Era a mais poderosa das 118 emissoras católicas do país e foi tirada do ar. O bispo auxiliar d. Lucas Moreira Neves não conseguira sequer uma audiência com o ministro das Comunicações.[30]

Cada um desses casos, com graus variáveis de complexidade, sempre poderia ser negociado. Os dois lados giravam em torno da busca do

27 Conversa de Geisel, Golbery, Moraes Rego e Heitor Ferreira, 29 de janeiro de 1974. APGCS/HF.

28 Conversa de Geisel, Golbery, Moraes Rego e Heitor Ferreira, 16 de novembro de 1973. APGCS/HF.

29 Conversa de Geisel, Golbery, Moraes Rego e Heitor Ferreira, 29 de janeiro de 1974. APGCS/HF. Para uma história da Bipartite, ver *Diálogos na sombra*, de Kenneth P. Serbin.

30 Fernando Prandini, Victor A. Petrucci e frei Romeu Dale, O. P., orgs., *As relações Igreja-Estado no Brasil*, vol. 3, pp. 220-2.

CARLOS NAMBA/ABRIL IMAGENS

Golbery: "Eu acho que estamos sofrendo uma ditadura dos órgãos de informação. [...] Toda vez que a cousa começa a acalmar, o pessoal decide e cria troço, prende gente. [...] Isso é exatamente criar aversões, mas eles criam aversões porque querem perdurar. Quer dizer, todo mundo está acuado com esses caras. Compreende? É o que está acontecendo. Todo mundo acuado com eles".

AGÊNCIA ESTADO

Geisel e sua mulher, Lucy, chegam para a recepção da posse. O tenente que detestava os "casacas" vestia um modelo do alfaiate Itamar e trazia no colete os botões de madrepérola que pertenceram a seu pai. Ao lado de Geisel, o vice-presidente Adalberto Pereira dos Santos; à frente, o chefe do cerimonial do Itamaraty.

Golbery articulou uma manobra surpreendente: os cinco cardeais brasileiros, enfileirados, cumprimentam Geisel na sua posse. Da esquerda para a direita: d. Vicente Scherer, de Porto Alegre; d. Paulo Evaristo Arns, de São Paulo; d. Carlos Carmelo de Vasconcelos Motta, de Aparecida; d. Avelar Brandão Vilela, de Salvador, e d. Eugênio Sales, do Rio.

FATOS E FOTOS/REPRODUÇÃO/APGCS/HF

O general João Baptista Figueiredo com sua mulher, Dulce, na recepção do Itamaraty. Três dias antes, Geisel dissera a Heitor Ferreira: "O único homem que eu vejo aí em condições de ser o futuro presidente seria o próprio Figueiredo".

FATOS E FOTOS/REPRODUÇÃO/APGCS/HF

Em maio de 1974 o ministro do Exército, Dale Coutinho, telefonou ao ministro da Justiça, Armando Falcão: "Comunico-lhe que encontrei aqui a oficialidade em polvorosa. A *Veja* fez uma provocação que os militares não aceitam. Peço ao senhor uma providência reparadora e imediata". "Não vacilei", lembraria Falcão. "Restabeleci a censura na revista."

CHICO NELSON/ABRIL IMAGENS

Millôr Fernandes

LUIS HUMBERTO/ABRIL IMAGENS

Armando Falcão

LUIS HUMBERTO/ABRIL IMAGENS

O ministro do Exército, Dale Coutinho (de óculos), entrega a espada de general a seu amigo Confucio Danton de Paula Avelino, chefe do Centro de Informações do Exército.

O desenho de Millôr Fernandes que levou Falcão a estabelecer um tipo de censura letal sobre a revista *Veja*.

Hugo Abreu 1916-1979
CARLOS NAMBA/ABRIL IMAGENS

Antonio Bandeira 1916-2003
LUIS HUMBERTO/ABRIL IMAGENS

Sebastião Ramos de Castro 1922-
IRMO CELSO/ABRIL IMAGENS

Affonso Miranda Corrêa 1901-1963
A. C. MURICY/CPDOC/FGV

Sérgio Fleury 1933-1979
FERNANDO PEREIRA/AGÊNCIA JB

Breno Borges Fortes 1908-1982
AGÊNCIA O GLOBO

Sylvio Frota 1910-1996
LUIS HUMBERTO/ABRIL IMAGENS

Orlando Geisel 1905-1979
AGÊNCIA JB

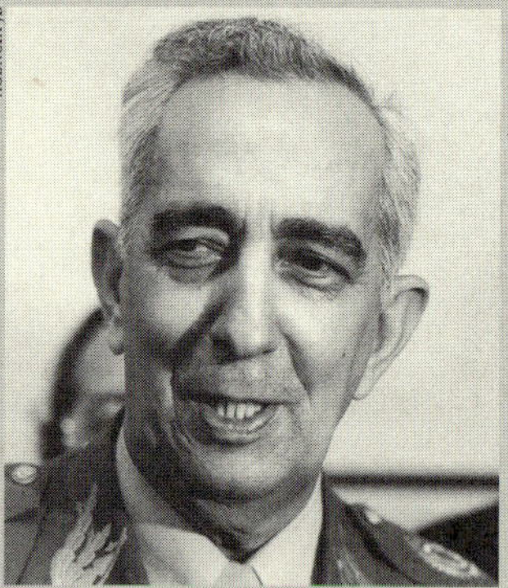
Ednardo D'Avila Mello 1911-1984
CARLOS NAMBA/ABRIL IMAGENS

Humberto Mello 1908-1974
LUIS HUMBERTO/ABRIL IMAGENS

Milton Tavares de Souza 1917-1981
LUIS HUMBERTO/ABRIL IMAGENS

Oscar Luiz da Silva 1911-1992
LUIS HUMBERTO/ABRIL IMAGENS

David Capistrano 1913-1974
ICONOGRAPHIA

Vandick Coqueiro 1949-1974
ICONOGRAPHIA

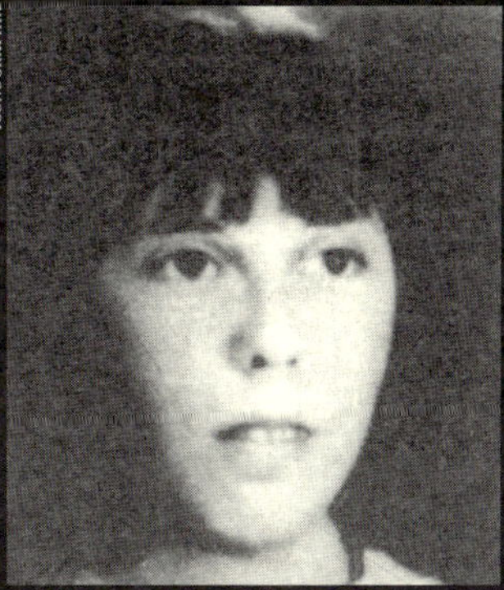

Walkíria Afonso Costa 1947-1974
CDED/IEVE

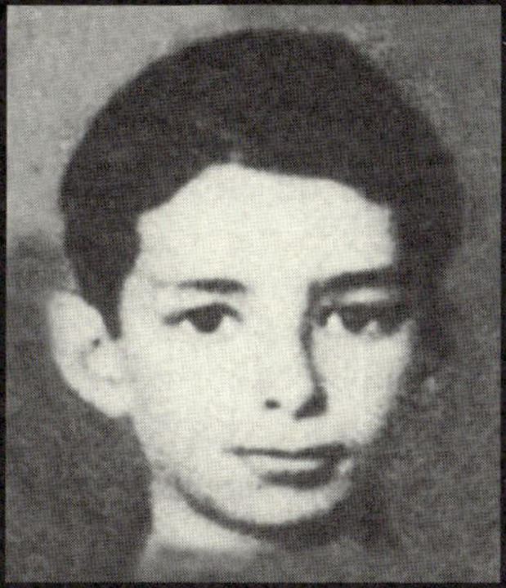

Luiz Renê Silva 1951-1974
CDED/IEVE

Luíza Garlippe 1941-1974
CDED/IEVE

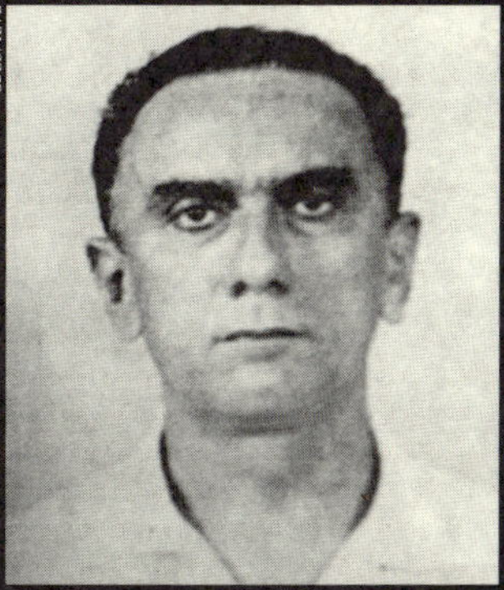

Luís Inácio Maranhão 1921-1974
CDED/IEVE

Dina 1945-1974
CDED/IEVE

Pedro de Oliveira 1947-1974
CDED/IEVE

Osvaldão 1938-1974
CDED/IEVE

Onofre Pinto 1937-1974
CDED/IEVE

Walter Ribeiro 1924-1974
CDED/IEVE

Áurea Eliza Valadão 1950-1974
CDED/IEVE

APGCS/HF

A reunião das nove da manhã, com os "ministros da Casa": Figueiredo (SNI), Golbery (Gabinete Civil), Hugo Abreu (Gabinete Militar) e, de costas, Reis Velloso (Planejamento).

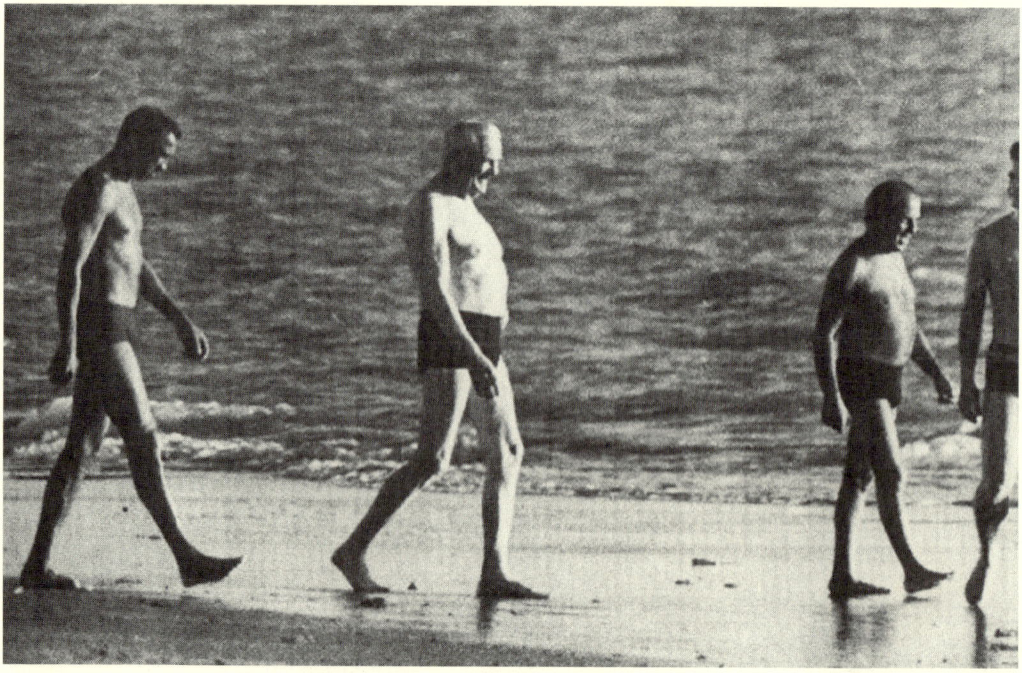

ORLANDO BRITO/OBRITONEWS

Geisel com dois amigos e colaboradores. À sua frente, o médico Americo Mourão. Atrás, o coronel Germano Pedrozo, chefe de sua segurança.

Geisel: "Ao longo de minha vida eu fui um infeliz, mas tive a sorte de ter uma grande mulher e uma grande filha". O general com sua mulher, Lucy, e a filha, Amália Lucy, subindo a escada do palácio Laranjeiras e caminhando no jardim do Alvorada (à frente, a dálmata Duquesa).

É impossível dizer se Humberto Barreto, aos 42 anos, era um amigo do presidente, de 66, ou a projeção recôndita do filho, que completaria 33.

AGÊNCIA O GLOBO

O ministro Reis Velloso, do Planejamento (na cabeceira), parecia destinado a ser uma sombra do brilho intelectual de Mario Henrique Simonsen (na foto ao lado), de quem fora aluno. Revelou-se tenaz na captura de símbolos e acessos. Com a ajuda da burocracia do BNDE e do IPEA, preparou o II PND. Quando perguntaram a Simonsen o que achara do Plano, ele respondeu: "Não leio ficção".

FILÓ/ABRIL IMAGENS

LUIZ PINTO / AGÊNCIA O GLOBO

O presidente da Arena, Petrônio Portella, era um sobrevivente. Defendera Jango no dia 31 de março de 1964 e tivera um câncer de pulmão. Geisel passou a admirar sua prestimosidade.

Amizade através do

ORLANDO BRITO/OBRITONEWS

SONIA REGO/AGÊNCIA JB

Shigeaki Ueki

ALENCAR MONTEIRO/AGÊNCIA ESTADO

Célio Borja

RONALD THEOBALD/AGÊNCIA JB

Delfim Netto

SÉRGIO SADE/ABRIL IMAGENS

Paulo Egydio

CALAZANS/AGÊNCIA JB

Severo Gomes

AGÊNCIA O GLOBO

Marcos Vianna

O general Figueiredo alternava o tipo do general de comédia com o de capitão atlético, apaixonado por cavalos e saltos. Por detrás do esportista estava um cardiopata atormentado por dolorosas crises de hérnia de disco.

Orestes Quércia tinha 36 anos, bisavô e mãe italianos, costeletas de caminhoneiro e nariz de comediante. Prefeito de Campinas, saíra do nada. A rigor, nada era. Elegeu-se senador por São Paulo e tornou-se uma das encarnações da vitória do MDB em 1974.

AGÊNCIA ESTADO

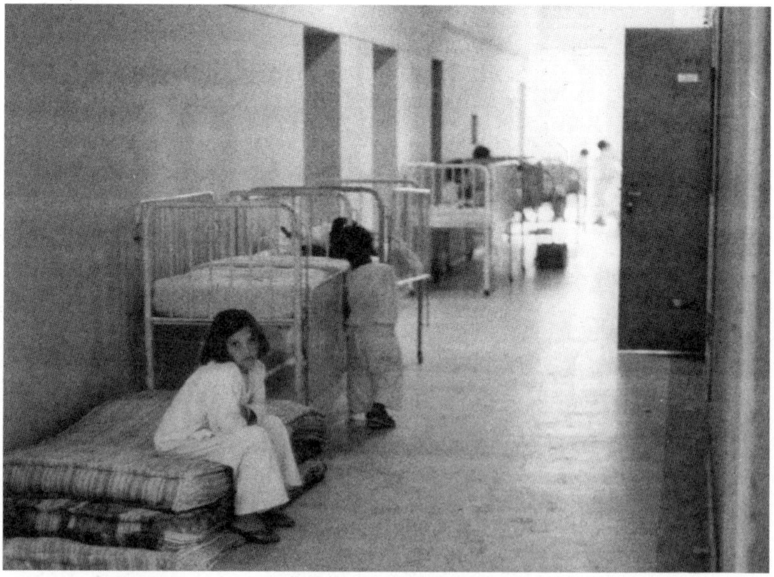

Pouco antes do início da campanha eleitoral, a Censura proibiu por quatro dias que a imprensa de São Paulo noticiasse a existência de uma epidemia de meningite. Depois vetou "matérias alarmistas e tendenciosas que possam gerar pânico entre a população". Estima-se que a epidemia atingiu cerca de 18 mil pessoas e matou quase duzentas.

MESSIAS / AGÊNCIA ESTADO

AGÊNCIA O GLOBO

Um mês antes da eleição, os usuários de transportes públicos destruíram quarenta ônibus em Brasília e um trem no Rio, onde cerca de 3 mil pessoas incendiaram e danificaram quinze vagões.

TEMPO EM SÃO PAULO

O ESTADO DE S. PAULO

JULIO DE MESQUITA NETO
DIRETOR RESPONSÁVEL

JULIO MESQUITA (1891-1927) - JULIO DE MESQUITA FILHO (1927-1969) - FRANCISCO MESQUITA (1927-1969)

Capital e Interior de São Paulo Cr$ 1,50 | ANO 95 | DOMINGO, 17 DE NOVEMBRO DE 1974 | N.º 30.567 | Domingo: Cr$ 3,00 Assinatura Cr$ 282,00

A oposição está vencendo em 18 Estados

A oposição está vencendo as eleições para o Senado em 18 dos 22 Estados — segundo os dados conhecidos até 21 horas — em pelo menos quatro deles — Guanabara, Rio Grande do Sul, Rio de Janeiro e São Paulo — sua vitória já pode ser considerada definitiva, tal a diferença obtida. A Arena só tem mesmo certeza de vitória no Maranhão, onde Henrique La Rocque é candidato unico, mas lidera também em Alagoas, Bahia e Piauí. Em São Paulo, a vitória de Orestes Quércia superou as expectativas: até o fim da noite, ele tinha uma vantagem de 632 mil votos sobre Carvalho Pinto, de acordo com a contagem oficial. Mas, extra-oficialmente, essa diferença passa de 1 milhão e, de acordo com a projeção, chegará a 2,5 milhões. O MDB consegue também a maioria para a Camara Federal e a Assembléia Legislativa. Na Guanabara, Danton Jobim obteve mais do que o dobro dos votos de Gama Filho. No Rio Grande do Sul, o próprio Nestor Jost admitiu a derrota: Paulo Brossard leva 108 mil votos de vantagem, ganhando na Capital e no Interior. No Rio de Janeiro, Saturnino Braga tem 61 mil votos, contra 23 mil de Paulo Torres. As bancadas do MDB nas Assembléias e na Camara Federal deverão crescer brutalmente, pois mesmo na Bahia, onde a Arena ganha para o Senado, perde para as duas outras Casas Legislativas.

Mobilização no Oriente Médio é generalizada

Brossard, cuja vitória Jost já reconheceu, comemora à moda gaúcha

Definição depende da apuração no Interior

A vitória do MDB é total em São Paulo

Israel reprime na Cisjordânia

Persiste ameaça da fome

Analistas acham que os desvios foram condenados

Governo previa os resultados e agora estuda reformulações

192 páginas

17 DE NOVEMBRO DE 1974/AGÊNCIA ESTADO

Geisel: "Não considero eleição um julgamento. É uma reação. O eleitorado é muito despreparado e não se informa. Não entende de governo. [...] Eu tenho a consciência tranqüila de que fiz tudo o que era possível fazer nestes oito meses. Tenho trabalhado como um burro".

Golbery: "O povo não está com a Revolução".

Figueiredo: "Povo de merda, que não sabe votar".

interlocutor autorizado, quando a questão não estava na interlocução. As diferenças do governo com a Igreja resumiam-se a uma palavra: *tortura*. Era ela quem envenenava as reuniões da Bipartite, toda vez que aparecia um bispo com um caso perfeitamente documentado. Ela limitava e desautorizava qualquer interlocutor. Do lado do regime, pouco poderia fazer um negociador qualificado diante de um dossiê de torturas. A impotência dos delegados do governo enfraquecia os representantes da Igreja, pois embaraçava os dignitários quando se viam obrigados a reconhecer que, levada a denúncia, nada acontecera.

A cena dos cinco cardeais no Planalto simbolizava uma busca. Do quê, eles sabiam. Tratava-se de desmantelar o porão. Como? Não tinham idéia. A teoria de Golbery de que se devia começar tudo do "zero absoluto" era uma promessa. Pressupunha que o novo governo estava disposto a discutir os casos que surgissem a partir daquela manhã. Geisel e Golbery sabiam o que já sucedera no porão do regime. Não sabiam, contudo, o que sucederia a partir do dia seguinte.

O porão intocado

Em 1974 chegou ao apogeu a política de extermínio de presos políticos. As versões oficiais já não produziam mortos em tiroteios, fugas ou suicídios farsescos nas cidades. Geisel sabia dessa política. Em janeiro tivera duas conversas com veteranos da luta contra o terrorismo. Uma, com o general Dale Coutinho, quando o convidou para o Ministério do Exército. Dias depois, numa prosa fiada com o chefe de sua segurança, tenente-coronel Germano Arnoldi Pedrozo, Geisel soube que um grupo de pessoas que viera do Chile e passara pela Argentina, havia sido capturado no Paraná. Pedrozo fora ajudante-de-ordens do marechal Castello Branco, passara pelo CIE e merecia do general não só a confiança, mas também estima.

"Pegaram alguns?", perguntou Geisel.

"Pegamos. Pegamos. Foram pegos quatro argentinos e três chilenos", respondeu Pedrozo.[1]

"E não liquidaram, não?"

"Ah, já, há muito tempo. É o problema, não é? Tem elemento que não adianta deixar vivo, aprontando. Infelizmente, é o tipo da guerra suja em que, se não se lutar com as mesmas armas deles, se perde. Eles não têm o mínimo escrúpulo."

"É, o que tem que fazer é que tem que nessa hora agir com muita inteligência, para não ficar vestígio nessa coisa", falou Geisel.[2]

1 Não há registro que permita supor quem sejam.

2 Conversa de Geisel com o tenente-coronel Germano Pedrozo, 18 de janeiro de 1974. APGCS/HF.

É improvável que Geisel só tenha tratado da matança nas duas conversas registradas, com Pedrozo e Dale Coutinho. Não se conhecem as conversas entre ele e seu irmão Orlando. Sabe-se que no início do governo convocou uma reunião em que o general Milton Tavares de Souza, chefe do CIE, contou, no mínimo, o que a tropa vinha fazendo no Araguaia.[3] Ao defender a permanência de *Miltinho* na chefia do CIE, é certo que Geisel conhecia, apoiava e desejava a continuação da política de extermínio.

No final de 1973, d. Paulo Evaristo começou a colecionar nomes e vestígios que documentassem uma lista de "Desaparecidos".[4] Essa palavra haveria de ser um dos principais itens da agenda da primeira metade do governo. Englobava todos os cidadãos capturados cujos cadáveres sumiam sem ficar vestígio. Resultava da conjugação da política de extermínio com a clandestinidade usufruída pelo porão. Clandestinidade, no caso, não significava paralelismo, autonomia ou descontrole. Os assassinatos eram praticados pela máquina do Estado, com o beneplácito da hierarquia. Eram clandestinos porque, dentro dela, ocultavam-se.

O sumiço dos cadáveres era uma resposta à estratégia do estorvo. Cortava caminho às denúncias baseadas em autópsias ou em testemunhos de moradores das localidades onde os DOIs inventavam tiroteios. As pessoas simplesmente desapareciam. Em 1964, morreram dezenove pessoas, mas apenas duas desapareceram. Em 1969, os oficiais da *Operação Bandeirante* sumiram com o cadáver de Virgílio Gomes da Silva, o comandante militar do seqüestro do embaixador americano Charles Burke Elbrick. Nos anos seguintes o número de desaparecidos cresce, até que, em 1973, os dois números aproximam-se. (Veja o quadro.)

3 Entrevista do general Newton Cruz em *O Globo* de 15 de abril de 1999, p. 8.

4 Reinaldo Cabral e Ronaldo Lapa, orgs., *Desaparecidos políticos*, p. 33.

ANO	1964	1965	1966	1967	1968	1969	1970	1971	1972	1973	1974
TOTAL DE MORTOS	19	3	2	3	12	19	30	50	58	59	52
DESAPARECIDOS	2	1	0	0	0	1	5	16	18	28*	52

* O número de desaparecidos de 1973 é impreciso. Os comandantes militares nunca reconheceram as datas das execuções praticadas no Araguaia. Assim, em vez de 28, podem ser trinta ou 32. Nesse caso, baixa o número de desaparecidos de 1974.

Fonte: Levantamento do autor, com base em *Dos filhos deste solo — Mortos e desaparecidos políticos durante a ditadura militar: a responsabilidade do Estado*, de Nilmário Miranda e Carlos Tibúrcio, e *Dossiê dos mortos e desaparecidos*, documento do Comitê Brasileiro pela Anistia, Seção do Rio Grande do Sul.

Na lista dos militantes urbanos misturavam-se pessoas mortas em sessões de tortura que possivelmente não se destinavam a liquidá-las, presos executados nas cadeias, e até mesmo quadros cujo codinome era desconhecido pelos familiares, enquanto seu nome verdadeiro não era conhecido pelos outros militantes, muito menos pela polícia. No Araguaia não se mantinham prisioneiros. Em março de 1974, quando Geisel assumiu, não havia um só morto na contabilidade oficial do ano que começava. A brandura era um disfarce do extermínio. Nos 63 dias anteriores à posse desapareceram pelo menos nove pessoas, sete no Araguaia e duas nas cidades.[5] Foram assassinadas.

Salvo no caso do guerrilheiro Osvaldão, do Araguaia, cujo corpo foi pendurado a um helicóptero para que a população de Xambioá o visse, agia-se com cautela, e muitas vezes não ficava vestígio da coisa. O próprio PC do B não sabia onde estavam os militantes que deixara na floresta. Eles eram caçados pelas equipes Zebra, armadas e comandadas pelo Exército e formadas por mateiros em busca de recompensas. Em março

5 Entre 1º de janeiro e 15 de março de 1974 desapareceram no Araguaia, pelo menos, José Lima Piauhy Dourado (*Nelito*), Luiz Renê Silveira e Silva (*Duda*), Jana Moroni Barroso (*Cristina*), Maria Célia Corrêa (*Rosa*), Pedro Carretel e José Humberto Bronca (*Zeca Fogoió*). Nas cidades desapareceram Eduardo Collier Filho e Fernando Santa Cruz Oliveira.

o SNI estimava que os guerrilheiros fossem vinte e, numa análise encaminhada a Geisel, antevia que, com o fim do período das chuvas, recomeçassem as operações "visando à destruição dos elementos que ainda se encontram na região".[6] Os dois desaparecidos urbanos eram quadros da APML e sumiram sem deixar vestígio. (Seus corpos, bem como os dos combatentes do Araguaia, nunca foram encontrados.)

Geisel tomou posse numa sexta-feira. No sábado, na cidade de Uruguaiana, perto da fronteira com o Uruguai, sumiram David Capistrano da Costa e José Roman. Capistrano, o *Enéas*, ou *Ribeiro*, era um veterano dirigente do Partido Comunista Brasileiro. Ex-sargento, lutara na insurreição de 1935, na Guerra Civil Espanhola e na Resistência francesa. Tornara-se um dos mais destacados articuladores do Partidão no Nordeste. Retornava da Tchecoslováquia. Roman, um corretor de imóveis ligado ao sistema operacional do PCB, fora buscá-lo. Pegaram a estrada para São Paulo e nunca chegaram.

Começara o desbaratamento do Partidão. O regime que fazia do anticomunismo quase que uma razão de ser e da repressão um instrumento primordial de ação política, dera ao PCB um tratamento diferenciado. Tão diferenciado quanto a linha do Partidão diante da luta armada. Em 1970, Luiz Carlos Prestes a classificara como "aventureirismo", "oportunismo de esquerda" e "sarna do revolucionarismo pequeno-burguês".[7] Os militantes comunistas moviam-se sem assombro, numa espécie de liberdade condicional. Alguns de seus dirigentes, mesmo vivendo na clandestinidade, podiam ser encontrados nas noites da esquerda festiva carioca ou nos cinemas da moda em São Paulo.[8]

6 *Apreciação Sumária*, do SNI, de março de 1974. APGCS/HF.

7 Artigo de Luiz Carlos Prestes na *Revista Internacional*, citado em telegrama da agência France Presse, de 29 de dezembro de 1970. Para a "sarna", *Prestes com a palavra*, organizado por Dênis de Moraes, p. 200.

8 José Salles, membro do secretariado da comissão executiva do PCB, esteve num dos réveillons mais animados do início dos anos 70, realizado na casa do casal Mauro e Gilse Campos, na Urca.

O PC sofria ataques espasmódicos e periféricos. A grande perseguição de 1964 resultara em centenas de demissões e num processo de 157 volumes com 962 implicados, mas as condenações não passaram de algumas dezenas. Carlos Marighella e Mário Alves, presos nessa época, foram libertados poucos meses depois. Mais tarde, como dirigentes da luta armada, foram assassinados. Banidos do serviço público, os comunistas se adaptaram, acautelando-se nas fábricas e protegendo-se nos meios intelectuais e jornalísticos. No final dos anos 60 um surto repressivo prendeu pouco mais de cem quadros do Partidão, desmontando-lhe a estrutura carioca.[9] Em 1974 foram detidos cerca de sessenta militantes de sua célula na fábrica da Volkswagen, em São Bernardo.[10] Em seguida, ruiu uma parcela das bases nordestinas. Até a chegada de Geisel ao Planalto a ditadura custara a vida a cerca de 260 pessoas. Dezessete militavam no PCB.[11] Quase todos eram quadros de base, muitos deles com liderança sindical. A única vítima preeminente dentro da estrutura do partido foi Célio Guedes, um dentista de 53 anos, morto em 1972. Clandestino, estava no núcleo de operações da direção, quer servindo de motorista a Luiz Carlos Prestes, quer indo buscar dirigentes na fronteira.[12]

Desde 1971 o Partido mantinha boa parte dos dirigentes no exterior (dez dos trinta membros do comitê central), mas preservava a legalidade dos militantes. Eles se abrigavam no MDB, e, na dura eleição de 1970, o engenheiro comunista Alberto Goldman elegeu-se deputado estadual em São Paulo. O PCB decidira privilegiar a atuação nas fábricas, mas, mesmo assim, alguns de seus quadros influíam nos sindicatos.[13] No dos metalúrgicos de São Bernardo, por exemplo, militava o *Frei Chico*, apelido de José Ferreira da Silva, um pernambucano que tinha uma calva seme-

9 Transmissão da rádio Globo e telegrama da agência Efe, de 28 de março de 1969, mencionando 53 e setenta presos, respectivamente. Essas prisões estenderam-se até julho. Givaldo Siqueira, maio de 1977.

10 João Guilherme Vargas Neto, maio de 1997.

11 Para os mortos do PCB, ver Nilmário Miranda e Carlos Tibúrcio, *Dos filhos deste solo*, pp. 302-57.

12 Para a condição de motorista de Prestes, entrevista de Hércules Corrêa ao *Jornal do Brasil* de 8 de março de 1990, p. 13.

13 João Guilherme Vargas Neto, maio de 1997.

lhante a uma tonsura. Em 1969 ele incluiu o nome de um de seus irmãos na lista de suplentes da diretoria. Aos 24 anos, Luiz Inácio só pensava em futebol. Chamavam-no *Taturana* e *Lula.*[14]

O PCB se reorganizara. Exceto no Nordeste, onde baqueara, levantara a cabeça no Rio de Janeiro e ia bem em São Paulo. Em cada um desses estados tinha algo como 2 mil militantes.[15] Em São Paulo, conseguira reagrupar os setores universitário e cultural. Sua base sindical tentava reerguer-se. Um veterano dirigente, Emílio Bonfante Demaria, ex-oficial da Marinha Mercante, tornou-se *Ivo*, delegado da direção do PCB junto aos metalúrgicos de São Bernardo. Chegou a encontrar-se com Lula num banco de praça da matriz da cidade, mas a aproximação do jovem sindicalista com o Partidão terminou aí.[16] O Setor Mil, que reunia os militares comunistas, fizera uns poucos recrutamentos.[17]

Nesses dias, tornara-se uma temeridade falar em partido comunista neutralizado. Durante quase quarenta anos se acreditara que aos comunistas portugueses nada restara afora o cárcere, o exílio e a irrelevância. Derrubada a ditadura salazarista em abril, bastaram poucas semanas para que os comunistas recebessem o Ministério do Trabalho, formassem a mais poderosa central sindical do país, tomassem os sindicatos controlados por pelegos e estabelecessem uma base sólida na oficialidade. Da noite para o dia, o Partido Comunista Português se convertera numa das principais forças políticas do país. Da noite para o dia, o PCB poderia fazer a mesma coisa.

O Partidão era um sobrevivente praticamente intacto, porém surpreendentemente vulnerável. Pelo menos três dirigentes que viviam em regime de severa clandestinidade, com documentos falsos e domicílios ignorados, foram parados na rua por cidadãos que sabiam suas identidades verdadeiras e lhes ofereceram a possibilidade de uma colaboração

14 Frei Betto, *Lula — Biografia política de um operário*, pp. 23-4. Depoimento de *Frei Chico*, em Denise Paraná, *Lula — O filho do Brasil*, pp. 154-7.

15 João Guilherme Vargas Neto, junho de 1997.

16 Depoimentos de Luiz Inácio da Silva e José Ferreira da Silva (*Frei Chico*), em Denise Paraná, *Lula — O filho do Brasil*, pp. 130 e 157.

17 Sérgio Cavallari, junho de 1997.

com o inimigo.[18] Um deles era Severino Teodoro de Mello, o *Mellinho*, elemento de ligação entre Prestes e a comissão executiva.[19] Num caso, o de Armênio Guedes, o desconhecido falava em nome da Central Intelligence Agency. Abordou o sereno dirigente diante do aparelho onde ele vivia, em Laranjeiras, no Rio, no início de 1971. Queria informações sobre o terrorismo e deixou-lhe dois pontos de contato: o telefone da embaixada americana e um endereço em Bonn, na Alemanha.[20]

Situações desse tipo só eram possíveis porque no PCB havia infiltrados. Tantos, que os estranhos personagens não se preocupavam em esconder os conhecimentos que tinham. Um telegrama da CIA, de setembro de 1964, indica que sua estação no Brasil foi capaz de levar à Casa Branca o relato de uma conversa de um funcionário da embaixada soviética com três dirigentes comunistas brasileiros.[21] O chefe do serviço político do consulado em São Paulo, John Blacken, asseguraria que, mesmo não dispondo de infiltrações nos movimentos armados, a CIA penetrara o PCB.[22] O Centro de Informações do Exército, também.[23]

À penetração, somavam-se normas de segurança frouxas. Em 1970, quando a direção do partido decidiu tirar Luiz Carlos Prestes do país, remetendo-o para Moscou, mandou-o por terra ao Uruguai (levado por um motorista com carteira vencida) e colocou-o num avião que sobrevoaria o Brasil. Um problema técnico forçou um pouso de quarenta minutos no Rio, e os passageiros foram desembarcados. O acompanhante

18 Foram Severino Teodoro de Mello, Armênio Guedes e Orestes Timbaúva. Casos semelhantes ocorreram com Jarbas Holanda e Almir Neves. Para todos eles, exceto Armênio Guedes, a fonte é Dinarco Reis, citado em João Falcão, *Giocondo Dias — A vida de um revolucionário*, p. 298. Para Jarbas Holanda, ver também Maria Conceição Pinto de Góes, *A aposta de Luiz Ignácio Maranhão Filho*, p. 249, com depoimento de Hércules Corrêa.

19 Para esse caso, relacionado com Severino Teodoro de Mello, o *Mellinho*, Hércules Corrêa, *Memórias de um stalinista*, p. 105. Givaldo Siqueira, fevereiro de 1988. Maria Prestes refere-se ao caso, atribuindo o contato ao SNI, em *Veja* de 20 de maio de 1992, pp. 40-5.

20 Armênio Guedes, 1988.

21 Memorando de W. G. Bowdler a McGeorge Bundy, assessor de Segurança Nacional da Casa Branca, de 20 de setembro de 1965, encaminhando um telegrama da CIA, de 14 de setembro, onde se relata o encontro, ocorrido em 1º de agosto.

22 John Blacken, janeiro de 1990.

23 Coronel Carlos Alberto Brilhante Ustra, setembro de 1988.

de Prestes era médico e conseguiu convencer os tripulantes a deixar a bordo aquele ancião de bigodes.[24]

Pelo menos um dos infiltrados, Adauto dos Santos, o *Carlos*, com mais de vinte anos de militância e sete na seção de relações exteriores, era pessoa da confiança de Prestes. Estivera seis vezes na União Soviética, quatro a serviço, em Moscou, e duas, de férias, no mar Negro. Sua mulher já o denunciara ao partido, mas o caso foi tomado como rusga familiar.[25] De Moscou, o grão-cacique comunista avisara que desconfiava dele. Supõe-se que Adauto também desconfiou deles quando lhe cortaram os contatos e pediram que viajasse para o México. Como talvez soubesse que era lá que os comunistas latino-americanos acertavam suas contas clandestinas, ele pulou o muro e explodiu as conexões internacionais do PCB numa entrevista ao *Jornal do Brasil*.[26]

Além de Capistrano ter desaparecido, os dirigentes do PCB perceberam que estavam sendo observados. Giocondo Dias, o sergipano pacato que, na ausência de Prestes, dirigia o partido no Brasil, entrou em casa e descobriu que havia sido visitado por estranhos. O mesmo sucedera a Hércules Corrêa, a quem roubaram uma televisão. Ambos resolveram ir embora de São Paulo.[27] Num mesmo dia, ao menos seis dirigentes do partido passaram, por motivos diferentes, pela praça das Bandeiras, no centro da cidade. Givaldo Siqueira, encarregado das operações clandestinas, desconfiou que o seguiam. Subiu num automóvel com quatro colegas e verificou que tinha dois fuscas no rastro. Conseguiu despistá-los. Nessa ocasião suspeitou que Walter de Souza Ribeiro, ex-oficial do Exército e chefe do partido em São Paulo, também estivesse campanado.[28]

24 Salomão Malina, julho de 1989, e Givaldo Siqueira, fevereiro de 1988. Para o incidente, Maria Prestes, *Meu companheiro — 40 anos ao lado de Luiz Carlos Prestes*, p. 150. Ver também entrevista de Hércules Corrêa a *IstoÉ* de 19 de maio de 1987, p. 26. Para a carteira vencida e os bigodes, João Falcão, *Giocondo Dias*, p. 290.

25 Givaldo Siqueira, fevereiro de 1988, e João Falcão, *Giocondo Dias*, pp. 290-1 e 296.

26 Givaldo Siqueira, maio de 1987, fevereiro de 1988 e maio de 1997. *Jornal do Brasil*, 3 e 7 de dezembro de 1972.

27 Entrevista de Hércules Corrêa à *Folha de S.Paulo* de 26 de maio de 1991.

28 Givaldo Siqueira e José Salles, fevereiro e novembro de 1988.

No dia 3 de abril, Ribeiro saiu de uma reunião numa casa em cuja vizinhança havia pessoas consertando a fiação de postes. Foi a um "ponto" conversar com Luís Inácio Maranhão. Ex-deputado estadual no Rio Grande do Norte, defensor da anticandidatura de Ulysses Guimarães à Presidência da República e amigo do cardeal Eugênio Sales, Maranhão era uma espécie de chanceler do Partidão. Encarregava-se dos contatos com parlamentares e com a Igreja.[29] Também iria a esse encontro João Massena Mello, ex-deputado estadual carioca e veterano agitador sindical do PCB. Pagara três anos de cadeia e estava em liberdade fazia pouco mais de um ano.[30] Sumiram todos.

Jamais se conseguiu uma prova material do que sucedeu aos cinco comunistas capturados nos primeiros vinte dias do governo Geisel. O ministro da Justiça, Armando Falcão, sustentou que eles continuavam foragidos. A um senador governista conterrâneo de Luís Maranhão, teria dito que "era uma vela apagada".[31] Afora isso, todas as pistas foram tênues. Um cidadão que trabalhava num posto de gasolina de São Paulo procurou uma irmã de José Roman e contou-lhe que o corretor, pressentindo a prisão, identificou-se.[32] O médico do DOI, Amilcar Lobo, disse à viúva de David Capistrano que o viu no Rio de Janeiro.[33] Um relatório da Marinha informou que ele esteve preso no manicômio paulista de Franco da Rocha.[34]

Em 1992 um ex-sargento do Exército, Marival Chaves Dias do Canto, narrou ao repórter Expedito Filho, da revista *Veja*, uma parte de seus sete anos de serviço na máquina de repressão militar em São Paulo. Segundo ele, Luís Maranhão e João Massena acabaram num cárcere montado numa fazenda da estrada da Granja 20, em Itapevi. Liquidaram-nos com injeções de uma droga destinada a matar cavalos e jogaram seus cor-

29 Para a amizade, d. Eugênio Sales, junho de 1987.

30 Carta de d. Aloísio Lorscheider a Geisel, de 24 de setembro de 1975. APGCS/HF.

31 Luiz Cortez, "Luís Maranhão 'Mártir das Lutas Populares'", publicada no jornal *Dois Pontos*, de Natal, e republicada nos *Cadernos de Jornalismo da Federação Nacional de Jornalistas*, em dezembro de 1990. O interlocutor de Falcão foi o senador Dinarte Mariz.

32 Nilmário Miranda e Carlos Tibúrcio, *Dos filhos deste solo*, p. 326.

33 *Manchete*, 22 de outubro de 1988, pp. 124-8.

34 *Folha de S.Paulo*, 12 de dezembro de 1993, p. D3.

pos num rio. Walter de Souza Ribeiro, David Capistrano e José Roman foram levados para a casa que o CIE mantinha em Petrópolis. Esquartejaram-nos.[35]

Na primeira reunião com o ministério, Geisel anunciou que buscaria um "gradual, mas seguro, aperfeiçoamento democrático". Uma no cravo. Outra na ferradura: numa referência direta às entidades da sociedade civil e indireta à Igreja, repeliu "a intromissão, sempre indevida, em áreas de responsabilidade privativa do Governo, a crítica quando desabusada ou mentirosa, as pressões insistentes e descabidas".[36] Prenunciava um novo rumo para a política de seu governo, mas mantinha-se suficientemente vago para evitar cobranças. Anteviam-se mudanças, quer pelo que Golbery contava, quer por escolhas como a do deputado liberal Célio Borja para o lugar de líder do governo na Câmara.

Suave, irônico e católico, tivera uma militância lacerdista tão profunda que fazia parte do pequeno grupo de colaboradores do "Carlos" que jamais perderiam o leve sotaque da pronúncia cadenciada do chefe. Estivera no páreo para os ministérios da Justiça e do Trabalho, mas fora congelado porque Geisel temia que ele viesse "logo com aberturas".[37] O SNI o acusara de ter assinado um manifesto em que o governo Castello Branco fora classificado como "regime de opereta", e Geisel pensou em não chamá-lo para cargo algum.[38] Ao decidir entregar-lhe a liderança, viu-o espingardeado na contorcida linguagem de Petrônio Portella, presidente da Arena: "A constante dele é a palavra mágica *estado de direito*".[39] Mesmo assim, foi em frente.

35 *Veja*, 18 de novembro de 1992, pp. 20-32.

36 Ernesto Geisel, *Discursos*, vol. 1: *1974*, pp. 31-60.

37 Uma folha manuscrita de Heitor Ferreira, intitulada *Resumo da Conversa Geisel, Moraes Rego e Heitor*, no Jardim Botânico, de 26 de julho de 1973. APGCS/HF. Ver também *Conversando sobre política — Célio Borja — Depoimento ao CPDOC*, coord. de Marly Silva da Motta, p. 182.

38 Conversa de Geisel com Heitor Ferreira, 29 de janeiro de 1974. APGCS/HF.

39 Reunião de Geisel com Petrônio Portella, 15 de fevereiro de 1974. APGCS/HF.

O general chamou-o. Disse-lhe que desejava colocá-lo na liderança mas "não quero lhe criar dramas de consciência".

"Eu não sei se o presidente conhece as minhas idéias", respondeu o deputado.

Quando se despediram, Célio deu o tom: "Eu confio na sua consciência moral. [...] Estamos nos engajando numa aventura".[40]

Havia naquilo a imprevisibilidade das aventuras. Em abril, depois de uma costura conduzida por Golbery com a ajuda de Armando Falcão, a revista *Veja* fora dispensada da censura prévia a que vinha sendo submetida. Retornara ao sistema da autovigilância, que consistia em esquecer o que sucedia no porão, respeitando as proibições transmitidas pela Polícia Federal. O jornalista Millôr Fernandes, que sustentava uma seção de duas páginas com seus desenhos brilhantes e seu ácido senso de humor, estampou um cidadão acorrentado à parede de uma masmorra, sobre a seguinte legenda: "Nada Consta".[41] Do Rio, onde visitara a Vila Militar, o ministro do Exército, Dale Coutinho, telefonou ao ministro da Justiça: "Comunico-lhe que encontrei aqui a oficialidade em polvorosa. A *Veja* fez uma provocação que os militares não aceitam. Peço ao senhor uma providência reparadora e imediata". "Não vacilei", lembraria Falcão. "Restabeleci a censura na revista."[42]

Nesse rápido episódio encapsulavam-se todos os ingredientes da anarquia. O general pedia providências a Falcão, quando deveria pedi-las ao chefe comum, o presidente da República, a quem caberia decidir se, de fato, houvera "provocação". Pior: Coutinho não pedia providências em nome da sua condição de comandante, mas por conta de uma "oficialidade em polvorosa". Sacou o bordão segundo o qual "os militares não aceitam" e arrastou as fichas. Por vontade, cautela ou ignorância, Falcão impôs a *Veja* uma modalidade letal de censura. Exigia que a revista, se-

40 Reunião de Geisel com Célio Borja, 19 de fevereiro de 1974. APGCS/HF.

41 *Veja*, 8 de maio de 1974, pp. 10-1, referido em Maria Aparecida de Aquino, *Censura, imprensa, Estado autoritário (1968-1978)*, p. 226.

42 Armando Falcão, *Tudo a declarar*, p. 373. Nesse livro de memórias Falcão diz que fizera com *Veja* uma "experiência de liberação da censura". Não se tratava de liberar *Veja* da censura, mas de retirar da redação da revista a equipe de censores que lá ia para conferir previamente o material a ser publicado. Persistia a obrigação de respeito às ordens emitidas pela Polícia Federal.

diada em São Paulo, remetesse seus textos a Brasília até a noite de terça-feira. Cassava-lhe a capacidade de noticiar o que acontecesse de quarta a sexta. Golbery entrou no circuito, a censura foi mantida, mas o exagero do ministro foi revogado, sem ter chegado a vigorar.

Uma onda de prisões ocorrida no meio universitário de São Paulo durante as cerimônias do décimo aniversário da "Revolução Redentora de 31 de Março" levou Golbery a reclamar, numa conversa com Heitor Ferreira:

> Eu acho que estamos sofrendo uma ditadura dos órgãos de informação. Esses órgãos, hoje, estão misturados, porque o DOI prendeu quatro, mas o DOPS prendeu quarenta. Quando cobrarem, vai se dizer: o que é que eu tenho a ver com o DOPS? Tem, o presidente tem. Tanto com o DOPS quanto com o DOI. O governo federal está tomando a responsabilidade de tudo que o DOPS faz por causa desse troço. Toda vez que a cousa começa a acalmar, o pessoal decide e cria troço, prende gente. Porque, você compreende, é para permanecer, para mostrar serviço. Isso é exatamente criar aversões, mas eles criam aversões porque querem perdurar. Quer dizer, todo mundo está acuado com esses caras. Compreende? É o que está acontecendo. Todo mundo acuado com eles.[43]

O general queria também tirar o delegado Sérgio Fleury de cena. O matador de Marighella, ícone do combate à subversão, obtivera da hierarquia do regime solidariedade e amparo. Geisel concordava com o afastamento do delegado. Fleury era réu nos processos de extorsões e assassinatos do Esquadrão da Morte no submundo do tráfico de drogas de São Paulo, mas continuava forte. Numa eleição de que participaram os 44 repórteres, radialistas e fotógrafos que faziam a cobertura rotineira das atividades da Secretaria da Segurança do estado, conquistaria a quarta colocação entre os "melhores do ano".[44]

Golbery reclamava: "Mas tira esse homem para fora. Bota esse homem em férias, manda ele passear na China. Aliás, o chefe está de acordo nisso. [...] É uma burrice ter esse homem aí, à vista de todo mundo".

43 Telefonema de Heitor Ferreira a Golbery, 11 de abril de 1974. APGCS/HF.

44 *Jornal do Brasil*, 29 de novembro de 1974, p. 20.

"Manda ele fazer um curso na França. Com esse nome: Fleury...", aconselhou Heitor.

"É, mas talvez ele não possa se afastar, porque está sub judice. Manda ele para Foz do Iguaçu. Tem um negócio onde criam jacaré, manda ele tomar banho lá. Esse é bandido. Esse é um bandido. Agora, prestou serviços e conhece muita coisa."

"Sobretudo isso", arrematou Heitor.[45]

Os desaparecidos do PCB realimentavam a estratégia do embaraço. Eram pessoas com passado de militância política, não estavam metidos na luta armada e dispunham da rede de solidariedade do partido. Uma coisa era sumir com os integrantes do Grupo Primavera, da ALN, vindos clandestinamente de Cuba na esperança de reorganizar as bases brasileiras. Outra, fazer desaparecer um ex-parlamentar como Luís Maranhão. Esse caso levou o deputado Thales Ramalho, secretário-geral do MDB e chefe da corrente moderada do partido, à tribuna da Câmara. Maranhão era seu velho amigo. Ramalho entrincheirou-se no embaraço, cobrando explicações ao governo. Leu uma carta da viúva e concluiu: "É com sentimento de vergonha que transmito a esta Casa esse impressionante documento para o conhecimento de todos. Vergonha de que, em meu país, uma carta dessas possa ser escrita. Daqui, quero fazer um apelo ao presidente Ernesto Geisel: mande apurar este caso".[46]

Pouco depois o cardeal Eugênio Sales foi a Geisel. Como de hábito, deixou com seu interlocutor os tópicos tratados na audiência. Foram seis, e o último dizia: "Importância da localização de um grupo de presos que se encontra desaparecido. Comprovará as intenções do governo em respeitar os direitos humanos".[47]

45 Telefonema de Heitor Ferreira a Golbery, 11 de abril de 1974. APHF.

46 *Diário do Congresso Nacional*, 15 de maio de 1974, p. 2850.

47 Uma folha datilografada, assinada por d. Eugênio Sales, sem data. APGCS/HF.

Golbery tinha uma posição parecida, em linguagem mais crua: "Eu quero que os cadáveres desses desaparecidos saiam de meu armário. Quero tirá-los daqui. Que fiquem no gramado aí em frente ao Planalto. Haverá um período de assombro, de horror, mas o problema desaparece. Se os cadáveres continuarem aqui, o problema não acaba tão cedo".[48]

O general já percebera que nessa matéria o chefe do SNI não era seu aliado, mas registrava que Geisel estava "numa posição média, nem tanto com a minha, nem com a do Figueiredo".[49]

A de Figueiredo, de acordo com uma *Apreciação Sumária* que ele remeteu a Geisel, era a do porão. Referindo-se à "campanha sobre prisões e desaparecimento de subversivos", alertava: "Tais iniciativas se ajustam aos desígnios do Movimento Comunista Internacional, MCI, no qual se inserem as atividades do PCB [...]".[50]

A vida de *Figa* no Serviço não estava fácil. Afunilava-se nele boa parte do ressentimento militar contra as novidades. O general tinha sob suas ordens uma máquina de que fora sócio benemérito, como chefe do Gabinete Militar de Medici. Figueiredo colocara o amigo Newton Cruz, o *Nini*, na chefia da Agência Central, segundo cargo em importância na hierarquia do SNI. Ele dispensara o coronel Sebastião Ramos de Castro, que servia no setor de assuntos externos da Agência. Anos depois, *Nini* recordaria suas razões: "Tinha-se que conter o CIE, que através de Castro controlava o SNI. O SNI ficava a reboque do CIE".[51] Figueiredo sabia disso, mas trocou seis por meia dúzia, amparando o coronel em seu gabinete. Sabia também que Castro detestava Golbery.[52]

48 Golbery do Couto e Silva, maio de 1974. *Veja*, 19 de março de 1980, "O fabricante de nuvens", p. 27.

49 Golbery do Couto e Silva, maio de 1974.

50 *Apreciação Sumária*, do SNI, de 15 a 24 de julho de 1974. AEG/CPDOC.

51 General Newton Cruz, novembro de 1987 e julho de 1997.

52 Nota manuscrita de Heitor, apensa ao *Diário de Heitor Ferreira*, intitulada *Conversa Heitor & Figueiredo, Sábado 28 de Setembro de 1973*, na qual lista nove militares considerados "anti-Golbery". APGCS/HF.

Castro tivera algumas simpatias esquerdistas nos anos 50 e fora considerado cristão-novo nos primeiros dias do regime.[53] Depois de viver os primórdios do SNI, tornara-se um diligente oficial de informações. Passara pelo lugar de adido em Buenos Aires e era conhecido tanto pelo rigor pessoal como por uma descomunal capacidade de trabalho. Era um homem seco, formal. Quando queria distância, tratava a pessoa por "Vossa Excelência" até em bilhete manuscrito.[54] Geisel tinha-lhe amizade.[55]

O SNI comportava-se como um comissariado ideológico. Um exemplo disso pode ser encontrado no primeiro relatório guardado por Geisel. Nele aprecia-se uma entrevista concedida por d. Paulo Evaristo Arns à Associated Press. O cardeal de São Paulo denunciara a censura e as torturas, mas mostrara-se otimista com o novo governo: "Haverá, muito provavelmente, uma melhora nas relações entre Igreja e Estado".

O analista do SNI zangou-se: "Parece-nos que D. Evaristo Arns, na condição de Cardeal-Arcebispo de São Paulo, não estava — e não está — investido da nobre e séria responsabilidade de falar à imprensa internacional em nome da Igreja Católica Apostólica Romana no Brasil, principalmente considerando-se o importante e grave assunto das relações entre Igreja e Estado".[56]

No caso de d. Paulo, a implicância do SNI revelava-se contraproducente, pois as posições do cardeal eram conhecidas por Geisel e Golbery. Em outros casos, o Serviço manipulava omissões e inflava irrelevâncias. Esse foi o caso de Glauber Rocha. Geisel raramente ia ao cinema. Golbery, nunca. Para ambos, o cineasta baiano era um intelectual caótico dos anos 60, inimigo do regime, auto-exilado na Europa. Em março de 1974,

53 Para as simpatias esquerdistas de Castro, entrevistas com Golbery (1985) e Geisel (1989). Em 1945, quando servia como tenente numa unidade da divisão blindada, Castro era considerado esquerdista. Leonidas Pires Gonçalves (que servia como ajudante-de-ordens de Álcio Souto), dezembro de 1999. General Gustavo de Moraes Rego, 1984.

54 Bilhete do general Sebastião Ramos de Castro a Golbery, de 11 de dezembro de 1974. APGCS/HF.

55 Cinco folhas, de 25 de novembro de 1974, com a lista dos coronéis promovidos a general. Numa lista de 27 nomes, Geisel marcou três para receberem o adjetivo *amigo*. Um deles era o general Castro. APGCS/HF.

56 *Apreciação Sumária*, do SNI, de março de 1974. AEG/CPDOC.

a revista *Visão* publicara sob a forma de depoimento uma carta dele ao jornalista Zuenir Ventura. Seu conteúdo estarreceu a esquerda:

> Acho que o Geisel tem tudo na mão para fazer do Brasil um país forte, justo, livre [...]. Antonio das Mortes é o profeta de Alvarado e Khadafi. Vejam as coisas: agora a história recomeça. Os fatos de Geisel ser luterano, e de meu aniversário ser a 14 de março, quando completo 35, me deixam absolutamente seguro de que cabe a Ele responder às perguntas do Brasil falando para o mundo [...]. Para surpresa geral, li, entendi e acho o general Golbery um gênio — o mais alto da raça, ao lado do professor Darcy Ribeiro.[57]

Golbery não deu maior importância ao episódio. O SNI, contudo, pareceu molestado. Não registrou a surpreendente declaração do cineasta, publicada no Brasil, mas passados dois meses acusou: "Glauber Rocha atacou violentamente, pela TV portuguesa, o governo Medici, qualificando-o de 'fascista'".[58] (Meses depois, quando o ministro Reis Velloso perguntou a Geisel se Glauber podia voltar ao Brasil, ele foi frio: "Que venha, mas calado e comporte-se".)[59]

Na manhã de 24 de maio, deu-se um imprevisto. Na tarde da véspera o ministro do Exército tivera uma discussão áspera com o general Rodrigo Octavio Jordão Ramos, um veterano "fritador de bolinhos", colega de turma de Geisel na ESG, que fora engavetado no Superior Tribunal Militar. Lá, vinha denunciando casos de tortura.[60] À noite, Dale Coutinho foi a um jantar na casa do presidente da Câmara, voltou para casa sentindo-se mal e morreu. Dos seus setenta dias no ministério pouca lem-

57 Glauber Rocha, *Cartas ao mundo*, pp. 482-3. O general Juan Velasco Alvarado presidia o Peru.

58 *Apreciação Sumária* 02/74, do SNI, para o período de 6 a 15 de maio de 1974. AEG/CPDOC.

59 *Diário de Heitor Ferreira*, 5 de fevereiro de 1975. Glauber Rocha só regressaria ao Brasil em junho de 1976, depois de uma paciente negociação, graças ao interesse do senador Luiz Viana Filho, ex-colega de Golbery no governo Castello Branco.

60 Para a discussão de Dale Coutinho com Rodrigo Octavio, Ernesto Geisel, março de 1995.

brança restou. Geisel preencheu a vaga de acordo com o manual. Nomeou o general Sylvio Frota, chefe do Estado-Maior do Exército. Não fazia tanta diferença.

A chegada de Frota coincidiu com o primeiro ato formal de contenção da "tigrada". Uma *Diretriz de Atuação do CIE* pretendeu tolher-lhe a autonomia. Mantinha a estrutura do aparelho de informações, mas determinava que o Centro se entendesse com os comandantes dos quatro exércitos para quaisquer operações que viesse a conduzir dentro de suas áreas.[61] Em tese, terminara a fase em que o CIE mandava onde queria, atropelando os comandantes militares e até mesmo os DOIS. Mudança radical, pretendia recompor parte da hierarquia nas áreas das grandes unidades.

É provável que essa mudança tenha sido responsável pelo adormecimento dos aparelhos clandestinos mantidos pelo Centro no Rio e em São Paulo. Entre junho de 1974, quando foi baixada a *Diretriz*, e janeiro de 75, quando os dois aparelhos acordaram, não há notícia de presos assassinados em Petrópolis ou em Itapevi. A própria tortura refluiu. Segundo o levantamento feito anos depois pela Arquidiocese de São Paulo, em 1974 foram apenas 67 as denúncias de suplícios. Um número que aproximava o governo das estatísticas anteriores à edição do AI-5. Entre 1965 e 1968 essa média ficara em 71 casos por ano. Em 1973, último ano de Medici, as denúncias haviam sido 736.[62]

O presidente não se dava a chacrinhas com generais. Não os recebia no Alvorada por falta de intimidade, nem no Planalto, por questão de hierarquia. Seu primeiro encontro com a cúpula militar ocorreu na manhã de 10 de junho. Reuniu o Alto-Comando das Forças Armadas, composto pelos ministros, seus chefes de estados-maiores e pelo chefe do EMFA. Geisel falou por mais de uma hora valendo-se de um roteiro de quinze

61 Para uma referência à *Diretriz* de junho de 1974 e à sua essência, *Informação nº 017/70/AC/76*, da Agência Central do SNI, de 20 de fevereiro de 1976. APGCS/HF.

62 *Projeto Brasil: nunca mais*, tomo V, vol. 1: *A tortura*, p. 64.

folhas de bloco com notas manuscritas. Nessa reunião, apresentou o seu projeto político. O AI-5 era um "tacape" intimidador. Repetiu boa parte da exposição que fizera a Dale Coutinho quando o convidou para o ministério, mas formulou de maneira diversa o problema da subversão. Queria ver luz no fim do beco:

> Eu não creio que presentemente [se] pudesse imaginar uma subversão interna de natureza generalizada. Absolutamente. O grau que nós atingimos, o grau de repressão a que nós chegamos impede isso. A subversão poderá ocorrer, em grande parte alimentada de fora, e poderá haver dentro do país determinados focos, mas qualquer foco destes é fator de intranqüilidade e nós temos que continuar no nosso sistema de combate à subversão interna, por maiores que tenham sido os êxitos alcançados. [...] Nós temos que trabalhar em medidas preventivas, e temos que trabalhar com medidas repressivas, se necessário. As medidas preventivas são muito importantes, inclusive no sentido psicológico, porque por mais que se liquide, se elimine esses focos, ou se prendam, ou matem, ou não sei o quê, a determinados grupos, a subversão é constantemente realimentada.[63]

Poucos dias depois, a assessoria do SNI enviou ao general Figueiredo um documento que dizia o contrário. Admitia que a guerrilha urbana tinha acabado, registrava que o último ato terrorista ocorrera em outubro de 1973, mas prevenia o governo contra um novo perigo. Denunciava a hipótese da "existência de uma estratégia global das esquerdas, destinada a criar um falso clima de tranqüilidade interna, desarmando o espírito dos Órgãos de Segurança e criando um clima para a reivindicação do restabelecimento de liberdades".[64]

63 Maço de quarenta folhas, anotadas por Heitor Ferreira e Moraes Rego, intitulado *Primeira Transcrição do Pronunciamento do Presidente Geisel na Reunião do Alto-Comando das Forças Armadas*, em 10 de junho de 1974. APGCS/HF.

64 *Subversão Comunista no Brasil, de 20 de junho de 1974, referindo-se ao Relatório Especial de Informações nº 04/74*, do CIE, citado na *Informação nº 017/70/AC/76*, da Agência Central do SNI, de 20 de fevereiro de 1976. A esse respeito, ver também *Apreciação Sumária*, do SNI, de 25 de junho a 14 de agosto de 1974. APGCS/HF.

Projetando a reivindicação do restabelecimento das liberdades como item da agenda subversiva, fechava o beco. Se não houvesse tranqüilidade, deveria haver repressão, porque só assim se restabeleceria a paz. Havendo tranqüilidade, ela seria falsa, manha subversiva. Portanto, a repressão era indispensável. A tranqüilidade tornava-se ameaça para a anarquia. Essa anomalia iria se transformar no principal fator de desordem do período. Influenciando o comportamento da "tigrada", e até mesmo o de Geisel, produzirá crises cada vez mais artificiais. Em 1964 a desordem do janguismo era um fato real, falava-se em rebelião de marinheiros, e havia marinheiros rebelados no Rio de Janeiro. As passeatas de 1968 foram instrumentalizadas, mas podiam ser vistas das janelas dos prédios da avenida Rio Branco. O vigor do surto terrorista foi exorbitado, mas atentou-se contra o virtual presidente da República, seqüestraram-se quatro diplomatas estrangeiros e assaltaram-se centenas de bancos e casas de comércio. Em 1975 não havia subversivos no Planalto, estudantes na rua, muito menos terroristas em ação. Temendo a normalidade, o aparelho de segurança do governo precisava de uma ameaça. Fabricou-a no PCB. Viu no Partidão "o maior perigo para as instituições democráticas", pelas seguintes razões:

> — É o partido que conta com quadros mais capazes e de maior experiência.
>
> — É a organização que menos recebeu os reflexos da ação direta dos órgãos de segurança.
>
> — É a organização que conta com maior experiência de clandestinidade.
>
> — É a organização que conta com maior apoio externo.
>
> — É a organização em que a condenação de seus quadros se faz mais difícil na Justiça, possibilitando a rápida volta dos seus militantes à atividade partidária.
>
> — É a organização que apresenta mais elevado estágio de organização em todo o território nacional.
>
> — É a organização que encontra maior receptividade e facilidade de penetração junto às classes política, operária, religiosa e intelectual. [...]

> — É a organização que não age precipitadamente e tem maior tradição.
>
> — É a única organização que superou uma série de crises sem haver desarticulação, tendo assegurado maior firmeza de posição e homogeneidade.
>
> — É a melhor organização na aplicação da política de acumulação de forças.[65]

Sugeria que a Comunidade de Informações cuidasse do PCB, para a tomada das "medidas preventivas indispensáveis".[66]

Numa manobra surpreendente, em junho Golbery foi à sede da Conferência Nacional dos Bispos, em Brasília, e se reuniu com um grupo de familiares de treze desaparecidos. O encontro foi marcado e realizado em sigilo. Durou o dia inteiro, e Golbery interrompeu-o para almoçar com d. Paulo Evaristo Arns. Recebeu um dossiê em que cada caso era documentado e prometeu dar notícias. Mais tarde o cardeal contou que Golbery chorou ao ouvir duas das narrativas. Anos depois do encontro, o general não se lembrava de ter chorado e, medindo as palavras, disse: "É uma versão emotiva, que não é fantasiada".[67] Despedindo-se de d. Paulo, já no carro que o levaria ao Planalto, admitiu: "Infelizmente, ainda não conseguimos limpar os quartéis".[68]

Pouco depois, os quartéis de São Paulo emitiram um sinal. Um contínuo foi a uma agência do correio para despachar um volume mal embrulhado para um endereço na Escócia. O pacote se abriu, e materiali-

65 *Subversão Comunista no Brasil, de 20 de junho de 1974, referindo-se ao Relatório Especial de Informações nº 04/74*, do CIE, citado na *Informação nº 017/70/AC/76*, da Agência Central do SNI, de 20 de fevereiro de 1976. APGCS/HF.

66 Idem.

67 Golbery do Couto e Silva, abril de 1985. José Carlos Dias, novembro de 2001. Para outro testemunho desse encontro, ver Maria Conceição Pinto de Góes, *A aposta de Luiz Ignácio Maranhão Filho*, p. 257.

68 *O Estado de S. Paulo*, 8 de setembro de 1996, p. A30.

zou-se uma carga de jornais e publicações clandestinas. Preso, o moço revelou que trabalhava para o Centro Brasileiro de Análise e Planejamento. O DOI resolveu prender o Cebrap.

O Cebrap funcionava num casarão da rua Bahia. Nele, desde o final de 1969, o núcleo de professores expulsos da Universidade de São Paulo vivia protegido atrás de uma couraça legalista. Formavam um grupo exigente, criativo e aplicado, que discutia e estudava problemas políticos e econômicos do país. Seus quadros mais destacados começavam a abandonar a referência marxista que os atraía desde o final dos anos 50. A instituição juntava autores de pelo menos 37 livros e 168 artigos acadêmicos, produção intelectual certamente superior à das Forças Armadas desde a edição do AI-5.[69] Segundo o SNI, o Centro era parte de "uma nova frente de propaganda adversa, com implicações na área estudantil".[70] A principal fonte financiadora do Cebrap foi a Fundação Ford. Financiou-lhe 70% do orçamento no primeiro ano de vida. Até 1972, dera-lhe 893 mil dólares.[71] O Cebrap recebia também a ajuda de empresários paulistas.[72] Reunia em torno de vinte acadêmicos. Sua mola mestra era o sociólogo Fernando Henrique Cardoso, autor do famoso *Dependência e desenvolvimento na América Latina* (1969).

69 Para uma história do Centro, ver "O Cebrap e as ciências sociais no Brasil", de Bernardo Sorj e Antonio Mitre. Estavam no Cebrap, entre outros: Elza Berquó, Juarez Brandão Lopes, Fernando Henrique Cardoso, Cândido Procópio Ferreira de Camargo, José Arthur Giannotti, Octavio Ianni, Bolivar Lamounier, Carlos Estevam Martins, Francisco de Oliveira, Paul Singer e Francisco Weffort.

70 *Apreciação Sumária nº 11*, do SNI, de 5 de setembro de 1974. AEG/CPDOC.

71 Bernardo Sorj e Antonio Mitre, "O Cebrap e as ciências sociais no Brasil", p. 77, e Elisabeth Station e Christopher J. Welna, "Da administração pública à participação democrática", em *Os 40 anos da Fundação Ford no Brasil*, organizado por Nigel Brooke e Mary Witoshynski, p. 172. Até 1992 a Fundação Ford deu ao Cebrap 2,21 milhões de dólares, tornando-o o quarto maior receptor de fundos no Brasil, vindo logo depois da PUC-Rio (2,7 milhões), da Fundação Carlos Chagas (2,3 milhões) e da Universidade Federal de Viçosa (2,26 milhões). *A Fundação Ford no Brasil*, volume organizado por Sergio Miceli, p. 95.

72 Segundo o professor Antonio Delfim Netto, na época da fundação do Cebrap, quando ele ocupava o Ministério da Fazenda, foi procurado pelos empresários Joseph Safra (Banco Safra) e Antonio Ermírio de Moraes (Votorantim). Indagavam como o governo veria uma eventual colaboração financeira para a instituição. Delfim disse-lhes que via com naturalidade. Antonio Delfim Netto, janeiro de 2000. Há uma referência superficial, sem documentação, à ajuda de empresários ao Cebrap na *Informação nº 007/16/AC/75* de 7 de fevereiro de 1975, da Agência Central do SNI. AA.

Um deles, o economista Frederico Mazzucchelli, que em 1968 freqüentara um grupo de estudantes radicais do qual saíram pelo menos três quadros da luta armada, foi preso na rua. Apanhou durante seis horas e ficou 25 dias na cadeia. Estava no pau-de-arara, e os policiais se divertiam aconselhando-o: "Vai reclamar com o Geisel".[73]

Em setembro, prenderam mais três professores do Cebrap. Um deles, Vinicius Caldeira Brant, ex-presidente da UNE, foi demoradamente torturado. A partir desse momento o porão começou a perder a parada. Fernando Henrique Cardoso bateu na casa do cardeal Arns às onze horas da noite e pediu-lhe socorro. Às sete da manhã seguinte, d. Paulo encontrou-se com o comandante do II Exército. A tortura cessou. Noutra linha, os professores pressionaram o coração do governo.

Nesse episódio desponta a figura de Severo Gomes. O ministro da Indústria e Comércio entrara no governo por suas relações com a plutocracia paulista, inclusive aquele pedaço da banca que financiara a repressão. Nele, seria mais um adversário do porão. Sabendo que haveria novas prisões, levou o assunto a Geisel, e firmou-se um compromisso: os três professores seriam soltos, o DOI chamaria quem quisesse mas não tocaria nos presos, que seriam interrogados e liberados no mesmo dia.[74] Assim, entre o final de setembro e as primeiras semanas de outubro, da secretária a Cardoso, o Cebrap foi ao DOI.[75] Ninguém dormiu na cadeia, mas todos ficaram encapuzados nos corredores enquanto esperavam a hora do interrogatório.[76] Durante quinze dias passaram pelo porão quase todos os professores do Cebrap.

Pela primeira (e última) vez desde o seu surgimento, o DOI fora obrigado a respeitar a integridade física dos presos de um arrastão. Os interrogatórios mostraram-se improdutivos e, na lembrança de muitos pro-

73 Luiz Maklouf Carvalho, *Mulheres que foram à luta armada*, p. 109.

74 Paul Singer foi preso no dia 19 de setembro e libertado no dia 24. Seis folhas assinadas por Falcão e visadas por Geisel, detalhando a situação de pessoas dadas por desaparecidas, de 6 de fevereiro de 1975. APGCS/HF

75 Para as prisões e todo o episódio, ver também a *Informação nº 007/16/AC/75* de 7 de fevereiro de 1975, da Agência Central do SNI. AA.

76 José Arthur Giannotti e Francisco de Oliveira, fevereiro de 1998. Para um depoimento de Fernando Henrique Cardoso, ver Brigitte Hersant Leoni, *Fernando Henrique Cardoso*, p. 171.

fessores, ridículos. A Fernando Henrique surpreenderam as perguntas que buscavam estabelecer suas conexões com o pensador trotskista Ernest Mandel, que encontrara no México, e com o ex-ministro Roberto Campos, com quem jantara em São Paulo. Já o professor José Arthur Giannotti, cujo interrogatório durou cerca de doze horas, intrigou-se com o antiamericanismo de um oficial, brasileiro, que calçava botas do uniforme americano.[77] O DOI havia sido ferido na amplitude de suas funções. Nesses dias Golbery narrou a Heitor Ferreira uma conversa em que Geisel reclamara de oficiais do CIE, dizendo que "é preciso implantar uma política de prisões sem violência".[78]

Golbery não tinha o hábito de guardar papéis. Passava-os, aos lotes, a Heitor Ferreira. Essa característica torna intrigante o fato de ter guardado consigo, por toda a vida, um maço de cinco folhas onde estão listados misteriosos episódios que rondaram sua casa de Jacarepaguá a partir de setembro de 1974. Primeiro ligou uma pessoa, puxando conversa e perguntando ao PM de serviço quantos homens faziam a segurança da propriedade. Outro telefonema informou que a mulher de Golbery fora seqüestrada. A informação era falsa, mas no dia seguinte decidiu-se que Esmeralda do Couto e Silva embarcaria para Brasília.[79] É dessa época o aparecimento nos quartéis do Rio do primeiro panfleto contra o governo.[80]

77 Fernando Henrique Cardoso e José Arthur Giannotti, junho de 2003.

78 *Diário de Heitor Ferreira*, 17 de outubro de 1974.

79 Maço de cinco folhas, entregue por Golbery a Heitor Ferreira no apart-hotel Park Avenue, em São Paulo, quando estava morrendo. Intitula-se *Transcrição das Ocorrências no Ano de 1974*. Ocorrências de 11 e 30 de setembro. APGCS/HF. A ida para Brasília está em *Diário de Heitor Ferreira*, 1º de outubro de 1974.

80 Carta do tenente-coronel Athos Amorim a Heitor Ferreira, de 21 de outubro de 1974. APGCS/HF. Não se conhece o texto desse panfleto.

Interlúdio pessoal

A Presidência deu a Geisel alguns confortos. Com o Alvorada para morar e o Riacho Fundo para os fins de semana, hospedou a irmã no palácio e os sogros octogenários na granja. Tinha piscina e cinema nas duas residências. Raramente caía n'água, e quando pedia um filme, variava do bangue-bangue ao kung fu. Logo o kung fu, que a Censura banira, chamando-o de "derivativo maoísta".[1]

Seus hábitos continuaram os mesmos. Acordava às 6h. Quando saía do banho, a roupa do dia já estava separada. Sapatos, meias e terno pretos, camisa branca e gravata escura, com algum detalhe em vermelho. Lia jornais, boletins do SNI e a sinopse do noticiário da imprensa, tomava café e entrava no Planalto — sempre pela rampa — às 9h. Almoçava no Alvorada, dormia quinze minutos (de pijama) e às 15h estava de volta ao gabinete.[2] Fechava a quitanda pontualmente às 18h. Levava serviço para casa, mas abandonava o palácio para liberar seus assessores diretos. Em torno das 23h estava na cama. Começou a acordar no meio da madrugada e, pela primeira vez na vida, tomou remédios para dormir.[3]

1 *Veja*, 6 de junho de 1990, pp. 39-40. Para uma análise da *Subversão e Filmes de Kung Fu*, do professor Waldemar de Souza (a serviço da Censura), ver *O Globo* de 19 de dezembro de 1992, 2º caderno, p. 2. Para a preferência de Geisel, Amália Lucy Geisel, junho de 1997.

2 Ernesto Geisel, abril de 1995.

3 Para a interrupção do sono, *Diário de Heitor Ferreira*, 5 de junho de 1974. Para os remédios, Amália Lucy Geisel, junho de 1997.

Dentro dessa rotina, Geisel alterou profundamente a administração de seu tempo. Acabaram-se as conversas diárias, soltas, com Golbery, Moraes Rego e Heitor Ferreira. Acabaram-se, na verdade, todas as conversas soltas. Ele seccionou os espaços privado e público. Além disso, deu à agenda oficial uma estrutura de resguardo e hierarquia. Não deixava que lhe banalizassem as audiências. Recusava crachás e não quis receber as candidatas a Miss Brasil.[4]

Numa decisão surpreendente, no segundo dia de trabalho chamou Heitor Ferreira e disse-lhe que, como seu secretário particular, deveria se retrair da atividade política e administrativa que desenvolvera nos dois anos anteriores.[5] Aos 38 anos, com a intimidade e os ouvidos de Geisel e Golbery, Heitor se tornara um dos homens mais poderosos do país. Influenciara a formação do governo de tal maneira que eram os ministros, e não ele, que forçavam o tratamento por "você". Falava em nome do presidente eleito com tamanha determinação e clareza que se pode dizer que dera ordens a quase toda a República. Geisel informara-o de que não daria mais ordem nenhuma. Teria de costurar para dentro, cuidando de todos os papéis que chegavam ou saíam de sua mesa, inclusive os relatórios e os "dragões" enviados pelo SNI.[6] ("Dragão" era o apelido das transcrições de escutas telefônicas. Como se grampeavam as linhas no cabo do distribuidor geral das centrais, surgiu primeiro a abreviatura DG, e depois passou-se ao "dragão".)

Foram raras as ocasiões em que Geisel mandou Heitor sentar-se. Falavam-se com a mesma confiança de sempre, mas o presidente ficava na cadeira e o secretário, em pé.[7] Mantiveram o hábito de dialogar por bilhetes. Eram três ou quatro por dia. Heitor avisava que encontrara erva-mate Saphyra numa loja da Superquadra 106, propunha que se erguesse uma vedação acústica numa das paredes do gabinete, pois as conversas de Geisel podiam ser ouvidas na sala ao lado, ou persistia numa campa-

4 Para o caso das misses, bilhete de Ney Braga a Heitor Ferreira, de 23 de maio de 1974. Para os crachás, bilhete de Heitor Ferreira a Armando Falcão. APGCS/HF.

5 *Diário de Heitor Ferreira*, 19 de março de 1974. Ernesto Geisel, abril de 1995.

6 Três folhas manuscritas de Heitor Ferreira, sem data, intituladas *O Que Faço*. APGCS/HF.

7 *Diário de Heitor Ferreira*, 17 de março de 1975. Heitor Ferreira, agosto de 1998.

nha para afastar militares uniformizados da proximidade do presidente em seus compromissos públicos. Contava as fardas nas comitivas que viajavam para os estados, e mostrou-lhe que numa passagem por Campinas, entre vinte pessoas, levara dezessete militares da ativa.[8] A poda de março foi tão dolorosa para Heitor que ele descuidou de seu diário e, em abril, registrou: "Estas minhas anotações estão muito fracas. Sei disso e me perdoe quem um dia as vier a ler".[9] Os dois só voltaram a ter uma conversa demorada três meses depois.[10]

As seis horas de vida pública de Geisel no Planalto dividiram-se em dois blocos. Armava o time em duas reuniões de até 45 minutos — uma às 9h, outra às 15h — com os chamados "ministros da Casa". Sentavam-se nelas os chefes do Gabinete Civil, do Gabinete Militar e do SNI, além do secretário do Planejamento, que meses depois foi dispensado da sessão vespertina. Os demais ministros tinham 45 minutos de despacho por quinzena, e as tardes das quartas-feiras ficaram para os parlamentares. Esse sistema viria a concentrar a convivência com os ministros do palácio. Num só ano, Golbery, Hugo Abreu e Figueiredo teriam 324 horas de despachos conjuntos, contra 323 para todos os outros, cujos encontros com o presidente variaram de um máximo de 45 horas (Armando Falcão) a um mínimo de 8h40 (Paulo de Almeida Machado, da Saúde).[11]

Geisel amparava seus despachos numa lista de assuntos pendentes, mapeados por Heitor Ferreira. Nela se misturavam novos problemas e velhas idéias, ecos do largo da Misericórdia. Em julho, a lista de cobranças ao chanceler Azeredo da Silveira tinha 35 itens. Iam da compra de uma casa para a embaixada em Lisboa até a antiga pendenga da verba federal que sustentava o colégio Pio Brasileiro, em Roma.[12]

Quando um assunto entrava na lista de cobranças, era impossível esquecê-lo. Geisel descobriu que o Ministério do Exército mantinha no Rio

8 Cinco folhas de notas de Heitor Ferreira a Geisel, de 14 de julho de 1974. APGCS/HF.

9 *Diário de Heitor Ferreira*, 27 de abril de 1974.

10 Bilhete de Heitor Ferreira a Geisel, agradecendo a conversa, anotado por Geisel, de 14 de junho de 1974. APGCS/HF.

11 *Controle dos Despachos com os Ministros de Estado*, de 1976. APGCS/HF.

12 Nota de Heitor Ferreira a Geisel, que a visou, de 9 de julho de 1974. APGCS/HF.

de Janeiro um asilo dos Inválidos da Pátria. Como essa expressão surgira com o socorro aos veteranos da Guerra do Paraguai, coisa acabada havia mais de um século, pediu ao general Sylvio Frota que lhe explicasse o fenômeno. Ficou sabendo que o asilo dava emprego a 126 servidores, 57 dos quais militares, seis oficiais, e que tinha 63 casas. Afora os salários, a instituição gastava 346 mil cruzeiros por ano (em torno de 50 mil dólares). Beneficiava quatro pensionistas e um ex-combatente. Somando-se a eles duas viúvas e uma filha de veterano que entraram na conta, eram oito os assistidos. Dividindo-se a verba anual entre os oito favorecidos, cada um poderia buscar outra pousada com uma pensão de quinhentos dólares mensais. O presidente cobrou o fechamento do asilo em inúmeros despachos. Pela sua lembrança, só o conseguiu quando informou ao ministro que não assinaria papéis do Exército enquanto aquele caso não estivesse encerrado.[13]

O tempo de Geisel no Alvorada e na granja do Riacho Fundo tornou-se privado. Não levava convidados para casa. Almoçava e jantava com a família. Era comum que o ajudante-de-ordens, um jovem capitão, sentasse à mesa, mas era impossível que a ela chegassem os hierarcas da República. Demorou um ano para perceber que nunca convidara Golbery e Heitor para jantar no palácio: "Eu sou chucro mesmo. Mas tem que ser, né?".[14] Raramente chamava ministros para conversas à noite ou durante os fins de semana. Só saía de casa quando não havia outro jeito. Recusou-se a comparecer ao jantar em homenagem à duquesa de Kent: "Só porque é princesa?".[15] Procurou separar sua vida pública da vida particular da mulher e da filha, a ponto de pedir ao ministro da Justiça que sugerisse aos donos de jornais mantê-las fora do noticiário das colunas sociais. Radicalizado, o pedido resultou numa ordem da Censura proibindo referências a Amália Lucy Geisel.[16]

13 Para os dados do asilo, *Dados sobre o Asilo Inválidos da Pátria*, do gabinete do ministro do Exército, sem data. APGCS/HF. Ernesto Geisel, 1982. Para a ameaça, Ernesto Geisel, abril de 1995.

14 *Diário de Heitor Ferreira*, 17 de março de 1975.

15 Para o jantar da duquesa, nota manuscrita de Geisel a Heitor Ferreira e nota de Heitor Ferreira ao chefe do cerimonial, de 13 de julho de 1974. APGCS/HF.

16 Armando Falcão, *Tudo a declarar*, pp. 324-5. Ordem da Censura de 29 de março de 1974. Paolo Marconi, *A censura política na imprensa brasileira — 1968/1978*, pp. 277-8.

O isolamento, somado ao silêncio sepulcral que envolve o Alvorada, derivou em tamanha solidão que sua filha lembraria, 23 anos depois: "À noite, eu ficava olhando para o gramado, acompanhando os faróis dos carros que se aproximavam. Quando o carro vinha, eu pensava: 'Esse vai entrar'. Mas eram turistas, dobravam. Eu ficava esperando que alguém nos visitasse, mas não vinha ninguém".[17]

No circuito doméstico mandava sua mulher, Lucy. Tinha 56 anos e padecia de uma agorafobia que a afastava de aglomerações e a fazia sofrer nas viagens aéreas. Só era vista em cerimônias em que sua presença fosse protocolarmente indispensável. Passou pelo poder sem mudar o penteado, a cor dos cabelos ou mesmo a costureira. Ensinava os cozinheiros do palácio da Alvorada a preparar tortas. Era uma senhora da classe média européia, daquelas que falam baixo e levam a mão à boca para encobrir uma risada. Se algum dia tratou de política com o marido, ninguém ouviu, nem a filha.

Lucy Geisel nunca falou de si. Cuidava do marido, dos pais e da rede de parentes que viviam em Estrela. Raros foram os seus comentários sobre o período da Presidência. Gostava de lembrar a mulher de um ministro que abusava dos decotes e a surpreendeu numa recepção com o vestido fechado à altura do pescoço, revelando, ao virar-se, que tinha as costas nuas no limite do possível.[18] Afeiçoou-se a Duquesa, uma dálmata que recebeu logo que chegou ao Alvorada. Deu-lhe por nicho um canto de seu quarto de vestir e, anos depois, em Teresópolis, levou-a para o dormitório do casal.

O capitão que prometera à noiva uma vida de "miséria dourada" com dez contos de réis no banco, agora vivia num palácio servido por 73 empregados civis e tinha uma renda próxima de 500 mil cruzeiros anuais (equivalentes a 71 500 dólares), mas não havia alegria em sua casa.[19]

17 Amália Lucy Geisel, junho de 1997.

18 Lucy Geisel, 1995.

19 Bilhete de Geisel a Heitor Ferreira, de 17 de novembro de 1974. Para os empregados, uma folha manuscrita de Heitor Ferreira, de 5 de dezembro de 1974. APGCS/HF. Heitor monitorava periodicamente o número de funcionários civis e militares da Presidência.

A Presidência foi mais um golpe na vida da filha, Amália Lucy. A morte do irmão desestruturara o equilíbrio familiar, e a nova posição do pai haveria de desestruturar o que ela conseguira construir. Geisel protegia-a obsessivamente, como se vivesse sob o pavor daquela manhã de Quitaúna, quando lhe contaram que Orlandinho morrera. Até a chegada a Brasília, onde Amália ganhou a escolta de um guarda-costas, o pai telefonava-lhe duas vezes por dia e freqüentemente lhe pedia que tomasse cuidado ao atravessar a rua.[20] Tinha 29 anos e era professora concursada do colégio Pedro II, além de trabalhar no Conselho Federal de Cultura. O pai se recusou a nomeá-la para qualquer cargo público, e a segurança desaconselhava que arrumasse um emprego qualquer. Amália Lucy acabou se instalando na Funarte e matando o tempo em recepções diplomáticas.

Suportou até mesmo que se propagasse o apelido de *Mosa*, derivado de "Mimosa", que lhe deram ao nascer. Ela não gostava da intimidade invasiva e muito menos do apelido, improvisado pela surpresa da chegada de uma menina no lugar de um garoto que se chamaria Frederico, nome que não podia ser adotado na variante feminina.[21]

Levava uma vida modesta, restrita às relações com parentes e com um pequeno núcleo de amigos. Seu gosto pela música popular deu-lhe desconfortável notoriedade quando o compositor Chico Buarque de Hollanda, escondido sob o pseudônimo de Julinho da Adelaide, cantou: "Você não gosta de mim, mas sua filha gosta".[22] Numa época em que era comum os filhos dos hierarcas protegerem a individualidade distanciando-se da ditadura, Amália, mesmo sem ter o menor interesse em projetar uma imagem liberal, disputou cada palmo de sua escassa autonomia. Não discutia política com o pai, mas nas raras ocasiões em que o fazia, cortava como faca. Numa manhã em que Geisel tratava de um discurso de agradecimento ao Colégio Eleitoral, ela o ouviu falar que pretendia "mostrar que o meu mandato vem do povo".

20 Amália Lucy Geisel, julho de 1991.

21 Idem.

22 A música é "Jorge Maravilha", de 1974.

"É difícil, porque não é", disse.[23]

Criou um caso com a mãe porque o chefe da segurança tentou impedi-la de ir ao aeroporto do Galeão buscar uma amiga dos tempos de escola, irmã de um banido.[24] Geisel considerava-a ingênua e temia que amizades esquerdistas pudessem envolvê-la, mas não se meteu na encrenca: "É muito difícil [...] porque ela briga logo".[25] Num dos Natais de Brasília, quando seu pai ceava com a tropa da guarda do Riacho Fundo para encurtar a comemoração familiar que lhe causava sofrimento, ela foi para a casa de um casal amigo à procura da festa que desde a adolescência lhe era negada.[26]

O círculo de ferro afrouxava-se nos fins de semana. No Riacho Fundo, o pai desfrutava a companhia de seu melhor amigo. É impossível dizer se Humberto Barreto, aos 42 anos, era um amigo do presidente, de 66, ou a projeção recôndita do filho, que completaria 33. Cearense do Crato, fora garoto para o Rio, disposto a tentar uma vaga na Escola de Cadetes do Ar. Morava com um tio coronel quando Geisel regressou sozinho do Uruguai e se instalou no apartamento. Conviveram cerca de um ano. Humberto foi reprovado no exame médico e empregou-se como contínuo na Sears, até que o amigo lhe conseguiu um lugar no Sesi. Afeiçoaram-se de tal modo que, ao ser designado para o comando de Quitaúna, Geisel pensou em deixar o filho no Rio, aos cuidados dele.[27] Humberto e a mulher, Lilian, foram constante companhia nos fins de semana do casal Geisel. Em 1964, formado em direito, era tesoureiro da Caixa Econômica Federal. O general ajudou-o a conseguir a chefia do serviço de penhores e mais tarde levou-o para uma diretoria da distribuidora da Petrobrás. Em pelo menos uma ocasião, precisando de um lugar discreto para conversar com um general, Geisel usou o apartamento de Humberto.[28]

23 Conversa de Geisel com Amália Lucy Geisel e Heitor Ferreira, 7 de janeiro de 1974. APGCS/HF.

24 Amália Lucy Geisel, junho de 1997. A amiga era Elisabeth van der Weid, irmã de Jean Marc van der Weid.

25 Conversa de Geisel com Heitor Ferreira, 29 de janeiro de 1974. APGCS/HF.

26 Amália Lucy Geisel, junho de 1997.

27 Humberto Barreto, maio de 1991.

28 *Diário de Heitor Ferreira*, 24 de junho de 1973. Geisel encontrou-se com o general Figueiredo para discutir a escolha do general Adalberto Pereira dos Santos para a Vice-Presidência.

Se Reis Velloso tivesse aceitado o Ministério do Interior, Golbery iria para o Planejamento. Nesse caso, Humberto Barreto poderia vir a ser o chefe do Gabinete Civil. Fracassada a manobra, virou aposta fácil para a presidência da Caixa. No dia seguinte à eleição, Moraes Rego teve uma idéia: "Por que não o Humberto para secretário de Imprensa?".

Heitor Ferreira, em cujas listas nunca entrara um assessor de Imprensa, resumiu as conveniências: "Resolve o gabarito, resolve a amizade com ele, resolve levar esculhambação. [...] Resolve o fato de não termos ninguém e resolve o que fazer com Humberto, que nós não sabíamos o que fazer". Resolvia também o conforto emocional de Geisel, que gostava da companhia e da proximidade de Barreto.[29]

Geisel achou que era pouco. Convidou-o, e de fato era pouco. Humberto aceitou, mas abriu-se uma curta crise entre as duas famílias. Moraes Rego repetia que "se arrependimento matasse, eu já estava morto. Estou arrependidíssimo de ter inventado isso".[30] Haveria de ser uma das melhores soluções surgidas na formação do governo. A seca elegância sertaneja de Humberto Barreto, aliada à audácia que a intimidade com o presidente permitia, fizeram dele um assessor de Imprensa festejado desde a primeira hora.

A principal qualificação de Humberto Barreto junto aos jornalistas decorreu do desembaraço com que criticava a Censura e da sinceridade com que reconhecia a impossibilidade de sua suspensão imediata. Estabeleceu canais de comunicação com repórteres e editores e, em maio, entregou a Geisel um maço com 35 folhas de proibições enviadas ao *Jornal do Brasil* desde o dia da posse.[31] Meses depois, repassou a Golbery os textos massacrados na edição de um só dia d'*O Estado de S. Paulo*.[32] Transformaria um cargo inexpressivo num dos mais importantes postos da República.

Era o único civil nos fins de semana no Riacho Fundo. Os demais tinham passado pela AMAN. Aos sábados compareciam Heitor Ferreira e

29 Conversa de Heitor Ferreira com Moraes Rego, 16 de janeiro de 1974. APGCS/HF.

30 Conversa de Moraes Rego com Heitor Ferreira, 4 de fevereiro de 1974. APGCS/HF.

31 Maço de 35 folhas com cópias das ordens recebidas pelo *JB*. APGCS/HF.

32 Cartão com bilhete de Carlos Chagas a Humberto Barreto, de 28 de outubro de 1974. APGCS/HF.

o tenente-coronel Germano Pedrozo. Aos domingos, Moraes Rego e o tenente-coronel Gleuber Vieira, que Geisel comandara nos anos 50, no Regimento Escola de Artilharia. Desde então, sempre que pôde, teve-o por perto. Às vezes, o administrador do Planalto, Mário Almeida Purificação da Costa, amigo de Geisel desde os dias de Quitaúna. Hospedava-se na granja o coronel Americo Mourão, médico da Presidência.

Golbery não ia ao Riacho Fundo. Como Geisel, Golbery não ia a lugar algum. A semelhança, contudo, parava aí. O que num era ordem, hierarquia e cultivada introversão, no outro era informalidade e cultivada extroversão. Bastava que se comparassem as duas mesas de trabalho. A de Geisel, incólume. A de Golbery, empilhada. Ou a agenda. Uma, pontual e severa. A outra, errática e imprevisível, juntando na sala de espera políticos, jornalistas e até pai-de-santo.

Golbery se instalara na granja do Ipê, onde sua mulher fizera construir um enorme viveiro de pássaros e espalhara animais pelo mato. O bode se chamava Deputado. Apreciava as crises de insônia e as viagens do presidente porque umas lhe permitiam avançar na leitura e as outras, adiantar a papelada. Às vezes cavalgava nos fins de semana. Chegava ao Planalto um pouco antes de Geisel, e saía muito depois. Almoçava quase sempre em sua própria sala, sem nenhum ritual, simplesmente continuando uma conversa que já começara e que terminaria depois do café. Passava o dia trancado, e nisso havia, além do costume, uma certa premeditação. Denominava-a *Lei da Bunda*. Enunciava-a mais ou menos assim: "Você entra aqui e senta a bunda. Os outros estão ocupados. Uns com agenda repleta, outros viajando. Aos poucos as pessoas sabem que você está aqui e te procuram. Você acaba sendo procurado pelo simples fato de estar com a bunda na cadeira".[33]

A *Lei*, somada à fama do general, tornava a sala de Golbery ponto de confluência de assuntos proporcionais à sua importância política, mas também de toda sorte de banalidades. Um editor do Rio de Janeiro propunha que se elegesse uma mulher com o propósito de sentá-la à mesa do ministério, como representante do gênero. Um embaixador informa-

33 Heitor Ferreira, julho de 1997.

va que os centros irradiadores de notícias sobre a tortura estavam em Paris, Londres e Nova York, e, falando muito bem de si, sugeria que o nomeassem para Paris, Londres ou Nova York.[34] No mundo dos assuntos relevantes, o general Affonso de Albuquerque Lima, líder putativo da linha dura e alavanca da ascensão de Costa e Silva nos anos 60, reaparecia em cartas. Politicamente anêmico, propunha a paz: "Vamos então viver do presente para a construção de um novo Brasil". Afastado da tropa, trabalhava como diretor do conglomerado financeiro de um cunhado. Pedia os bons ofícios de Golbery junto ao Banco Central e anexava um memorando do próprio parente pleiteando "um tratamento melhor" ao seu banco e rapidez na liberação de um empréstimo de 12,6 milhões de dólares da Caixa Econômica à loja de roupas Ducal, que pertencia ao grupo. Por prático, fornecia o número do processo: 2374/74 PIS-RJ.[35]

Quando Geisel ritualizou o expediente do palácio, Golbery manteve-se em seu lugar. Desde o primeiro dia de governo, formalizou o tratamento com o amigo. Só descia ao terceiro andar se solicitado. Era pouco freqüente que se reunisse a sós com o presidente. Pode-se estimar que, ao longo de uma semana, a média desses encontros dificilmente ultrapassasse uma hora. Conversas soltas como as do largo da Misericórdia tornaram-se raras. Três por ano, talvez.[36]

Ao contrário de Geisel, buscava divertimento na função. Expandia-se nas breves respostas aos bilhetes de Heitor Ferreira. Recebeu uma fotografia do ministro Simonsen com as mãos afastadas, num gesto que poderia dar a impressão de que estivesse mostrando o tamanho de alguma coisa, e anotou: "Que grande, não!".[37]

Havia um recém-chegado no ninho de oficiais que Geisel levara ao Planalto: o general Hugo Abreu, chefe do Gabinete Militar. Pára-quedista miúdo porém atlético, tinha a cabeça inteiramente raspada, e de sua for-

34 Uma folha, sem data, provavelmente de 1974, com a parte final de uma carta do embaixador em Tóquio, Hélio Cabal. APGCS/HF.

35 Carta de Affonso de Albuquerque Lima a Golbery, com um memorando de José Luis Moreira de Souza, de 13 de junho de 1974. APGCS/HF. O empréstimo pretendido era de 86 milhões de cruzeiros, equivalentes a 12 milhões de dólares.

36 Heitor Ferreira, 2003.

37 Recorte de jornal com nota manuscrita de Golbery, sem data, de 1974. APGCS/HF.

ma nasceu-lhe o apelido: *Chupeta*, ou *Pinduca*, numa referência ao personagem das histórias em quadrinhos. Aceitando uma idéia de seu irmão Orlando, em fevereiro Geisel convidara o general Dilermando Gomes Monteiro para o cargo. Duas semanas antes da posse, Dilermando saiu para passear de bicicleta, levou um tombo e quebrou a cabeça do fêmur. Caso para três meses em cadeira de rodas e outros três com bengala. Geisel recusou todas as sugestões para mantê-lo. A idéia de entrar no Planalto com um chefe militar entrevado não era coisa de seu mundo: "Eu vou prestigiar o Dilermando pela vida afora, mas sinceramente eu acho que não dá".[38]

Quem no lugar? Resolveu-se o assunto em quatro dias. Geisel mal conhecia Hugo Abreu. Fora outra sugestão de Orlando Geisel.[39] Era um combatente, homem de muito serviço na tropa e de pouca conversa. Passara com louvor pela FEB. Fizera fama na Brigada Aeroterrestre, chamada de "fábrica de dores de cabeça", disciplinando um corpo de oficiais que se rebelara durante o seqüestro do embaixador americano, em 1969.[40] Aos 51 anos, aprendeu a saltar. Comandara os pára-quedistas na campanha contra a guerrilha do PC do B no Araguaia e no combate ao terrorismo no Rio.

Tentaram abatê-lo, mas o presidente fixou-se na escolha. De um lado, fazia o possível para não contrariar o irmão ofendido. De outro, respeitava a cruz de combate de primeira classe que o capitão Hugo trouxera da Itália.

"Essa ressalva em relação ao rapaz não é nada. O rapaz é soldado, tem vida correta, tem certo poder de liderança, teve bom destaque na guerra. O que é que tem? Ele é teimoso, ele é ranheta, não sei o quê? É radical? Isso comigo não tem muito..."[41]

Dias depois, impressionou-se com as poucas palavras que trocaram no telefonema em que o convidou: "Ele estava nervoso. Será que é sempre assim?".

38 Reunião de Geisel com Dale Coutinho, 6 de março de 1974. APGCS/HF.

39 Conversa de Geisel com Golbery, Moraes Rego e Heitor Ferreira, 6 de março de 1974. APGCS/HF.

40 Hugo Abreu, *O outro lado do poder*, p. 20.

41 Conversas de Geisel com Golbery, Moraes Rego e Heitor Ferreira, 6 e 7 de março de 1974. APGCS/HF. Hugo Abreu foi chamado de "radical" por Orlando Geisel e pelo general Reynaldo Mello de Almeida.

"Ele está com uns tiques de nazista, não é? Ele é muito enquadrado, é muito dedicado", respondeu Golbery, que o conhecia e apreciava.

"Eu falei a ele que foi escolhido porque é soldado. [...] Embora ele não seja um homem da minha intimidade."[42]

Era um oficial de tropa sentado à mesa com Geisel, Golbery e Figueiredo. Somando-se o tempo de comando de quartel dos três desde a época em que eram coronéis, não chegava aos cinco anos de Hugo na Brigada. Habituara-se de tal maneira aos uniformes e aos coturnos marrons dos pára-quedistas que nem terno tinha. Sua entrada no Planalto foi dolorosa. Vestia uma roupa feita às pressas por um alfaiate de subúrbio e calçava sapatos pretos novos que lhe doíam nos pés a ponto de ele não conseguir distinguir quem estava cumprimentando nas recepções. "Passei de pára-quedista a palaciano", diria mais tarde.[43]

Hugo Abreu não deu palpite na formação da equipe do Gabinete Militar, pois Geisel pusera coronéis de sua própria confiança em todos os postos-chaves do palácio.[44] Sofreu também um rebaixamento imobiliário. A granja do Torto, grande propriedade onde viviam desde 1964 os chefes do Gabinete Militar, continuaria com Figueiredo. Lá ele tinha suas baias, pista de montaria e 23 serviçais.[45] Geisel decidira preservar-lhe a mordomia e, na conversa em que convidou Hugo Abreu, se esqueceu de mencionar esse detalhe. Quando recebeu a notícia, o general não reclamou.[46]

Sua presença na reunião das 15h trouxe um ingrediente adicional à formalização das relações de trabalho imposta pelo presidente. O general tinha poucas semanas no cargo quando Heitor Ferreira o informou de que pretendia mudar o sistema por meio do qual seriam gravadas — com o consentimento de Geisel — algumas das conversas do gabinete presidencial. Hugo tratou do assunto com o presidente e disse-lhe que um

42 Conversa de Geisel com Golbery e Heitor Ferreira, 6 de março de 1974. APGCS/HF.

43 Hugo Abreu, *O outro lado do poder*, pp. 31-2.

44 Idem, p. 23.

45 Levantamento do número de funcionários da Presidência, de 31 de dezembro de 1973. APGCS/HF.

46 Conversa de Geisel com Moraes Rego e Heitor Ferreira, 7 de março de 1974, e telefonema de Moraes Rego a Heitor Ferreira, 10 de março de 1974, para o esquecimento. APGCS/HF. Ver também *Ernesto Geisel*, organizado por Maria Celina d'Araujo e Celso Castro, p. 272.

suboficial do serviço de comunicações do Gabinete Militar cuidaria dos detalhes técnicos. Ao perceber que já havia gente demais sabendo daquilo que no largo da Misericórdia e no Jardim Botânico fora um segredo, disse a Heitor que desmontasse a escuta.[47]

Partira-se o principal elo físico da intimidade de Geisel com a pequena equipe que se formara no gabinete da Petrobrás. Desde novembro de 1973, Heitor gravava praticamente todas as conversas do general, bem como as longas tertúlias das manhãs no Jardim Botânico, das tardes no largo da Misericórdia, e até mesmo alguns telefonemas. Começara com um aparelho Philips 85, ao qual Geisel narrou um encontro com Medici.[48] Duas semanas depois, Heitor remetera-lhe duas páginas de transcrições com um bilhete anunciando que a fita seria apagada e dizia: "Aí está. Eu não vou fazer coisa nenhuma à sua revelia — e um troço desses tem seus perigos. [...] É um problema danado de confiança. É uma arma de fofoca. E só o senhor pode pensar a respeito e ver se vale a pena. Prefiro cancelar tudo a que a conseqüência possa ser o senhor guardar-se ao conversar comigo".[49]

Geisel concordou com o prosseguimento das gravações, desde que posteriormente fossem condensadas e não se fizesse daquilo uma sistemática.[50] O interesse de ambos era a preservação de um registro histórico. Heitor não apagou as fitas. Conservou uma documentação que, se tivesse sobrevivido apenas nas transcrições incompletas e precárias, perderia a autenticidade e, em certos episódios, também o sentido. Essas fitas ha-

47 Heitor Ferreira, 1986.

48 *Diário de Heitor Ferreira*, 1º de novembro de 1973.

49 Idem, 15 de novembro de 1973. Durante a gravação Heitor disse a Geisel: "Bom, chefe, eu gravei esta conversa nossa agora... o senhor viu?".

GEISEL: É, eu vi que você estava gravando.

HEITOR: Pois é, agora eu não sei se a distância está boa, porque se nós conseguirmos gravar uma conversa desse tipo, a gente pode, depois, reconstituir sem escrita e apagar.

50 Nota apensa ao *Diário de Heitor Ferreira*, 15 de novembro de 1973, com um bilhete de Heitor a Geisel. APGCS/HF. A ele Heitor acrescentou a anotação de uma conversa com Geisel no dia 22.

veriam de se tornar um dos segredos mais bem guardados do período. Somaram cerca de 222 horas em sessenta rolos de quatro faixas. A escuta só foi conhecida por Geisel, sua mulher, sua filha, Heitor, Golbery, Moraes Rego, Humberto Barreto e Nancy Souza Leão, a secretária que as transcreveu em parte, sem que o texto viesse a ser conferido. Jamais alguém as ouviu, e nunca houve vazamento de seu conteúdo.

Os gravadores foram ligados regularmente durante quatro meses. Nesse período, Geisel deu pelo menos catorze demonstrações — gravadas — de pleno conhecimento da escuta e de sua sistemática.[51] Ouviu uma conversa de Golbery com um senador. Enquanto falava com um almirante, viu Heitor colocando no seu telefone a "chupeta" que lhe permitia gravar a voz do interlocutor.[52] Numa ocasião temeu que o visitante (o general Figueiredo, na conversa em que foi convidado para chefiar o SNI) tivesse percebido a situação. Em janeiro de 1974, no Jardim Botânico, Amália Lucy perguntou como funcionava o equipamento e assistiu a uma demonstração. Heitor recitou um monólogo na saleta onde estava o transmissor que remetia as vozes a um aparelho de rádio sintonizado em 88 MHZ e acoplado a um gravador. Geisel regulou o receptor, e se escutou a voz de Heitor.

"É horrível. É pior que o Watergate", comentou Amália, afastando-se. (O sistema de escuta montado pelo presidente Richard Nixon na Casa Branca fora desligado em julho de 1973.)[53]

Moraes Rego lembrou que Golbery ria muito quando ouvia as fitas, e Geisel acrescentou: "Ri com as minhas besteiras".[54]

Na nova ordem, Geisel só pediria a Heitor que gravasse umas poucas conversas com estrangeiros. Nunca consultou as transcrições, não quis saber o destino das fitas. Apagou o episódio.

51 *Diário de Heitor Ferreira*, 1º de novembro de 1973. Duas folhas de Heitor Ferreira a Geisel, de 15 de novembro de 1973. Ver também conversas de Geisel com Golbery, Moraes Rego ou Heitor Ferreira de 15 e 22 de novembro; 10, 16, 17, 18 e 20 de dezembro de 1973; 2, 3 e 21 de janeiro; 12 e 16 de fevereiro; 10 e 14 de março de 1974.

52 Para a "chupeta", antes de uma conversa de Geisel com o almirante Faria Lima, em 17 de dezembro de 1973. APGCS/HF.

53 Conversa de Geisel, Amália Lucy Geisel, Moraes Rego e Heitor Ferreira, 7 de janeiro de 1974. APGCS/HF.

54 Idem.

O regime é implacável

O calendário político de 1974 estava sobrecarregado. Em abril começariam a caducar as cem primeiras cassações de direitos políticos feitas dez anos antes. Em outubro seriam eleitos indiretamente os 22 governadores e em novembro, em eleição direta, um terço do Senado, toda a Câmara dos Deputados e todas as assembléias legislativas.

As cassações podiam ser prorrogadas, mas nisso haveria um grau desnecessário de violência, visto que os cassados, e até mesmo seus familiares diretos, eram inelegíveis. O comandante do III Exército achava que era o caso de "dez mais dez" anos. Geisel dissuadiu-o com relativa facilidade.[1] Dos grandes nomes de 1964, Juscelino Kubitschek e Jânio Quadros viviam no Brasil. João Goulart, que se mantivera longe das insurreições planejadas pelo cunhado Leonel Brizola, continuava sua vida de estancieiro no Uruguai.

A atividade política de JK era nula. Aos 71 anos, tinha a vida familiar infernizada pela persistência de um romance iniciado em 1958 com Lúcia Pedroso, linda senhora da grã-finagem carioca. Sua vida financeira estava sobressaltada por negócios imobiliários feitos com uma ricaça portuguesa.[2] O cotidiano, atormentado pelas dificuldades do casamento da filha Márcia com o banqueiro Baldomero Barbará, de quem era só-

1 Conversas de Geisel com Heitor Ferreira e Figueiredo, narrando um encontro com o general Oscar Luiz da Silva, de 7 e 9 de fevereiro de 1974. APGCS/HF.

2 *Diário de JK*, 15 e 29 de outubro, 2 e 11 de novembro de 1973, e 10 e 14 de janeiro de 1974.

cio.[3] Só um homem com sua energia conseguiria manter um eterno sorriso vivendo semelhantes contrariedades somadas às seqüelas de um câncer de próstata, diabetes e crises de angina.[4]

A ditadura segurava-o pelo bolso, conservando em banho-maria um processo em que era acusado de enriquecimento ilícito e que o impedia, por exemplo, de assinar escrituras.[5] Numa caminhada pela praia de Ipanema, JK encontrou o general Arthur Moura, adido militar americano, e dele soube que sua cassação caducaria suavemente, desde que se mantivesse em resguardo.[6] Conhecia o tamanho de sua popularidade. Aonde ia, quer às bodas de ouro dos condes Matarazzo, em São Paulo, quer à Pousada do Rio Quente, em Goiás, via-se saudado com a melodia de "Peixe-Vivo", modinha celebrizada pelas serenatas de que participava em Diamantina.[7] Havia na letra um tom de saudade e lamento político:

Como pode
O peixe vivo
Viver fora
Da água fria?

Como poderei viver,
Como poderei viver
Sem a tua, sem a tua,
Sem a tua companhia?

No dia 21 de abril de 1974, 14º aniversário da inauguração de Brasília, JK passeou pela cidade, caminhou pela praça dos Três Poderes e en-

3 Para as dificuldades do casamento de Márcia Kubitschek, *Diário de JK*, 29 de novembro e 5 de dezembro de 1973. Para a relação empresarial com Barbará, *Diário de JK*, 4, 7 e 19 de junho de 1974.

4 *Diário de JK*, 15 de julho de 1974, e *Veja*, 14 de maio de 1997, pp. 108-18.

5 *Diário de JK*, 14 e 19 de março, 7 de agosto e 8 de setembro de 1974. Para as escrituras, quando a proibição foi suspensa, idem, 5 de agosto de 1974.

6 *Diário de JK*, 7 de fevereiro de 1974.

7 Idem, 28 de fevereiro, 2 de março e 7 de novembro de 1974.

trou no prédio do Congresso. Era um domingo, não havia vivalma, mas uns poucos funcionários o reconheceram e iluminaram-lhe os plenários da Câmara e do Senado. Voltou para a fazenda, nos arredores da capital, com a lembrança do gesto e a melancolia que a visão de sua cidade lhe despertava.[8] Cavalgava ao amanhecer, fiscalizava obras, tomava banho de cuecas na represa, era capaz de viajar 25 mil quilômetros numa semana, mas, no fundo, sonhava "com coisas que não virão mais".[9]

Aos 56 anos, João Goulart estava gordo e doente. Sofria desmaios e crises circulatórias, tivera dois enfartes e não largava o cigarro. Tinha o coração de um homem de oitenta anos. Seu cardiologista francês dera-lhe um triste prognóstico: "Presidente, se a gente não quer viver, não vive".[10]

Seus poucos passos eram vigiados. Os generais o humilhavam, negando-lhe até mesmo um passaporte. Viajava por cortesia do ditador Alfredo Stroessner, do Paraguai, que lhe dera um passaporte no qual vinha qualificado como "ex-presidente da República Federativa do Brasil". A ditadura que mantinha a tradição de conceder passaportes diplomáticos aos descendentes do imperador d. Pedro II, obrigava um ex-governante brasileiro a andar pelo mundo como beneficiário de um favor paraguaio.[11]

Jango tentou negociar sua volta e chegou a anunciar o propósito a um jornal venezuelano.[12] Sondara o ambiente valendo-se das amizades de um sobrinho de Getulio e recebera do governo Medici uma resposta ambígua. Poderia vir, arcando com as conseqüências.[13] Quais conseqüências, não diziam, mas Orlando Geisel narrou o caso ao irmão e resumiu sua resposta: "Se entrar aí, prende".[14] Quando a gestão foi a Geisel, acabou numa curta conversa:

8 *Diário de JK*, 21 de abril de 1974.

9 Idem, 17 de agosto de 1974. Para a cavalgada e o banho, idem, 18 de agosto de 1974.

10 João Pinheiro Neto, *Jango*, p. 15.

11 Essa tradição surgiu quando o presidente Epitácio Pessoa revogou o decreto de banimento da família real. *Lembrete nº 122*, do ministro Azeredo da Silveira a Geisel, de 7 de abril de 1977. APGCS/HF. Geisel quis suspender a prerrogativa.

12 *El Nacional*, de Caracas, 7 de setembro de 1973.

13 Narrativa das gestões, feita por Figueiredo a Heitor Ferreira, 5 de dezembro de 1973. APGCS/HF.

14 Narrativa de Geisel a Golbery, 1º de fevereiro de 1974. APGCS/HF.

"Prende e manda soltá-lo do outro lado da fronteira. Pode usar o AI-5 em cima dele."

"Ele seria uma belíssima cabeça para levar uma paulada", acrescentou Golbery.[15]

No dia 10 de abril, quando se completaram os dez anos do regime e de sua primeira onda punitiva, o ministro da Justiça informou que os cassados podiam viver em paz, "sem tentar perturbar o processo revolucionário, ostensiva ou disfarçadamente".[16] Jango aquietou-se. Recebera o recado.

O problema do regime não estava no passado, nos exilados ou nas caminhadas de JK pela praia de Ipanema. Estava no coração do Milagre, em São Paulo. Antonio Delfim Netto queria governar o estado. Em tese, a Arena escolheria os candidatos pelo voto de suas convenções estaduais. Delfim contava com o silencioso apoio do governador Laudo Natel e era o sujeito oculto do noticiário que mencionava a necessidade de "um nome nacional" para sucedê-lo.[17] Estava certo de que tinha a maioria dos 1300 votos da convenção da Arena.[18]

Faltava-lhe um só, o de Geisel. A má vontade do presidente contra Delfim aumentara com o peso da herança deixada pelo ministro. Entre o final de 1973 e o início de abril a carestia represada soltara-se. A gasolina e a carne de segunda dobraram de preço, e o leite subira 33%.[19] Delfim era também um problema do futuro. Eleito governador de São Paulo, seria candidato natural à Presidência. Seu prestígio de ex-ministro lançaria sobre o governo a sombra do desempenho do Milagre. Ademais, o precedente de um candidato saído da convenção daria uma inédita li-

15 Conversa de Geisel com Golbery e Heitor Ferreira, 30 de janeiro de 1974. APGCS/HF.

16 *Jornal do Brasil*, 14 de março de 1976, Caderno Especial, p. 2.

17 *O Estado de S. Paulo*, 13 de novembro de 1973, p. 5.

18 Nota de Heitor Ferreira, de 13 de fevereiro de 1974, registrando uma conversa de Simonsen com Delfim. APGCS/HF.

19 *Opinião*, 8 de abril de 1974, p. 5.

berdade à Arena, desorganizando todo o quebra-cabeça das sucessões estaduais de 1974. Se tudo isso fosse pouco, a metodologia da escolha se refletiria sobre a rodada seguinte de sucessões, em 1978, no último ano de mandato de Geisel, influindo em sua própria sucessão.

Era preciso mostrar quem mandava. Para isso, era preciso degolar Delfim, e depressa. Geisel preparou-se para lutar contra o fantasma paulista que combatera, ainda moço, na serra da Tempestade. Tinha consigo Golbery, outro veterano das tropas legalistas de 1932. Os dois e Heitor Ferreira conversaram:

> GEISEL: Eu estou muito preocupado com esse problema do Delfim ser governador de São Paulo. O que nós faríamos se na convenção aparecesse o mais votado, ou, por aclamação, o nome do *Gordo*? [...] Você pode ir para a cassação, você pode ir para intervenção no estado, mas você vai a frio. [...]
>
> HEITOR: Sim, praticamente ele derrota o regime.
>
> GOLBERY: Ele afronta, fica com uma força muito grande.
>
> GEISEL: [...] A gente pode ficar quieto e pegar ele na volta. [...] A conclusão que nós temos, eu acho válida: ele não deve ser governador, porque ele sendo governador...
>
> GOLBERY: ... ninguém impede ele de ser presidente...
>
> HEITOR: ... e vai ser um governador independente, que vai sair por aí...
>
> GEISEL: Não, independente não vai, porque eu não dou crédito no banco, no Ministério da Fazenda. Aperto ele. Isso não é assim. [...]
>
> GOLBERY: Ele junta São Paulo em torno dele. Campanha civilista, e tal...
>
> GEISEL: Pois é. Então [...] acabou a Revolução.
>
> GOLBERY: É impedir. [...]
>
> GEISEL: Sim, mas você vai fazer a frio uma intervenção em São Paulo. Vou intervir porque o *Gordo* foi escolhido?
>
> GOLBERY: Não impedir nesta fase.
>
> GEISEL: Estou raciocinando na pior hipótese. É claro que vou fazer tudo para impedir. É sempre essa porcaria desse SNI. Esse troço é uma coisa

que tem me irritado. Porque o SNI, a esta hora, deveria ter uma ficha deste tamanho...

HEITOR: Mas dizem que tem...

GEISEL: Tem coisa nenhuma.[20]

Aceitá-lo seria impossível. Vetá-lo em público, difícil. Derrotá-lo na convenção, improvável. A solução chegou a Geisel pouco mais de um mês antes da sua posse. Levou-a o senador Petrônio Portella. Bastava mudar a lei, transferindo para os diretórios estaduais a escolha dos candidatos. O senador assegurava que já tinha os votos de catorze dos 31 membros do diretório paulista. Geisel gostou da idéia, mas ainda assim perguntou a Petrônio qual seria o risco de uma falseta. "Sou o fiador", respondeu o presidente da Arena.[21]

Petrônio Portella era uma estrela em ascensão. Um prodígio literal de sobrevivência, dissimulação e audácia. Em alguns políticos, atributos desse tipo podem ser ilustrados por manobras de bastidores. No caso de Petrônio, ilustravam-se por sua vida. Com 48 anos, já derrotara um câncer de pulmão. Não tocava no assunto e, para espantar suspeitas, evitava cumprimentar publicamente o cirurgião que o salvara.[22] Mais: fumava. Na política, sobrevivera a um mau passo de retórica. Depois de uma militância convencional na esquerda estudantil do Rio de Janeiro, voltara ao Piauí e se elegera governador do estado. Na manhã de 1º de abril de 1964, recebera no seu gabinete uma comitiva de dirigentes sindicais que lhe cobravam uma definição perante a revolta militar. Foi claro: "Não sou homem de oportunismo. [...] Fiquem sabendo os golpistas que no Piauí há homens livres dispostos a lutar com o

20 Conversa de Geisel com Golbery e Heitor Ferreira, 18 de janeiro de 1974. APGCS/HF.

21 Reunião de Geisel com Petrônio Portella, 4 de fevereiro de 1974. APGCS/HF.

22 Petrônio foi operado pelo médico Jesse Teixeira. Ele contava que o senador se escondia, ao contrário de outro cliente famoso, Abelardo Chacrinha, que sempre o saudava. Antonio Carlos Magalhães, novembro de 1997.

sacrifício da própria vida pela liberdade".[23] Daí em diante lutou em silêncio, para evitar que o cassassem.

Nada escrevia e nada dizia. No telefone era quase indecifrável, evitava nomes, substituindo-os por expressões tais como "o nosso amigo" ou "o outro". Elegera-se senador e reinava nas costuras da política interna do Congresso. Tinha forte sotaque nordestino e paixão por construções tão vazias quanto eloqüentes. "O Petrônio se defendia pela prolixidade", diria dele um dos seus mais argutos interlocutores.[24] Como o ministro Reis Velloso, o outro piauiense federal, usava camisas com colarinhos e punhos exageradamente compridos. Ascendera à liderança da maioria no Senado e à vice-presidência da Arena, mas ainda era um coadjuvante. Assim teria continuado, até que, na manhã de 11 de julho de 1973, um Boeing da Varig caiu nos arredores de Paris, matando Filinto Müller, presidente do partido do governo. Não havia como negar-lhe a promoção, e Geisel soltou um comentário amargo: "O Petrônio, presidente do partido da Revolução...".[25]

O senador soube se mostrar útil. Nas primeiras semanas, pisando em ovos, fez saber a Geisel que julgara rala a Carta de Princípios do partido. Queria modificá-la, dando-lhe mais substância, e, para isso, pedia idéias ao general.[26] Conversa de periquito. Quando foi recebido no largo da Misericórdia, sugeriu-lhe que não tivesse "respeito humano" pela doutrina partidária, até porque a Carta e o programa da Arena, por inócuos, eram iguais aos do MDB. Para evitar ecos de 1964, pisou fundo: "O governo não vai abrir coisíssima nenhuma. [...] Deixar isso sem ilusões aos 'candidatos' a líder. Meu temor é que se abram esperanças liberais".[27] Firmou-se por prático. Ofereceu-se para simular consultas na escolha dos

23 Recorte do *Jornal do Piauí*, de Teresina, do dia 7 de julho de 1964, no qual se informa que o texto transcreve a fita em que o discurso foi gravado. Petrônio emitiu também uma nota oficial, protestando contra "a ação revolucionária dos que ontem faziam intocável a Constituição e hoje não vacilam em desrespeitá-la". Cópia xerox, com firma reconhecida no 3º Cartório de Notas Themístocles Sampaio. APGCS/HF.

24 Entrevista de Raymundo Faoro a Marcelo Coelho, em *Folha de S.Paulo* de 14 de maio de 2000.

25 *Diário de Heitor Ferreira*, 16 de julho de 1976.

26 Nota do comandante Palhares ao coronel Moraes Rego, de 4 de agosto de 1973. APGCS/HF.

27 Quatro folhas manuscritas de Heitor Ferreira, intituladas *Súmula da Conversa de Geisel e Golbery com Petrônio*, de 9 de novembro de 1973. APGCS/HF.

governadores e percorreu diversos estados anunciando que estava ouvindo as correntes governistas. Na verdade, avisava aos descontentes que as dissidências seriam punidas com oito anos de ostracismo.[28] Convenceu Geisel a aceitar listas com sugestões, assegurando-lhe que o nome de sua preferência jamais seria esquecido.[29] Uns poucos encontros foram suficientes para que o general o apreciasse e buscasse lastro histórico para sua comodidade: comparava a transmutação de Petrônio Portella à de Rodrigues Alves, que chegara a presidente da República tendo sido conselheiro do Império.[30] Ia fundo, reconhecendo que era preferível trabalhar com ele a lidar com velhos conspiradores liberais que tinham se voltado contra a ditadura.

Delfim julgava-se forte. Supunha ter até mesmo o apoio explícito de Medici. O presidente dissera-lhe que sugerira a Geisel a sua indicação.[31] Segundo a narrativa de Geisel, feita dois dias depois de se encontrar com Medici, a conversa foi outra. Haviam falado da escolha dos governadores, mas fizeram-no como dois generais.

"Esses caras são uns bestas. Eles não sabem que existe o Ato 5. [...] Quem vai escolher é você."

"Pois é, mas o Delfim está todo açodado aí, criando problema", respondeu Geisel.

"O Delfim não quer ser. Só quer ser se você concordar."[32]

Dois encontros, um com Petrônio e outro com Armando Falcão, mostraram a Delfim a extensão do veto. Nos dois casos o ministro da Fazenda tentou argumentar, exigindo que lhe reconhecessem o direito de

28 Um dissidente ficaria fora do poder de 1974 a 1978 e, novamente, de 1978 a 1982, pois esses governadores também seriam escolhidos durante o mandato federal de Geisel.

29 Reunião de Geisel com Petrônio Portella, 28 de fevereiro de 1974. APGCS/HF.

30 Conversa de Geisel com Moraes Rego e Heitor Ferreira, 23 de novembro de 1973. APGCS/HF.

31 Delfim Netto, dezembro de 1997.

32 Conversa de Geisel com Moraes Rego e Heitor Ferreira, 20 de fevereiro de 1974, narrando sua audiência com Medici, naquele dia. APGCS/HF.

disputar, inclusive no diretório. "O regime é implacável", disse-lhe Petrônio.[33] "O presidente não é obrigado, por força da sua condição de chefe da nação, a dar explicações", acrescentou Falcão.[34] Batido, Delfim viajou para o exterior.

Num sábado de junho de 1974, Delfim regressou a Brasília. Veio num jatinho, foi apanhado na pista e levado para a granja do Ipê, onde Golbery o esperava. Conversaram durante quase três horas, como se nada tivesse acontecido. Nem Delfim perguntou, nem Golbery explicou. Nos minutos finais o general pediu que lhe mandasse um papel analisando a política cafeeira e lembrou-lhe: "Apreciaremos muito a sua colaboração". Delfim respondeu com a contra-senha: "E eu tenho o maior interesse em cooperar". Era o início da caminhada do *Gordo* para o exílio. Três meses depois aceitou a embaixada em Paris.

Geisel foi além do veto a Delfim. Fechou sua manobra num só nome, recusou qualquer conciliação e impôs um candidato sem base política relevante. Liquidou a fatura paulista na segunda semana de governo, mostrando que assim como bastava seu voto para vetar Delfim, bastava esse mesmo voto para eleger o engenheiro Paulo Egydio Martins governador de São Paulo. Ministro da Indústria e Comércio durante o governo Castello Branco, Paulo Egydio mantinha com Geisel uma rara relação pessoal. Hospedara-o duas vezes em sua casa de Campos do Jordão.[35] Era uma das poucas figuras civis do regime que jamais militara na esquerda estudantil. Educado pelos jesuítas, presidira a União Metropolitana dos Estudantes (na gestão dele criara-se o restaurante do Calabouço) e lá ganhara o apelido de *Paulinho Coréia*, por defender a ida de um pelotão brasileiro aos combates do primeiro conflito da Guerra Fria. Casara-se com a filha do industrial paulista Alberto Byington, sócio da mineradora americana Alcoa, e dirigira uma de suas empresas. Tinha um pé na velha plutocracia, sentava-se no conselho do Banco Comércio e Indústria de São Paulo. Tentara medir seu cacife nas urnas, mas acabara em oitavo e últi-

33 Delfim Netto, dezembro de 1997.

34 Narrativa de Armando Falcão a Geisel e Heitor Ferreira, em telefonema de 14 de março de 1974. APGCS/HF.

35 Paulo Egydio Martins, novembro de 1997.

mo lugar numa disputa pela prefeitura de São Paulo, com menos de 100 mil votos.

Aos 46 anos, conservador e cristão, tinha fascínio quase juvenil por John Kennedy. Havia nele algo de novo, um certo destemor. Quando ministro, tivera a coragem de responder aos críticos da política recessiva de Castello que "a falência é essencial como elemento de purificação do sistema capitalista".[36] Terminado o governo, continuara a cultivar Geisel e Golbery. Sugerira que os ex-ministros de Castello se mantivessem articulados, por meio de um "secretário-coordenador", e se tornara o principal interlocutor paulista de Geisel, a quem via com regularidade.[37] Sabia que poderia ser escolhido, mas conhecendo o padrinho, não avançava. Na primeira conversa mais concreta, firmou duas estacas: "Eu cumpro missão. Se é que me será dada uma missão, posso ir amanhã para Fernando de Noronha". Logo depois: "Se o senhor chegar amanhã e resolver fazer o Joaquim, Pedro, Antônio ou Manuel governador de São Paulo, o senhor não tenha muita preocupação, general, porque isto será feito, de acordo com seu desejo".

Paulo Egydio dizia a Geisel coisas que outros não ousavam dizer. Advertia que o atrito com o clero poderia criar um fenômeno semelhante ao da "Igreja do Silêncio" do mundo comunista e recomendava que não se brincasse com o efeito psicológico decorrente da censura imposta a *O Estado de S. Paulo*.[38] No fim de um de seus encontros Geisel disse-lhe, com estudada naturalidade, que haveria de ter o problema da escolha do vice-governador. Paulo Egydio estava escolhido. Feita a indicação formal, o governador Laudo Natel aplaudiu-a, e o presidente fechou a conta: "Eu não queria a coisa assim como foi, mas fiquei bem: tenho força para empurrar um governador de São Paulo boca abaixo dele. Se posso em São Paulo, ninguém vai se meter a besta em outros Estados".[39]

36 *Dicionário histórico-biográfico brasileiro pós-1930*, coord. de Alzira Alves de Abreu e outros, vol. 2, p. 1972.

37 *Diário de Heitor Ferreira*, 23 de fevereiro de 1967.

38 Reunião de Geisel com Paulo Egydio Martins, 4 de janeiro de 1974. APGCS/HF.

39 *Diário de Heitor Ferreira*, 4 de abril de 1974.

Foram poucos os que se meteram, e quando o fizeram, usaram armas antigas, supostamente eficazes. No Rio Grande do Sul, Geisel desatou um nó de caciquias interessando-se no jovem deputado Sinval Guazzelli. Pediram sua ficha ao SNI. Geisel leu o seguinte:

> Em 1956, vice-prefeito de Vacaria. Comunista. Quando estudante era um dos líderes do movimento comunista na Faculdade de Direito de Porto Alegre. (Informe sem classificação) [...] Segundo informação 87SSP de 14 de março de 1966, em outubro de 1958, em suas palestras, passou a fazer proselitismo da doutrina comunista. [...] É comunista atuante. [...] Em 1960, convidado pelo primeiro-ministro Fidel Castro, seguiu para Cuba a fim de assistir aos festejos do segundo aniversário da Revolução Cubana.[40]

A primeira reação de Geisel foi esquecê-lo. Em seguida, como Heitor Ferreira argumentasse que em 1960 os barbudos cubanos ainda estavam envoltos no romantismo da época, o presidente voltou-se contra o fichário do SNI:

"É falência. [...] Não tem ninguém que se aproveite. Não pode, não tem jeito. Você tinha que pegar vinte mil sujeitos e fuzilar. Vamos começar de novo."

"Inclusive o pessoal que faz as fichas", rebateu Heitor.

"Então vamos acabar com o SNI. Qual é a solução? [...] Eu acho que a primeira providência que a gente devia tomar no SNI era uma providência de maluco. É dizer: incinera todas as fichas e começa tudo de novo."[41]

Aquilo que parecia ser uma verificação dos antecedentes das pessoas cogitadas para cargos públicos revelava-se como uma tentativa de

40 Conversa de Geisel com Heitor Ferreira, 29 de janeiro de 1974. Geisel leu a ficha em voz alta. Cinco dias antes, quando pediu a ficha de Guazzelli ao SNI, Golbery não sabia o seu primeiro nome. Telefonema de Golbery a Adolpho Murgel, 24 de janeiro de 1974. APGCS/HF.

41 Conversa de Geisel com Heitor Ferreira, 29 de janeiro de 1974. APGCS/HF.

manipulação política. O SNI encrencara com Armando Falcão e Azeredo da Silveira, com o novo líder na Câmara, Célio Borja, por liberal, e com um de seus diretores da Petrobrás por comunista.[42] As acusações entravam nas fichas muito mais pela vontade dos inimigos dos fichados do que pela investigação do Serviço. Orlando Geisel remetera um bilhete classificando o deputado Aureliano Chaves, futuro governador de Minas Gerais, como comunista metido em negociatas.[43] No caso de Guazzelli, verificou-se que ele era esquerdista no arquivo do Rio. No de Porto Alegre era "democrata convicto".[44] A ficha foi reescrita, Guazzelli tornou-se um azarão na corrida pelo governo do Rio Grande do Sul, e Geisel resolveu indicá-lo. Seus adversários procuraram reavivar a controvérsia dos antecedentes, e chegou-se a garantir que ele perdera a parada por ter sido vetado pelo SNI. Fracassaram.

Se a sucessão paulista servira a Geisel para impor sua vontade ao poderio econômico e político acumulado por Delfim, na gaúcha, sem alarde, o general desprezara a Comunidade de Informações. Uma novidade, pois quatro anos antes o Serviço filtrara as listas levadas a Medici.

No final de junho, escolhidos todos os governadores, o czar da economia estava exilado em Paris e o general Carlos Alberto da Fontoura, ex-chefe do SNI, em Lisboa. Estava entendido que o regime era implacável e o epicentro dessa implacabilidade era Ernesto Geisel.

42 Conversa de Geisel com Heitor Ferreira, 29 de janeiro de 1974. APGCS/HF.

43 Conversa de Geisel com Moraes Rego, Americo Mourão e Heitor Ferreira, 18 de janeiro de 1974. APGCS/HF. Aureliano nunca se viu acusado de uma coisa ou outra, nem durante esse processo de escolha, nem antes nem depois dele.

44 Heitor Ferreira, abril de 1974.

O pé no acelerador

Na primeira reunião ministerial, Geisel anunciou que as altas taxas de crescimento da economia seriam a "prioridade número um" do governo.[1] A idéia de refrear o Milagre não passava pela cabeça dos hierarcas de Brasília. O número mágico dos 10% de crescimento do PIB era moeda corrente. Ao ser convidado para o Ministério da Fazenda, Mario Henrique Simonsen mantivera essa meta e dissera a Geisel que uma das condições para obtê-la era não cortar investimentos públicos: "Não é a hora de fazer isso. [...] Se nessa crise mundial o Brasil consegue, em 74, até 10% ou 9%, um crescimento bastante grande [...] o senhor consegue uma projeção internacional muito boa".[2]

A ditadura tinha medo do fantasma identificado por Juan Linz em 1971. Como sua legitimidade derivava do desempenho, qualquer coisa que ferisse o desempenho feriria também a legitimidade do regime.

"Como é que eu iria justificar uma recessão depois da euforia, do desenvolvimento do governo do Medici? E como iria resolver o problema social que resultaria do conseqüente desemprego?", perguntaria Geisel, vinte anos depois.[3]

1 Ernesto Geisel, *Discursos*, vol. 1: *1974*, p. 43.

2 Reunião de Geisel e Golbery com Mario Henrique Simonsen, 29 de janeiro de 1974. APGCS/HF. Nessa conversa Simonsen referiu-se quatro vezes à taxa de 10%.

3 Maria Celina d'Araujo e Celso Castro, orgs., *Ernesto Geisel*, p. 288.

O presidente não associou a busca do crescimento a nenhum projeto de mudança do regime. Pelo contrário, sustentou a estratégia de crescimento para preservar a base legitimadora da ditadura. Pisou no acelerador para manter o curso. A recessão era vista muito mais como um perigo político do que como uma probabilidade econômica. O governo tinha pouco mais de um mês quando a Censura emitiu a seguinte ordem: "De ordem superior, fica terminantemente proibida a divulgação, através de meios de comunicação social, escrito, falado e televisado, notícia, comentário, transcrição, entrevista, comparações e outras matérias relativas à recessão econômica. Fica igualmente proibida a divulgação de análises, resultados, ainda que hipotéticos, sobre recessão econômica".[4]

Por absurda, a proibição causou estupor a Golbery e Simonsen.[5] Não se pode dizer que ela tenha fantasiado as páginas econômicas dos jornais. Sua importância está mais na origem do que nos resultados. Uma ordem desse tipo só saía da Polícia Federal depois de passar pelo ministro da Justiça, e dificilmente Armando Falcão tomaria tal iniciativa sem ter recebido recomendação do próprio presidente.

Na reunião secreta que teve com o Alto-Comando das Forças Armadas, em junho, Geisel esclareceu a natureza política dos riscos trazidos pelas incertezas mundiais: "Vivemos numa situação de crise econômica, com possibilidade de recessão. [...] Há um ambiente propício para a ofensiva da esquerda. Exploram tudo o que é possível, todos os velhos chavões são explorados".[6]

A inquietação do presidente relacionava-se também com o seu juízo da sociedade que governava. Pouco antes de tomar posse, rebatendo uma observação crítica de Heitor Ferreira a respeito das obras públicas no Nordeste, o general se expressava no vocabulário das conversas soltas: "Então você depois vai agüentar a revolução no Nordeste. Quando aqueles trinta milhões de vagabundos esfarrapados vierem todo dia azu-

4 Ordem da Censura de 22 de abril de 1974. Paolo Marconi, *A censura política na imprensa brasileira — 1968/1978*, p. 279.

5 Golbery do Couto e Silva e Mario Henrique Simonsen, abril de 1974.

6 Maço com quarenta folhas anotadas por Heitor Ferreira, com a transcrição da fita da reunião do Alto-Comando das Forças Armadas, de 10 de junho de 1974. APGCS/HF.

crinar, chatear e brigar e não sei o quê. Como é? Você deve reconhecer que tem que se fazer alguma coisa ali".[7]

Pouco antes de morrer, referindo-se ao desemprego industrial de 1994, ele reelaboraria essa concepção: "Você tem uma massa de gente sem cultura, sem preparo, sem coisa nenhuma. O afluxo de nordestinos para São Paulo e para o Rio é um fenômeno que a gente compreende, mas é uma desgraça".[8]

A preservação do desempenho da economia precisava de um milagre, e ele aconteceu. Desde os primeiros anos da década de 60 circulava no mercado financeiro londrino uma nova modalidade de dinheiro. Resultava da captação de depósitos, em dólares, pelos bancos internacionais e se chamava eurodólar. Livre dos regulamentos monetários nacionais, ia para onde queria.

No início dos anos 70, pela primeira vez em meio século, as economias americana e européia haviam-se contraído ao mesmo tempo, levando os bancos a caçar novos clientes para seus empréstimos.[9] O Terceiro Mundo tornara-se destino atraente para o dinheiro abundante. Entre 1970 e 1973 o número de bancos americanos com agências no exterior passou de 79 para 125, e suas aplicações financeiras na América Latina pularam de 165 milhões de dólares anuais para 1,4 bilhão. Enquanto isso, os investimentos diretos praticamente permaneceram no patamar de 300 milhões de dólares.[10]

Entre 1969 e 1973, refletindo essa primeira onda de liquidez, a dívida externa brasileira cresceu 286%, indo para 12,6 bilhões de dólares.[11]

7 Conversa de Geisel com Heitor Ferreira, 20 de novembro de 1973. APGCS/HF.

8 Maria Celina d'Araujo e Celso Castro, orgs., *Ernesto Geisel*, p. 252.

9 Para uma descrição do processo de endividamento da América Latina pela ótica de um banco americano, ver Ron Chernow, *The House of Morgan*, pp. 636-52.

10 Para a internacionalização da banca americana, Sérgio Goldenstein, *A dívida externa brasileira — 1964-1982*, p. 55, citando Pierre-Bruno Ruffini, *Les banques multinationales*, p. 81. Para o movimento dos capitais, Barbara Stallings, *Banker to the Third World*, p. 334.

11 O valor da dívida líquida deixada pelo delfinato era igual ao das exportações de 1973. Descontando-se as reservas internacionais, essa dívida estava em 6,2 bilhões de dólares. Pedro Malan, "A questão externa", em Adroaldo Moura da Silva e outros, *FMI × Brasil*, p. 71.

Os bancos emprestavam rápido, mal perguntavam para onde o dinheiro ia e pediam taxas de juros menores do que as cobradas pelo Banco Mundial, onde a análise de um financiamento para uma obra pública demorava em média seis meses.[12] Supriam aquilo que o jargão dos economistas chamava de "hiato de recursos reais". Em janeiro de 1974, o Chase Manhattan dedicou mais da metade do segundo número de sua publicação intitulada *The Brazilian Economy* ao tema da dívida e, por duas vezes, lembrou que era mais barato tomar empréstimos no mercado de eurodólares que no de cruzeiros.[13]

Conjugada com essa tendência, a crise do petróleo agravou a recessão nos países desenvolvidos e colocou nas mãos de meia dúzia de potentados árabes, num só ano, um superávit comercial de 62 bilhões de dólares.[14] Os eurodólares tornaram-se petrodólares. Geisel chamava esse excesso de dinheiro de "vultosos e crescentes recursos", "em busca de aplicações rendosas e garantidas".[15] Fecharia o ano de 1974 levando a dívida para 17,2 bilhões de dólares.[16] Em relação ao biênio 72-73 isso significava um salto de 2,3% para 6,8% do PIB.[17] Tendo consumido 950 milhões de dólares das reservas que recebera, produziu um inédito aumento de 92% da dívida líquida.[18] Endividaria o país a uma taxa 12% acima da média dos países subdesenvolvidos que importavam petróleo.[19]

Essa decisão era estimulada por um benevolente incentivo financeiro. Levando-se em conta a projeção da inflação das moedas em que se

12 Pedro-Pablo Kuczynski, *Latin American debt*, p. 40.

13 *The Brazilian Economy — Trends and Perspectives*, janeiro de 1974, pp. 6-7. Segundo um diretor do Citibank, a diferença oscilava entre 5% e 20% do preço dos créditos. Phillip L. Zweig, *Wriston*, p. 423.

14 Para o superávit árabe, João Paulo Reis Velloso, *O último trem para Paris*, p. 163. Para a conexão do excesso de liquidez do início dos anos 70 com os petrodólares, Pedro-Pablo Kuczynski, *Latin American debt*, p. 5.

15 Ernesto Geisel, *Discursos*, vol. 1: *1974*, p. 42.

16 *Estatísticas históricas do Brasil*, p. 590.

17 João Paulo Reis Velloso, *O último trem para Paris*, p. 223.

18 Pedro Malan, "A questão externa", em Adroaldo Moura da Silva e outros, *FMI × Brasil*, p. 72.

19 *Estatísticas históricas do Brasil*, p. 590. O total da dívida desses países passou de 130,1 bilhões de dólares em 1973 para 160,8 bilhões de dólares no ano seguinte. Em William R. Cline, "International debt and the stability of the world economy", *Policy Analyses in International Economics*, Institute for International Economics, nº 4, setembro de 1983, Washington, p. 14.

contraíam os empréstimos, as taxas de juros neles cobradas eram virtualmente negativas. Em 1974, para uma taxa nominal de 8,9%, operava-se na verdade com juros reais negativos de 4,1%.[20] Era a quintessência do dinheiro fácil e barato, ainda que arriscado. Os juros nominais dos empréstimos flutuavam, contratualmente, de acordo com as taxas dos mercados. Se a inflação nos países emprestadores caísse, o dinheiro se tornaria caro e, eventualmente, difícil. Se a inflação subisse, provocando uma alta dos juros, os países devedores estariam arruinados.

A abundância de capital patrocinou uma festa global. Depois de ter perdido 6 milhões de dólares nos cassinos de Mônaco, o príncipe Fahd, da Arábia Saudita, mandara dizer à Casa Morgan que gostaria de criar uma fundação filantrópica com fundos de 1 bilhão de dólares para recuperar as boas graças do rei Faiçal.[21] Um diretor do Citibank enviava ases do bridge ao deserto para divertir o presidente da Agência Monetária Saudita. Em 1973 o Citibank dobrou para 4 milhões de dólares o lucro com suas operações no Brasil e coletou mais da metade dos ganhos em operações internacionais. Seu presidente, Walter Wriston, corria o mundo com uma raquete de tênis na bagagem, uma caneta no bolso e um lema na ponta da língua: "Nosso negócio é fazer as pessoas gastarem dinheiro, não economizá-lo". Wriston tornara-se uma personalidade internacional. Visitara as Filipinas com quinze batedores escoltando-o. Ao ditador congolês Joseph Mobutu, que lhe devia 84 milhões de dólares e parecia montado na riqueza eterna produzida pela alta do preço do cobre, oferecia outros 256 milhões.

Em junho de 1974 as carteiras de empréstimos externos do Citi e do Chase Manhattan registravam um crescimento de cerca de 30% em relação à mesma época do ano anterior. No mês seguinte, o Citi anunciou que ergueria em Manhattan o quinto prédio mais alto de Nova York, um monolito de alumínio e vidro com 69 andares energeticamente corretos, cobertos por uma plataforma receptora de energia solar. Todos os bancos ganhavam, além dos juros de mercado, taxas adicionais de 1,24% até 3%. Os grandes, que organizavam consórcios de pequenas casas de cré-

20 Donald V. Coes, *Macroeconomic crises, policies, and growth in Brazil — 1964-90*, pp. 112 e 188.

21 Ron Chernow, *The House of Morgan*, p. 611.

dito, às quais repassavam o grosso das promissórias, cobravam comissões que giravam em torno de 0,5% do total do empréstimo.[22]

Vistos de um lado do guichê — o de quem financiava — eram bons negócios. Segundo o organizador desses empréstimos na Casa Morgan, a equipe que montava o consórcio para um crédito de 100 milhões de dólares a um governo como o brasileiro trabalhava uns três meses, gastava aproximadamente 50 mil dólares e, no fim da operação, entre comissões e taxas, dava ao banco uma receita líquida de 300 mil dólares, tendo emprestado, em geral, por volta de 2 milhões em dinheiro da casa.[23] No Citi, um empréstimo de 100 milhões de dólares rendia em torno de 500 mil pelo pagamento dos serviços. O banco costumava ficar com 10% da emissão.[24] Somando-se salários e bonificações, os operadores desses pacotes faturavam cerca de 100 mil dólares por ano.[25]

Vistos pelo outro lado, o de quem tomava o dinheiro, como Geisel, eram uma fonte de sossego: "Os árabes, que se encheram de dinheiro à custa do primeiro choque do petróleo, colocaram os petrodólares nos bancos, e os bancos não tinham outra coisa a fazer senão emprestar".[26] Para o Brasil, os empréstimos significavam acima de tudo injeções de dólares numa economia debilitada pela quadruplicação da conta de petróleo, de 700 milhões em 1973 para 2,8 bilhões em 74.[27] Esse choque contribuiu para a formação de um déficit comercial de quase 7 bilhões de dólares.[28] Cada dólar tomado em Londres ou em Nova York, quer para a construção de uma hidrelétrica, quer para fausto dos sócios de uma corretora de valores, trazia divisas para os cofres do Banco Central. Servia para equilibrar as contas externas do país, e, por isso, em setembro o governo baixou de dez para cinco anos o prazo mínimo dos empréstimos internacionais.[29]

22 Phillip L. Zweig, *Wriston*, pp. 436-7, 428, 231, 347, 386, 470 e 403-5.

23 Antonio Gebauer, maio de 1993.

24 Phillip L. Zweig, *Wriston*, pp. 405-8.

25 Antonio Gebauer, maio de 1993.

26 Maria Celina d'Araujo e Celso Castro, orgs., *Ernesto Geisel*, p. 293.

27 João Paulo Reis Velloso, *O último trem para Paris*, p. 226.

28 Idem, p. 243.

29 *O Estado de S. Paulo*, "Atualidade Econômica", 15 de setembro de 1974, p. 59.

As relações entre os barões da gestão econômica brasileira e a banca internacional eram de grande cordialidade. Em maio de 1974 desceu no Rio de Janeiro o próprio Wriston, acompanhado pelos conselheiros do Citi e precedido por uma equipe encarregada de provar as receitas da comida e a marca dos vinhos que lhe seriam servidos.[30] Delfim, viajando logo após a derrota na busca pelo governo paulista, almoçou em Nova York com um diretor do Chase e advertiu do risco de empréstimos a governos estaduais ou empresas estatais brasileiras.[31] Aos 36 anos, com quase dez na Casa Morgan, a estrela ascendente desse mercado se chamava Antonio Gebauer. Casado na plutocracia paulista, relacionado com a nata da banca e do soçaite nacionais, dividia seu tempo entre um belo apartamento em Manhattan e a Samambaia, casa de praia na periferia chique de Nova York. Fechara seu primeiro negócio importante emprestando 10 milhões de dólares ao estado do Paraná para a construção de uma ferrovia que ligava Apucarana a Ponta Grossa.[32] Associando desenvoltura pessoal ao prestígio do logotipo, era capaz de conseguir o título de Homem do Ano da Câmara de Comércio Brasil-Estados Unidos para Ellimore Patterson, presidente do conselho do banco.[33] Ou de levar a Nova York o ministro do Planejamento, Reis Velloso, para desfazer a má impressão provocada pelos custos das importações de petróleo.[34]

Na sua aparente irrelevância, o secretário do Planejamento concluíra uma das mais brilhantes manobras burocráticas já produzidas em Brasília. Naqueles primeiros meses de governo, quando todas as idéias são grandiosas, ele dava a impressão de cuidar de assuntos pequenos, quase mesquinhos. Uma sala no Planalto, por exemplo.[35] Conseguiu-a rachando o

30 Phillip L. Zweig, *Wriston*, p. 450.

31 Francis Mason, diretor do Departamento de América Latina do Chase Manhattan Bank na época, maio de 1993. Delfim Netto, dezembro de 1997.

32 Antonio Gebauer, maio de 1993.

33 Ron Chernow, *The House of Morgan*, p. 641.

34 Antonio Gebauer, maio de 1993.

35 Conversa de João Paulo Reis Velloso com Geisel, 1º de março de 1974. Nota de Heitor Ferreira a Venturini, de 15 de janeiro de 1979. APGCS/HF.

enorme banheiro adjacente com Golbery. Ou o título. Geisel queria que fosse apenas secretário do Planejamento.[36] Velloso tornou-se secretário do Planejamento, acumulando essa função com o cargo de ministro do Planejamento e Coordenação Geral. Revelara-se tenaz na captura de símbolos e acessos (ministério vale mais que secretaria, ministro no palácio vale mais que ministro na esplanada, e secretário que despacha diariamente com o presidente vale mais que ministro de despachos quinzenais).

Simonsen, que para todos os efeitos era a principal estrela econômica do governo, aceitou essa estrutura sem reclamação. Anos mais tarde diria que ela "não encontra paralelo na maioria dos países dignos de imitação" e desabafaria sua saudade do delfinato: "Sob o ponto de vista da unidade e coerência de comando, o sistema atual é provavelmente pior do que aquele que funcionou até março de 1974".[37]

Ao contrário de Simonsen, Velloso não era visto como o apóstolo de um pensamento econômico, nem pretendia sê-lo. Absorvia sinais vindos de baixo e de cima, acomodando-os na máquina da burocracia planejadora. De cima ouviu que era necessário continuar crescendo a 10% ao ano. De baixo, que era necessário promover uma "diversificação da diversificação" das exportações brasileiras.[38] Uma pesquisa do IPEA mostrara que a expansão econômica se aproximava de um gargalo. Para manter as taxas de crescimento da economia, o país precisaria começar a produzir coisas que ainda não produzia, entrando naquilo que seria uma nova fase do processo de substituição de importações. Com o apoio logístico dos economistas do governo, Velloso pôs-se a preparar um documento que se tornou o símbolo da estratégia econômica de Geisel.

Chamava-se II PND. Resultava da abreviatura de II Plano Nacional de Desenvolvimento e se destinava a fixar prioridades para a administração, mas servia sobretudo para saciar a mitologia planejadora dos militares e a máquina de propaganda do governo num ano eleitoral. Sucedeu com o

36 Heitor Ferreira, 1986.

37 Cinco folhas datilografadas, sem data nem assinatura, de Mario Henrique Simonsen, para serem entregues ao presidente eleito João Baptista Figueiredo em janeiro de 1979. APGCS/HF.

38 *Crescimento industrial no Brasil — Incentivos e desempenho recente*, de Wilson Suzigan, Regis Bonelli, Maria Helena T. T. Horta e Celsius Antônio Lodder, p. 211.

livrinho de capa azul do PND o mesmo processo de metabolização intelectual que celebrizou o *Manual do guerrilheiro urbano*, de Carlos Marighella. Se um foi uma construção heróica de atributos implausíveis a serviço da revolução, o outro viria a ser um repositório de planos e banalidades a serviço da ditadura. O guerrilheiro de Marighella era um super-homem. O II PND de Velloso era um superplano. Definia assim as relações econômicas com os Estados Unidos: "Deverão continuar a ser diversificadas, para evitar concentração excessiva na Costa Leste. Consolidando-se a abertura já realizada em relação à Costa Oeste (Califórnia) será desenvolvido esforço especial com referência a região de Chicago (Meio-Oeste), ao Sul e à área de Miami, esta como forma de penetração no Caribe".[39]

O governo tinha duas idéias básicas, com prioridades decrescentes:

1. a manutenção do crescimento, e

2. o endividamento como forma de compensar as perdas na conta do petróleo.

Essas idéias se associaram a dois procedimentos:

1. o dinheiro do PIS/Pasep foi para o BNDE a fim de impedir o surgimento de um superministro da Fazenda, e

2. a caixa ficava centralizada, sob a guarda de Velloso, no gabinete do presidente.

Isso era tudo. O governo Geisel não seguiu um plano. Objetivos, talvez. Uma vontade ou "ideologia do desenvolvimento", sem dúvida.[40]

Velloso tratou do PND com Geisel repetindo duas vezes que era assunto importante para a "opinião pública".[41] Intitulava-se II Plano Nacional de Desenvolvimento, mas não se fez balanço formal do primeiro. Se no plano anterior Velloso tivera de incluir às pressas a rodovia Transamazônica, nesse teve de expurgar o texto final de uma explicação (e de um

39 *Projeto do II Plano Nacional de Desenvolvimento (1975-1979)* pp. 67-8.

40 Depoimento de Maria da Conceição Tavares no IV Encontro Nacional de Economistas, de dezembro de 1976, publicado na *Folha de S.Paulo* de 12 de dezembro de 1976 e republicado em *Opinião* de 24 de dezembro do mesmo ano. Conceição disse: "O PND foi sendo paulatinamente abandonado como ideologia do desenvolvimento. Nunca passou disso. Não chegou a ser um plano propriamente dito e não há no momento alternativa alguma".

41 Conversa de João Paulo Reis Velloso com Geisel, 1º de março de 1974. APGCS/HF.

gráfico) que tratava da hipótese de uma estratégia de desaceleração.[42] Ainda no cargo de ministro, confessou que desde o primeiro momento se decidira pisar no freio a partir de 1976.[43] Depois, em suas quase-memórias, revelou que antes mesmo de mandar o Plano ao Congresso (no início do segundo semestre de 1974) o governo já resolvera esfriar a economia.[44] As duas afirmações, conflitantes na aparência, são parcialmente verdadeiras, pois o que houve de falso foi a premissa: a existência de um plano estratégico ao qual se pudesse subordinar a política econômica.

Quando o palácio começou a distribuir o texto do PND, um curioso perguntou a Mario Henrique Simonsen o que achava do trabalho. "Não leio ficção", respondeu o ministro da Fazenda.[45]

O próprio Velloso, pressionado durante uma reunião com a diretoria da Federação dos Bancos, menosprezou as prioridades do documento, dizendo que "o plano é só autorizativo, não precisa ser cumprido".[46]

Algo soava estranho naquele plano. Até então, Geisel tratara das metas econômicas de seu governo em duas ocasiões. Uma, pública, deu-se na primeira reunião do ministério. Nela dedicou doze linhas ao setor industrial e à substituição de importações. A outra, secreta, foi mais escrupulosa e detalhada. Deu-se em junho, quando o presidente se reuniu com o Alto-Comando das Forças Armadas. Não há nela nenhuma referência a uma nova política industrial. Pelo contrário. No trecho em que tratava da situação econômica, disse o seguinte:

> Nós nos preocupamos muito em desenvolver a indústria, está certo. Agora vamos ver se olhamos mais um pouco para a agricultura, quer dizer, no sentido de racionalizar. Agora, há fatos provavelmente complexos, porque os adubos que são necessários duplicaram de preço. É um problema. As

42 João Paulo Reis Velloso, *O último trem para Paris*, pp. 230 e 292.

43 *Jornal do Brasil*, 21 de dezembro de 1978: "Velloso diz que o 2º PND não previa desaceleração para não antecipá-la".

44 João Paulo Reis Velloso, *O último trem para Paris*, pp. 291-2.

45 Mario Henrique Simonsen, setembro de 1974.

46 *Na periferia da história — Jorge Oscar de Mello Flôres*, organizado por Maria Celina d'Araujo, Ignez Cordeiro de Farias e Lucia Hippolito, p. 216.

especulações dobraram o preço da terra. Então, são todos fatores negativos, que se contrapõem a qualquer trabalho que se queira fazer no sentido de desenvolver a agricultura e a pecuária. Nós vamos trabalhar nisso. O governo está realmente empenhado nessa questão. E tem que se estudar o problema a longo prazo. Não é possível continuar a adotar situações paliativas para o momento. Qualquer um de nós sabe que o problema da carne, nós conhecemos há trinta ou quarenta anos. Faz trinta ou quarenta anos que a gente ouve "falta carne, subiu o preço da carne". É isso, não tem carne, não tem leite, não tem não sei o quê. Isso tem que acabar. Ah, nós temos que fazer estudos a longo prazo. Não podemos querer resolver problemas de entressafra só. Temos que estudar e encontrar soluções para isso, porque o país não pode continuar vivendo nessa história de falta de leite, falta de carne, sumiu o óleo, não tem óleo, não é?[47]

Quando as cópias da ata dessa reunião chegaram aos destinatários, o texto do II PND já estava a caminho do prelo. Nele, a agropecuária ganhou referências perfunctórias e uma previsão de crescimento de 7%. O Plano projetava um crescimento médio do PIB de 10%. A indústria deveria crescer 12%.[48] Dos oito itens da síntese do programa de investimentos, o campo ficaria em penúltimo lugar, com 105 bilhões de cruzeiros (contra 255 bilhões para as indústrias de base). Abaixo dele, só os recursos destinados ao desenvolvimento científico e tecnológico. O Plano listava 27 prioridades de expansão da produção industrial, de navios (178%) à amônia (115%) e apenas duas na agricultura: cereais e oleaginosas (50% e 60%).[49] Para a pecuária, da qual resulta o preço da carne, nada. Sobre o projeto que o ministro Paulinelli deixara com Geisel, buscando a meta de um consumo mínimo de um copo de leite por dia para cada brasileiro, nenhuma palavra.

47 Maço com quarenta folhas anotadas por Heitor Ferreira, intitulado *Primeira Transcrição do Pronunciamento do Presidente Geisel na Reunião do Alto-Comando das Forças Armadas*, em 10 de junho de 1974. APGCS/HF. Para outras manifestações de Geisel a respeito da prioridade que daria à agricultura em seu governo, ver *Diário de Heitor Ferreira*, 17 de janeiro de 1972.

48 Carlos Lessa, *A estratégia de desenvolvimento 1974-1976*, p. 18.

49 *Projeto do II Plano Nacional de Desenvolvimento (1975-1979)* pp. 94-5.

Em setembro, às portas de uma campanha eleitoral que seria decidida nas grandes cidades, o governo queria metas e promessas urbanas. A oposição levara o custo de vida para a campanha. Em Minas, o MDB lembrava que um dia de trabalho remunerado pelo salário mínimo valia um quilo e meio de frango, ou dúzia e meia de tangerinas.[50]

Como não se ganham eleições falando em desaceleração da economia, Geisel respondia oferecendo crescimento. Seus discursos do período, estudados pelo semanário *Opinião*, mostravam que falara 52 vezes em "desenvolvimento" e quinze em "progresso", contra 34 referências à "segurança" e 29 à "Revolução".[51]

Velloso construíra um plano para a opinião pública, mas sua retórica tinha a contenção dos técnicos. Entregou a Geisel um projeto de discurso de serena racionalidade econômica. O presidente deveria lê-lo na cerimônia de entrega do PND ao Congresso. Nele, usava os componentes dramáticos da crise mundial como contraponto às virtudes do Plano:

> Os fantasmas que, simultaneamente, ameaçam a economia desenvolvida do Ocidente, e, com ela, o mundo vulnerável dos países em desenvolvimento, compõem um quadro em que se interligam o perigo da recessão, no curto prazo, e do crescimento nulo ou medíocre, com a exacerbação inflacionária, a crise do balanço de pagamentos, a inquietação social. Sabidamente, a perspectiva dos próximos anos é de dificuldades, possivelmente de crises.[52]

Golbery reescreveu-o, fazendo do drama, epopéia:

50 *Veja*, 16 de outubro de 1974, pp. 20-5.

51 "O presidente e os partidos", por Fernando Henrique Cardoso, *Opinião*, 9 de setembro de 1974, p. 4.

52 Maço com catorze folhas, onze das quais em papel da Secretaria do Planejamento, sem data, anotado por Heitor Ferreira — *Primeira Forma* — e por Golbery — *Do Velloso*. As três outras, anotadas por Heitor Ferreira — *2ª Forma*, Golbery — estão anotadas à mão por Golbery e por Geisel. APGCS/HF.

> Lugar não poderia haver para otimismos exagerados, num universo de profecias macabras que vão da estagflação emoliente à depressão econômica arrasadora e fulminante. Mas reagir, a priori, a tais expectativas sombrias de dias difíceis com um pessimismo derrotista seria refugar o esforço construtivo que, com fé, tudo pode, e assegurar, pela apatia e pelo desânimo, a generalizar-se em ondas sucessivas, a realização, afinal, daquelas mesmas perspectivas negativas que nos haveriam mesmerizado. Por isso, o Brasil vai crescer, no qüinqüênio próximo, a taxas que se comparam às dos últimos anos.[53]

Velloso falava num país amadurecido para enfrentar crises. Golbery atribuiu o amadurecimento aos "prodigiosos dez anos de Revolução regeneradora" e anunciou que o Brasil tinha diante de si "o futuro que já chegou entre nós".

Antes de ler o texto, Geisel enxugou-lhe o estilo. Lixou "macabras", "depressão" e "mesmerizado". Trocou "vai crescer" por "deverá crescer" e reposicionou o futuro para "próximo de nós". Ainda assim, ficou com o pé no acelerador. A minuta de Velloso não falava em manutenção das taxas de crescimento. (No texto do Plano ele chegara a mencionar a "dificuldade de manter taxas de crescimento da ordem de 10%", a partir de 1975.)[54] Fora cauteloso até mesmo na promessa central do PND:

"Até 1979, o Brasil já teria superado a barreira dos US$ 1000 de renda per capita."

"Terá", corrigiu Geisel.[55]

O presidente estava em campanha. Dali a pouco mais de dois meses seriam realizadas as eleições. Havia três semanas, recebera um prog-

53 Maço com catorze folhas, onze das quais em papel da Secretaria do Planejamento, sem data, anotado por Heitor Ferreira — *Primeira Forma* — e por Golbery — *Do Velloso*. As três outras, anotadas por Heitor Ferreira — *2ª Forma*, Golbery — estão anotadas à mão por Golbery e por Geisel. APGCS/HF.

54 *Projeto do II Plano Nacional de Desenvolvimento* (*1975-1979*) p. 21.

55 Anotação de Geisel feita na parte da minuta de Velloso aproveitada por Golbery. APGCS/HF. O texto final do discurso, pronunciado em 10 de setembro de 1974, está em Geisel, *Discursos*, vol. 1: *1974*, p. 129.

nóstico do SNI. Elegeria com facilidade doze dos 22 senadores. Com dificuldade, outros seis. Eleição indefinida, só a do Rio Grande do Sul. Num cenário absolutamente otimista, àquela altura o MDB capturaria apenas duas cadeiras. Nesse resultado ideal, a oposição manteria no Senado uma cadeira pela Guanabara e outra pela Paraíba, com o seu velho amigo Rui Carneiro.[56]

56 Uma folha do Serviço Nacional de Informações, marcada "confidencial" e anotada por Heitor Ferreira: *Página Tirada da Apreciação nº 10, de 15 de Agosto de 1974, para Conferir os Resultados.* APGCS/HF.

PARTE IV A derrota

"É isso, e pronto"

Geisel preparou-se para a eleição de 1974 com a serenidade do vitorioso. Antes da posse, quando ela era ainda um acontecimento remoto, exprimiu seus sentimentos ao senador Luiz Viana Filho: "Não é por vaidade minha, nem para me comparar com o Medici, mas no interesse da Revolução, a Arena não pode — já nem digo perder — mas baixar de votação. Uma maioria do partido da Revolução é um argumento que podemos usar lá fora".[1]

Misturava duas situações. Manter a maioria da Arena no Congresso era uma coisa. Repetir a votação alcançada por Medici em 1970, outra. O MDB só conseguira seis das 46 cadeiras de senador disputadas na eleição. Fora surpreendentemente varrido em Pernambuco. O que lhe restou, sete senadores, cabia num elevador.[2] Na Câmara, a oposição tivera menos da metade dos votos da Arena, ficando com uma bancada menor que o terço da Casa, o que a impedia, por exemplo, de obstar a aprovação de emendas constitucionais ou mesmo de criar comissões de inquérito.[3] Se o resultado de novembro confirmasse tal predomínio, o país caminharia para um regime de partido único, e Geisel não buscava esse tipo

1 *Diário de Heitor Ferreira*, 4 de dezembro de 1973.

2 A observação é do senador Amaral Peixoto. Em Aspásia Camargo e outros, *Artes da política — Diálogo com Amaral Peixoto*, p. 497.

3 A Arena teve 10 867 814 votos para a Câmara e fez uma bancada de 223 deputados. O MDB, com 4 777 927 votos, elegeu 87. *Dados estatísticos*, vol. 9: *Eleições federais e estaduais realizadas no Brasil em 1970*, p. 25.

de supremacia: "A vitória sobre o MDB tem que ser de tal maneira que não liquide o partido. [...] Suponha que amanhã não haja oposição no Senado. Não pode".[4]

O general perseguia um resultado simbólico. A vitória não devia ser tão grande que parecesse fraude, nem tão pequena que parecesse derrota. Esse projeto se amparava na percepção do próprio poder e na imensa força de seu governo. Noves fora o AI-5 e a censura, controlava o Congresso, 21 dos 22 estados, 91% das prefeituras e 86% das cadeiras de vereadores.[5] Reunido com o senador Petrônio Portella, Geisel explicou-lhe que sua tolerância tinha limites. Não admitia perder no Rio Grande do Sul: "Uma derrota nossa no Maranhão não tem significado [...]. O MDB deve ganhar alguma coisa, mas não no Rio Grande". Petrônio racionalizou o desafio, lembrando a importância da fronteira, que "arrasta até coisas institucionais". Geisel acalmou-o dizendo-lhe que não se preocupasse, pois "ninguém pode mais do que nós".[6]

Sua idéia era unir a Arena até o dia 15 de novembro, para discutir as divergências depois da vitória. Nas conversas, dizia que o candidato da Arena "ia ser" senador. Num caso, em menos de uma hora repetiu três vezes que estava oferecendo a um hierarca "o lugar de senador".[7] Foram raras as ocasiões em que usou a palavra *disputa*. Aos poucos, contudo, o general desceu aos intestinos da Arena. Complicara a formação das chapas proibindo os governadores que estavam no exercício do mandato de renunciar ao cargo para disputar cadeiras no Congresso.[8] Cada estado tinha seu próprio quebra-cabeça, e todas as peças peregrinaram ao gabinete do presidente.

Em São Paulo achava-se inadmissível que Delfim Netto, refugado para o governo, disputasse o Senado. O candidato natural, Carvalho Pinto, fa-

4 Conversa de Geisel com Golbery, 7 de janeiro de 1974. APGCS/HF.

5 *O Estado de S. Paulo*, 11 de agosto de 1974.

6 Reunião de Geisel com Petrônio Portella, 21 de janeiro de 1974. APGCS/HF.

7 Conversa de Geisel com Golbery e Heitor Ferreira, 21 de janeiro de 1974. APGCS/HF.

8 Para uma análise da presunção da Arena durante a campanha eleitoral, ver Wanderley Guilherme dos Santos, "As eleições e a dinâmica do processo político brasileiro", revista *Dados*, Instituto Universitário de Pesquisas do Rio de Janeiro, nº 14, 1977, pp. 211-39.

zia-se de rogado para tentar a reeleição. Poderiam recorrer ao ex-governador Lucas Garcez, mas Golbery o desqualificava.[9] No Rio Grande do Sul, a alternativa era Nestor Jost, presidente do Banco do Brasil. Geisel julgava que chegara a hora de ele colher o proveito dos favores que fizera aos gaúchos, dando empréstimos "fora das regras, das normas, dos limites".[10] Jost preferia continuar no banco, que lhe proporcionava um padrão de vida e mordomias bem superiores às dos senadores. Golbery mandou-lhe um recado para que escolhesse entre cinco anos sem "pão nem laranja" e uma cadeira de senador da qual seria resgatado para um cargo federal.[11] Confrontado com a situação, informou: "Se o general Geisel mandar que eu seja chofer de caminhão, eu vou ser".[12]

No Paraná o poderoso Ney Braga não aceitava que se compensasse a facção rival, liderada pelo ex-governador Paulo Pimentel. Acusava-o de sugar do Tesouro Estadual 300 mil cruzeiros mensais para seus jornais e emissoras.[13] Em Sergipe, o senador Lourival Baptista incriminava o oligarca arenista Augusto Franco de ter comprado a máquina federal, empregado a mulher do chefe do escritório do SNI e de ter captado para suas empresas 37 dos 42 bilhões de cruzeiros que o Banco do Brasil emprestara no estado.[14] No Ceará, o astucioso coronel Virgílio Távora, ressentido, denunciara a Geisel "o artificialismo e improvisação de líderes forjados à conta da máquina estatal" e se ausentara da campanha.[15]

Eram arreganhos típicos das rivalidades estaduais, insuficientes para abalar a confiança do Planalto. Estava-se na primeira fase da campanha, aquela em que as manobras partidárias prevalecem sobre a movimentação dos candidatos e as preferências populares são estimuladas apenas pela exposição superficial das chapas. No Paraná o candidato da Arena

9 *Diário de Heitor Ferreira*, 26 de novembro de 1973. APGCS/HF.

10 Reunião de Geisel e Golbery com Petrônio Portella, 15 de fevereiro de 1974. APGCS/HF.

11 Para o uso da palavra *mordomias*, Petrônio Portella, em telefonema a Heitor Ferreira, de 11 de fevereiro de 1974. Para o recado, conversa de Golbery com Geisel, 15 de fevereiro de 1974. APGCS/HF.

12 Reunião de Geisel e Golbery com Petrônio Portella, 15 de fevereiro de 1974. APGCS/HF.

13 Almoço de Ney Braga com Golbery e Heitor Ferreira, 7 de dezembro de 1973. APGCS/HF.

14 Reunião de Geisel com o senador Lourival Baptista, 19 de dezembro de 1973. APGCS/HF.

15 Sete folhas sem assinatura nem data e uma folha de bloco anotada por Geisel: "Ao Golbery. Documento do Virgilio Távora". APGCS/HF.

tinha 80% das preferências.[16] Em São Paulo, 75%, contra 5% para o MDB.[17] A medida da ambição do MDB justificava a autoconfiança da Arena. Exceto no Rio Grande do Sul, todos os notáveis da oposição rejeitaram a disputa pelo Senado. Preferiram reeleições garantidas para a Câmara. Só em Pernambuco um deputado federal resolveu batalhar pelo Senado, arriscando-se a ficar sem mandato. Quatro de seus candidatos a senador nunca tinham disputado uma eleição, e outros seis, tendo disputado a anterior, em qualquer nível, a haviam perdido. Ulysses Guimarães recusou-se a correr o risco em São Paulo.[18] Em Minas Gerais, Tancredo Neves temia que se estivesse dando mais um passo em direção ao partido único.[19] Optou por preservar sua cadeira na Câmara, deixando ao prefeito de Juiz de Fora, o desconhecido engenheiro Itamar Franco, a disputa pelo Senado.[20] Até agosto, o senador Franco Montoro, um dos coordenadores nacionais da campanha, só dava como certo o resultado no Rio Grande do Sul.

Geisel não afrouxara os principais parafusos do regime. Com poucos dias de governo, valera-se de um discurso irrelevante do deputado Francisco Pinto, do MDB baiano, para dar sua primeira demonstração de força sobre o Congresso. Da tribuna, *Chico* Pinto chamara o general Pinochet de "assassino", "mentiroso" e "fascista". Reclamara da tranqüilidade com que se recebera o ditador chileno: "Para que não lhe pareça, contudo, que no Brasil todos estão silenciosos e felizes com sua presença, falo pelos que não podem falar, clamo e protesto por muitos que gostariam de reclamar e gritar nas ruas contra a sua presença em nosso país".[21]

16 Sebastião Nery, *As 16 derrotas que abalaram o Brasil*, p. 62.

17 Nicodemus Pessoa, *Quércia*, p. 65.

18 Franco Montoro, janeiro de 1998.

19 *Jornal do Brasil*, 14 de outubro de 1974, 1º caderno, p. 3.

20 Franco Montoro, janeiro de 1998. Tancredo pediu a Montoro que ajudasse a convencer Itamar Franco a se candidatar.

21 *Jornal do Brasil*, 22 de abril de 1978, 1º caderno, p. 3.

No primeiro ato politicamente relevante de seu governo, o presidente ordenara ao procurador-geral da República que processasse o deputado junto ao Supremo Tribunal Federal por ter insultado um chefe de Estado estrangeiro. Pura demonstração de poder, pois nenhum presidente se incomodara com as acusações feitas por seus aliados a ditadores de países socialistas com os quais o Brasil mantinha relações diplomáticas. A imprensa foi intermitentemente proibida de tratar do assunto, e, em outubro, o Supremo condenou *Chico* Pinto a seis meses de prisão. Fez dele o primeiro parlamentar brasileiro a sair — por decisão do Supremo Tribunal Federal — do Congresso para o cárcere, num batalhão da PM de Brasília.

Francisco Pinto não era um oposicionista qualquer. Além de ser um dos líderes do grupo "autêntico" do MDB, pregava uma aliança da esquerda com os militares considerados nacionalistas. Seus primeiros contatos com os granadeiros vinham de 1969, e chegara a se encontrar com o general Affonso de Albuquerque Lima. Tinha a cabeça a prêmio desde 1971, quando estreou na tribuna da Câmara com um discurso destinado ao público militar, enumerando as intervenções democráticas, nacionalistas e antioligárquicas das Forças Armadas na vida política brasileira. Procurara, sem sucesso, achar um general que topasse desafiar, como candidato do MDB, a indicação de Geisel para a Presidência.[22]

Ainda que a imprensa se mostrasse menos policiada, a máquina da censura não só persistia como revelava um grau inédito de truculência. Num dos seus piores momentos, proibiu por quatro dias que a imprensa de São Paulo noticiasse a existência de uma epidemia de meningite na cidade, inclusive "dados e gráficos" relacionados com a doença.[23] Os censores d'*O Estado de S. Paulo* suprimiram a informação de que, durante o mês de julho, aproximadamente setecentas pessoas haviam procurado

22 Depoimento de Francisco Pinto, em Ana Beatriz Nader, *Autênticos do MDB, semeadores da democracia*, pp. 177-81.

23 Paolo Marconi, *A censura política na imprensa brasileira — 1968/1978*, p. 286. A primeira proibição deu-se no dia 26 de julho de 1974 e a segunda, no dia 28. No dia 30 o tema foi liberado, ressalvadas "matérias alarmistas e tendenciosas que possam gerar pânico entre a população".

o hospital Emilio Ribas. Estima-se que a epidemia atingiu cerca de 18 mil pessoas e matou quase duzentas.[24]

O próprio Golbery acabou censurado. Recebeu um modesto deputado da Arena paulista e, como era seu hábito, disse-lhe que a censura seria abrandada. O deputado saiu do Planalto e deu uma entrevista contando a conversa. Resultado: "De ordem superior, fica terminantemente proibida a divulgação através dos meios de comunicação social, escrito, falado e televisado, de notícia, comentário, transcrição, referência e outras matérias, sobre declaração do deputado Mário Telles, atribuindo ao Ministro Golbery do Couto e Silva informação relativa à suspensão da censura e abertura total".[25]

Para quem supunha que o governo traria mudanças, tudo continuou na mesma. Às vésperas da posse, o ministro da Justiça, Armando Falcão, chegara a anunciar que pretendia conversar "atrás das linhas inimigas". Chamando-o de "louco" e acusando-o de ter "pressa em aparecer como bonzinho", Geisel mandou que o aquietassem.[26] Proibiu-o de admitir a hipótese de um encontro informal com Ulysses Guimarães: "Ele não tem nada que chamar, nem conversar, nem arranjar almoços e jantares. Em matéria de oposição ele deve conversar com o cara, o sujeito que pedir audiência para ele. [...] Quando um sujeito desses vem e promete apoiar, ele quer barganhar, ele vai querer alguma coisa em troca. E eu não estou disposto a dar nada em troca a eles. O que eu posso dar em troca à oposição é o direito deles me criticarem, fazerem os candidatos que eles quiserem".[27]

Não era pouca coisa.

Se Geisel achava que podia oferecer à oposição uma eleição relativamente livre, o SNI, nem isso. Previa uma onda de impugnações de candidaturas "impregnadas de conotações ideológicas de contestação ao re-

24 *O Estado de S. Paulo*, 12 de dezembro de 1993, Caderno 2 Especial, p. D5.

25 Paolo Marconi, *A censura política na imprensa brasileira — 1968/1978*, p. 285.

26 Conversa de Geisel, Golbery, Moraes Rego e Heitor Ferreira, 28 de fevereiro de 1974, para "louco", e conversa de Geisel com Heitor Ferreira, 9 de março de 1974, para "pressa em aparecer como bonzinho". APGCS/HF.

27 Conversa de Geisel com Golbery e Heitor Ferreira, da qual participou também Humberto Barreto, 6 de março de 1974. APGCS/HF.

gime".[28] Em meados de agosto uma estimativa eleitoral do Serviço refletira razoavelmente o cenário. Era um documento reservado, sem propósitos publicitários. Alimentara a crença sincera de que, com cinco meses de poder e a noventa dias da eleição, o governo pouco tinha a temer. Ganharia "fácil" treze das 21 cadeiras do Senado.[29]

Foi mais ou menos com esse cenário na cabeça que, duas semanas depois, Geisel copiou à mão, em sete folhas de papel almaço, um projeto de discurso que Golbery lhe encaminhara. Nele estavam as cinco palavras mais importantes de sua vida: "lenta, gradativa e segura distensão".[30]

Disse-as numa sentença oblíqua, em que condenava a pressão dos oposicionistas. Salvo a palavra mágica, repetiu o que dissera em março, na primeira reunião do ministério. Foi esta a construção de agosto: "Tais pressões servirão, apenas, para provocar contrapressões de igual ou maior intensidade, invertendo-se o processo da lenta, gradativa e segura distensão, tal como se requer, para chegar-se a um clima de crescente polarização e radicalização intransigente, com apelo à irracionalidade emocional e à violência destruidora. E isso, eu lhes asseguro, o Governo não o permitirá".[31]

Falara-se em "redemocratização", depois em "abertura", finalmente tentou-se "descompressão", mas agora era o presidente quem trazia ao léxico político um termo em cujo significado estava embutido o fim da ditadura. O general Medici viu um risco na proposta. No primeiro encontro com Geisel disse-lhe que haveria de suportar a cobrança da "distensão" até o último dia de seu governo.[32]

28 *Apreciação Sumária*, do SNI, de 25 de julho a 14 de agosto de 1974. AEG/CPDOC.

29 Uma folha do SNI, de 15 de agosto de 1974. APGCS/HF.

30 Ernesto Geisel, *Discursos*, vol. 1: *1974*, p. 122. Discurso aos dirigentes da Arena, de 29 de agosto de 1974. Para o projeto, maço com sete folhas manuscritas de Geisel, acompanhando oito folhas datilografadas e anotadas por Golbery. Junto, num bilhete a Heitor Ferreira, datado de 28 de agosto, Geisel escreveu: "Peço que você mande bater, como minuta, o projeto de discurso anexo. É praticamente igual ao proposto pelo Golb., com pequenas modificações". APGCS/HF.

31 Ernesto Geisel, *Discursos*, vol. 1: *1974*, p. 122. Em março Geisel referira-se a um "gradual, mas seguro, aperfeiçoamento democrático".

32 Nota manuscrita de Heitor Ferreira a Geisel, de 2 de setembro de 1974, com anotação manuscrita de Geisel resumindo sua conversa com Medici. APGCS/HF.

A previsão do SNI fora feita quinze dias antes do início da programação eleitoral gratuita na televisão. A telinha, quintessencial acessório do Milagre, surgia como peça fundamental da disputa política. Na primeira semana os telespectadores reagiram à intromissão que retardava a novela *O Espigão*, e 50% dos aparelhos estiveram desligados. Logo depois, em Porto Alegre, 70% ligaram-se para assistir a um debate entre os candidatos da Arena e do MDB ao Senado. Em Pernambuco, um candidato da Arena servia-se de um cordel que associava o regime a um mundo com poços de café quente, rios de leite, barreiras de charque e fontes de mel. Ele mesmo admitia: "O governo não chegou a isso, mas está providenciando". A oposição falava do custo de vida, lembrava que o quilo do charque estava a 26 cruzeiros, enquanto a jornada do cortador de cana valia oito. Tocava trechos da versão musical do poema *Morte e vida severina*, de João Cabral de Melo Neto, composta por Chico Buarque de Hollanda.[33]

Em meados de setembro, quando a campanha ainda estava morna, Ulysses Guimarães fez um prognóstico eleitoral para *O Globo*. Refletia o otimismo profissional dos dirigentes partidários, mas mostrava que parecia resignado com sete derrotas (Alagoas, Bahia, Maranhão, Pará, Piauí, Rio de Janeiro e Rio Grande do Norte).[34] O SNI tinha certeza de que lhe imporia outras sete (Acre, Amazonas, Ceará, Espírito Santo, Mato Grosso, Paraná e Sergipe). Em relação a esses estados, Ulysses estava moderadamente otimista. Não assegurava a vitória, apenas estimulava a possibilidade. Num só, a Paraíba, ambos concordavam que o MDB venceria. Restavam sete.

Tanto pela previsão de Ulysses como pela do SNI, o coração da batalha estava em sete estados. Eram os seguintes: Rio Grande do Sul, São Paulo, Minas Gerais, Guanabara, Pernambuco, Santa Catarina e Goiás. Nos cinco primeiros estavam 19 dos 36 milhões de eleitores. Em junho o general Figueiredo dera por certa a derrota do governo no Rio Grande, mas em agosto o SNI ainda dava essa disputa por "indefinida".[35]

33 *Veja*, 25 de setembro de 1974, pp. 20-5.

34 *O Globo*, 23 de setembro de 1974, 1º caderno, p. 3.

35 *Diário de Heitor Ferreira*, 24 de junho de 1974, e nota de Heitor Ferreira, de 15 de agosto de 1975.

A partir da segunda metade de outubro, a campanha deu sinais evidentes de que o MDB se sairia muito melhor que em 1970. O senador Montoro previa a vitória em catorze estados.[36] As pesquisas do IBOPE tateavam um resultado mais modesto. O MDB, numa curva ascendente, ultrapassara a Arena em São Paulo. Ganhava por pouco no Rio Grande do Sul (40% × 35%). Estava empatado em Minas Gerais (33% × 33%). Perdia em Santa Catarina (52% × 27%) e no Paraná (39% × 33%). Não era em todos os estados que havia pesquisas, mas um cenário desse tipo sugeria que se a oposição elegesse dez senadores, já poderia comemorar vitória.

Seria uma vitória associada muito mais ao campo das emoções políticas, sem efeitos práticos sobre a maioria parlamentar do regime. A Arena continuaria majoritária nas duas Casas do Congresso. Se o MDB elegesse dez senadores e expandisse sua bancada na Câmara de 87 cadeiras para 120, formaria uma representação de 142 parlamentares. Ficaria com duas cadeiras a menos que o terço do Congresso. Como a Constituição poderia ser alterada pelo voto de dois terços dos deputados e senadores, o governo aprovaria as reformas institucionais que bem entendesse.[37] Por mais que as coisas mudassem, o poder permaneceria no mesmo lugar: todo nas mãos do Planalto.

As contrapressões, ligadas com a relativa liberdade exercitada pelo MDB durante a campanha, começaram antes mesmo da abertura das urnas. O SNI fez circular no Planalto um papel intitulado *Temas Discutidos em Setores Militares*. Era típico da época. Dava voz a "setores" anônimos que falavam em nome de uma Revolução da qual o governo seria instrumento e o presidente, delegado. O Serviço advertia da existência de uma "certa inquietação" na oficialidade e passava adiante o recado dos "setores":

> A campanha eleitoral vem dando ensejo a certos pronunciamentos de candidatos do MDB que têm provocado inquietação nos setores militares. Essa preocupação decorre da insistência nas teses de levantamento dos atos ex-

36 *Folha de S.Paulo*, 8 de novembro de 1974, 1º caderno, p. 8.

37 Nos dias seguintes à eleição, ainda sem os resultados finais, Heitor Ferreira escreveu numa folha de bloco: "Os dois terços para certas coisas importantes seriam 258 votos". APGCS/HF.

> cepcionais de que o governo se acha investido e dos relativos a acusações sobre desrespeito aos direitos humanos. [...] Argumenta-se que o problema de uma abertura política, no sentido de um aperfeiçoamento progressivo do regime, constitui um campo propício para a exploração por parte de contestadores, saudosistas e subversivos comunistas.[38]

O SNI via fantasmas. A caciquia do MDB temera que o desinteresse popular, a desmobilização da esquerda e a truculência da ditadura levassem a oposição a repetir o fiasco de 1970. Afora o Partido Comunista, a oposição clandestina mantinha-se longe da campanha. As siglas à esquerda do PCB viam na eleição um truque destinado a legitimar a ditadura. Um grupo de exilados parisienses editara, em outubro, um boletim chamado *Conjuntura Brasileira*. Era uma colagem de recortes de jornais. Tinha cem notícias. Entre elas, 32 tratavam de reivindicações de trabalhadores urbanos e rurais. As notícias da eleição do mês seguinte eram três, uma das quais indicando a progressão do voto nulo.[39]

O problema não estava na campanha do MDB, mas na indisciplina militar. Ocorrera uma panfletagem nos quartéis, e, no Rio, o comando do I Exército reunira uma parte da oficialidade para discuti-la.[40] Um misterioso telefonema para a casa de Golbery ameaçara sua mulher de seqüestro.[41] Numa conversa com Heitor Ferreira, Figueiredo advertiu-o: "Linha dura em cima do Golbery. Ele é o culpado de tudo".[42]

A eleição foi numa sexta-feira. Geisel votou cedo, em Brasília. Trocou algumas palavras com os jornalistas: "Quero que o povo todo vote. [...]. Quanto ao resultado, depois é que se vai ver". Golbery foi pelo mes-

38 Duas folhas do SNI, de 7 de outubro de 1974, carimbadas "confidencial". APGCS/HF.

39 *Conjuntura Brasileira*, nº 1, outubro de 1974, Paris. Devo ao deputado José Aníbal, criador e diretor do *Conjuntura*, o acesso a uma coleção completa dessa publicação.

40 Carta do major Athos Amorim a Heitor Ferreira, de 21 de outubro de 1974. APGCS/HF.

41 *Diário de Heitor Ferreira*, 1º de outubro de 1974.

42 Idem, 4 de novembro de 1974.

mo caminho: "Vamos ver, depois, o resultado".[43] Ambos já sabiam que o resultado seria ruim. Tratava-se de saber o tamanho da ruindade.

Na manhã de sábado, baseando-se exclusivamente em pesquisas, os jornais previam três vitórias espetaculares do MDB: no Rio Grande do Sul, em São Paulo e no Rio de Janeiro.

Paulo Brossard mal completara cinqüenta anos. Era um gaúcho de cartão-postal, com os cabelos encaracolados, criador de 1200 cabeças de gado, professor de direito constitucional e herdeiro de tradições liberais que remontavam às disputas do Império. Em 1964, nos dias mais duros da revanche dos vitoriosos, ocupara a Secretaria da Justiça do governo do estado. Conservador e legalista, estava no MDB porque a ditadura se incompatibilizara com sua espécie. Perdera a mesma eleição, em 1970, por 30 mil votos. Puseram-no para fora da universidade, e ele voltou à sua banca de advocacia, achando que fazia melhor desistindo da política.

Percebera a vitória numa tarde de domingo, um mês antes da eleição, ao chegar a Veranópolis. A caravana entrara numa cidade pequena e vazia. Na hora marcada, enchera-se o salão onde se realizaria a manifestação do MDB.

"Ganhamos", disse ao presidente do MDB gaúcho.

"Tu não estás falando sério", respondeu Pedro Simon.

"Ganhamos por três razões. O salão estava vazio, é domingo, e encheu repentinamente. Não havia gente na rua. Essa gente veio nos ouvir. Metade do auditório é de mulheres. Quando as mulheres entram, a coisa muda. Metade também é jovem. É gente que nunca votou."[44]

Ganharam por quatro razões. A última foi o retorno da esquerda ao jogo eleitoral. Em 1970 ela ficara de fora, contribuindo para um inédito índice de 30,8% de votos em branco e nulos.[45] Nesse pleito, regressara. O

43 *Folha de S.Paulo*, 16 de novembro de 1974.

44 Paulo Brossard, janeiro de 1998.

45 *Dados estatísticos*, vol. 9: *Eleições federais e estaduais realizadas no Brasil em 1970*, p. 17, e *Dados estatísticos*, vol. 11: *Eleições federais e estaduais realizadas no Brasil em 1974*, p. 15.

índice de votos brancos voltou à marca habitual, em torno dos 14%. Do exílio, Leonel Brizola e João Goulart o haviam apoiado. Brossard venceu com 485 mil votos de vantagem.

Se o Rio Grande deu ao MDB um personagem cuja vitória, mesmo sendo considerada inadmissível, era plausível, São Paulo produziu uma excentricidade. Orestes Quércia tinha 36 anos, bisavô e mãe italianos, costeletas de caminhoneiro e nariz de comediante. Prefeito de Campinas, saíra do nada. A rigor, nada era. Os adversários ridicularizavam-no chamando-o de "produto", por conta de sua campanha técnica e fria, ou de *Cacareco*, o rinoceronte que nos anos 50 simbolizara a capacidade dos paulistas de escoar o protesto pelo voto. Era ainda menos se comparado ao candidato da Arena, o senador Carlos Alberto de Carvalho Pinto. Sobrinho-neto do presidente Rodrigues Alves, governara São Paulo, fora ministro da Fazenda e, aos 64 anos, encarnava de tal forma a austeridade quatrocentona que usava roupa esporte com o colarinho da camisa abotoado.

Sua campanha foi dada por perdida no início de outubro, quando teve uma isquemia cardíaca e se recolheu à sua fazenda. Outorgou à filha Lucila e ao suplente, Aldo Lupo, a tarefa de conduzir o barco. Dono de uma fábrica de meias em Araraquara, Lupo era um noviço. Num comício na cidade de Lucélia, saudou a multidão: "Povo de Lucila, quero lhes apresentar Lucélia".[46]

Quércia reestruturara o MDB paulista. Valendo-se das bases oposicionistas e até dos descontentes da Arena, aumentara o número de diretórios municipais do partido de 204 em 1969 para 371 em 74.[47] Fizera sua campanha circulando pelas ruas, tocando violão, jogando bola e falando o mínimo possível. Antes do início da propaganda gratuita na televisão, tinha 7% das preferências numa pesquisa realizada em Bauru e na região do ABC.[48] Iniciada a campanha, subiu. Carlos Matheus, que naquele ano começava a montar a máquina de pesquisas do Instituto Gallup, deu-se conta do fenômeno ainda em setembro: "Esse calabrês vai ganhar

46 Paulo Egydio Martins, janeiro de 1998.

47 Maria d'Alva Gil Kinzo, *Legal opposition politics under authoritarian rule in Brazil*, p. 33. São Paulo tinha 506 municípios.

48 Sebastião Nery, *As 16 derrotas que abalaram o Brasil*, pp. 35-6.

a eleição", disse a um jornalista.[49] Paulo Egydio deu-se conta disso mais ou menos na mesma época:

> Depois da isquemia do Carvalho Pinto eu propus ao Golbery que se trocasse de candidato, mas ele não quis. Disse que se perdêssemos, seria de pouco. A campanha foi decaindo. Eu ameacei os prefeitos, não adiantou nada. Chamei o Quércia de *Cacareco*, também não adiantou. Se o Carvalho Pinto tivesse ido para a rua, ou se tivéssemos posto outro candidato, também não adiantaria. No final da campanha nós só fazíamos comícios em lugares fechados, porque não juntávamos gente na rua. Em Sorocaba e Guarujá, nem isso conseguimos. Falei com o Golbery, mas ele me mostrou estimativas indicando uma grande vitória no Nordeste.[50]

Dois dias antes da eleição, a Arena desmarcou o comício de encerramento de sua campanha, em Campinas. Na hora do almoço, em Teresina, o senador Petrônio Portella recebeu um rádio urgente de Paulo Egydio: "Campanha perdida. Quércia 5 a 1 na capital".[51]

No Rio de Janeiro, Roberto Saturnino, um engenheiro tímido que migrara da aristocracia política do PSD, onde nascera, para o gentil socialismo da elite dos economistas de esquerda, produzira o impossível. Brossard quase vencera em 1970. Quércia trabalhara sua candidatura durante dois anos. Saturnino estava fora da política. Fora deputado até 1966, mas o SNI embargara sua candidatura à reeleição. Até o dia 11 de setembro, vivera apenas como chefe do Departamento de Planejamento do BNDE. O candidato do MDB adoecera, e o senador Amaral Peixoto, genro de Vargas, amigo do pai de Saturnino e condestável da política fluminense até os anos 50, lhe ofereceu a vaga.

Saturnino aceitou e foi para a televisão. Menos de um mês depois, e 36 dias antes do pleito, o SNI dava por perdida a eleição no estado do Rio.[52]

49 Fernando Morais, janeiro de 1998.

50 Paulo Egydio Martins, janeiro de 1998.

51 Sebastião Nery, *As 16 derrotas que abalaram o Brasil*, p. 36.

52 *Diário de Heitor Ferreira*, 9 de outubro de 1974.

Estava moída a candidatura do marechal Paulo Torres, presidente do Senado, veterano da FEB, ex-governador do estado. O marechal contou o que lhe sucedeu: "Eu apresentava gráficos e estatísticas na televisão, mostrando que em 1963 havia tantos analfabetos e que agora só existiam tantos. Falei das obras da Revolução, principalmente da ponte Rio—Niterói. Aí eles vinham e falavam que precisavam tantas horas de trabalho para comprar um quilo de carne e que ponte não enche barriga".[53]

Geisel passou a manhã de sábado, o primeiro dia das apurações, na granja do Riacho Fundo. Estava contrafeito com as pesquisas que antecipavam a derrota no Rio Grande do Sul e em São Paulo, por larga margem.[54] Leu um pouco, e, com a chegada de Heitor Ferreira, foram para a piscina jogar bola. Quando viram o *Jornal Nacional*, não estavam mais diante de três maus resultados. Os números da noite indicavam um desastre.

Minas Gerais estava perdida para um baiano surgido na política de Juiz de Fora. Itamar Franco tinha 51 mil votos, 16 mil a mais que seu adversário. O Paraná, que o SNI dera por garantido no início de outubro, desabara.[55] Lá, o paraibano Francisco Leite Chaves, o *François*, um ex-advogado do Banco do Brasil que nunca disputara uma eleição, tinha 46 mil votos de frente. No Amazonas, Evandro Carreira, o *Pororoca*, vereador fracassado que vinha de uma derrota para deputado (a quinta) batia a Arena por 4 × 1.[56]

No Rio Grande do Norte, o deputado Djalma Marinho, xodó da Arena liberal, estava sendo derrotado por um ex-marinheiro da frota mercante, daqueles que têm âncora tatuada no braço. Ex-lavrador, ex-deputado estadual e ex-arenista, Agenor Maria, o *Marinheiro Só*, disputara sua última eleição em 1972. Quis ser prefeito de Currais Novos e acabou em

53 Sebastião Nery, *As 16 derrotas que abalaram o Brasil*, p. 101, citando *Veja* de 5 de novembro de 1975.

54 *Diário de Heitor Ferreira*, 22 de novembro de 1974.

55 Para o otimismo do SNI, *Diário de Heitor Ferreira*, 9 de outubro de 1974.

56 Para os resultados, *Folha de S.Paulo* de 17 de novembro de 1974, p. 10. A relação entre os resultados publicados pela *Folha* e os números disponíveis até pouco antes das vinte horas, quando o *Jornal Nacional* ia ao ar, foi estabelecida com base em informações recebidas do jornalista Domingos Ferreira Alves, responsável pelo fechamento da primeira página em 1974. Aos domingos a edição da *Folha* fechava às dezessete horas, com trocas até as dezenove.

terceiro lugar, com 282 votos.[57] Agora estava com 9500, quase mil à frente da Arena.

O MDB liderava as apurações em dezoito estados. A Arena só estava garantida no Maranhão, onde não tivera adversário, e na Bahia. Poderia ganhar no Piauí, em Alagoas e no Acre. Mas para quem estava perdendo até em Sergipe, tudo era possível. O venerando senador Leandro Maciel, com 72 anos, vencedor de seis eleições parlamentares (a primeira em 1930), perdia de 7 × 4 para Gilvan Rocha, um ginecologista que fazia política mas nunca disputara eleição.

Terminado o noticiário, Geisel mostrou-se preocupado com os resultados para a Câmara. Achava que o MDB podia capturar a maioria. A preocupação era terrível. Mesmo se o MDB tomasse as 21 cadeiras que disputava no Senado (onde se renovava apenas o terço da Casa), a Arena continuaria majoritária por 41 × 26. Se o resultado da eleição majoritária se replicasse na votação proporcional, a oposição controlaria a Câmara, pois lá estavam em jogo todas as cadeiras. O general levantou-se e saiu para caminhar no jardim plano e escuro que circunda a casa. Andou só por algum tempo. Quando lhe disseram que a Arena haveria de ter a maioria da Câmara, respondeu: "Vamos ter por quê? O que nos assegura? Acho bem possível que não tenhamos. [...] Eleição é isso mesmo. O povo vota livre e, normalmente, no contra. E nós temos que respeitar. Pois não fizemos uma eleição? É isso, e pronto".[58]

Não havia mais o que discutir. Ernesto Geisel sentou-se para uma partida de biriba.[59]

57 *Dicionário histórico-biográfico brasileiro pós-1930*, coord. de Alzira Alves de Abreu e outros, vol. 3, p. 3563.

58 *Diário de Heitor Ferreira*, 22 de novembro de 1974.

59 Idem. Jogaram duas duplas: Lucy Geisel e o coronel Moraes Rego contra o presidente e Maria Lídia, mulher do coronel. Noutra mesa jogou-se pôquer.

A autonomia sepultada

Juscelino Kubitschek votara em Diamantina e escrevera em seu diário: "Dei uma volta na cidade para ver as eleições. Tudo livre e tranqüilo. [...] Fui colhido de surpresa. Não esperava. Agradeço a Deus me ter concedido vida até hoje".[1]

Quando Geisel chegou ao Planalto, na manhã de segunda-feira, dia 18, a Arena lutava pela vida. Na véspera, *O Estado de S. Paulo* informara: "A oposição está vencendo em dezoito Estados". Abaixo dessa manchete, uma fotografia simbolizava o resultado. Montado numa égua de pêlo tostado, com o pampa de sua fazenda de Bagé ao fundo, o professor Paulo Brossard erguia o chapéu e pedia passagem.[2] Segundo o *Jornal do Brasil*, as bancadas de cinco grandes estados já garantiam ao MDB o terço da Câmara. Numa projeção pessimista, já elegera 139 deputados.[3] Faltavam 44 para a maioria.

A última tabulação do SNI, concluída às três da madrugada, projetava uma maioria de 193 × 171 para a Arena.[4] Heitor Ferreira comparou essa tabela com previsões anteriores do Serviço e assombrou-se. No Rio de Janeiro, segundo a última estimativa pré-eleitoral, pensava-se em ga-

1 *Diário de JK*, 15 de novembro de 1974.

2 *O Estado de S. Paulo*, 17 de novembro de 1974.

3 *Jornal do Brasil*, 18 de novembro de 1974, capa do 1º caderno e pp. 3-5, 7 e 11-4.

4 *Estimativa da Composição da Câmara Federal em Função dos Resultados Obtidos até as 03:00 hs. do Dia 18-11-74*, do SNI. APGCS/HF.

nhar por 14 × 7 e se perdia por 18 × 8.[5] Em São Paulo, a previsão de vitória da Arena por 32 × 11 virara uma projeção de derrota por 30 × 16.[6] Ele anotou numa folha de bloco: "Inacreditável, mas a fantasia para o Senado já se materializou da maneira mais surpreendente. Não entendemos nada de política, ou o povo não entende nada de governo".[7]

O MDB elegera dezesseis senadores e fizera a maioria nas assembléias legislativas de São Paulo, do Rio de Janeiro e do Rio Grande do Sul.

As primeiras análises do governo desprezavam a possibilidade de que o eleitorado tivesse votado contra a ditadura. Exploravam superficialmente o surto de carestia que fizera os preços dos alimentos subirem 37% desde janeiro. Não se referiam aos quebra-quebras que destruíram quarenta ônibus em Brasília e de um trem no Rio, onde perto de 3 mil pessoas incendiaram e danificaram quinze vagões.[8] Nem sequer mencionavam a epidemia de meningite em São Paulo. No dia da eleição, a *Folha de S.Paulo* circulara com sua rotineira tabela informando que havia 1606 pessoas internadas e que na véspera tinham morrido doze. Em outubro a epidemia matara 287 pessoas em 26 hospitais paulistas, e o governo não conseguia cumprir as metas de vacinação que anunciara.[9] Acorrentada ao triunfalismo, a ditadura pagou também pelo que não podia entregar: por 2 × 0, a Holanda secara, em julho o sonho nacional do tetracampeonato mundial de futebol.[10]

5 Os totais diferem porque nas eleições proporcionais o tamanho das bancadas depende do comparecimento dos eleitores.

6 Duas notas manuscritas de Heitor Ferreira, anexas à *Estimativa* do SNI de 18 de novembro de 1975. APGCS/HF. Os números da previsão anterior do SNI parecem-se com os da *Apreciação* de 21 de setembro de 1975.

7 Nota manuscrita de Heitor Ferreira, anexa à *Estimativa* do SNI de 18 de novembro de 1975. APGCS/HF.

8 *O Estado de S. Paulo* e *Jornal da Tarde*, de 16 de outubro de 1974, citados em "A revolta dos suburbanos ou 'Patrão, o trem atrasou'", de José Alvaro Moisés e Verena Martinez-Allier, em Moisés e outros, *Contradições urbanas e movimentos sociais*, p. 31.

9 *Folha de S.Paulo*, 10, 11, 14 e 15 de novembro de 1974.

10 O general Moraes Rego atribuiu à derrota da seleção um peso relativo no resultado eleitoral. Depoimento do general Gustavo Moraes Rego, em *A volta aos quartéis*, organizado por Maria Celina d'Araujo, Gláucio Ary Dillon Soares e Celso Castro, p. 57.

Na segunda-feira, dia 18, saíram do SNI e chegaram a Geisel três análises do resultado eleitoral. Diferentes e conflitantes, refletiam a um só tempo a perplexidade dos hierarcas e a anarquia instalada no Serviço. Uma atribuiu os resultados a catorze fatores. Primeiro, a alta do custo de vida, conseqüência de dois tipos de inflação, a "importada" (culpa do mundo) e a "herdada" (culpa de Medici). Depois, condenou a Arena (culpa dos civis) contaminada por alguns dirigentes de mau passado (culpa do Petrônio) ou mau presente (culpa do Petrônio, de novo). O surrado partido governista foi chamado de inautêntico e omisso, acusado de ter lançado candidatos sem prestígio, desgastados e ultrapassados. Registrava-se também a "atuação das esquerdas em prol dos candidatos do MDB", reconhecendo-lhe uma campanha "bem articulada e inteligente". Se houvera algum erro da parte do governo, estivera na falta de comunicação. Mesmo banal, essa análise do SNI listava dois importantes "ensinamentos e conclusões": "reestruturar a Arena" e "trabalhar para as próximas eleições".[11]

Outra análise negava legitimidade ao resultado: "Para que o voto atingisse seu verdadeiro papel, seria mister que fosse livre, mas também, e sobretudo, que fosse esclarecido". Negava, ainda, equilíbrio ao processo: "A legislação eleitoral, ao considerar padrões de um formalismo democrático inexistente, por opção consciente, na realidade brasileira, estimulou o voto de protesto, que beneficia a oposição". Dito isso, reinterpretava o resultado: "O MDB organizou amplo movimento de contestação que penetrou nos lares através de serviços públicos de rádio e televisão, estes atualmente com imenso alcance popular, para a rendosa tarefa da desinformação". Conclusão: "Apresentam-se sombrias as perspectivas de evolução da situação política nacional, tudo a indicar que, além da fixação de novos parâmetros de comportamento político, possa o governo sentir-se futuramente obrigado a medidas extremas destinadas a garantir a continuidade do processo revolucionário".[12]

11 Análise da chefia do SNI, de 18 de novembro de 1974, visada por Geisel. APGCS/HF.

12 *Apreciação Sumária*, do SNI, de 18 de novembro de 1974. Esse documento destinava-se à leitura de Geisel, em cujo arquivo foi conservado. O parágrafo com a parte conclusiva está quase todo sublinhado. AEG/CPDOC.

O terceiro papel mostrava o cabo da faca: "Tem sido possível detetar no seio da oficialidade das três forças armadas uma interrogação de como pretende o governo atuar, no caso em que a oposição procure desenvolver temas contestatórios aos princípios da Revolução de 31 de Março de 1964".[13] A artilharia do SNI associava-se a um documento de dez itens, entregue no mesmo dia pelo ministro da Marinha, almirante Henning. A culpa, sem dúvida, era da Arena, mas a oposição, ressalvada a existência de uma corrente moderada no MDB, não era o que se pensava. Assim: "O MDB está se transformando, de partido de oposição, em partido de contestação, face à infiltração crescente de elementos subversivos. A dialética comunista vem, perante a opinião pública, desacreditando a Revolução, dando a entender que ela representa a ditadura militar permanente, que deverá ser substituída por um regime democrático (socialista de esquerda)".

Diagnosticada a doença, prescrevia o remédio:

> Segundo noticiário da imprensa, os tribunais eleitorais julgarão, após as eleições, os pronunciamentos dos candidatos durante a campanha eleitoral. Seria essa uma oportunidade de se expugnarem os partidos políticos dos elementos que tenham feito declarações contestatórias ao regime. [...]
>
> Tal medida, no entanto, só alcançaria o efeito desejado se idêntica providência fosse tomada em relação aos candidatos da Arena que se tiverem revelado omissos, incapazes ou corruptos.[14]

Era uma proposta de golpe embutida num truque. Sugeria uma onda de cassações, com base no AI-5, fingindo que a tarefa ficaria nas mãos da Justiça Eleitoral. Prova disso estava na impossibilidade lógica de um juiz condenar arenistas por "omissos" ou "incapazes". A Marinha propunha um surto semelhante ao de 1965, quando Castello Branco, emparedado, rea-

13 *Considerações sobre a Situação Interna*, da chefia do gabinete do SNI, de 18 de novembro de 1974. AEG/CPDOC.

14 Duas folhas datilografadas, com a anotação de Heitor: "Documento da Marinha, 18-11-74. Entregue pelo ministro". APGCS/HF.

briu o processo de cassações. Salvo a surpresa de Geisel diante do verbo *expugnar* (sinônimo de *cassar*) esse documento não produziu maiores conseqüências, nem revelava uma articulação dos ministros militares.

Geisel se encontrou com o ministro do Exército quando já estava dissolvido o receio da maioria do MDB na Câmara. A Arena caminhava para fechar uma bancada de 204 deputados contra 160.

O general Sylvio Frota tinha uma pergunta:

"E agora?"

"Agora vamos ganhar a próxima, que é uma eleição municipal, onde se elege a base do sistema político, que é o prefeito", respondeu o presidente.[15]

Noutra conversa dissera-lhe: "Pilote lá sua área".[16] E assim fez o general. Manteve-se calado e quando teve de falar, por conta da rotina dos pronunciamentos militares, leu uma ordem do dia semiliterária lembrando que o Exército "foi sempre fiel ao povo, do qual nunca se separou".[17]

Começava-se a construir um caso clássico de orfandade da derrota. A votação da Arena declinara em relação a 1970. Perdera 9% dos votos para o Senado (o MDB crescera 21,4%) e 7,5% na Câmara (contra um crescimento de 16,5% do MDB).[18] Para quem não queria ver no resultado uma manifestação da vontade popular, eram três os responsáveis. Para os mais valentes, pela ordem: Geisel, Golbery e Petrônio. Para os menos corajosos: Petrônio, Golbery e Geisel.

Geisel culpou o povo: "Não considero eleição um julgamento. É uma reação. O eleitorado é muito despreparado e não se informa. Não entende de governo. [...] Eu tenho a consciência tranqüila de que fiz tudo o que era possível fazer nestes oito meses. Tenho trabalhado como um burro".[19]

15 Ernesto Geisel, novembro de 1988.

16 *Diário de Heitor Ferreira*, 18 de novembro de 1974.

17 *Folha de S.Paulo*, 19 de novembro de 1974, p. 6.

18 Maria d'Alva Gil Kinzo, *Legal opposition politics under authoritarian rule in Brazil*, p. 155.

19 *Diário de Heitor Ferreira*, 20 e 24 de novembro de 1974.

Figueiredo foi além: "[...] Povo de merda, que não sabe votar".[20]

Nessa linha, Heitor Ferreira perguntou a Golbery:

"Que esperar de um eleitorado assim, de um povinho assim?"

"Que melhore, praticando",[21] respondeu o general, culpando o regime. "O povo não está com a Revolução."[22]

Petrônio culpou o imponderável: "Não agrido fatos". "Não vi o invisível e não previ o imprevisível."[23]

Tantas foram as construções destinadas a explicar a derrota e atribuir culpas, que Heitor Ferreira se saiu com a seguinte: "O MDB ganhou porque os eleitores foram às urnas, cada um depositou uma cédula. Quando essas cédulas foram contadas, havia mais votos para os candidatos do MDB ao Senado do que para os da Arena. Fora disso, não tenho explicação".[24]

Entre todas as explicações, encorpava-se aos poucos a mais simples e mais antiga. Aquilo teria sido coisa dos subversivos. O velho senador sergipano Leandro Maciel, que a Marinha chamava de "desacreditado", admitiu a derrota com elegância para a imprensa ("Venceu o melhor")[25] mas tinha outra conversa para Geisel. Apontava o dedo vermelho: "Aos olhos fechados da polícia arregimentou-se, com toda a agressividade, o comunismo". Aproveitou a oportunidade para informar que eram comunistas o bispo de Propriá, o chefe do distrito da Superintendência do Vale do São Francisco e o diretor de uma escola agrícola federal.[26]

Esse tipo de construção deslizaria aos poucos para dentro do regime, mas, nas semanas que sucederam ao resultado, Geisel preservou a disciplina, tanto entre os militares como entre as vivandeiras. Ninguém, nem

20 Figueiredo a Heitor Ferreira, 4 de dezembro de 1974. APGCS/HF.

21 Bilhete de Heitor Ferreira para Geisel, sem data, anotado por Golbery. APGCS/HF.

22 *Diário de Heitor Ferreira*, 9 de dezembro de 1974.

23 Petrônio Portella, novembro de 1974, e *Folha de S.Paulo*, 21 de novembro de 1974.

24 Heitor Ferreira, novembro de 1974.

25 *Veja*, 27 de novembro de 1974, pp. 20-30.

26 Carta de Leandro Maciel a Geisel, de 25 de novembro de 1974. APGCS/HF.

o comando da Marinha com seu plano de golpe, propôs que se virasse imediatamente a mesa.[27]

O resultado eleitoral abichornou Golbery e Heitor Ferreira. Na segunda feira seguinte à eleição, Heitor anotou: "Vamos cuidar do jardim...".[28] De fato, nesses primeiros dias Geisel só tratou com ele de vencimentos de letras de câmbio, de depósitos bancários e da má paginação dos decretos que o chanceler Silveira lhe trazia, sem espaço onde coubesse sua assinatura.[29]

O chefe do Gabinete Civil quisera passar à ofensiva. Propôs a Geisel que falasse ao país antes do término oficial das apurações. Na minuta que preparou, lia-se: "Reconforta-me, sobremaneira, o reconhecimento geral, partido até mesmo, para honra deles próprios, de setores antes dos mais contestadores, de que o governo estimulou tão magnífico espetáculo de maturidade política democrática e buscou assegurar o maior respeito à consciente decisão de cada cidadão [...] sobretudo dos mais humildes, tradicionalmente arregimentados e coagidos pelo poderio econômico esmagador, quando não pelo exercício desnudo do autoritarismo mais despudorado".[30]

Geisel pensou no assunto durante uma semana e decidiu ficar calado. Pela primeira vez o presidente se opôs de forma irredutível a uma sugestão insistente de Golbery.[31] Depois de ter sido derrotado nas urnas, o chefe do Gabinete Civil via-se batido no palácio.

Às vésperas da eleição, convencido de que a tortura tolhia a liberdade de ação política do governo, Golbery chegara a redigir uma nota oficial

27 *Diário de Heitor Ferreira*, 28 de novembro de 1974.

28 Idem, 18 de novembro de 1974.

29 Idem, 26 de novembro de 1974.

30 Uma folha datilografada, emendada por Golbery e anotada por Geisel a Heitor Ferreira: *Projeto de Pronunciamento que não Foi Feito*. APGCS/HF. Esse trecho foi incluído na mensagem de fim de ano de Geisel.

31 *Diário de Heitor Ferreira*, 21 e 28 de novembro de 1974.

tratando do assunto.[32] Entregue a Geisel, nunca mais foi vista. Golbery sentiu que começava a lhe faltar chão. Encurtando a conversa, informou a Heitor: "Ir embora, eu não devo ir".[33] Seu discípulo também sofria e se queixava ao diário: "Conversar com meu amigo presidente da República está ficando penoso. Para ele, mas para mim também. Não é mais o mesmo homem".[34]

Surgiam novas estrelas.

Uma era a do general Hugo Abreu. Ele incomodava Golbery quando expandia sua ação além dos assuntos estritamente militares. Em seguida à eleição, propôs a derrubada de Petrônio e sua substituição pelo senador Jarbas Passarinho, ex-ministro da Educação de Medici.[35] Patrocinou candidatos à presidência da Câmara e do Senado. Foi dele a melhor análise escrita da derrota. Registrou a influência da carestia ("Os preços não param de crescer, mesmo quando se fala em contenção ou controle da inflação") e culpou os candidatos da Arena ("Acreditaram-se nomeados").[36] Queria uma nova reunião do Alto-Comando das Forças Armadas.[37] Temia, sem estridência, que um setor da oficialidade pendesse para as teses da oposição. Sugeriu a reformulação da política de comunicação do governo, até porque uma censura "inadequada" teria favorecido o MDB.[38] Oficiais sob sua jurisdição chegaram a produzir um documento técnico, analisando uma fala do presidente. Criticaram o encadeamento desordenado dos parágrafos e até a impropriedade da cor de seu terno claro.[39]

32 Para o tolhimento e a nota, sete folhas manuscritas de Heitor Ferreira, intituladas *Presidente Geisel e HF em 12 de Novembro de 1974, na Secretaria Particular.* APGCS/HF. Heitor registra a existência da nota também em *Diário de Heitor Ferreira*, 14 de novembro de 1974.

33 *Diário de Heitor Ferreira*, 10 de dezembro de 1974.

34 Idem, 26 de dezembro de 1974.

35 Idem, 19 de novembro de 1974.

36 Onze páginas, intituladas *Análise Sucinta das Eleições de 15-11-74*, de 3 de dezembro de 1974. APGCS/HF.

37 *Diário de Heitor Ferreira*, 4 de dezembro de 1974.

38 Onze páginas, intituladas *Análise Sucinta das Eleições de 15-11-74*, de 3 de dezembro de 1974. APGCS/HF.

39 Expediente do Conselho de Segurança Nacional intitulado *Análise do Discurso do Presidente Proferido em 30-12-74.* APGCS/HF.

A outra estrela era Armando Falcão. Geisel viria a despachar com ele semanalmente, diferenciando-o dos demais ministros, a quem recebia duas vezes por mês.[40] Falcão chegara ao Ministério da Justiça pela fé que Golbery tinha em sua capacidade de cumprir ordens, mas surpreendera o padrinho indo buscá-las sobretudo no gabinete do presidente. Não que se distanciasse, apenas procurara uma faixa própria, mais próxima dos generais do que de Petrônio Portella. Estava acampado abaixo das linhas amigas. Geisel lhe recomendara que freqüentasse os ministros militares, e ele o fez com gosto. Bastaram poucas semanas para que a questão dos desaparecidos o afastasse de Golbery. Enquanto o general queria investigar o caso, sem esconder essa vontade aos jornalistas com quem conversava, Falcão preferia evitar a exploração do assunto, "por motivos óbvios". Tornara-se conhecido pelo que mais tarde chamaria de "monótono estribilho": "Nada a declarar".[41]

A principal conseqüência do resultado eleitoral foi o sepultamento do projeto autônomo de distensão. Valendo-se da maioria de dois terços do Congresso, Geisel poderia reformar a Constituição como bem entendesse. Abrandaria alguns dispositivos do AI-5, criaria as salvaguardas que julgasse convenientes e iria em frente.[42] Essa maioria estava perdida. Com 244 deputados e senadores, faltavam agora ao governo 44 cadeiras. O MDB, com 186 congressistas, batera com folga a marca dos 144 votos necessários para bloquear projetos de alterações constitucionais. A lei da fidelidade partidária, criada para acorrentar a Arena ao Planalto, impedia que se fabricasse uma dissidência oposicionista.

A nova composição do Congresso obrigava o projeto de reforma política a passar pela oposição, coisa para a qual Geisel nunca se preparara. O governo não tivera um plano concreto de reformas constitucionais. Em 1974, Heitor Ferreira propusera a prorrogação, por um ano, do mandato dos deputados eleitos em novembro, para evitar que o sucessor de Geisel fosse escolhido com uma Câmara nova, mas a sugestão não vol-

40 *Diário de Heitor Ferreira*, 3 de abril de 1975.

41 Armando Falcão, *Tudo a declarar*, pp. 325 e 334-5.

42 *Diário de Heitor Ferreira*, 17 de maio de 1975: "Pensávamos nisso e numa infinidade de outras coisas, mas depois das eleições de 15 de novembro [...]".

tou a ser discutida.[43] Mais tarde, o presidente revelaria que trabalhava com diversas idéias, inclusive a da criação de um sistema parlamentar unicameral.[44] Viu-se forçado a recomeçar do zero.

O governo ficara preso nos mecanismos construídos para bloquear a oposição. O deputado Etelvino Lins, respeitado alquimista de Brasília defensor da incorporação do AI-5 à Constituição, aconselhou uma fuga para a frente. Sugeriu que se aproveitasse o recesso parlamentar, convocando-se extraordinariamente o Congresso para votar um projeto de reforma institucional. Esse expediente daria a uma legislatura arenista e caduca atribuições que se queria negar aos eleitos do dia 15 de novembro. Geisel decidiu parar o jogo: "Como não fizemos dois terços do Congresso, vou deixar a Constituição como está aí. É essa que o povo quer, é essa que fica".[45] Meses mais tarde explicaria melhor sua reação: "Desisti e abandonei todos os projetos. Agora é fazer força no campo econômico, tomar as decisões econômicas necessárias a longo prazo e ver depois o que dá".[46]

Com o MDB retraído e os comandantes militares em silêncio, o regime parecia absorver a pílula amarga. No entanto, ao contrário do que supuseram o general Hugo Abreu e o SNI, a indisciplina da tropa não partiu de um novo elo com a oposição, mas de onde sempre partira, desde 1964: das forças de repressão.

Faltava pouco para o meio-dia de quarta-feira, dia 20 de novembro. A professora Maria da Conceição Tavares, uma economista portuguesa de 44 anos, eloqüente e incansável, que vivia no Brasil fazia quase vinte, estava no aeroporto do Galeão. Ia para Santiago do Chile, sede da Co-

43 Cinco folhas de Heitor Ferreira para Golbery, datadas de 28 de julho de 1974, intituladas *Um Detalhe Eleitoral para o Modelo Político Brasileiro.* Geisel anotou: "Bom exercício". Golbery opinou: "Você tem razão. O chefe está preocupado com o assunto. Mas só depois da eleição e de sentir a composição do Congresso, examinando a possibilidade de reforma constitucional, poderemos nos fixar no assunto. Take it easy".

44 *Diário de Heitor Ferreira*, 17 de maio de 1975.

45 Idem, 26 de novembro e 24 de novembro de 1974.

46 Idem, 17 de maio de 1975.

missão Econômica para a América Latina, organismo das Nações Unidas do qual era funcionária. Assistente do professor Octávio Gouvêa de Bulhões, lecionava no curso de pós-graduação de economia da Fundação Getulio Vargas. Era respeitada no meio acadêmico por seu trabalho intitulado "Auge e declínio do processo de substituição de importações no Brasil".[47] Cáustica e interminável, era respeitada em todos os meios por ter previsto, em 1971, o colapso da bolsa de valores.

Conceição achegou-se ao balcão da Polícia Federal suspeitando de algo. Uma amiga lhe contara que, durante um interrogatório, em São Paulo, haviam-lhe mostrado sua fotografia. Fora ao aeroporto com a filha. Na hipótese de um imprevisto, ela deveria buscar um contato com o ministro Severo Gomes, a quem conhecera por intermédio de amigos comuns.

"A senhora tem que me acompanhar", disse-lhe o funcionário da Polícia Federal a quem entregara o passaporte.[48]

Severo foi avisado e avisou Golbery. Com quem Golbery falou, não se sabe, mas a resposta vinda do I Exército foi assombrosa. Não havia ninguém preso com aquele nome. Maria da Conceição tinha desaparecido.[49]

Do aeroporto, fora levada ao prédio da Polícia Central, na rua da Relação. No fim da tarde, encapuzada, estava deitada no chão de um automóvel, a caminho do DOI da Barão de Mesquita. Já na primeira noite dormiu nua numa das frias, brancas e iluminadas celas inglesas. Teve de limpar a própria urina. Tomou alguns cachações.[50]

Durante um interrogatório, mencionou sua condição de professora e relacionou o ministro Reis Velloso entre seus ex-alunos. O oficial respondeu: "Pode ser professora até do Geisel, que daqui você não sai".

Nesse momento Maria da Conceição assustou-se.[51]

47 Trata-se da primeira parte do livro *Da substituição de importações ao capitalismo financeiro — Ensaios sobre economia brasileira*, pp. 27-124, editado pela primeira vez em 1972.

48 Maria da Conceição Tavares, fevereiro de 1998.

49 *Diário de Heitor Ferreira*, de 26 de novembro de 1974, com o registro de que, nesse dia, Figueiredo narrou a Golbery aspectos do episódio.

50 Maria da Conceição Tavares, fevereiro de 1998.

51 Idem.

Dois lances de sorte haviam-na favorecido. Um policial do aeroporto dissera a sua filha que ela fora para a sede da Polícia Federal, e um amigo a vira lá. Logo, existiam testemunhas de sua prisão. Esses depoimentos levaram Golbery a Geisel, e do que conversaram, sobreviveu o registro de Heitor Ferreira: "Golbery disse a Geisel que é a segunda vez que mentem a respeito das prisões. Hábito adquirido".[52]

O CIE era onipotente. Dois dias antes, o próprio SNI avisara: "A bem da verdade é necessário que se afirme ter sido observada uma falta de coordenação entre os centros de informações militares ou até mesmo entre o CIE e os DOIs ou, o que será mais nocivo, uma falta de confiança em informar aos escalões superiores a verdade quando um elemento é preso para averiguação".[53] Construção típica da anarquia. Uma tropa que prende um cidadão e não avisa os superiores — nem mesmo o presidente da República — não está descoordenada, mas insubordinada. Quanto à "falta de confiança" dos carcereiros em seus superiores, pouco importava que fosse "nociva". Era indisciplina.

Geisel irritou-se com o episódio e desabafou com Golbery: "Tenho que botar metade do Exército no olho da rua. [...] É possível que a essa hora você e eu sejamos o inimigo desse nosso pessoal".[54]

Eram, e foi isso que Mario Henrique Simonsen contou a Conceição: "Tudo aquilo era contra o Geisel".[55] Pouco tempo depois, quando a professora teve de fazer outra viagem ao exterior, o professor Bulhões, ministro da Fazenda de Castello Branco, disse-lhe: "Você não vai para o aeroporto sozinha. [...] Eu vou falar com o Mario e ele te manda com a segurança dele". Conceição narrou seu embarque: "Com a segurança do Mario, fui direto para o avião".[56]

52 *Diário de Heitor Ferreira*, 20, 21 e 28 de novembro de 1974.

53 *Considerações sobre a Situação Interna*, do SNI, de 18 de novembro de 1974. AEG/CPDOC.

54 *Diário de Heitor Ferreira*, 20 e 21 de novembro de 1974.

55 Idem, 21 de novembro de 1974.

56 "Porque amei Octávio Bulhões", entrevista de Maria da Conceição Tavares à revista *Insight Inteligência*, julho-setembro de 2001, p. 145.

A derrota de novembro dividiu o regime de maneira irremediável. A decisão de Geisel ("É isso, e pronto") inibiu o caminho de um futuro "golpe dentro do golpe", e sua firmeza nos dias seguintes evitou a corrosão da autoridade presidencial numa repetição do desgaste que abateu Castello em 1965 ou Costa e Silva em 68. A vitória do MDB mostrou-lhe o que não poderia fazer, mas ninguém sabia o que deveria ser feito. O automóvel do ministro da Fazenda levava para o aeroporto uma ex-presa do DOI do I Exército, mas um documento da secretaria geral do Conselho de Segurança Nacional reclamava porque Geisel registrara num discurso a boa conduta do MDB durante a campanha. O Gabinete Militar atacou o texto, sabidamente preparado por Golbery, e o idioma: "As referências políticas relativas ao comportamento do MDB quanto a seu 'comedimento e autodisciplina', fugiu à realidade pré-eleitoral, conforme disseminado pelo SNI".[57]

A "lenta, gradativa e segura distensão" dependeria da capacidade do general Ernesto Geisel de impor o seu comando à anarquia que regressava aos bivaques dos granadeiros.

57 Maço de 34 páginas com o texto da mensagem de fim de ano de Geisel. Guardou-se o rascunho de Golbery e a cópia manuscrita que dele fez o presidente. Esse texto repete longos trechos do pronunciamento que Geisel não quis fazer em novembro. Sete folhas da 3ª Subchefia do Conselho de Segurança Nacional, de 2 de janeiro de 1975. APGCS/HF.

APÊNDICE

BREVE NOMENCLATURA MILITAR

1 Patentes

São as seguintes as patentes dos oficiais das Forças Armadas:

MARECHAL (cinco estrelas)
Patente honorífica, extinta no governo Castello.
Ao passarem para a reserva, os generais-de-exército eram promovidos ao marechalato.
Em 1975 eles eram 73.*

GENERAL-DE-EXÉRCITO (quatro estrelas)
É a patente mais alta dos oficiais da ativa.
Em 1964 o Exército tinha catorze quatro-estrelas. Quatro em comandos de exércitos, um na chefia do Estado-Maior e outros quatro na chefia dos departamentos administrativos. Juntos, formavam o Alto-Comando.
Um oficial pode ter quatro estrelas e ficar sem função, assim como pode ter função (o comando da Escola Superior de Guerra, por exemplo) e não pertencer ao Alto-Comando.
(Essa patente corresponde à de almirante-de-esquadra na Marinha e tenente-brigadeiro na Força Aérea.)

GENERAL-DE-DIVISÃO (três estrelas)
Em 1964 eram 31.** Em 1975, 42.
Os três-estrelas comandam as divisões de tropas (a 1ª Divisão de Infantaria, da Vila Militar, por exemplo). Ocupam as vice-chefias do Estado-Maior e dos departamentos. Também chefiam as Regiões Militares.
(Corresponde ao vice-almirante e ao major-brigadeiro.)

* Até 1968, quando morreu, o marechal Mascarenhas de Moraes foi mantido no serviço ativo, por decisão do Congresso. Era uma homenagem ao comandante da Força Expedicionária Brasileira.
** Computaram-se os engenheiros militares (dois), médicos (um), veterinários (um) e intendentes (um).

GENERAL-DE-BRIGADA (duas estrelas)
Em 1964 eram 73. Em 1975, 93.
Um general de duas estrelas pode comandar uma unidade importante, como a Brigada Pára-Quedista, ou uma diretoria burocrática.
Em 1964 a idade média dos generais-de-brigada ficava em pouco menos de 54 anos.
(Corresponde ao contra-almirante e ao brigadeiro.)

Pela reforma de 1967, devida ao presidente Castello Branco, nenhum oficial pode permanecer mais de doze anos na ativa como general. Além disso, cada uma das patentes deve ter 25% de seu quadro renovado a cada ano. Essas normas vigoram até hoje.

CORONEL
Em 1964 o Exército tinha 340 coronéis em funções consideradas militares. Em 1975, 408.
Na tropa, o coronel comanda um regimento.
(Corresponde ao capitão-de-mar-e-guerra da Marinha.)

Pela reforma de Castello nenhum coronel pode permanecer menos de sete e mais de nove anos na patente.

TENENTE-CORONEL
Comanda um batalhão.
Patente em que se ficava em torno de cinco anos.
A etiqueta militar dá aos tenentes-coronéis o tratamento de "coronel".
(Corresponde ao capitão-de-fragata da Marinha.)

MAJOR
Comanda um batalhão.
(Corresponde ao capitão-de-corveta da Marinha.)

CAPITÃO
Comanda uma companhia.
Em 1975 o Exército tinha cerca de 2 mil capitães.

TENENTE
Comanda um pelotão.
Na média, de cada cem tenentes, seis chegam a general.

2 Estrutura

No Exército convivem duas estruturas. Uma, diretamente relacionada com as tropas de combate, é bastante simples. Outra, na qual está a burocracia, é mais complexa.
É a seguinte a estrutura de uma tropa de combate, vista de baixo para cima:

PELOTÃO
Tem um efetivo que pode variar entre trinta e cinqüenta homens. É comandado por um tenente.

COMPANHIA
Três pelotões formam uma companhia. Tem de cem a 150 homens. É comandada por um capitão.

BATALHÃO
Três companhias formam um batalhão. Seu efetivo oscila de trezentos a 450 homens, comandados por um major ou tenente-coronel.

REGIMENTO
Três batalhões formam um regimento. Tem entre mil e 1500 homens e é comandado por um coronel.

BRIGADA
É uma unidade de composição mista, sempre comandada por um general de duas estrelas. Seu efetivo pode variar entre 5 mil e 10 mil homens.

DIVISÃO
Um número variável de brigadas e regimentos agrupam-se numa divisão.
Essa é a principal unidade combatente. Reúne tropas das diferentes Armas. Nelas, as tropas de infantaria e de artilharia ficavam sob o comando de generais numa Infantaria Divisionária (ID) e numa Artilharia Divisionária (AD).

EXÉRCITO
Conhecido como "grande comando", agrupa todas as tropas de uma determinada região geográfica.
Os exércitos estavam assim divididos:
I Exército, com jurisdição sobre as tropas do Rio (onde ficava o seu comando), Minas Gerais e Espírito Santo;
II Exército, incluindo São Paulo (sede do comando) e Mato Grosso;
III Exército, incluindo o Rio Grande do Sul (sede do comando, em Porto Alegre), Santa Catarina e Paraná, e
IV Exército, com sede no Recife, englobando todos os estados do Nordeste.

Além desses grandes comandos ocupados por quatro-estrelas, havia dois outros, sob as ordens de generais-de-divisão:
Comando Militar da Amazônia, com sede em Manaus, e
Comando Militar do Planalto, com sede em Brasília e jurisdição sobre o Distrito Federal e Goiás.

Existiam também onze Regiões Militares, comandadas por generais-de-divisão.
A região cuida essencialmente do apoio logístico ao Exército em cuja área se situa.
Eram as seguintes as Regiões Militares:

1ª RM, com sede no Rio de Janeiro;
2ª RM, com sede em São Paulo;
3ª RM, com sede em Porto Alegre;
4ª RM, com sede em Juiz de Fora;
5ª RM, com sede em Curitiba;
6ª RM, com sede em Salvador;
7ª RM, com sede no Recife;
8ª RM, com sede em Belém;
9ª RM, com sede em Campo Grande;
10ª RM, com sede em Fortaleza, e
11ª RM, com sede em Brasília.

CRONOLOGIA

1880 - 1930

GEISEL E GOLBERY

1883 Wilhelm August Geisel chega ao Brasil. Tem 16 anos. Fixa-se em Estrela (RS). Anos depois casa-se com Lídia Beckmann.
1900 Nasce Amália Geisel.
1905 Nasce Orlando Geisel.
1907 Nasce Ernesto Geisel. A família vivia em Bento Gonçalves. Augusto é oficial do cartório.
1911 Nasce Golbery do Couto e Silva. É filho de uma família de prateiros de Rio Grande. Seu pai faz experiências mediúnicas.
1919 Augusto Geisel acerta no milhar (5852).
1920 Augusto Geisel dá aos filhos as obras de Júlio Verne.
1921 Ernesto Geisel vai para a Escola Militar de Porto Alegre.
1925 Ernesto Geisel ingressa na Escola Militar de Realengo.
1927 Golbery vai para a Escola Militar de Realengo.
1930 Ernesto Geisel, seu irmão Orlando e Golbery participam da Revolução.

POLÍTICA

1888 Abolida a escravidão.
1889 Proclamada a República.
1895 Termina a Revolução Federalista: 10 mil mortos.
1897 O Exército cerca, toma e destrói Canudos: mais de 5 mil mortos.
1898 Borges de Medeiros assume o governo do Rio Grande do Sul.
1904 Revolta da Vacina, no Rio.
1906 Greve geral em Porto Alegre.
1910 Revolta da Chibata, no Rio.
1912 Rebelião dos posseiros no Contestado. Termina em 1915, com a caçada aos sobreviventes.
1916 Começa o serviço militar obrigatório.
1922 Fundado o Partido Comunista do Brasil.
Rebelião do Forte Copacabana.
1924 Revolta militar em SP. Começa a Coluna Prestes.
1930 Washington Luís é deposto. Getulio Vargas torna-se presidente.

1931 - 1939

1931 Geisel e sua tropa são enviados para combater um levante no Recife.
1932 Geisel e Golbery combatem a Revolução Constitucionalista. Pela primeira vez atiram contra alvos de verdade.
1935 Depois de ter sido secretário da Fazenda da Paraíba, Geisel vem para o Rio. Conhece o coronel Álcio Souto.
Geisel bombardeia a Escola de Aviação, tomada pelos comunistas.
Golbery se casa com Esmeralda Fierro.
1936 Golbery é suspeito de ligações comunistas.
1937 Morre Lídia, mãe dos irmãos Geisel.
Geisel está pronto para bombardear a Escola de Aviação, caso resista ao golpe de Vargas.
O capitão Golbery passa pela Diretoria do Material Bélico e pela secretaria geral do Conselho de Segurança Nacional.
1938 Geisel conclui em primeiro lugar o curso de aperfeiçoamento de oficiais com nota 9,48.

1932 Revolução Constitucionalista em SP.
Lançado o *Manifesto Integralista.*
1934 Promulgada a Constituição. Prevê eleições em 1937.
Greves operárias no Rio e em São Paulo.
1935 O Exército domina a revolta comunista no Rio, no Recife e em Natal. Cerca de 120 mortos. São presas 7 mil pessoas.
1936 A polícia prende Luiz Carlos Prestes.
Hitler recomenda ao embaixador Moniz de Aragão: "O Brasil não deve ter piedade dos comunistas".
O ministro da Guerra, general Dutra, defende medidas "impiedosas" contra os comunistas.
1937 Vargas torna-se ditador.
1938 Revolta Integralista.
1939 Criado o Departamento de Imprensa e Propaganda. Comanda a censura e glorifica Getulio, o *Pai dos Pobres.*

ECONOMIA E SOCIEDADE	MUNDO
1892 Inaugurada a primeira linha de bondes elétricos no Rio. **1897** Funciona no Rio o primeiro cinema. Chama-se Animatógrafo Super Lumière. **1900** O Brasil tem 17,4 milhões de habitantes. O Rio de Janeiro, 811 mil; São Paulo, 239 mil, e Porto Alegre, 73 mil. **1905** Inaugurada a avenida Rio Branco. **1914** Primeiro vôo São Paulo—Rio. O piloto Edu Chaves gastou pouco mais de 4 horas. **1918** Epidemia da gripe espanhola. Mata 30 mil pessoas no Rio e em São Paulo. **1922** Semana de Arte Moderna em São Paulo. **1930** O Brasil tem 37,6 milhões de habitantes. O Rio de Janeiro, 1,5 mil; São Paulo, 887 mil, e Porto Alegre, 394 mil. O Exército tem 30 generais, 2300 tenentes e 45 mil homens. A expectativa de vida do brasileiro é de 39 anos para homens e 42 anos para mulheres.	**1901** Theodore Roosevelt assume a presidência dos EUA. **1908** Instituída a jornada de 8 horas nas minas inglesas. **1914-1918** Primeira Guerra Mundial. **1916** Morre o imperador Francisco José, da Áustria. **1917** Revolução na Rússia. O czar é preso. **1918** Instituído o voto feminino da Inglaterra. O czar é morto. **1921** Einstein ganha o Nobel de Física. **1922** Mussolini toma o poder na Itália. Spengler publica *A decadência do Ocidente.* **1929** Stalin começa sua matança na URSS. Crash de Wall Street. **1930** Entre 1930 e 1932, com a participação dos militares, são derrubados os governos dos seguintes países: Brasil, Argentina, Bolívia, Chile, Equador, El Salvador, Panamá e Peru. Ditaduras governam Rússia, Itália, Portugal, Grécia e Turquia.
1931 Inaugurado o Cristo Redentor. O governo defende o preço do café queimando parte de sua produção. Essa política perdura até 1944. Chega ao Brasil a missão de sir Otto Niemeyer para propor reformas econômicas. Vargas suspende o serviço da dívida. **1933** O Zeppelin passa pelo Rio. **1934** Fundada a Universidade de São Paulo. A Constituinte cria as férias obrigatórias de 15 dias para os trabalhadores sindicalizados. A bancada industrial é contra. Artur de Souza Costa assume o Ministério da Fazenda. Ficará até 1945. Um recorde. **1936** Inaugurada a linha aérea Rio—São Paulo. **1937** Morre Noel Rosa. Vargas suspende o serviço da dívida. **1938** Vargas estatiza as jazidas petrolíferas. O Estado Novo paga a construção do prédio da Associação Brasileira de Imprensa.	**1931** Al Capone vai para a cadeia. **1932** O Japão invade a China. O professor Oliveira Salazar torna-se ditador de Portugal. **1933** Franklin Roosevelt assume a presidência dos Estados Unidos e lança o New Deal. Hitler torna-se chanceler da Alemanha. **1934** Terror na URSS. **1935** Leis anti-semitas na Alemanha. **1936** A Itália anexa a Etiópia. Charles Chaplin faz *Tempos modernos.* Começa a Guerra Civil Espanhola. John Maynard Keynes começa a publicar sua *Teoria geral do emprego, do juro e da moeda.* **1939** O general Francisco Franco entra em Madri. Terminou a Guerra Civil Espanhola. O cardeal Eugenio Pacelli é eleito papa. Será Pio XII. Hitler invade a Polônia, começa a Segunda Guerra Mundial.

	GEISEL E GOLBERY	POLÍTICA
1940 - 1950	**1940** Aos 34 anos Ernesto Geisel se casa com sua prima Lucy, de 23. Vão morar numa pensão (na Tijuca) como Golbery (no Catete). Nasce Orlando Geisel Sobrinho. **1941** Geisel e Golbery vão tirar o curso de estado-maior. **1943** Geisel é promovido a major. Ele e seu irmão Orlando são mantidos fora da FEB. **1944** Golbery chega aos EUA, para o curso intensivo do estado-maior americano. Vai para a Itália, integrando a FEB. Não ouve um só tiro. **1945** Nasce Amália Lucy Geisel. Geisel comanda os blindados que depõem Vargas. Vai para o Gabinete Militar do novo governo, chefiado por Álcio Souto. **1947** O major Golbery vai para a Comissão Militar no Paraguai. Fica até 1950. Geisel conhece Humberto Barreto. Geisel vai para o Uruguai como adido. Fica até 1950.	**1945** Roosevelt manda seu amigo Adolf Berle para a embaixada dos EUA no Brasil. Deposto Vargas. Vai para sua fazenda em São Borja. O PCB obtém a legalidade. O Brasil reata com a URSS. O general Eurico Dutra é eleito presidente. O general Álcio Souto é o chefe de seu Gabinete Militar. **1946** Diz o ministro da Guerra, Goes Monteiro: "A primeira bomba atômica foi jogada em Hiroshima e a segunda em Nagasaki, a terceira e a quarta no atol de Bikini, mas a quinta, a sexta, sétima e oitava podem muito bem cair na Rússia". Instala-se a Assembléia Constituinte. **1947** O Brasil rompe relações com a URSS. Cassado o registro do PCB. **1948** Cassados os parlamentares comunistas. **1949** Criada a Escola Superior de Guerra.
1950 - 1955	**1950** Geisel é nomeado para o EMFA. **1951** Golbery é promovido a tenente-coronel e vai para a seção de informações do EME. **1952** Golbery e Geisel vão para a ESG. **1953** Golbery começa suas palestras na ESG. Geisel é promovido a coronel. **1954** Golbery redige o *Memorial dos Coronéis*, contra Vargas. Geisel se recusa a assiná-lo. Diz que é indisciplina. Golbery redige o *Manifesto dos Generais*, pedindo a renúncia de Vargas. **1955** Geisel vai para a subchefia do Gabinete Militar. Orlando Geisel apóia o golpe de Lott. Ernesto fica contra. Os dois se afastam. Autor do discurso que provocou a crise de novembro, Golbery é preso. Geisel é nomeado comandante do Regimento Escola de Artilharia. Quatro meses depois vai ser superintendente da refinaria de Cubatão.	**1950** Getulio Vargas é eleito presidente. **1951** Vargas dobra o valor do salário mínimo. **1952** Assinado o Acordo Militar Brasil-EUA. Criada a Conferência Nacional dos Bispos do Brasil. **1953** Jânio elege-se prefeito de São Paulo. Vargas nomeia João Goulart, de 35 anos, para o Ministério do Trabalho. **1954** Vargas volta a dobrar o valor do salário mínimo. Pistoleiros contratados pela guarda pessoal de Vargas tentam matar o jornalista Carlos Lacerda. Erram o tiro, e morre um major. Getulio Vargas se mata. Assume o vice-presidente Café Filho. **1955** Juscelino Kubitschek derrota o general Juarez Távora e é eleito presidente. Lacerda quer um golpe contra JK. O general Lott depõe o presidente Carlos Luz e impede o retorno do titular, Café Filho.

ECONOMIA E SOCIEDADE

1940 O Brasil tem 41,2 milhões de habitantes. O Rio de Janeiro, 1,7 milhão; São Paulo, aproximadamente 1 milhão, e Porto Alegre, 300 mil.

Assinado o acordo para a construção da usina de Volta Redonda. Os EUA garantem 20 milhões de dólares.

Aos 23 anos, Roberto Campos perde a virgindade num bordel da Lapa, com uma loura chamada Natasha.

Vargas concorda em negar vistos consulares aos judeus da Europa. Nos anos seguintes, simulará recebê-los.

1941 O DIP proíbe *O grande ditador*, de Charles Chaplin.

1943 Vargas assina a CLT.

1944 Friedrich Hayek publica *O caminho da servidão*.

1946 Guimarães Rosa publica *Sagarana*.

1948 Chega ao Brasil a Missão Abbink, mandada pelo Tesouro americano para propor reformas econômicas.

MUNDO

1940 A França capitula.

Winston Churchill é escolhido premiê.

1941 Hitler invade a URSS.

Os japoneses atacam Pearl Harbor.

1943 Os EUA invadem a Itália. Mussolini cai.

1944 Os Aliados desembarcam na Normandia.

1945 Os russos instalam um governo polonês fantoche em Lublin.

Criados o FMI e o Banco Mundial.

Os americanos destroem Hiroshima e Nagasaki. O Japão se rende.

Termina a Segunda Guerra Mundial.

1946 Discursando nos EUA, Churchill cria a expressão "Cortina de Ferro".

1947 James Burnham publica *Luta pelo mundo*. Diz que a nova guerra já começou.

Walter Lippmann usa a expressão "Guerra Fria".

1948 Truman lança o Plano Marshall.

Maurice McDonald abre a primeira loja de sanduíches, na Califórnia.

1949 Mao toma o poder na China.

1950 O Brasil tem 51,9 milhões de habitantes. O Rio de Janeiro, 2,3; São Paulo, 2,1, e Porto Alegre, 394 mil.

Na década a expectativa de vida do brasileiro passará de 45,9 anos para 52,4. Quase dois terços da população vivem no campo. Um em cada dois adultos é analfabeto.

Inaugurada a Via Dutra.

Inaugurada a refinaria de Mataripe.

Uruguai 2, Brasil 1. A Copa é deles.

1951 Seca no Nordeste.

1952 Criado o BNDE.

Adhemar Ferreira da Silva ganha a medalha de ouro no salto triplo nas Olimpíadas de Helsinque.

1953 Vargas sanciona a lei que cria a Petrobrás.

Graciliano Ramos publica *Memórias do cárcere*.

1955 O Brasil entra num ciclo de progresso inédito em sua história. Até 1960 o PIB crescerá uma média de 8,1% e a renda per capita, 4,8%.

1950 O mundo tem 2,5 bilhões de habitantes, com 480 milhões de crianças desnutridas.

O embaixador americano George Kennan escreve um telegrama em que informa que na América Latina não há base para regimes democráticos.

Começa a Guerra da Coréia.

1952 A Europa retoma o crescimento econômico. Exaure-se o avanço da esquerda, iniciado em 1945.

1953 Eisenhower na presidência dos EUA.

Morre o marechal Stalin. Vivem sob regimes comunistas 800 milhões de pessoas.

Termina a Guerra da Coréia.

1954 Treze das vinte nações latino-americanas têm governos controlados por militares.

Começa a Guerra da Argélia.

A *Revue Militaire d'Information* publica o artigo "O papel ideológico do Exército", do general Lionel Max Chassin.

1956 - 1959

GEISEL E GOLBERY

1956 Golbery é promovido a coronel, vai para a seção de operações do EME.

Geisel deixa a refinaria de Cubatão. Vai comandar o 2º Grupo de Canhões de Quitaúna.

1957 Aos 16 anos, morre Orlando Geisel Sobrinho. Foi atropelado por um trem, em Quitaúna. Ninguém viu o acidente.

Geisel vai para a chefia da seção de informações do EME e encontra Golbery na seção de operações.

Geisel é nomeado representante do Exército no Conselho Nacional do Petróleo. Conhece o economista Jesus Soares Pereira. Começa sua briga com as refinarias particulares, sobretudo com a de Capuava.

1958 A Biblioteca do Exército publica *Planejamento estratégico*, coletânea das conferências de Golbery na ESG.

1959 Golbery está no grupo de militares que assessora a campanha de Jânio Quadros.

POLÍTICA

1956 JK assume. Lança o Programa de Metas.

Oficiais da FAB rebelam-se contra o governo. Rendem-se diante da possibilidade de confronto com a tropa legalista.

1957 Greve geral em São Paulo, param 400 mil trabalhadores, durante 10 dias.

1958 Surgem as Ligas Camponesas.

O PCB adquire um estatuto de semilegalidade.

JK impede que Lacerda fale na TV.

Lucas Lopes assume o Ministério da Fazenda com o propósito de cortar gastos e controlar a inflação.

Começa a inflexão da Juventude Universitária Católica para a esquerda. Disso advirá a AP.

1959 Fidel Castro visita o Brasil.

O rinoceronte Cacareco consegue 90 mil votos na eleição municipal de São Paulo.

Nova rebelião de oficiais da FAB. Rendem-se em três dias.

1960

- Golbery assume a chefia da seção de operações do EMFA. Comanda uma mesa.
- Orlando Geisel assume a chefia do gabinete do ministro da Guerra, Odylio Denys.
- Ernesto Geisel assume a chefia da seção de informações anexa ao gabinete de Denys. Diz ao ministro que não concorda com a presença de oficiais comunistas em comandos.
- A refinaria de Capuava oferece ajuda à campanha de Lott, desde que tire Geisel do Conselho Nacional do Petróleo.
- Geisel recusa um convite de Lacerda para a Secretaria de Segurança do Rio. Sugere Golbery, que também recusa.
- Geisel manda apurar uma denúncia de que o serviço de rádio do Exército foi usado para ajudar a campanha do marechal Lott.
- Geisel redige e o chefe do EME, general Zeno Estillac Leal assina uma denúncia do avanço comunista no Brasil.

Fevereiro Jânio Quadros vai a Cuba. Promete fazer uma reforma agrária.

Abril JK inaugura Brasília. A obra custou o equivalente a 2,3% do PNB e simboliza o otimismo dessa época.

Agosto Em clima de semilegalidade, com noticiário na imprensa, o PCB realiza no Rio o seu V Congresso. Os comunistas buscam uma aliança com a burguesia nacional.

Outubro Jânio Quadros elege-se com 5,6 milhões de votos (48%), e João Goulart fica na Vice-Presidência.

Carlos Lacerda elege-se governador da Guanabara.

Os marítimos e os ferroviários fazem a Greve da Paridade. Pedem equiparação com os militares.

- JK manda um bilhete ao ministro da Guerra para designar o general Olympio Mourão Filho como adido em Lisboa. O papel é engavetado.

ECONOMIA E SOCIEDADE

1956 Inaugurada a fábrica de caminhões da Mercedes-Benz, iniciados os estudos para a construção da refinaria de Caxias e a obra da barragem de Três Marias. Instalado o Grupo Executivo da Indústria Automobilística.

João Cabral de Melo Neto publica *Morte e vida severina.*

1957 A Volkswagen do Brasil produz sua primeira Kombi, com 50% de peças nacionais.

Escalado um novo atacante na seleção brasileira. Chama-se Pelé e tem 16 anos.

1958 O Brasil é campeão mundial de futebol.

1959 Circula o primeiro fusca.

Inaugurada a ponte aérea Rio—São Paulo.

Criada a Sudene.

O Brasil termina a década com 70 milhões de habitantes.

O PIB cresceu 9,8%, a inflação, 39,4%.

João Gilberto grava "Chega de saudade".

MUNDO

1956 Nikita Kruchev, secretário-geral do Partido Comunista Soviético, denuncia os crimes de Stalin.

Rebelião na Hungria contra o governo comunista. Kruchev manda invadir o país.

Fidel Castro desembarca em Cuba.

1957 Existem 71 cidades com mais de 1 milhão de habitantes (duas no Brasil). Em 1914 eram 16, nenhuma no Brasil.

A URSS põe em órbita o primeiro satélite artificial. É o Sputnik. Pesava 83 quilos.

A *Revue Militaire d'Information* publica seu número especial *La Guerre Révolutionnaire.*

1958 Uma rebelião militar derruba a República Francesa. De Gaulle vai formar um novo governo e um novo regime.

Morre o papa Pio XII. É eleito João XXIII.

Só há cinco ditaduras na América Latina.

1959 Fidel Castro entra em Havana.

João XXIII convoca o Concílio Ecumênico.

- O Brasil tem 598 mil aparelhos de televisão. Os EUA têm 85 milhões.
- O Rio tem 147 favelas, com 337 mil moradores.
- Jean-Paul Sartre e Simone de Beauvoir visitam o Rio, Salvador e São Paulo.
- O economista Ignácio Rangel publica *Elementos de economia do projetamento.*
- Criada a Organização dos Países Exportadores de Petróleo. Reúne apenas cinco nações: Arábia Saudita, Irã, Iraque, Kuwait e Venezuela. É considerada uma entidade inútil. O barril custa US$ 1,50.
- Começa nos Estados Unidos a comercialização da pílula anticoncepcional.
- Nos cinemas, *La dolce vita*, de Federico Fellini, e *Psicose*, de Alfred Hitchcock.
- O alemão Armin Hary corre 100 metros em 10 segundos.

- A China se afasta da URSS.
- Che Guevara começa a escrever *A guerra de guerrilhas.*
- Começam as manifestações de estudantes americanos negros contra a segregação racial em lugares públicos.

Abril O Senegal torna-se independente. É o processo de descolonização da África.

Maio Israel captura o nazista Adolf Eichmann, que vivia como operário em Buenos Aires. Vai julgá-lo e enforcá-lo em Tel Aviv.

Junho A Bélgica dá a independência ao Congo. Patrice Lumumba, de 35 anos, assume o governo. É deposto em setembro e assassinado em janeiro.

Julho Fidel Castro confisca as refinarias americanas de petróleo em Cuba.

Outubro Independência da Nigéria.

Novembro John Kennedy é eleito presidente dos Estados Unidos.

1961

GEISEL E GOLBERY

Fevereiro Golbery vai para o Conselho de Segurança Nacional. Opera no Rio e tem sob suas ordens o SFICI.

Março Geisel é promovido a general. Recebe o Comando Militar de Brasília.

Junho Golbery articula a criação de um sistema de segurança interna unificando os aparelhos policiais civis e militares.

Agosto Com a renúncia de Jânio, Geisel é nomeado chefe do Gabinete Militar do presidente interino Ranieri Mazzilli.

Golbery redige o manifesto em que os ministros militares vetam o retorno de Goulart e a sua posse num regime presidencialista.

Setembro Geisel combina com Tancredo a sua ida ao Uruguai para conferenciar com Jango.

Geisel recebe Jango em Brasília.

Golbery é exonerado do CSN. Leva consigo uma parte do fichário do SFICI. Transferido para a Paraíba, vai para a reserva.

POLÍTICA

Janeiro Jânio assume a Presidência e, para desencanto dos conspiradores de 1954 e 1955, mantém Odylio Denys no Ministério da Guerra.

Maio Francisco Julião, das Ligas Camponesas, vai a Cuba e pede ajuda a Fidel.

Agosto Jânio pede ao Gabinete Militar que estude um plano de anexação das Guianas.

Jânio renuncia. Acha que voltará ao poder.

Os ministros militares vetam a posse de João Goulart, que acaba de visitar a China Comunista e está em Cingapura.

A tropa do Sul não aceita o veto a Jango.

Orlando Geisel manda bombardear o palácio Piratini. É desobedecido.

Setembro Jango aceita o parlamentarismo, desce em Brasília e toma posse. Tancredo Neves é escolhido primeiro-ministro.

Novembro Liderados por Azevedo Antunes, da mineradora Icomi, e por Antonio Gallotti, da Light, o empresariado funda o IPÊS.

1962

Janeiro Geisel é nomeado comandante da Artilharia Divisionária da 5ª Divisão de Infantaria, em Curitiba.

Fevereiro Jango transfere o coronel Golbery para a reserva. Com direito a duas promoções, ele se torna o *General Golbery*.

Março Tancredo Neves lê uma palestra na ESG. O texto é de Golbery.

Junho Golbery vai para o IPÊS. Monta uma máquina de informações e organiza o fichário, ampliando o acervo que levara do SFICI.

Setembro O comandante do III Exército, Jair Dantas Ribeiro, ordena a prontidão de suas tropas para forçar o Congresso a convocar um plebiscito. Geisel telegrafa a Jair insinuando que ela é desnecessária. É exonerado e vai comandar uma mesa no Departamento de Provisão Geral.

Sem muito o que fazer, Geisel ajuda nos deveres escolares da filha e dedica-se à leitura, inclusive da Bíblia.

Fevereiro Num racha do PCB (soviético) surge o PC do B (chinês).

Abril Jango vai a Washington e vê Kennedy.

Junho A esquerda católica funda a AP.

Tancredo renuncia ao cargo de premiê.

Saques na Baixada Fluminense: 42 mortos.

Julho Criado o Comando Geral dos Trabalhadores, o CGT.

Kennedy decide colocar no baralho a carta do golpe militar no Brasil.

Atentado contra o Congresso da UNE, em Petrópolis, com a participação de militares.

Criado o 13º salário.

Setembro Greve geral contra o regime parlamentarista.

Outubro Eleições parlamentares em que o governo americano gastou entre 1 milhão e 5 milhões de dólares. O empresariado deu a seus candidatos algo como 20 milhões de dólares. Foi a eleição mais corrompida da história.

ECONOMIA E SOCIEDADE

• O Brasil bate a marca de 1 milhão de aparelhos de TV.
• O índice de nacionalização das Kombis e fuscas chega a 95%.
• O Brasil produz 350 mil geladeiras, com quase 100% de nacionalização. Em 1956 produzia 160 mil, com 47% de nacionalização.
• Nelson Rodrigues estréia *O beijo no asfalto.*
• Sai o livro *Latin American issues*, de Albert Hirschman. Nele, num artigo, Roberto Campos cunha os termos *estruturalismo* e *monetarismo* para a análise da inflação.

Janeiro O banqueiro baiano Clemente Mariani é escolhido ministro da Fazenda.
Março Jânio desvaloriza a moeda. O dólar, que custava Cr$ 90,00, passa a valer Cr$ 200,00.
Outubro Jango cassa as concessões ilegais de jazidas à empresa americana Hanna.
Dezembro A esquerda controla a CNTI.

MUNDO

Janeiro Os EUA rompem relações com Cuba.

Posse de John Kennedy. Aos 43 anos, é o mais jovem presidente da história.

Fevereiro Rebelião angolana contra Portugal.
Março Kennedy apresenta a Aliança para o Progresso. Pretende impulsionar reformas na América Latina e conter a influência cubana.
Abril O soviético Yuri Gagarin torna-se o primeiro homem a entrar em órbita e informa: "A Terra é azul".

Uma força de exilados treinada pela CIA invade Cuba e se rende em 48 horas.

Maio Com a ajuda da CIA, oficiais dominicanos matam Rafael Trujillo, no poder desde 1930.
Agosto A Alemanha comunista ergue o Muro de Berlim, símbolo da Guerra Fria.
Outubro Nikita Kruchev tira o corpo de Stalin da cripta do mausoléu da praça Vermelha. Transfere-o para um gramado lateral, onde estão outros túmulos de soviéticos ilustres.

• Tom Jobim e Vinicius de Moraes compõem "Garota de Ipanema".
• *O pagador de promessas*, de Anselmo Duarte, ganha a Palma de Ouro em Cannes.
• No fim do ano, o Brasil tem 400 mil funcionários públicos. Em 1959 tinha 300 mil.

Junho Criada a Eletrobrás.
Setembro O banqueiro Walter Moreira Salles, principal interlocutor do governo com o empresariado, deixa o Ministério da Fazenda.

Criado o Ministério do Planejamento. Será ocupado por Celso Furtado.

Dezembro Anunciado o Plano Trienal. Pretende levar a inflação para o patamar de 10% em 1965.

O governo concede um aumento de pouco mais de 50% no salário mínimo.

Surgem no Brasil as sandálias Havaianas.

• O ano termina com 52% de inflação e um crescimento do PIB de 8,6%.

Fevereiro Criado o Colégio Interamericano de Defesa, em Fort McNair, nos EUA. É parte da rede de treinamento de militares latino-americanos contra guerrilhas urbanas e rurais.

Militares argentinos depõem o presidente Arturo Frondizi.

Julho Depois de cinco anos de guerra, a Argélia torna-se independente.
Kennedy muda sua política e resolve reconhecer o governo de militares peruanos que derrubaram o presidente Manuel Prado.
Agosto Os russos colocam, em segredo, mísseis nucleares em Cuba.
Outubro Os americanos descobrem os mísseis russos e bloqueiam Cuba. Os russos retiram os foguetes em troca da promessa de que Cuba não será invadida. Nesses dias a guerra nuclear esteve por um fio de cabelo.

Começa o Concílio Ecumênico.

Os Beatles gravam seu primeiro disco.

1963

GEISEL E GOLBERY

• Geisel reúne rotineiramente um pequeno grupo de oficiais antijanguistas em sua casa. Encontram-se quase sempre às quintas-feiras.
• Orlando Geisel é matriculado na ESG. Tomará cerca de dez caronas nas promoções a general-de-divisão.
• Golbery e Heitor Ferreira selecionam livros e artigos para serem editados com recursos do IPÊS. Trabalham juntos na edição brasileira de *Animal farm*, de George Orwell.
• Muricy conta a Orlando Geisel que o general Mourão Filho planeja rebelar-se contra o governo de João Goulart e ouve: "Você é louco, Muricy. Amanhã o Jango sabe que você está conspirando".
Junho Golbery prevê as manobras janguistas. Numa de suas *Estimativas* para a direção do IPÊS diz que o presidente poderá tentar ampliar a duração de seu mandato, "se não mesmo a reeleição".

POLÍTICA

• O jornalista Carlos Leonam cunha a expressão "esquerda festiva", variante daquilo que se autodenominava "esquerda positiva".
• Surge o Comando de Caça aos Comunistas (CCC).
Janeiro Um plebiscito restabelece o regime presidencialista.
Abril A CNBB teme "subversões imprevisíveis dos valores democráticos".
Julho Numa pesquisa do IBOPE em 10 grandes cidades, Jango tem 35% de avaliação ótima ou boa, 41% de regular e 19% de má ou péssima.
Setembro Carlos Lacerda defende um golpe militar contra Jango.

Castello Branco assume a chefia do EME.
Outubro Jango tenta colocar o país em estado de sítio, vê-se isolado e recua.

Fracassa uma tentativa de seqüestro e prisão de Lacerda por oficiais pára-quedistas do "dispositivo" do governo.

1964

GEISEL E GOLBERY

Janeiro/Fevereiro Geisel reluta, mas aceita ligar-se a Castello Branco na conspiração. Não gostava dele por irônico e "arestoso".
Março
30 Golbery e Geisel assistem na casa de Castello ao discurso de Jango.
31 Geisel e Golbery passam o dia num apartamento, com Castello.
Abril Geisel tenta evitar a cassação de Jesus Soares Pereira. Não consegue.

Castello nomeia Geisel para a chefia do Gabinete Militar.
Junho Golbery projeta, cria e assume o SNI.
Agosto Início de uma inimizade. Lacerda faz ataques a Golbery na TV.
Setembro Geisel vai ao Nordeste para apurar denúncias de tortura. Inaugura a doutrina da "pedra limpa". O que houve é passado, desde que não haja novos casos.
Novembro Geisel vai a general-de-divisão.

POLÍTICA

Janeiro Em Moscou, Prestes assegura a Nikita Kruchev: "Se a reação levantar a cabeça, nós a cortaremos de imediato".
Março
31 O general Mourão Filho se rebela.
Abril
1º Costa e Silva proclama-se "comandante do Exército Nacional".
2 Jango está deposto.
9 Baixado o Ato Institucional. Cassados 40 mandatos.
11 Castello Branco é eleito presidente.
Junho Aos 27 anos, o capitão Heitor Ferreira, assistente de Golbery, começa o seu *Diário*.

O Congresso prorroga por um ano o mandato de Castello, até 15 de março de 1967.
Setembro O *Correio da Manhã* começa sua campanha contra a tortura.
Outubro Caduca o artigo punitivo do Ato Institucional. Foram atingidas 4454 pessoas.

ECONOMIA E SOCIEDADE

Janeiro San Tiago Dantas assume o Ministério da Fazenda.
Junho San Tiago Dantas deixa a Fazenda. É substituído por Carvalho Pinto.
Julho Surge o eurobônus. É um prenúncio da internacionalização do sistema financeiro.
Setembro Um dos diretores da mineradora Hanna informa ao Departamento de Estado que vai jogar bruto contra João Goulart.
Dezembro Ney Galvão substitui Carvalho Pinto na Fazenda. É o quinto ministro em 27 meses.

Fundado no final de 1961 com 80 membros, o IPÊS já tem 500 sócios. Estão nos seus conselhos 27 dos 36 dirigentes da FIESP.

• O ano fecha com os seguintes indicadores econômicos:
Inflação de 79,9%. É a maior da história.
Crescimento do PIB de 0,6%. É a menor taxa desde 1947, quando começou o cálculo sistemático do produto interno.

MUNDO

• Jorge Masetti, amigo do Che Guevara, lança um foco guerrilheiro na Argentina. A idéia de Guevara era juntar-se a ele.
Janeiro De Gaulle impede a entrada da Grã-Bretanha no Mercado Comum Europeu.
Abril Na Guatemala, o general Ydígoras Fuentes é deposto por um golpe militar.
Maio Uma expedição de 35 peruanos treinados em Cuba interna-se na selva.
Junho Morre o papa João XXIII. O cardeal Montini torna-se Paulo VI.
Julho O presidente Arosemena é deposto pelos militares no Equador.
Agosto O pastor Martin Luther King Jr. diz em Washington: "Eu tenho um sonho".
Setembro Um golpe militar derruba o presidente Juan Bosch, da República Dominicana.
Novembro John Kennedy é assassinado. Assume o vice-presidente, Lyndon Johnson.

• O Brasil tem 79,8 milhões de habitantes. O Rio de Janeiro, 3,6; São Paulo, 4,5, e Porto Alegre, 770 mil.
Janeiro Jango sanciona a Lei de Remessa de Lucros votada pelo Congresso.
Abril Castello entrega o comando da economia a Octávio Gouvêa de Bulhões (Fazenda) e Roberto Campos, que irá para o Ministério do Planejamento.
Maio A Sumoc acaba com os subsídios.
Julho Castello baixa a fórmula para o cálculo dos reajustes salariais. (Seu autor é Mario Henrique Simonsen.) Surge a expressão "arrocho salarial".
Agosto Institui-se a correção monetária.
Setembro Apesar da crise, a Volkswagen revela que bateu seu recorde de produção.
Dezembro Criado o Banco Central.
• O ano termina com a inflação em 92,1%. A economia cresce 3,4%.

Abril Desmancha-se a guerrilha guevarista da Argentina. Jorge Masetti desaparece na mata.
Junho Organiza-se na Colômbia a guerrilha do Exército de Libertação Nacional.
Agosto O presidente Johnson recebe poderes para ampliar a presença americana no Vietnã.
Outubro Nikita Kruchev é deposto na União Soviética. Assume um triunvirato em que prevalece Leonid Brejnev.

Os trabalhistas ganham a eleição inglesa. Harold Wilson torna-se primeiro-ministro, iniciando um predomínio que durará seis anos.

Novembro Golpe na Bolívia. Assume o general René Barrientos.
Dezembro Juan Perón deixa a Espanha, onde vivia exilado. E voa para a Argentina. Ao fazer escala no Galeão, é barrado e obrigado a voltar.

Martin Luther King Jr. ganha o Prêmio Nobel da Paz. É o apogeu da luta dos negros americanos pelos seus direitos civis.

1965

GEISEL E GOLBERY

Fevereiro Golbery acha que Costa e Silva não dura no Ministério da Guerra.

Golbery e Geisel tentam impedir a realização das eleições marcadas para outubro.

Março Geisel a Golbery: "Vamos terminar com um Costa e Silva". Golbery: "É uma solução de borra, mas é uma solução".

Maio Golbery vai a Washington. Fica uma semana. O biombo é uma reunião da OEA.

Meados do ano Geisel se reúne com Lacerda.

Junho Golbery tenta prorrogar Castello.

Julho Golbery liga um gravador em sua sala.

Agosto Golbery acha que a eleição da Guanabara pode levar a uma intervenção federal. É candidato a interventor.

Geisel a Heitor: "Eu acho que vamos ter que colocar essa nossa democracia na geladeira".

Outubro Geisel diz a Castello que ele deve demitir Costa e Silva. Quando percebe que isso não acontecerá, comenta: "O outro arrastou as fichas".

POLÍTICA

Março Contra a opinião de Geisel e Golbery, Castello decide manter o calendário eleitoral. Em outubro serão escolhidos 11 governadores.

O ex-coronel Jefferson Cardim invade o Rio Grande do Sul com 22 combatentes. É cercado e preso.

É preso o editor Ênio Silveira. Ele se encontrará com Golbery em junho.

Junho Castello libera Golbery e Geisel para tratar de sua prorrogação. Depois recua. Numa conversa com um governador, Castello chama Lacerda de "crápula".

Outubro Negrão de Lima é eleito governador da Guanabara e Israel Pinheiro, de Minas Gerais. Notícias de rebelião na Vila Militar.

Castello baixa o AI-2. Dissolve os partidos e torna indireta a eleição de seu sucessor. Os crimes políticos vão para a Justiça Militar.

Dezembro Lançada a candidatura do general Costa e Silva à Presidência.

1966

GEISEL E GOLBERY

Janeiro Geisel quer acabar com o posto de general-de-exército.

Geisel insiste: sendo candidato, Costa e Silva deveria ser demitido.

Geisel e Golbery resolvem sair do governo.

Fevereiro Golbery: "Eu prefiro o *showdown*, e que o Costa e Silva dê o golpe e assuma o poder agora a que haja uma eleição que cooneste tudo e difira por um ou dois anos o golpe e a ditadura".

Maio Geisel e Golbery pedem demissão.

Golbery manda Heitor limpar os arquivos.

Geisel diz que quer passar para a reserva.

Agosto Desanimado, Heitor Ferreira abandona parcialmente seu *Diário*.

Novembro Geisel vai a general-de-exército.

Golbery prepara o expediente para cassar Lacerda. Costa e Silva tira o corpo fora.

Dezembro Golbery: "Só guarda segredo quem não sabe".

POLÍTICA

• Osvaldo Orlando da Costa, *Osvaldão*, chega ao Araguaia, mandado pelo PC do B.

Janeiro Costa e Silva embarcando para a Europa: "Vou ministro e volto ministro".

Fevereiro Lincoln Gordon deixa a embaixada americana no Brasil. É sucedido por John Tuthill, que reduz a presença americana.

Castello torna indiretas as eleições para governadores.

Março Protestos no Rio, em São Paulo e Belo Horizonte.

Explode a primeira bomba da AP no Recife.

Junho Enquanto Geisel e Golbery ficam no governo, o marechal Cordeiro de Farias vai-se embora.

Julho Atentado a bomba contra Costa e Silva no aeroporto dos Guararapes, no Recife.

Outubro O Congresso elege Costa e Silva.

Novembro JK e Lacerda encontram-se em Lisboa. Unem-se na Frente Ampla.

ECONOMIA E SOCIEDADE

- Surge a minissaia.

Janeiro O FMI abre um crédito de 125 milhões de dólares para o governo brasileiro.

Quebra em SP o grupo Jafet, um dos maiores do país.

Fevereiro Os governos do Brasil e dos EUA assinam um acordo de garantia para os investimentos americanos.

O governo fecha a Panair do Brasil. A Varig fica com suas linhas internacionais.

Abril Vai ao ar a TV Globo. O Brasil tem 2,3 milhões de aparelhos de TV.

Estréia a peça Liberdade, liberdade.

Maio Lacerda pede a demissão de Octávio Gouvêa de Bulhões e de Roberto Campos. Quer uma mudança da política econômico-financeira.

Lançado nos Estados Unidos o primeiro satélite de comunicações. É o Early Bird.

- O ano termina com uma inflação de 34,2% e um crescimento do PIB de 2,4%.

MUNDO

Fevereiro A polícia portuguesa mata o general oposicionista Humberto Delgado. Com ele morre a brasileira Arajaryr Moreira de Campos.

Março Chega ao Vietnã a primeira tropa de combate terrestre americana.

Abril Um golpe de oficiais esquerdistas derruba o governo militar da República Dominicana. Johnson manda invadir o país. É a primeira invasão americana desde 1927. Castello a apóia, manda uma tropa brasileira e ganha o comando das forças de ocupação.

Junho O coronel Boumédienne derruba e prende o presidente argelino, Ben Bella.

Agosto Quebra-quebra em Watts, Los Angeles, 35 mortos e 4 mil prisões.

Novembro Sete meses depois de ter desembarcado no Congo com uma pequena força cubana, Che Guevara foge. Passará quase um ano escondido na Tanzânia e na Tchecoslováquia.

- Chico Buarque ganha o Festival da Canção com "A banda".

Junho Antonio Delfim Netto é nomeado secretário da Fazenda de São Paulo.

O Citibank lança, em Londres, o primeiro certificado de depósitos em dólares.

Agosto O ministro da Indústria e Comércio, Paulo Egydio Martins, comenta a onda de falências e concordatas: "O perecimento" de certas empresas é conseqüência de um processo de "seletividade e purificação".

Setembro Criado o FGTS.

Novembro Unificada a Previdência Social, surge o INPS.

Como presidente eleito, Costa e Silva recusa-se a endossar a carta de intenções que o ministro da Fazenda de Castello negociara com o FMI.

- O ano termina com 39,1% de inflação e 6,3% de crescimento do PIB.

Janeiro Realiza-se em Havana a Conferência Tricontinental.

Fevereiro Morre na selva colombiana o padre-guerrilheiro Camilo Torres.

Maio Começa em Xangai a "revolução cultural" chinesa.

Manifestação em Washington contra a Guerra do Vietnã.

Junho Golpe militar na Argentina. Assume o general Juan Carlos Onganía. É o quarto governo militar na América do Sul.

Julho Fracassam duas tentativas cubanas de implantar uma guerrilha na Venezuela.

Setembro Começa a circular na China o *Livro vermelho* do presidente Mao.

Novembro De volta à América Latina, Guevara está nas montanhas bolivianas.

Ronald Reagan, ex-presidente do Sindicato dos Atores de Hollywood, elege-se governador da Califórnia.

1967

GEISEL E GOLBERY

Fevereiro Para desgosto da CIA, o SNI suspende as interceptações telefônicas.

Golbery publica Geopolítica do Brasil.

Numa exposição ao Alto-Comando, Golbery admite a possibilidade de um surto terrorista.

O general Medici sugere a Costa e Silva que nomeie Geisel para a Petrobrás.

Moraes Rego transferido para Tabatinga, Heitor Ferreira para Ponta Porã.

Golbery e a política: "Não tenho o que dizer".

Março Castello nomeia Geisel para o STM e Golbery para o TCU.

Julho Daniel Krieger vai à casa de Castello e encontra Geisel e Golbery. Castello lhe diz que teme um golpe.

Agosto Golbery diz a *O Jornal* que segurança nacional nada tem a ver com ditadura ou militarismo.

Outubro Os ministros Geisel e Pery Bevilaqua se estranham no STM.

POLÍTICA

Janeiro Promulgada uma nova Constituição.

Março Costa e Silva toma posse.

Abril O Exército desbarata a guerrilha brizolista de Caparaó.

Lyndon Johnson reúne-se com Costa e Silva na conferência de presidentes de Punta del Este. Dirá aos seus assessores que ele o impressionou.

Maio Criado o Centro de Informações do Exército, o CIE.

Julho Castello Branco volta de uma viagem à França, faz uma visita sentimental ao interior do Ceará, e morre num desastre de avião quando o Piper entra numa área de exercício da FAB e é atingido por um jato.

Outubro Costa e Silva: "A plenitude democrática está alcançada, resta consolidá-la".

Novembro No início do surto terrorista, a ALN de Carlos Marighella assalta um carro pagador e mata um fazendeiro em São Paulo.

1968

Janeiro Geisel e Golbery mantêm-se afastados da política.

Geisel raramente vê militares fora do STM. Afora o STM seu único programa regular é andar pela praia do Leblon, antes do sol forte.

Março Brigado com o ministro do Exército, Lyra Tavares, Orlando Geisel deixa o comando do Estado-Maior. Vai para o EMFA, onde comanda uma mesa.

Setembro Golbery se aposenta do Tribunal de Contas.

Roberto Campos é convidado para presidir a Dow Química no Brasil. Não aceita e sugere que a empresa convide Golbery, que é contratado como consultor.

Novembro Confirmando seu desempenho de juiz severo, Geisel nega um pedido de habeas corpus dos estudantes José Dirceu de Oliveira e Silva e Luiz Travassos, presos em Ibiúna.

Dezembro Geisel apóia a edição do AI-5.

Março Um PM mata o estudante Edson de Lima Souto durante uma manifestação no Calabouço. Começa a agitação estudantil.

Abril Greve operária em Contagem (MG).

Maio O governador paulista Abreu Sodré é apedrejado num comício articulado pelo PCB.

Greves operárias em São Bernardo e Osasco.

Junho Passeata dos Cem Mil.

Atentado a bomba ao QG do II Exército. Morre o sentinela.

Julho Começam os atentados, com a participação de militares, contra teatros.

Setembro O deputado Marcio Moreira Alves pergunta, num discurso: "Quando o Exército não será um valhacouto de torturadores?".

Outubro Presos 920 estudantes em Ibiúna, onde se realizava o Congresso da UNE.

Dezembro A Câmara nega licença para que o governo processe Moreira Alves.

Baixado o AI-5. A imprensa fica sob censura.

ECONOMIA E SOCIEDADE

• A Texas Instruments produz a primeira calculadora de mão.
• Lançado o Movimento Tropicalista.
• John Kenneth Galbraith publica *O novo Estado industrial.*
• Surge a palavra *hippie.*
• Hélio Oiticica mostra suas instalações. Uma homenageia o bandido Cara de Cavalo: *Seja marginal, seja herói.*

Fevereiro Muda a moeda: um cruzeiro novo (NCr$) vale mil cruzeiros.

O dólar vai de NCr$ 2,20 para NCr$ 2,70.

Março Antonio Delfim Netto assume o Ministério da Fazenda.

Maio Os juros caem de 36% para 22% ao ano.

Setembro O FMI faz sua reunião anual no Rio.

Novembro Concedida a isenção de impostos para manufaturados destinados à exportação.

Dezembro Réveillon na casa de Heloisa Buarque de Hollanda.

MUNDO

Abril Deposto o rei Constantino da Grécia. Ele foge com a mulher para Roma, e uma junta de coronéis assume.

Meio milhão de americanos manifestam-se contra a Guerra do Vietnã, no Central Park.

Junho Guerra dos Seis Dias. Israel entra em Jerusalém e toma à Síria as colinas de Golan e o Sinai ao Egito.

Começa na Nicarágua a guerrilha sandinista.

Julho Quebra-quebra em Detroit, com 43 mortos e 1300 prédios destruídos. É o 134º quebra-quebra do ano nos EUA.

Outubro Manifestação em Washington contra a Guerra do Vietnã. Hippies vão ao Pentágono para fazê-lo levitar.

Guevara é capturado e assassinado na Bolívia.

Os EUA têm perto de 500 mil homens no Vietnã.

• O Brasil tem 278 mil estudantes universitários. Em 1950 eram 53 mil. Em 1964, 142 mil.

Maio O governo brasileiro anuncia que não abrirá mão do seu direito de fabricar artefatos nucleares.

Julho O papa Paulo VI divulga a encíclica *Humanae Vitae*, em que condena o uso de anticoncepcionais.

Dezembro O governo decreta a contenção das despesas públicas e baixa o Ato Complementar nº 40, aumentando a sua receita em prejuízo dos estados e municípios.

Presos (e depois exilados) Caetano Veloso e Gilberto Gil.

• O ano termina com um crescimento de 9,8% do PIB e uma expansão de 15% na indústria e nas exportações. Recorde de produção de automóveis e cimento. O maior nível de emprego já registrado. A inflação fecha em 25,5%. É o início do Milagre Brasileiro.

Janeiro O vietcongue lança a ofensiva do Tet. É repelido, mas vira a opinião pública.

Começa a Primavera de Praga.

Manifestações estudantis em Roma, Milão, Londres, Madri, Varsóvia e Nanterre.

Johnson diz que não concorrerá à reeleição.

Maio Ocupada a Sorbonne. Agitação em Paris. De Gaulle teme ser deposto.

Junho Assassinado Robert Kennedy.

De Gaulle ganha a eleição francesa. Sua bancada vai de 38% para 46%.

Julho Primeiro seqüestro de avião em vôo internacional. O jato da El Al ia para Tel Aviv.

Agosto Termina a Primavera de Praga. A URSS invade a Tchecoslováquia, ocupa a capital e prende o governo.

Outubro Golpe militar no Peru. Assume o general Velasco Alvarado.

Novembro Richard Nixon é eleito presidente dos Estados Unidos.

1969

GEISEL E GOLBERY

Janeiro O embaixador americano John Tuthill visita Golbery. O general lhe diz que o AI-5 era "completamente desnecessário". Acredita que ele será radicalizado e duradouro. Atribui o desfecho da crise à "inépcia do governo, da falta de liderança do presidente".

Depois de pedir demissão do Exército, Heitor Ferreira vai para o Pará, como funcionário da Jari, de Daniel Ludwig.

Fevereiro Golbery e Candido Mendes tentam montar um centro de estudos políticos.

Maio Depois de uma pancreatite que quase o mata, Geisel é operado. Pega hepatite e fica na cama até novembro.

Setembro Golbery acha que se Medici não aceitar a Presidência, Orlando Geisel tem chances.

Novembro Geisel nomeado presidente da Petrobrás. O general *Cacau* de Barros Nunes lhe diz: "Prepare-se para ser presidente".

POLÍTICA

Janeiro Cassados 39 parlamentares, três ministros do STF e um do STM.

Maio Professores expulsos da USP fundam o Cebrap. No grupo, Fernando Henrique Cardoso.

Julho Os conservadores prevalecem na CNBB.

Agosto Costa e Silva sofre uma isquemia cerebral. Assume uma junta militar.

Setembro Período de anarquia militar. O Alto-Comando do Exército escolhe Medici para substituir Costa e Silva, com mandato de cinco anos.

Seqüestrado o embaixador americano Charles Elbrick.

Virgílio Gomes da Silva, da ALN, é preso em SP e some. É o primeiro desaparecido depois da edição do AI-5.

Outubro Nova Constituição.

Reaberto, o Congresso elege Medici.

Orlando Geisel é ministro do Exército.

Novembro Morre Carlos Marighella.

1970

GEISEL E GOLBERY

• Geisel se engaja num programa de encomendas de máquinas à indústria paulista, mesmo que ela ainda não saiba fazê-las.

Janeiro Um ataque cardíaco mata o general Newton Reis, chefe-de-gabinete de Orlando Geisel. Amigo de Ernesto e Golbery.

Golbery organiza um jantar com velhos amigos de Geisel. Um deles escreve: "Discutiu-se descaradamente a idéia da manobra [...] Acho que ainda vai ouvir muito a respeito".

Fevereiro O *Jornal do Brasil* informa que Golbery será candidato a governador do Rio de Janeiro. Ele nega.

Abril Geisel passa por Belém e convida Heitor Ferreira para ser seu chefe-de-gabinete na Petrobrás. O convite não acontece.

POLÍTICA

Março O historiador Caio Prado Júnior é condenado a quatro anos e meio de prisão.

O papa Paulo VI condena a tortura brasileira.

Junho Seqüestrado o embaixador alemão Von Holleben. É trocado por 40 presos.

Há no país 500 presos políticos: 56% são estudantes cuja idade média é 23 anos.

Depois de uma visita à seca do Nordeste, Medici anuncia a abertura da rodovia Transamazônica, unindo o Maranhão ao Acre. Seria o eixo de um grande projeto de colonização.

Setembro Criados os DOIS.

Outubro D. Paulo Evaristo Arns é o novo arcebispo de São Paulo.

Novembro Eleições legislativas. O governo faz mais de dois terços da Câmara.

Dezembro Seqüestrado o embaixador suíço Giovanni Enrico Bucher. É trocado por 70 presos.

ECONOMIA E SOCIEDADE

• O governo informa que só falará sobre casos de corrupção quando as investigações estiverem concluídas.
• O *The New York Times* informa: "O regime é antipatizado, mas o Brasil cresce".
Fevereiro Inaugurada a estação de satélites da Embratel, em Itaboraí.
Delfim Netto prevê que a economia crescerá 10% no ano.
Junho Lançado *O Pasquim*. Em dezembro sua circulação chega a 250 mil exemplares.
Começa a alta das bolsas de valores.
Setembro Estréia o *Jornal Nacional*.
A Junta Militar cria a Embrafilme.
Outubro Com Sônia Braga no elenco, estréia em São Paulo a peça *Hair*.
Dezembro Pelé faz seu milésimo gol.
Chico Buarque embarca para a Itália.
• O ano termina com um crescimento de 9,5% do PIB e a inflação em 20,1%.

MUNDO

• Onda terrorista na Itália, com 398 ações e 19 mortos.
Fevereiro Um livro-bomba mata Eduardo Mondlane, primeiro presidente da Frente de Libertação de Moçambique.
Junho Pancadaria no bar Stonewall. Os homossexuais que freqüentam o lugar enfrentam a polícia. Daí em diante 28 de junho passou a ser o Dia do Orgulho Gay.
Julho O astronauta americano Neil Armstrong anda na Lua.
Agosto Quatrocentos mil jovens americanos juntam-se no festival de música de Woodstock.
Costa e Silva afrouxa o bloqueio ao regime racista da África do Sul e permite o pouso de seus aviões em aeroportos brasileiros.
Dezembro Aproximando-se da China, o governo americano reduz o bloqueio comercial que lhe impunha.

• Começa a construção, em Nova York, das duas torres do World Trade Center.
Junho Por 4 × 1 (confirmando o prognóstico de Medici) o Brasil derrota a Itália, ganha o tricampeonato de futebol e traz a taça Jules Rimet para o Brasil. (Ela foi roubada e derretida em 1983.)
Julho Por conta de um boato, as ações do Banco do Brasil sobem 15% num só dia.
Sai da fábrica o milionésimo fusca.
Criado o PIS, com o propósito de fazer caixa para o governo e o objetivo de formar um pecúlio para os trabalhadores.
• Os EUA fecham o ano com um déficit de 9,8 bilhões de dólares. É a primeira vez que isso acontece, desde 1888.
• Segundo grande ano do Milagre. Crescimento de 10,4% do PIB. Inflação em 19,3%.
• Chico Buarque compõe "Apesar de você".

• Dobra o número de mortos em atos terroristas no mundo. São 131.
• Soljenitzyn ganha o Nobel de Literatura.
Fevereiro O secretário de Estado Henry Kissinger começa a se reunir secretamente em Paris com emissários do Vietnã do Norte.
Maio Terroristas argentinos seqüestram e matam o general e ex-presidente Pedro Aramburu.
Julho Os Tupamaros seqüestram e matam o policial americano Dan Mitrione, que assessorava o governo em assuntos de segurança.
Setembro O socialista Salvador Allende é eleito presidente do Chile. Nixon decide derrubá-lo. Vale arriscar e gastar.
Outubro A CIA manda armas a terroristas chilenos que planejam matar (e matam) o comandante do exército do Chile, general René Schneider.

1971

GEISEL E GOLBERY	POLÍTICA

• Golbery recomenda a Heitor Ferreira que estude parapsicologia.
• Golbery recebe informações do que acontece no DOI do I Exército por intermédio do coronel Homem de Carvalho, comandante da PE.
Janeiro Segundo o general Figueiredo, numa reunião na granja do Riacho Fundo, Medici decide fazer Geisel seu sucessor.
Abril Golbery chefia um grupo de ex-estagiários da ESG que prepara um documento sobre as relações Igreja-Estado.
Junho Golbery escreve a Heitor Ferreira: "Cogita-se do futuro sucessor [...]. (Moita! É preciso não queimar! — *Alemão*)".
Julho Moraes Rego na chefia do gabinete de Geisel.
Outubro Golbery admite que a prorrogação de Medici seria uma boa solução.
Novembro Heitor Ferreira vem para o gabinete de Geisel. Recomeça seu *Diário*.

Janeiro O general Humberto Mello, comandante do Exército em SP, manda matar os militantes de organizações terroristas. É candidato a presidente.
Fevereiro Ulysses Guimarães assume a presidência do MDB.
Está funcionando em Petrópolis a "Casa da Morte", administrada pelo CIE.
Abril A polícia fornece agentes à Volkswagen.
Maio Medici é ríspido com d. Paulo Evaristo durante uma audiência.
O Senado americano realiza sua série de audiências sobre o Brasil.
Agosto Medici vai à televisão e anuncia que trará os ossos de d. Pedro I de volta ao Brasil.
Setembro Carlos Lamarca é morto.
Dezembro Medici vai aos EUA, e Nixon diz que "para onde o Brasil for, para lá irá o resto do continente latino-americano".

1972

• Golbery torna-se presidente da Dow Química.
Janeiro Golbery a seus amigos: "Bico calado". Geisel não quer aproximação com os oficiais da "linha dura".
Fevereiro Geisel: "Não cabalo".
Geisel sobre Figueiredo: "Tem aquele problema da espinha e também do coração".
O SNI veta a matrícula de um economista da Petrobrás na ESG. Geisel atropela o veto.
Março Geisel diz que quer o general Euler Bentes no Interior: "Uma excelente posição para ele ser o seguinte, no fim dos cinco anos".
Abril Começa a briga de Geisel com o ministro de Minas e Energia, Antônio Dias Leite.
Junho Orlando Geisel diz que se o irmão for indicado, deixará o ministério.
Outubro Delfim propõe a abertura da prospecção de petróleo para empresas estrangeiras. Geisel é contra e prevalece.

Janeiro O deputado Flávio Marcílio defende a reeleição de Medici.
Cordeiro de Farias a Heitor Ferreira, sobre as prisões de jovens no Rio: "Quem sabe não seria para criar um certo clima a fim de provocar um outro certo clima?".
Março O general Ariel Pacca da Fonseca condena o continuísmo.
Abril Campanha militar no Araguaia. Termina em julho e recomeça em setembro.
Agosto Censurada a sucessão presidencial.
Medici manda impedir que *O Estado de S. Paulo* publique uma grande reportagem sobre Geisel. A reportagem não existe.
Setembro A Anistia Internacional divulga os nomes de mais de 400 torturadores. Chega a Golbery um papel com o nome de seis oficiais.
A Censura proíbe a declaração do presidente da Arena, Filinto Müller, de que não há censura no Brasil.

ECONOMIA E SOCIEDADE

• O pesquisador americano Ray Tomlinson expede o primeiro e-mail. Ele esqueceu o conteúdo da mensagem.

• O excesso de liquidez da banca internacional faz renascer o mercado de empréstimos a países subdesenvolvidos.

Janeiro Segundo uma pesquisa do Gallup, 48% dos paulistanos acham que seu nível de vida está subindo. Só 7% dizem que está caindo.

Março Começa a funcionar a discagem direta nas ligações entre Rio, São Paulo e outras cinco capitais.

Julho Começa a queda da bolsa.

Agosto Nixon descola o dólar do padrão ouro, congela preços e salários por noventa dias, e se reserva o direito de taxar em 10% as importações.

Dezembro A Petrobrás torna-se a segunda maior distribuidora do país.

• O ano termina com um crescimento de 11,3% do PIB e a inflação em 19,5%.

MUNDO

• Começam os desaparecimentos na Argentina. Uma pessoa a cada 18 dias.

Abril Uma equipe de pingue-pongue americana é convidada a jogar na China.

Junho O *The New York Times* começa a publicar os documentos secretos do Pentágono sobre a Guerra do Vietnã.

Julho Henry Kissinger embarca em segredo para a China. É recebido em Pequim por Mao Zedong. Anuncia a próxima visita do presidente Nixon.

Agosto Golpe na Bolívia. Com a ajuda do governo brasileiro, assume o coronel Hugo Banzer.

Setembro Fracassa o golpe do ministro da Defesa Lin Piao contra Mao.

As forças armadas uruguaias assumem o combate aos Tupamaros. A tortura torna-se sistemática.

Novembro Fidel Castro passa três semanas no Chile.

• Caetano Veloso e Gilberto Gil voltam do exílio. Em Londres, Caetano gravou "Triste Bahia".

Janeiro Primeira transmissão de TV em cores. O Brasil tem 6,2 milhões de aparelhos preto-e-branco.

Abril Chegam os ossos de d. Pedro I.

Maio Medici e Geisel inauguram em Paulínia a maior refinaria de petróleo do país.

Agosto O IBGE informa que o Brasil bateu a marca dos 100 milhões de habitantes.

Setembro O ministro das Finanças da França, Giscard d'Estaing, avisa Delfim que o preço do barril do petróleo subiria para 5 dólares.

Novembro Começa a circular o semanário *Opinião*. Foi censurado antes de ser lançado.

O índice Dow Jones, da bolsa de Nova York, fecha pela primeira vez acima de mil pontos.

• O ano termina com um crescimento de 11,9% do PIB e 15,7% de inflação.

Fevereiro Richard Nixon vai à China.

Março O editor italiano Giangiacomo Feltrinelli morre quando instalava uma bomba numa torre de transmissão de energia, perto de Milão.

Maio No fim do seu mandato o presidente da Nicarágua, Anastasio Somoza, dá um golpe e fica no poder.

Terroristas japoneses matam 25 peregrinos judeus no aeroporto de Tel Aviv.

Junho Cinco pessoas presas no edifício Watergate, em Washington. Tinham grampeado a sede do Partido Democrata.

Setembro Preso o chefe Tupamaro Raúl Sendic. Metade dos uruguaios apóiam a repressão militar.

Terroristas seqüestram parte da delegação de Israel nas Olimpíadas de Munique. Morrem atletas e seqüestradores.

Novembro Richard Nixon é reeleito.

1973

GEISEL E GOLBERY

Fevereiro Orlando Geisel rejeita a embaixada em Lisboa.

Junho Medici chama Geisel ao Laranjeiras e lhe diz que o escolheu para presidente.

Geisel faz o primeiro convite para o seu governo: o tenente-coronel Germano Pedrozo, do CIE, para chefiar sua segurança.

Poucos dias depois de sofrer um derrame cerebral, morre Henrique Geisel, irmão de Orlando e Ernesto.

Julho Geisel recebe o documento de Dário Castro Alves que narra a tortura de Cid Silveira.

Agosto Geisel instala seu gabinete de trabalho no Ministério da Agricultura, no largo da Misericórdia. Visita ministros.

Setembro Ernesto Geisel atrita-se com Orlando por causa de seu discurso à Arena.

Novembro Golbery janta com Julio Mesquita.

Heitor faz a primeira experiência de gravação. Registra, ostensivamente, uma conversa sua com Geisel.

POLÍTICA

Janeiro ALN, VAR, VRP e APML reconhecem o fracasso da luta armada, num artigo publicado no *Le Monde.*

Geisel crê que pode manter Delfim.

Maio O marechal Juarez Távora, herói dos "tenentes" e ministro de Castello, pede a normalização política.

Censura prévia n'*O Estado de S. Paulo.*

Julho Morre Filinto Müller. Petrônio Portella torna-se presidente da Arena.

Setembro Ulysses Guimarães lança-se "anticandidato" pelo MDB.

Cordeiro de Farias sugere a Geisel que proponha a união nacional.

Geisel discursa na Convenção da Arena.

Outubro Terceira campanha do Exército no Araguaia. No final de dezembro a guerrilha deixa de existir como força organizada.

Novembro Geisel decide se afastar da política colonial portuguesa.

O ESTADO DE S. PAULO

Recrudescem as lutas em todo o território libanês

Cirne Lima diverge e renuncia

Na carta, defesa dos agricultores

Rogers chega a 19 mas só vai a Brasília dia 22

Kissinger retorna sem ter marcado visita de Brezhnev

MDB pode não votar "impactos"

Petróleo ainda não tem acordo

Bem aceito plano Cámpora

Senado será ouvido

112 páginas

AGÊNCIA ESTADO

O Estado de S. Paulo, 10 de maio de 1973: a primeira página da redação.

ECONOMIA E SOCIEDADE

• A TV Globo estréia a primeira novela em cores, *O Bem Amado.*

Fevereiro A Fiat anuncia a sua vinda para o Brasil.

Maio O ministro da Agricultura, Cirne Lima, diverge de Delfim. É demitido por Medici.

Junho A iniciativa privada entrega à Petrobrás o controle da Petroquímica União.

Agosto Vai ao ar o *Fantástico.*

Setembro Geisel recebe o documento do BNDE que detalha a estratégia de crescimento acelerado baseado num aumento da taxa de poupança e no endividamento.

Outubro Greve na ferramentaria da Volkswagen e no serviço de carrocerias da Mercedes.

Novembro Geisel e Golbery não têm tempo para receber Milton Friedman no Rio.

• O ano termina com um crescimento do PIB de 14%. Isso nunca tinha acontecido, nem voltará a acontecer nos 30 anos seguintes.

MUNDO

Fevereiro O Senado americano começa a investigar o caso Watergate.

Nixon desvaloriza o dólar em 10%.

Março Termina mais um ciclo militar na Argentina. O peronista Héctor Cámpora é eleito presidente. Renunciará para possibilitar a ascensão de Juan Perón.

Abril Brasil e Paraguai assinam o tratado que permitirá a construção da hidrelétrica de Itaipu.

Setembro Golpe no Chile, morre Salvador Allende. Começa a ditadura do general Augusto Pinochet.

Policiais brasileiros descem em Santiago.

Outubro O Egito e a Síria invadem Israel. São derrotados, e o mundo árabe declara um boicote de petróleo aos países pró-Israel.

Outubro-Dezembro Em dois aumentos sucessivos, os países exportadores de petróleo elevam o preço do barril de US$ 2,90 para US$ 11,65.

O ESTADO DE S. PAULO

Recrudescem as lutas em todo o território libanês

Médici nomeia um novo ministro

agora é samba

DOMINGO 19:30 H. PROGRAMA ELDORADO

Dos Leitores

Salomão e rosas

Rogers chega a 19 mas só vai a Brasília dia 22

Kissinger retorna sem ter marcado visita de Brezhnev

MDB pode não votar "impactos"

Nixon promete toda a verdade

Bem aceito plano Cámpora

112 páginas

AGÊNCIA ESTADO

O Estado de S. Paulo, 10 de maio de 1973: a primeira página da Censura.

1974

GEISEL E GOLBERY

Janeiro Geisel está decidido a colocar Armando Falcão na Justiça e Azeredo da Silveira no Itamaraty, a despeito das restrições dos "puristas".

Golbery manda dizer a Roberto Campos que pare de escrever por algum tempo.

Circula na família de Geisel a frase: "O Orlando cuida do Exército, e o Ernesto cuida do resto".

Fevereiro Geisel diz a seu irmão Orlando que não o manterá no ministério. Nunca mais falaram de política. Orlando nunca o visitou. Geisel cede a um apelo do general Dale Coutinho e aceita que o coronel Confucio Danton vá para o CIE. Detesta-o.

Golbery almoça com d. Paulo Evaristo Arns.

Março Geisel diz a Heitor que deve retrair sua atividade externa, limitando-se a funcionar como secretário do presidente.

Orlando Geisel tem uma isquemia cerebral, cai e quebra a perna. Continua morando na residência oficial do ministro, no Rio.

Glauber Rocha surpreende a esquerda: "Acho que o general Geisel tem tudo na mão para fazer do Brasil um país forte, justo e livre". Chama Golbery de "gênio da raça".

Abril Heitor se queixa: não tem o que fazer.

Golbery diz que o governo precisa mandar o delegado Fleury para longe.

Junho A Censura proíbe que se publique a declaração de um deputado contando que Golbery lhe disse que se vai acabar com a censura.

Agosto Golbery reúne-se em Brasília com familiares de desaparecidos, levados por d. Paulo Evaristo Arns.

Setembro Misteriosos telefonemas para a casa de Golbery no Rio de Janeiro. Diante de uma ameaça de seqüestro, sua mulher, Esmeralda, viaja para Brasília.

Novembro Heitor Ferreira depois da eleição, prevendo o seu futuro e o de Golbery: "Vamos cuidar do jardim".

Golbery: "Ir embora, eu não devo ir".

POLÍTICA

Janeiro O Congresso elege Ernesto Geisel. Por via das dúvidas, seu irmão Orlando deixa duas companhias de prontidão em Brasília.

Fevereiro JK aplaudido por 800 pessoas que cantam "Peixe vivo" numa festa do conde Matarazzo.

Março Geisel explicita a Heitor Ferreira sua preferência por Figueiredo como seu sucessor.

Geisel não admite que Delfim Netto dispute o governo de São Paulo.

O deputado Chico Pinto discursa contra a presença de Pinochet. Geisel processa-o.

Desaparecem David Capistrano da Costa e José Roman, do PCB.

Paulo Egydio Martins escolhido governador de São Paulo.

Caducam as cassações de 1964 (as de Jango e Jânio, entre outros).

Maio Morre o general Dale Coutinho. Sylvio Frota assume o Ministério do Exército.

Junho Reduzida a autonomia do CIE.

D. Eugênio Sales, cardeal do Rio, trata com Geisel dos desaparecidos.

Delfim encontra-se com Golbery. É a reaproximação que o levará a Paris.

O CIE justifica a ofensiva contra o PCB.

O MDB divulga uma nota levantando o caso dos desaparecidos, que àquela altura parecem ser 11.

Agosto Geisel discursa e anuncia "lenta, gradativa e segura distensão".

Setembro Prisões no Cebrap. Pela primeira vez o DOI é enquadrado.

Outubro Eleição indireta dos governadores.

O Supremo condena Chico Pinto.

O Exército mata o último guerrilheiro do Araguaia. É Walquíria Afonso Costa, de 27 anos, ex-aluna da Faculdade de Artes e Educação da Universidade Federal de Minas Gerais.

Novembro Eleição. A Arena é surrada. O MDB elege 16 em 22 senadores. Teve 72,75% dos votos. Aumenta sua bancada na Câmara de 87 para 160 deputados, mas não faz maioria.

JK em seu *Diário*: "Não esperava. Agradeço a Deus me ter concedido vida até hoje".

ECONOMIA E SOCIEDADE

- O Brasil tem 104,2 milhões de habitantes. O Rio de Janeiro, 4,7; São Paulo, 6,9, e Porto Alegre, em torno de 1 milhão.
- Vinton Cerf, cientista da MCI, usa uma palavra nova: *internet*.
- O Brasil tem 8,7 milhões de aparelhos de TV.
- Com os novos preços do petróleo, os países da OPEP recebem uma receita bruta de 90 bilhões de dólares. É a maior transferência de capital já ocorrida na história em tempo de paz.
- A dívida americana chega a 100 bilhões de dólares, a maior em 24 anos.

Janeiro Inaugurada a ponte Rio—Niterói.

Simonsen acha possível fechar o ano com 20% de inflação e 10% de crescimento do PIB.

Abril No final de 1973 o litro de leite custava Cr$ 0,90. Custa Cr$ 1,20. O litro da gasolina dobrou de preço, para CR$ 1,61.

Geisel intervém no Banco Halles, onde tinha parte de sua poupança.

A Censura proíbe que se fale em recessão.

Maio Falta óleo de soja.

Junho Geisel diz a Heitor que a inflação não o deixa dormir.

O governo americano sobretaxa as importações de calçados brasileiros.

Fundidos os estados do Rio de Janeiro e da Guanabara.

Julho Começa uma epidemia de meningite em São Paulo.

Setembro Geisel lança o II PND.

Inaugurado o metrô de São Paulo.

Outubro O presidente do Banco Central, Paulo Lira, diz que o Brasil é "uma ilha de tranqüilidade".

Quebra-quebra de ônibus em Brasília e de trens no Rio e em São Paulo.

Criada a Nuclebrás.

Do início de agosto ao fim de outubro a meningite mata 731 pessoas em SP. Há uma média de 2 mil pessoas internadas.

Novembro Geisel anuncia a descoberta da bacia petrolífera de Campos. Pouca gente acredita.

MUNDO

Janeiro Terroristas argentinos seqüestram os irmãos Juan e Jorge Born. Cobram 60 milhões de dólares de resgate.

Fevereiro Sai em Lisboa o livro *Portugal e o futuro*, do general Antônio de Spínola. Diz que a questão colonial não tem solução militar.

Março Três colaboradores diretos de Nixon são indiciados no processo do caso Watergate.

Instala-se em Roma o Tribunal Bertrand Russell para julgar as ditaduras chilena e brasileira.

Abril Golpe militar em Portugal. O presidente Américo Thomaz e o primeiro-ministro Marcello Caetano são mandados para o Brasil. O Partido Comunista surge como uma força política. De capa e monóculo, o general Antônio de Spínola assumirá a presidência.

Richard Nixon entrega à Justiça as gravações que fazia em seu gabinete.

Maio A Índia explode sua primeira bomba atômica.

Giscard d'Estaing eleito presidente da França.

Julho Juan Perón morre. Assume sua mulher, Isabelita. O terrorismo já matou 284 pessoas na Argentina.

A Alemanha é a campeã do mundo de futebol.

Cai a ditadura grega. A junta de coronéis é presa.

Agosto A URSS manda armas para o MPLA, em Angola.

Brasil e China anunciam o reatamento de suas relações diplomáticas.

Richard Nixon renuncia. Assume Gerald Ford.

O general Spínola tenta um golpe, fracassa, renuncia e vem para o Brasil.

O braço terrorista da ditadura chilena mata em Buenos Aires o ex-ministro da Defesa, general Carlos Prats, e sua mulher.

Novembro O governador da Geórgia, Jimmy Carter, anuncia que é candidato a presidente dos EUA.

FONTES E BIBLIOGRAFIA CONSULTADAS

1 Obras de referência

ABREU, Alzira Alves de; BELOCH, Israel; LATTMAN-WELTMAN, Fernando, & LAMARÃO, Sérgio Tadeu de Niemeyer (coords.). *Dicionário histórico-biográfico brasileiro pós-1930*. Vols. 1 a 5. 2ª ed. rev. e atualizada. Rio de Janeiro: Editora FGV/CPDOC, 2001.

Almanaque do pessoal militar do Exército — Oficiais. Rio de Janeiro: Ministério do Exército, Departamento Geral de Pessoal, Diretoria de Cadastro e Avaliação, 1962; 1964; 1968; 1975.

Anuário estatístico do Brasil — 1971. Rio de Janeiro: Fundação IBGE, 1972.

Dados estatísticos. Vol. 9: *Eleições federais e estaduais realizadas no Brasil em 1970*. Brasília: Tribunal Superior Eleitoral/Departamento de Imprensa Nacional, 1973.

Estatísticas históricas do Brasil — Séries Econômicas, Demográficas e Sociais, de 1550 a 1988. 2ª ed. rev. e atualizada. Rio de Janeiro: Fundação IBGE, 1990.

Séries estatísticas retrospectivas. Vol. 1. Edição fac-similar do *Anuário estatístico do Brasil, Ano V, 1939/40*. Rio de Janeiro: Fundação IBGE, 1986.

2 Fontes primárias

Arquivos, bibliotecas

Arquivo de Ernesto Geisel/CPDOC
Arquivo do Autor
Arquivo Privado de Ernesto Geisel
Arquivo Privado de Golbery do Couto e Silva/Heitor Ferreira
Arquivo Privado de Heitor Ferreira
Biblioteca Lyndon B. Johnson
Departamento de Estado dos Estados Unidos da América

Informantes

Amália Lucy Geisel
Americo Mourão
Antonio Carlos Magalhães
Antonio Carlos Muricy
Antonio Delfim Netto
Antonio Gebauer
Armênio Guedes
Candido Mendes de Almeida
Carlos Alberto Brilhante Ustra
Dário Castro Alves
Dorrit Harazim
Elizabeth Lins do Rego
Ernesto Geisel
Eugênio Sales

Fernando Henrique Cardoso
Fernando Morais
Floriano Faria Lima
Francisco Dellamora
Francis Mason
Francisco de Oliveira
Franco Montoro
Givaldo Siqueira
Golbery do Couto e Silva
Gustavo de Moraes Rego
Heitor Ferreira
Humberto Barreto
João Baptista Figueiredo
João Guilherme Vargas Neto
John Blacken
José Arthur Giannotti
José Carlos Dias
José Clemente de Oliveira
José Salles
José Serra
Julio de Mesquita Neto
Leonidas Pires Gonçalves
Liana Cardoso de Mello
Lucy Geisel
Marcos Vianna
Maria da Conceição Tavares
Mario Henrique Simonsen
Newton Cruz
Octavio Costa
Ovídio de Melo
Paulo Brossard
Paulo Egydio Martins
Petrônio Portella
Renato Hauptmann
Reynaldo Mello de Almeida
Rubens Resstel
Salomão Malina
Sérgio Cavallari
Thales Ramalho
Waldomiro Guarnieri

Periódicos — diários

Correio da Manhã
Diário de Notícias
Folha de S.Paulo
Jornal do Brasil
Jornal do Piauí
La Opinión
O Estado de S. Paulo
O Globo
O Jornal
The New York Times
Valor Econômico

Periódicos — semanais

Fatos e Fotos
IstoÉ
Manchete
Newsweek
Veja

Periódicos — outros

Cadernos de Jornalismo da Federação Nacional de Jornalistas
Cahiers de la Fondation Nationale des Sciences Politiques
Conjuntura Brasileira
Conjuntura Econômica
Dados
Diário do Congresso Nacional
Diário Oficial
El Nacional
Estrategia
Inteligência
O Liberal
Opinião
Policy Analyses in International Economics
Revista de Economia Política
Tribuna Metalúrgica
Visão

Séries documentais, dossiês

CABRAL, Reinaldo, & LAPA, Ronaldo (orgs.). *Desaparecidos políticos — Prisões, seqüestros, assassinatos.* Rio de Janeiro: Edições Opção/Comitê Brasileiro pela Anistia, 1979.

CASTELLO BRANCO, Humberto de Alencar. *Tendência de Emprego das Forças*

Terrestres na Guerra Futura. Rio de Janeiro: Presidência da República/EMFA/ESG, 1950.

CASTELLO BRANCO, Humberto de Alencar. *A Doutrina Militar Brasileira.* Rio de Janeiro: Escola Superior de Guerra, 1957.

Catálogo de filmes do IPÊS — Instituto de Pesquisas e Estudos Sociais/Arquivo Nacional. Rio de Janeiro: Arquivo Nacional, FAPERJ, 2000. Anexo de *Propaganda e cinema a serviço do golpe (1962/1964)*, de Daniela Assis. Rio de Janeiro: Mauad/FAPERJ, 2000.

Documentos históricos do Estado-Maior do Exército. Brasília: EME, 1996.

Dossiê dos mortos e desaparecidos. Documento do Comitê Brasileiro pela Anistia, Seção do Rio Grande do Sul. Porto Alegre: Assembléia Legislativa do Estado do Rio Grande do Sul, 1984.

Dossiê dos mortos e desaparecidos políticos a partir de 1964. Preparado pela Comissão de Familiares de Mortos e Desaparecidos Políticos, Instituto de Estudo da Violência do Estado (IEVE), e Grupo Tortura Nunca Mais (RJ e PE). Recife: Companhia Editora de Pernambuco/Governo do Estado de Pernambuco, 1995.

FARIAS, Oswaldo Cordeiro de. *Palestra sobre a Organização da Escola Superior de Guerra* (realizada na Escola de Estado-Maior em 18 de maio de 1949). Rio de Janeiro: Presidência da República/EMFA, 1949. Plaquete.

GEISEL, Ernesto. *Discursos.* Vol. 1: *1974.* Brasília: Assessoria de Imprensa e Relações Públicas da Presidência da República, 1975.

História do Estado-Maior do Exército. Trabalho de pesquisa do EME sob coordenação do coronel de artilharia Paulo da Motta Banha. Rio de Janeiro: Biblioteca do Exército Editora, 1984.

MEDICI, Emilio Garrastazú. *O jogo da verdade.* Brasília: Departamento de Imprensa Nacional, 1969.

______ *Nosso caminho.* 2ª ed. Brasília: Departamento de Imprensa Nacional/Secretaria de Imprensa da Presidência da República, 1973.

MIRANDA, Nilmário, & TIBÚRCIO, Carlos. *Dos filhos deste solo — Mortos e desaparecidos políticos durante a ditadura militar: a responsabilidade do Estado.* São Paulo: Editora Fundação Perseu Abramo/Boitempo Editorial, 1999.

NAFTALI, Timothy (ed.). *The presidential recordings — John F. Kennedy — The Great Crises.* Vol. 1: *July 30-August 1962.* Coord. Philip Zelikow e Ernest May. Nova York/Londres: W. W. Norton & Company, 2001. 3 vols.

PRANDINI, Fernando; PETRUCCI, Victor A., & DALE, O. P., frei Romeu (orgs.). *As relações Igreja-Estado no Brasil.* São Paulo: Centro de Pastoral Vergueiro (CPV)/Loyola, 1987. 6 vols.

Projeto Brasil: nunca mais. Tomo I: *O regime militar.* Tomo II, vol. 1: *A pesquisa BNM*; vol. 2: *Os atingidos*; vol. 3: *Os funcionários.* Tomo III: *Perfil dos atingidos.* Tomo IV: *As leis repressivas.* Tomo V, vol. 1: *A tortura*; vol. 2: *As torturas*; vol. 3: *As torturas*; vol. 4: *Os mortos.* Tomo VI, vol. 1: *Índice dos anexos*; vol. 2: *Inventário dos anexos.* São Paulo: Arquidiocese de São Paulo, 1985. 6 tomos.

Projeto do II Plano Nacional de Desenvolvimento (1975-1979). Rio de Janeiro: Serviço Gráfico do IBGE, 1974.

Report on allegations of torture in Brazil/ Relatório sobre as acusações de tortura no Brasil. Preparado pela Anistia Internacional com base em dados de 1968 a julho de 1972. Londres: Amnesty International Publications, s. d., de 1972 ou 1973.

Depoimentos, entrevistas, diários, memórias

ABREU, Hugo. *O outro lado do poder.* 4ª ed. Rio de Janeiro: Nova Fronteira, 1979. Coleção Brasil — Século 20.

ANDRADE, Auro Moura. *Um Congresso contra o arbítrio — Diários e memórias 1961-1967.* Rio de Janeiro: Nova Fronteira, 1985.

ANGEL, Zuzu. *Eu, Zuzu Angel, procuro meu filho.* Org. Virgínia Valli. Rio de Janeiro: Philobiblion, 1986.

ARNS, d. Paulo Evaristo. *Da esperança à utopia — Testemunho de uma vida.* Rio de Janeiro: Sextante, 2001.

BARBOZA, Mario Gibson. *Na diplomacia, o traço todo da vida.* Rio de Janeiro: Record, 1992.

BIERRENBACH, Julio de Sá. *1954-1964 — Uma década política.* Rio de Janeiro: Domínio Público, 1996.

BORJA, Célio. *Conversando sobre política — Célio Borja — Depoimento ao CPDOC.* Coord. Marly Silva da Motta. Rio de Janeiro: Núcleo de Memória Política Carioca e Fluminense, Assembléia Legislativa do Estado do Rio de Janeiro/Editora FGV, 1999.

CAETANO, Marcello. *Depoimento.* Rio de Janeiro/São Paulo: Record, 1974.

CAFÉ FILHO, João. *Do sindicato ao Catete — Memórias políticas e confissões humanas.* Vol. 1: *Do sindicato ao Catete.* Rio de Janeiro: José Olympio, 1966. 2 vols.

CALDAS, Breno. *Meio século de Correio do Povo — Glória e agonia de um grande jornal.* Depoimento a José Antonio Pinheiro Machado. Porto Alegre: L&PM, 1987.

CAMARGO, Aspásia, et alii. *Artes da política — Diálogo com Amaral Peixoto.* Rio de Janeiro: Nova Fronteira/CPDOC/FGV-UFF, 1986.

_____ et alii. *Oswaldo Aranha — A estrela da Revolução.* São Paulo: Mandarim, 1996.

_____ & GÓES, Walder de. *Meio século de combate — Diálogo com Cordeiro de Farias.* Rio de Janeiro: Nova Fronteira, 1981.

CAMARGO, José Maria de Toledo. *A espada virgem — Os passos de um soldado.* São Paulo: Ícone, 1995.

CAMPOS, Roberto. *A lanterna na popa — Memórias.* Rio de Janeiro: Topbooks, 1994.

CAVALCANTI, Pedro Celso Uchôa, & RAMOS, Jovelino (coords.). *De muitos caminhos.* São Paulo: s. ed., 1976. Coleção Memórias do Exílio — Brasil 1964/19??.

CLARK, Walter, & PRIOLLI, Gabriel. *O campeão de audiência — Uma autobiografia.* São Paulo: Best Seller, 1991.

CORRÊA, Hércules. *Memórias de um stalinista.* S. l.: Opera Nostra, 1994.

CORRÊA, Manoel Pio. *O mundo em que vivi.* Rio de Janeiro: Expressão e Cultura, 1995.

D'ARAUJO, Maria Celina; SOARES, Gláucio Ary Dillon, & CASTRO, Celso (orgs.). *Visões do golpe — A memória militar sobre 1964.* Rio de Janeiro: Relume-Dumará, 1994.

_____ SOARES, Gláucio Ary Dillon, & CASTRO, Celso (orgs.). *A volta aos quartéis — A memória militar sobre a abertura.* Rio de Janeiro: Relume-Dumará, 1995.

_____ & CASTRO, Celso (orgs.). *Ernesto Geisel.* Rio de Janeiro: Editora FGV, 1997.

_____ FARIAS, Ignez Cordeiro de, & HIPPOLITO, Lucia (orgs.). *Na periferia da história — Jorge Oscar de Mello Flôres — Depoimento prestado ao CPDOC.* Rio de Janeiro: Editora FGV/Sul América Seguros, 1998.

DENYS, Odylio. *Ciclo revolucionário brasileiro _____ Memórias.* Rio de Janeiro: Nova Fronteira, 1980.

DINES, Alberto; FERNANDES JR., Florestan, & SALOMÃO, Nelma (orgs.). *Histórias do poder — 100 anos de política no Brasil.* São Paulo: Editora 34, 2000. 3 vols.

ERNANNY, Drault. *Meninos, eu vi... e agora posso contar.* 3ª ed. Rio de Janeiro: Record, 1989.

FALCÃO, Armando. *Tudo a declarar.* Rio de Janeiro: Nova Fronteira, 1989.

FERREIRA, Paulo Cesar. *Pilares via satélite — Da rádio Nacional à Rede Globo.* Rio de Janeiro: Rocco, 1998.

GABEIRA, Fernando. *O crepúsculo do macho — Depoimento*. Rio de Janeiro: Codecri, 1980.

GRAEL, Dickson M. *Aventura, corrupção, terrorismo — À sombra da impunidade*. Petrópolis: Vozes, 1985.

GUEDES, Carlos Luiz. *Tinha que ser Minas*. Rio de Janeiro: Nova Fronteira, 1979.

KRIEGER, Daniel. *Desde as Missões... Saudades, lutas, esperanças*. Rio de Janeiro: José Olympio, 1976.

LACERDA, Carlos. *Depoimento*. Org. Cláudio Lacerda Paiva. 2ª ed. Rio de Janeiro: Nova Fronteira, 1978.

LIMA, Claudio Sinonio Medeiros (org.). *Petróleo, energia elétrica, siderurgia: a luta pela emancipação — Um depoimento de Jesus Soares Pereira sobre a política de Getúlio Vargas*. Rio de Janeiro: Paz e Terra, 1975.

LINS E SILVA, Evandro. *O salão dos passos perdidos*. Rio de Janeiro: Nova Fronteira, 1997.

LOPES, José Machado. *O III Exército na crise da renúncia de Jânio Quadros — Um depoimento*. Rio de Janeiro: Alhambra, 1980.

MAGALHÃES, Antonio Carlos. *Política é paixão*. Rio de Janeiro: Revan, 1995.

MAGALHÃES, Juracy. *Minhas memórias provisórias*. Coord. Alzira Alves de Abreu. Rio de Janeiro: Civilização Brasileira, 1982.

_____ & GUEIROS, J. A. *O último tenente*. Rio de Janeiro: Record, 1996.

MASCARENHAS DE MORAES, J. B. *A FEB pelo seu comandante*. Rio de Janeiro: Biblioteca do Exército Editora, 1960.

MÉDICI, Roberto Nogueira. *Medici — O depoimento*. Rio de Janeiro: Mauad, 1995.

MELLO, Jayme Portella de. *A Revolução e o governo Costa e Silva*. Rio de Janeiro: Guavira Editores, 1979.

MORAES, Dênis de. *A esquerda e o golpe de 64 — Vinte e cinco anos depois, as forças populares repensam seus mitos, sonhos e ilusões*. Rio de Janeiro: Espaço e Tempo, 1989.

MORAES, Dênis de. (org.). *Prestes com a palavra — Uma seleção das principais entrevistas do líder comunista*. Campo Grande: Letra Livre, 1997.

MOURÃO FILHO, Olympio. *Memórias — A verdade de um revolucionário*. Porto Alegre: L&PM, 1978.

NUNES, Adão Pereira. *Do Planalto à Cordilheira — Memórias de um médico cassado*. Rio de Janeiro: Civilização Brasileira, 1979.

PINHEIRO NETO, João. *Jango — Um depoimento pessoal*. 2ª ed. Rio de Janeiro: Record, 1993.

PRESTES, Maria. *Meu companheiro — 40 anos ao lado de Luiz Carlos Prestes*. Rio de Janeiro: Rocco, 1992.

ROCHA, Dora; ALBERTI, Verena, & SARMENTO, Carlos Eduardo (orgs.). *Mário Henrique Simonsen — Um homem e seu tempo*. Rio de Janeiro: Editora FGV, 2002.

SCARTEZINI, Antonio Carlos. *Segredos de Medici*. São Paulo: Marco Zero, 1985.

SILVA, Ernani Ayrosa da. *Memórias de um soldado*. Rio de Janeiro: Biblioteca do Exército Editora, 1985.

SILVA, José Wilson da. *O tenente vermelho*. Porto Alegre: Tchê!, 1987.

SILVEIRA, Joaquim Xavier da. *A FEB por um soldado*. Rio de Janeiro: Nova Fronteira, 1989.

SILVEIRA, Joel. *Viagem com o presidente eleito*. Rio de Janeiro: Mauad, 1996.

SIRKIS, Alfredo. *Roleta chilena*. Rio de Janeiro: Record, 1981.

SODRÉ, Nelson Werneck. *Do Estado Novo à ditadura militar — Memórias de um soldado*. Petrópolis: Vozes, 1988.

SODRÉ, Roberto de Abreu. *No espelho do tempo — Meio século de política*. São Paulo: Best Seller/Círculo do Livro, 1995.

VARGAS, Getulio. *Diário*. São Paulo/Rio de Janeiro: Siciliano/Editora FGV, 1995. 2 vols.

3 Fontes secundárias

Brasil

ALVES, Maria Helena Moreira. *Estado e oposição no Brasil (1964-1984)*. Petrópolis: Vozes, 1984.

AQUINO, Maria Aparecida de. *Censura, imprensa, Estado autoritário (1968-1978)*. Bauru: Edusc, 1999.

ARAÚJO, João Hermes Pereira de. "Oswaldo Aranha e a diplomacia". In CAMARGO, Aspásia, et alii. *Oswaldo Aranha — A estrela da Revolução*. São Paulo: Mandarim, 1996.

BANDEIRA, Luiz Alberto Moniz. *O governo João Goulart — As lutas sociais no Brasil: 1961-1964*. 7ª ed. rev. e ampliada. Rio de Janeiro/Brasília: Revan/Editora UnB, 2001.

BANDEIRA, Manuel. *Estrela da vida inteira*. Rio de Janeiro: Nova Fronteira, 1993.

BARBOSA, Vivaldo. *A rebelião da legalidade*. Rio de Janeiro: Editora FGV, 2002.

BARRETO, Carlos Eduardo Paes. *A saga do petróleo brasileiro — A "farra do boi"*. São Paulo: Nobel, s. d.

BIRKNER, Walter Marcos Knaessel. *O realismo de Golbery — Segurança Nacional e desenvolvimento global no pensamento de Golbery do Couto e Silva*. Itajaí: Univali, 2002.

BLACK, Jan Knippers. *United States penetration of Brazil*. Philadelfia: University of Pennsylvania Press, 1977.

BONALUME NETO, Ricardo. *A nossa Segunda Guerra — Os brasileiros em combate (1942-1945)*. Rio de Janeiro: Expressão e Cultura, 1995.

BORGES, Mauro. *O golpe em Goiás — História de uma grande traição*. Rio de Janeiro: Civilização Brasileira, 1965. Coleção Retratos do Brasil.

BORGES, Vavy Pacheco. *Tenentismo e Revolução Brasileira*. São Paulo: Brasiliense, 1992.

BRITO, Antonio Carlos de. "Jogos florais". In *Lero-lero (1967-1985)*. São Paulo: Cosac&Naif, 2002. Coleção Ás de Colete.

CARNEIRO, Glauco. *História das revoluções brasileiras — Com uma análise do Brasil de 1964-1968*. 2ª ed. Rio de Janeiro: Record, 1989.

CARONE, Edgar. *A Quarta República (1945-1964)*. São Paulo/Rio de Janeiro: Difel, 1980.

CARVALHO, Ferdinando de. *Lembrai-vos de 35!*. Rio de Janeiro: Biblioteca do Exército Editora, 1981.

CARVALHO, Luiz Maklouf. *Mulheres que foram à luta armada*. São Paulo: Globo, 1998.

CASTELLO BRANCO, Carlos. *Introdução à Revolução de 1964*. Tomo I: *A agonia do poder civil*. São Cristóvão: Artenova, 1975. 2 tomos.

CHAGAS, Carlos. *A guerra das estrelas (1964/1984) — Os bastidores das sucessões presidenciais*. Porto Alegre: L&PM, 1985.

COELHO, Edmundo Campos. *Em busca de identidade — O Exército e a política na sociedade brasileira*. Rio de Janeiro: Record, 2000.

COES, Donald V. *Macroeconomic crises, policies, and growth in Brazil — 1964-90*. Washington: The World Bank, 1995.

COHEN, Youssef. *The manipulation of consent — The State and working-class consciousness in Brazil*. Pittsburgh: University of Pittsburgh Press, 1989.

______; CONVERSE, Philip E.; SOUZA, Amaury G. de, & MCDONOUGH, Peter J. "Representation and development in Brazil, 1972-1973". Ann Arbor: Inter-University Consortium for Political and Social Research, 1980 (versão digital). In COHEN, Youssef. *The manipulation of consent — The State and working-class consciousness in Brazil*. Pittsburgh: University of Pittsburgh Press, 1989.

CONTRERAS, Edelmira del Carmen Alveal. *Os desbravadores — A Petrobrás e a construção do Brasil industrial*. Rio de Janeiro: Relume-Dumará/ANPOCS, 1994.

DAVIS, Sonny B. *A brotherhood of arms — Brazil-United States military relations, 1945-1977*. Niwot: University Press of Colorado, 1996.

DREIFUSS, René Armand. *1964: a conquista do Estado — Ação política, poder e golpe de classe*. Petrópolis: Vozes, 1981.

DULLES, John W. F. *Castello Branco — O caminho para a Presidência*. Rio de Janeiro: José Olympio, 1979.

_____ *Castello Branco, o presidente reformador*. Brasília: Editora UnB, 1983.

_____ *Carlos Lacerda — A vida de um lutador*. Vol. 1: *1914-1960*. 4ª ed. Rio de Janeiro: Nova Fronteira, 1992. 2 vols.

FALCÃO, Armando. *Geisel — Do tenente ao presidente*. Rio de Janeiro: Nova Fronteira, 1995.

FALCÃO, João. *Giocondo Dias — A vida de um revolucionário*. Rio de Janeiro: Agir, 1993.

FERREIRA, Oliveiros S. *Forças Armadas, para quê?*. São Paulo: GRD, 1989.

FREI BETTO. *Lula — Biografia política de um operário*. São Paulo: Estação Liberdade, 1989.

GÓES, Maria Conceição Pinto de. *A aposta de Luiz Ignácio Maranhão Filho — Cristãos e comunistas na construção da utopia*. Rio de Janeiro: Editora UFRJ/Revan, 1999.

GOLDENSTEIN, Sérgio. *A dívida externa brasileira — 1964-1982: evolução e crise*. Rio de Janeiro: Guanabara, 1986.

GORDON, Lincoln. *A segunda chance do Brasil — A caminho do Primeiro Mundo*. São Paulo: Senac, 2002.

GORENDER, Jacob. *Combate nas trevas*. 5ª ed. rev., ampliada e atualizada. São Paulo: Ática, 1998.

GUDIN, Eugênio. *Reflexões e comentários — 1970/1978*. Rio de Janeiro: Nova Fronteira, 1978.

GURGEL, José Alfredo Amaral. *Segurança e democracia*. Rio de Janeiro: José Olympio, 1975.

GUTEMBERG, Luiz. *Moisés, codinome Ulysses Guimarães — Uma biografia*. São Paulo: Companhia das Letras, 1994.

HAINES, Gerald K. *The americanization of Brazil — A study of U. S. Cold War diplomacy in the Third World, 1945-1954*. Willington: Scholarly Resources Inc., 1989.

HESSEL, Lothar Francisco. *O município de Estrela — História e crônica*. Porto Alegre: Editora UFRGS/Martins Livreiro-Editor, 1983.

HILTON, Stanley E. *Brazil and the Soviet challenge — 1917-1947*. Austin: University of Texas Press, 1991.

KECK, Margaret E. *The workers' party and democratization in Brazil*. New Haven/Londres: Yale University Press, 1992.

KINZO, Maria d'Alva Gil. *Legal opposition politics under authoritarian rule in Brazil — The case of the MDB, 1966-79*. Nova York: St. Martin's Press, 1988.

KUCINSKY, Bernardo. *Jornalistas e revolucionários — Nos tempos da imprensa alternativa*. São Paulo: Scritta, 1991.

LABAKI, Amir. *1961— A crise da renúncia e a solução parlamentarista*. São Paulo: Brasiliense, 1986.

LAVAREDA, Antônio. *A democracia nas urnas — O processo partidário-eleitoral brasileiro, 1945-1964*. 2ª ed. rev. Rio de Janeiro: Iuperj/Ucam/Revan, 1999.

LEITE, Mauro Renault, & NOVELLI JR., Luiz Gonzaga (orgs.). *Marechal Eurico Gaspar Dutra — O dever da verdade*. Rio de Janeiro: Nova Fronteira, 1983.

LEONI, Brigitte Hersant. *Fernando Henrique Cardoso — O Brasil do possível*. Rio de Janeiro: Nova Fronteira, 1997.

LESSA, Carlos. *A estratégia de desenvolvimento 1974-1976 — Sonho e fracasso*. Campinas: Unicamp/Instituto de Economia, 1998.

LINZ, Juan J. "The future of an authoritarian situation or the institutionalization of an authoritarian regime: the case of Brazil". In STEPAN, Alfred (ed.). *Authoritarian Brazil — Origins, policies, and future*. New Haven/Londres: Yale University Press, 1973.

MARCONI, Paolo. *A censura política na imprensa brasileira — 1968/1978*. São Paulo: Global, 1980.

MARKUN, Paulo, & HAMILTON, Duda. *1961 — Que as armas não falem*. São Paulo: Senac, 2001.

MARTINS, Luciano. *Estado capitalista e burocracia no Brasil pós 64*. Rio de Janeiro: Paz e Terra, 1985.

MCCANN JR., Frank D. *The Brazilian-American Alliance — 1937/1945*. Princeton: Princeton University Press, 1973.

MICELI, Sergio (org.). *A Fundação Ford no Brasil*. São Paulo: Fapesp/Editora Sumaré, 1993.

MOISÉS, José Alvaro, & MARTINEZ-ALLIER, Verena. "A revolta dos suburbanos ou 'Patrão, o trem atrasou'". In MOISÉS, José Alvaro, et alii. *Contradições urbanas e movimentos sociais*. Rio de Janeiro: Cedec/Paz e Terra, 1978.

_____ et alii. *Contradições urbanas e movimentos sociais*. Rio de Janeiro: Cedec/Paz e Terra, 1978.

MORAES NETO, Geneton. *Dossiê Brasil — As histórias por trás da história recente do país*. Rio de Janeiro: Objetiva, 1997.

MORLEY, Samuel A., & SMITH, Gordon W. "The effect of changes in distribution of income on labor, foreign investment, and growth in Brazil". In STEPAN, Alfred (ed.). *Authoritarian Brazil — Origins, policies, and future*. New Haven/Londres: Yale University Press, 1973.

NADER, Ana Beatriz. *Autênticos do MDB, semeadores da democracia*. São Paulo: Paz e Terra, 1998.

NERY, Sebastião. *As 16 derrotas que abalaram o Brasil*. Rio de Janeiro: Francisco Alves, 1975.

PAIVA, Marcelo Rubens. *Não és tu, Brasil*. São Paulo: Mandarim, 1996.

PARANÁ, Denise. *Lula — O filho do Brasil*. São Paulo: Editora Fundação Perseu Abramo, 2003.

PECHMAN, Clarice. *O dólar paralelo no Brasil*. Rio de Janeiro: Paz e Terra, 1984.

PESSOA, Nicodemus. *Quércia — Trajetória de um vencedor*. Rio de Janeiro: Civilização Brasileira, 1994.

PINTO, Bilac. *Guerra revolucionária*. Rio de Janeiro: Forense, 1964.

PRESTES, Anita Leocádia. *A Coluna Prestes*. São Paulo: Secretaria de Estado da Cultura de São Paulo/Brasiliense, 1990.

_____ et alii. *Não olhe nos olhos do inimigo: Olga Benário — Anne Frank*. Rio de Janeiro: Paz e Terra, 1995.

RANDALL, Laura. *The political economy of Brazilian oil*. Westport/Londres: Praeger, 1993.

REGO, José Lins do. *Ficção completa*. Vol. 1: *Usina*. Rio de Janeiro: Nova Aguilar, 1987.

ROBOCK, Stefan Hyman. *Brazil: a study in development progress*. Lexington/Toronto/Londres: Lexington Books, 1975.

ROCHA, Glauber. *Cartas ao mundo*. Org. Ivana Bentes. São Paulo: Companhia das Letras, 1997.

ROLLEMBERG, Denise. *Exílio — Entre raízes e radares*. Rio de Janeiro: Record, 1999.

ROSA E SILVA, Claudio Humberto. *Mil dias de solidão — Collor bateu e levou*. São Paulo: Geração Editorial, 1993.

SCARTEZINI, Antonio Carlos. *Dr. Ulysses — Uma biografia*. São Paulo: Marco Zero, 1993.

SERBIN, Kenneth P. *Diálogos na sombra — Bispos e militares, tortura e justiça social na ditadura*. São Paulo: Companhia das Letras, 2001.

SILVA, Adroaldo Moura da, et alii. *FMI _ Brasil — A armadilha da recessão*. São Paulo: Fórum Gazeta Mercantil, 1983.

SILVA, Golbery do Couto e. *Conjuntura política nacional — O Poder Executivo e geopolítica do Brasil*. Rio de Janeiro: José Olympio, 1981.

_____ *Planejamento estratégico*. Brasília: Editora UNB, 1981.

SILVA, Golbery do Couto e. *Geopolítica e poder*. Rio de Janeiro: UniverCidade, 2003.

SILVA, Hélio. *1964 — Golpe ou contragolpe?*. Colaboração de Maria Cecília Ribas Carneiro. Rio de Janeiro: Civilização Brasileira, 1975.

_____ *O poder militar*. Colaboração de Maria Cecília Ribas Carneiro. Porto Alegre: L&PM, 1984.

SIMÕES, Inimá. *Roteiro da intolerância — A censura cinematográfica no Brasil*. São Paulo: Senac/Terceiro Nome, 1999.

SIMONSEN, Mario Henrique. *Brasil 2001*. Rio de Janeiro: Apec, 1969.

SMITH, Peter Seaborn. *Oil and politics in modern Brazil*. Toronto: Macmillan Company of Canada, 1976.

SOARES, Gláucio Ary Dillon, & D ARAUJO, Maria Celina (orgs.). *21 anos de regime militar — Balanços e perspectivas*. Rio de Janeiro: Editora FGV, 1994.

SORJ, Bernardo, & MITRE, Antonio. "O Cebrap e as ciências sociais no Brasil". Jun. 1984. (mimeo.)

SOUZA, Percival de. *Autópsia do medo — Vida e morte do delegado Sérgio Paranhos Fleury*. São Paulo: Globo, 2000.

STACCHINI, José. *Março 64 — Mobilização da audácia*. São Paulo: Companhia Editora Nacional, 1965.

STATION, Elisabeth, & WELNA, Christopher J. "Da administração pública à participação democrática". In BROOKE, Nigel, & WITOSHYNSKI, Mary (orgs.). *Os 40 anos da Fundação Ford no Brasil — Uma parceria para a mudança social*. São Paulo: Edusp, 2002.

STEPAN, Alfred. *The military in politics — Changing patterns in Brazil*. Princeton: Princeton University Press, 1971.

_____ *Os militares — Da abertura à Nova República*. Rio de Janeiro: Paz e Terra, 1986.

_____ (ed.). *Authoritarian Brazil — Origins, policies, and future*. New Haven/Londres: Yale University Press, 1973.

SUZIGAN, Wilson; BONELLI, Regis; HORTA, Maria Helena T. T., & LODDER, Celsius Antônio. *Crescimento industrial no Brasil — Incentivos e desempenho recente*. Rio de Janeiro: IPEA, 1974. Coleção Relatórios de Pesquisa nº 26.

TAVARES, Maria da Conceição. *Da substituição de importações ao capitalismo financeiro — Ensaios sobre economia brasileira*. 11ª ed. Rio de Janeiro: Zahar, 1983.

VELASCO E CRUZ, Sebastião C. *Empresariado e Estado na transição brasileira — Um estudo sobre a economia política do autoritarismo (1974-1977)*. São Paulo/Campinas: Fapesp/Editora da Unicamp, 1995.

VELLOSO, João Paulo Reis. *O último trem para Paris*. Rio de Janeiro: Nova Fronteira, 1986.

VIANA FILHO, Luiz. *O governo Castello Branco*. Rio de Janeiro: José Olympio, 1975.

VIANNA, Marly de Almeida Gomes. *Revolucionários de 35 — Sonho e realidade*. São Paulo: Companhia das Letras, 1992.

VIANNA, Martha. *Uma tempestade como a sua memória — A história de Lia, Maria do Carmo Brito*. Rio de Janeiro/São Paulo: Record, 2003.

VIEIRA, Euripedes Falcão. *Rio Grande, geografia física, humana e econômica*. Porto Alegre: Sagra, 1983.

WAACK, William. *As duas faces da glória — A FEB vista pelos seus aliados e inimigos*. Rio de Janeiro: Nova Fronteira, 1985.

WESCHLER, Lawrence. *Um milagre, um universo — O acerto de contas com os torturadores*. São Paulo: Companhia das Letras, 1990.

Geral

AMBROSE, Stephen E. *Nixon*. Vol. 3: *Ruin and recovery — 1973-1990*. Nova York: Simon & Schuster, 1991. 3 vols.

BAUMGARTNER, José Luiz, et alii. *Os desaparecidos — A história da repressão no Uruguai*. Porto Alegre: Tchê!, 1987.

BERLE, Adolf A. *Navigating the rapids — 1918-1971 — From the papers of Adolf A. Berle.* Nova York: Harcourt Brace Jovanovich, 1973.

BURNHAM, James. *Struggle for the world.* Nova York: John Day, 1947.

CHERNOW, Ron. *The House of Morgan — An American banking dinasty and the rise of modern financing.* Nova York: Simon and Schuster, 1991.

COLVILLE, John. *The fringes of power — 10 Downing Street diaries 1939-1955.* Nova York/Londres: W. W. Norton & Company, 1985.

CONSTABLE, Pamela, & VALENZUELA, Arturo. *A nation of enemies — Chile under Pinochet.* Nova York/Londres: W. W. Norton & Company, 1991.

DAVIS, Nathaniel. *Os dois últimos anos de Salvador Allende.* Rio de Janeiro: Civilização Brasileira, 1990.

DOBRYNIN, Anatoly. *In confidence — Moscow's ambassador to America's six Cold War presidents.* Nova York: Times Books, 1995.

ELLSBERG, Daniel. *Secrets — A memoir of Vietnam and the Pentagon Papers.* Nova York: Viking, 2002.

FERREIRA, Hugo Gil, & MARSHALL, Michael W. *Portugal's Revolution — Ten years on.* Cambridge/Nova York: Cambridge University Press, 1986.

FIALHO, A. Veiga. *Uruguai — Um campo de concentração?.* Rio de Janeiro: Civilização Brasileira, 1979.

FORBIS, William H. *Fall of the peacock throne — The story of Iran.* Nova York: Harper & Row, 1980.

FRIEDEN, Jeffry A. *Debt, development, & democracy — Modern political economy and Latin America, 1965-1985.* Princeton: Princeton University Press, 1991.

FRIEDMAN, Milton & Rose D. *Two lucky people — Memoirs.* Chicago: The University of Chicago Press, 1998.

FURNISS JR., Edgar S. *De Gaulle and the French Army — A crisis in civil-military relations.* Nova York: Twentieth Century Fund, 1964.

GADDIS, John Lewis. *The United States and the origin of the Cold War — 1941-1947.* Nova York: Columbia University Press, 1972.

GARCÉS, Joan. *Allende e as armas da política.* São Paulo: Scritta, 1993.

HALBERSTAM, David. *The Fifties.* Nova York: Villard Books, 1993.

HOBSBAWM, Eric. *Era dos extremos — O breve século XX: 1914-1991.* 2ª ed. São Paulo: Companhia das Letras, 2002.

HUGGINS, Martha K. *Polícia e política — Relações Estados Unidos/América Latina.* São Paulo: Cortez, 1998.

JAMIESON, Alison. *The heart attacked — Terrorism and conflict in the Italian State.* Londres/Nova York: Marion Boyars, 1989.

JANOWITZ, Morris. *Military institutions and coercion in the developing nations.* Chicago/Londres: MidwayReprint/University of Chicago Press, 1988.

JENKINS, Brian M. (ed.). *Terrorism and personal protection.* Boston: Butterworth Publishers, 1985.

KISSINGER, Henry. *Years of upheaval.* Boston/Toronto: Little, Brown and Company, 1982.

_____ *White House years.* Nova York: Little, Brown and Company, 1979.

KOLKO, Gabriel. *The politics of war — The world and United States foreign policy, 1943-1945.* Nova York: Pantheon Books, 1990.

KUCZYNSKI, Pedro-Pablo. *Latin American debt.* Baltimore/Londres: Twentieth Century Fund/The Johns Hopkins University Press, 1988.

LABROUSSE, Alain. *The Tupamaros — Urban guerrilla in Uruguai.* Nova York: Penguin Books, 1973.

LIFTON, Robert Jay. *The broken connection — On death and the continuity of life.* Nova York: Basic Books, 1983.

LOVEMAN, Brian. *For la patria — Politics and the Armed Forces in Latin America.* Wilmington: SR Books, 1999.

MAXWELL, Kenneth. *The making of Portuguese democracy.* Nova York: Cambridge University Press, 1995.

MORRIS, Roger. *Richard Milhous Nixon — The rise of an American politician.* Nova York: Henry Holt edit., 1990.

NIXON, Richard. *The memoirs of Richard Nixon.* Nova York: Grosset & Dunlap, 1978.

ORTIZ, Alicia Dujovne. *Eva Perón — A biography.* Nova York: St. Martin's Press, 1996.

PIPES, Richard. *The formation of the Soviet Union.* Cambridge/Londres: Harvard University Press, 1997.

POPE-HENESSY, John. *Raphael.* Nova York: New York University Press, 1970. The Wrightsman Lectures.

PORZECANSKI, Arturo C. *Uruguay's Tupamaros — The urban guerrilla.* Nova York: Praeger, 1973.

POTASH, Robert A. *El ejército y la política en la Argentina, 1945-1962.* Buenos Aires: Editorial Sudamericana, 1982.

PURNELL, Susanna W. "Business and terrorism in Argentina, 1969-1978". In JENKINS, Brian M. (ed.). *Terrorism and personal protection.* Boston: Butterworth Publishers, 1985.

RAFIZADEH, Mansur. *Witness — From the shah to the Secret Arms Deal, an insider's account of U. S. involvement in Iran.* Nova York: William Morrow and Company, Inc., 1987.

ROSENCOF, Mauricio. "On suffering, song, and white horses". In SOSNOWSKY, Saúl, & POPKIN, Louise B. (eds.). *Repression, exile, and democracy — Uruguayan culture.* Durham/Londres: Duke University Press, 1993.

RUFFINI, Pierre-Bruno. *Les banques multinationales — De la multinationalisation des banques au système bancaire transnational.* Paris: PUF, 1983.

SAMUELSON, Paul A. *Economics.* Nova York: McGraw-Hill, 1973.

SASSOON, Donald. *One hundred years of socialism.* Nova York: The New Press, 1996.

SHAWCROSS, William. *The shah's last ride — The fate of an ally.* Nova York: Simon and Schuster, 1988.

SKEET, Ian. *OPEC — Twenty-five years of prices and politics.* Cambridge/Nova York: Cambridge University Press, 1988.

SMITH, William C. *Authoritarianism and the crisis of the Argentine political economy.* Stanford: Stanford University Press, 1989.

SOSNOWSKY, Saúl, & POPKIN, Louise B. (eds.). *Repression, exile, and democracy — Uruguayan culture.* Durham/Londres: Duke University Press, 1993.

SPENCE, Jonathan D. *The search for modern China.* Nova York/Londres: W. W. Norton & Company, 1990.

SPENGLER, Oswald. *The decline of the West.* Nova York/Oxford: Oxford University Press, 1991.

SPÍNOLA, Antônio de. *Portugal e o futuro.* Rio de Janeiro: Nova Fronteira, 1974.

STALLINGS, Barbara. *Banker to the Third World — U. S. portfolio investment in Latin America, 1900-1986.* Berkeley: University of California Press, 1987.

STEEL, Ronald. *Walter Lippmann and the American century.* Boston/Toronto: Little, Brown and Company, 1981.

Times, Equipe do *The New York. The end of a Presidency.* Toronto/Nova York/Londres: Bantam Books, 1974. A New York Times Book.

ULAM, *Adam B. The rivals — America & Russia since World War II.* Nova York: Penguin Books, 1971.

VÁRIOS AUTORES. *Materialismo dialético.* 2ª ed. Rio de Janeiro: Editorial Vitória, 1956. Biblioteca da Nova Cultura.

VERBITSKY, Horacio. *O vôo — A história da operação militar de extermínio que abalou a Argentina.* Rio de Janeiro: Globo, 1995.

VERDUGO, Patricia. *Interferencia secreta — 11 de Septiembre de 1973.* Santiago: Editorial Sudamericana, 1998.

VERNE, Júlio. *A Ilha Misteriosa.* Adapt. Claricc Lispector. São Paulo: Abril Cultural, 1973.

VILLEGAS, Osiris Guillermo. *Políticas y estrategias para el desarrollo y la seguridad nacional.* Buenos Aires: Pleamar, 1969.

VOLCKER, Paul, & TOYOO, Gyohten. *Changing fortunes — The world's money and the threat to American leadership.* Nova York: Times Books, 1992.

WEINSTEIN, Martin. "The decline and fall of democracy in Uruguay: lessons for the future". In SOSNOWSKY, Saúl, & POPKIN, Louise B. (eds.). *Repression, exile, and democracy — Uruguayan culture.* Durham/Londres: Duke University Press, 1993.

WILSON, Carlos. *The Tupamaros, the unmentionables.* Boston: Branden Press, 1974.

YERGIN, Daniel. *The prize — The epic quest for oil, money & power.* Nova York: A Touchstone Book, 1992.

ZWEIG, Phillip L. *Wriston — Walter Wriston, Citibank, and the rise and fall of American financial supremacy.* Nova York: Crown, 1995.

*Internet**

Ipeadata — www.ipeadata.gov.br/

National Security Archive — http://www.gwu.edu/~nsarchiv

ZEDONG, Mao. "The Political Problems Of Guerrilla Warfare". *On Guerrilla Warfare* — http://www.marxists.org/reference/archive/mao/works/1937/guerrilla-warfare/ch06.htm

* Até agosto de 2003 verificou-se o acesso aos sítios mencionados.

ÍNDICE REMISSIVO

ESTA OBRA FOI COMPOSTA POR TÂNIA MARIA DOS SANTOS EM MINION,
PROCESSADA EM CTP E IMPRESSA PELA RR DONNELLEY
AMÉRICA LATINA SOBRE PAPEL PÓLEN SOFT DA COMPANHIA SUZANO
PARA A EDITORA SCHWARCZ EM NOVEMBRO DE 2003